Geschichte

der

Inquisition.

Einrichtung und Thätigkeit derselben

in

Spanien, Portugal, Italien, den Niederlanden, Frankreich, Deutschland,
Süd-Amerika, Indien und China.

Nach den besten Quellen allgemein faßlich dargestellt

von

Fridolin Hoffmann.

Erster Band.

Da dünkt es mich: im Buch des Himmels wären
Die schönsten Stellen, heiligsten Legenden,
Des Friedens und der Liebe Gotteslehren
Mit schwarzem Strich durchkreuzt von Menschenhänden.

Bonn, 1878.

Druck und Verlag von P. Neusser.

Vorwort.

"Wenn die Könige bauen, haben die Kärrner zu thun" — in den letzten zwanzig Jahren sind so viele treffliche Monographien über einzelne Theile unseres Themas an's Licht getreten, daß der Versuch gemacht werden durfte, die darin gegebenen Resultate mühseligsten Forschens zu einer allgemeinen Inquisitions = Geschichte zusammenzufassen. An diesen Beiträgen, die theils zur schärferen Zeichnung einzelner biographischer Episoden, theils zur Aufhellung ganzer Zeitabschnitte dienten, haben sich Engländer und Italiener, Franzosen und Deutsche in dem gleichen rühmlichen Wetteifer betheiligt. Vieles in dieser Beziehung verdanken wir — um nur Einige zu nennen — den Herren Dr. Dr. Richard Gibbings, W. H. Rule, Fr. David Mocatta, J. J. v. Döllinger, Joh. Huber, Fr. H. Reusch, Eduard Boehmer, Karl Benrath, Joh. Buchmann, W. Preger, Heinrich Laugwitz, E. L. Th. Henke, Ab. Hausrath, Alb. Dressel, B. Hauréau vom Institut, Alex. Daguet an der Academie zu Neuchatel, Giacomo Manzoni, F. Albanese u. s. w. Der einzige Proceß Galilei's hat während des letzten Decenniums hindurch eine ganze Reihe namhafter Gelehrten — Emil Wohlwill, Henri de L'Epinois, Moriz Cantor, K. v. Gebler u. A. — man kann sagen: in Athem gehalten; aber dadurch sind nun auch die desbezüglichen, Jahrhunderte lang in der Schwebe gebliebenen Fragen meist endgültig geschlichtet.

Wer die Zeitgeschichte aufmerkenden Blickes verfolgt, wird sich sagen müssen, daß es nicht der Trieb nach der rechten Erkenntniß der Dinge allein ist, was uns die mit der Glaubens = Inquisition der römischen Kirche zusammenhängenden Fragen mit vermehrter Lebhaftigkeit aufdrängt, sondern daß diese Fragen von recht eigentlich actualem Interesse sind. Die Welt hält wieder einmal Gerichtstag, um

die Ansprüche der einzelnen religiösen Gemeinschaften, an
der Cultur = Arbeit der Menschheit weiterhin Theil zu neh=
men, auf ihre Berechtigung zu prüfen. Die Theil=Kirchen
sämmtlicher Nationen haben, was die religiöse Duldung be=
trifft, ohne Ausnahme mehr oder minder hohe Posten in
ihrem Schuldbuche stehen; aber es ist keine unter ihnen,
die, wie die Römische, jemals eine eigene Institution gehabt
hätte zur Aufspürung und Bestrafung abweichender Glau=
bens=Meinungen, ein eigenes Gesetzbuch hierfür und eigene
Gerichtshöfe, eigene Richter und eigene Kerker. Die In=
quisition ist eine Specialität der Papst=Kirche.

Der gelehrte ermländische Convertit Dr. Hugo Läm=
mer, Dom=Capitular und Professor der Theologie zu Bres=
lau, versichert uns im Jahrgang 1860 bis 1861 (S. 330)
seiner „Analecta Romana", einem Sammel = Werke von
Resultaten kirchengeschichtlicher Forschungen in römischen Bi=
bliotheken und Archiven: Die Aufhebung der Inquisition in
Spanien sei, da sie ohne Genehmigung des Papstes ge=
schehen, völlig ungültig. „Dem Rechte und der Rechtswir=
kung nach", so heißt es weiter, „ist jenes Institut als noch
in Kraft stehend zu erachten" — „Jure et virtualiter tri=
bunal illud extare adhuc censendum." „Das ist die
officielle Römische Anschauung", fügt Herr Prof. Dr.
J. v. Döllinger bei, als er mich auf diese beachtenswerthe
Auslassung brieflich aufmerksam machte. Diese officielle
Römische Anschauung ist ja auch wohl die richtige, wenn
Papst Paul IV. bezüglich des eigentlichen Gründers des
Glaubens=Gerichtes im Rechte war; Bischof Simancas er=
zählt nämlich am Schlusse seines „Enchiridion violatae
religionis": Paul IV. habe öfter und in Anwesenheit vie=
ler Hörer gesagt, die Inquisition in Spanien sei auf Ein=
gebung des h. Geistes gestiftet.

Nachdem ich den Namen des ehrwürdigen Stifts=
propstes hier genannt, drängt es mich, ihm meinen Dank
zu sagen für die überaus schätzbare Beihülfe, die er mir
zu der vorliegenden Arbeit dadurch hat zu Theil werden
lassen, daß er mir größere Abschnitte einer von ihm aus

den ersten Quellen geschöpften Abhandlung über verschiedene
Inquisitions = Epochen zur Verfügung gestellt hat. Ohne
Zweifel hat das — in der nachfolgenden Einleitung näher
in Betracht gezogene — schiefe Urtheil L. v. Ranke's über
die spanische Inquisition seinem Geiste vorgeschwebt, als er
mir bemerkte, es sei wichtig, die Gestaltung der Inquisition
in den einzelnen Ländern zu unterscheiden, da die eigen=
artige Ausbildung derselben in Spanien die Auffassung be=
züglich ihres Gesammt=Wesens ganz verdunkelt habe.

„Die ketzerischen Füchse haben verschiedene Gesichter",
schrieb Gregor IX., „aber mit den Schwänzen hängen sie
alle zusammen." Man könnte dies Wort umdrehen: die
Inquisition hat in jedem der Länder, in welchem sie Wur=
zel faßte, ihre eigene Art, aber die Fäden, an denen ihre
Puppen tanzten, liefen alle unter dem sogenannten Aposto=
lischen Stuhl zu Rom zusammen. Der italienische In=
quisitor war geschliffen, staatsmännisch, eher ein Loyola als
ein Torquemada; während er zu Venedig dem Selbstbewußt=
sein der Republikaner nachzugeben weiß, begeht er zu Rom
die rücksichtslosesten Grausamkeiten, aber auch hier mit dem
sichtlichen Bestreben, alles unnöthige Aufsehen nach Außen
zu vermeiden; er verfährt — mit Ausnahme vielleicht zu
Neapel und in einzelnen Fällen, wo er in kleineren Staa=
ten auf Widerstand stößt — ohne alle Leidenschaftlichkeit.
Die Cardinals=Eminenzen des h. Officiums waren keine
unbesonnenen Güter=Confiscatoren; als umsichtige Geschäfts=
leute wußten sie sich die Hinterbliebenen ihrer Verurtheilten
auf anderem Wege zu weit besseren Tributpflichtigen zu
machen. Der halb in Staats=Uniform gesteckte spanische
Inquisitor war hiervon das gerade Gegentheil; der ähnlich
maskirte portugiesische konnte zwar nicht grausamer sein
als der vorgenannte, aber er war noch brutaler; nicht
zufrieden, den Ketzer durch Feuer aus der Welt zu schaffen,
röstete er ihn an mäßiger Gluth, damit das gutkirchliche
Volk lange Freude daran habe. In den Schluß=Capiteln
des vorliegenden Bandes, der bis zu dem letzten spanischen
Brandopfer vom Jahre 1826 führt, ertappen wir die so

fürchterlich gewesenen Glaubens = Reiniger bereits bei den
Senilitäten der Altersschwäche. Zwei große Mächte haben
der Inquisition den Gnadenstoß gegeben und sie in den
Vatican verbannt: die bürgerliche Freiheit und das na=
tionale Gefühl; nur diese beiden sind aber auch im
Stande, ihr den Weg zur Wiederkehr zu verlegen. Wer
von wahrer persönlicher Freiheit einen Begriff hat, wird
sich nicht dazu herabwürdigen, das innerste Heiligthum des
Menschen: das religiöse Gewissen, zum Gegenstande der De=
nunciation zu machen; ohne solche Beihülfe aber kommt ein
Glaubens=Tribunal auf keinen grünen Zweig. Doch —
was über Alles das zu sagen ist, das sagten die Spanier
im Jahre 1812 ihrem König. Auf Seite 443 ist es nach=
zulesen.

Ich hoffe, daß es mir gelungen ist, die mit dem Titel
gesteckten Grenzen einzuhalten; auf der einen Seite lag die
Verlockung oft nahe, sich in eine Geschichte der religiösen
Verfolgungen oder eine solche der Ketzereien zu verlieren;
auf der andern Seite wäre es, meines Erachtens, ebenso
sehr gefehlt gewesen, Alles das auszuscheiden, wo nicht ge=
rade ein Inquisitor mit seinem ganzen vervollkommneten
Zunftbrauch und Handwerkszeug dabei gewesen ist. Der
Beurtheiler, welcher die Linie der richtigen Mitte nicht gar
zu scharf zieht, wird in diesem Betreff mit mir zufrie=
den sein.

Noch Eins: Der Verfasser ist kein Historiker vom
Fach, er ist Publicist; es lag ihm somit im Blute, die
Gegenwart nicht ungerupft zu lassen, auch da, wo er die
Leser zeitlich und örtlich in entlegenen Regionen umherführt.
Mag der Eine und Andere ihm hierüber gram sein — der
Dritte weiß es ihm vielleicht gar Dank, daß er auch die
alten und fernen Dinge in's Licht der Gegenwart rückte
und diese hinwiederum mit den Fingern deutlich hinweist
auf die Lehren der Vergangenheit.

Bonn, im November 1877.

Fr. H.

Inhalts-Verzeichniß.

Geschichte der Inquisition.

Erster Band.

Zur Einleitung.

Nur ein Zipfelchen braucht man zu lüften von dem Vorhange, welcher für die Meisten über der Geschichte der Inquisition noch ausgebreitet liegt, und es grinst uns eine Fratze entgegen, wie der Höllen-Breughel keine scheußlichere erfunden hat.

„Keinen Stand, kein Geschlecht, kein Alter haben wir verschont; bei zwanzig Tausend Menschen hat die Schärfe unseres Schwertes getödtet; die ganze Stadt ist ausgeplündert und verbrannt. Wunderbar hat Gottes Strafgericht gewüthet." So meldete der Abt Arnold von Citeaux dem Papste, als dessen Legat er alle diese schönen Thaten vollführt hatte, nach der Zerstörung von Béziers in der Provence am 22. Juli 1209. Und der Mönch von Vaux-Cernay, der die Geschichte der Albigenser in seiner Art geschrieben hat, berichtet nach Erzählung der am 3. Mai 1211 erfolgten Einnahme von Lavaur, einer näher bei Toulouse gelegenen Stadt, weiter, daß Graf Simon von Monfort, der päpstlich bestallte Anführer des Kreuzheeres, die Herrin dieses Platzes, die eine schlimme Ketzerin gewesen, lebendig in eine Grube werfen und mit Steinen habe überschütten lassen. „Unzählige Ketzer", setzt er hinzu, „wurden von unseren Kreuzfahrern mit ungemeiner Freude verbrannt."

Es begreift sich also leicht, daß katholische Geschichtschreiber „für's Volk", welche neben ihrer Zugehörigkeit zur römischen Kirche auch die menschliche Reputation einigermaßen zu schätzen wissen, mit flüchtigem Griffel über solche Dinge hinweggehen. Und doch geben Letztere der römischen Kirche erst das richtige Gepräge. Was sich dann eben nicht ganz todtschweigen läßt, wird mit künstlichen Feigenblättern geschickt zugedeckt. Es paßt auf derartige verschämte Darstellungen der Inquisitions-Geschichte, was Lord J. E. E. Dalberg-Acton in einem anonym erschienenen Artikel der „North British Review" (October 1869) bezüglich der katholischen Historiker, die einer Erwähnung der Bartholomäusnacht nicht ganz ausweichen können, bemerkt:

„Es kam eine Zeit, wo die Katholiken, nachdem sie so lange auf ihre Stärke gebaut hatten, sich schließlich doch genöthigt sahen, auch nach der öffentlichen Meinung Etwas zu fragen. Was sie bis dahin trotzig bekannt und vertheidigt hatten, das mußte jetzt durch Erklärungen geschickt auf die Seite geschafft werden. Dasselbe Material, aus welchem die Rechtfertigung des Mordens geschmiedet worden war, lieferte jetzt auch die nöthigen Lügen. Man bebte vor der Erkenntniß zurück, daß die Lenker und Leiter der eigenen Kirche Mörder und Mordgesellen gewesen seien, daß so viel Schande sich zusammen finde mit so viel Glaubenseifer. Sie nahmen Anstand zu sagen, daß die schmachvollsten Verbrechen zu Rom feierliche Billigung gefunden hätten, damit nicht das Papstthum dem Fluche der Menschheit verfalle. Eine ganze Nebelwolke von Thatsachen wurde ersonnen, um dieser Nothwendigkeit auszuweichen: die Zahl der Opfer war nur unbedeutend; sie wurden umgebracht aus Gründen, die mit der Religion gar Nichts zu schaffen haben; der Papst glaubte an die angebliche Verschwörung; es handelte sich um eine wirkliche Verschwörung; das Massacre war eine mit den Protestanten abgekartete Komödie; der Papst freute sich nur, daß dem Morden so bald ein Ende gemacht worden war u. s. w. Diese Bemäntelungen wurden so oft vorgebracht, daß man sie wirklich hier und da für das wahre Angesicht der Dinge nahm, und es haben sich Männer zu ihrer Verwerthung hergegeben, deren persönliche Wahrheitsliebe unanfechtbar ist, und die sich durch die Mißgriffe und Laster der Päpste in ihrer Gläubigkeit nicht irre machen ließen. Zu diesen Männern gehört vor Allen J. A. Möhler. In seinen erst im verflossenen Jahre veröffentlichten Vorlesungen über die Kirchengeschichte sagt er, die Katholiken seien als solche bei jener Mordnacht gar nicht betheiligt gewesen; kein Cardinal, Bischof oder Priester habe in den vorberathenden Conventikeln mitgewirkt; Karl XI. habe dem Papst gemeldet, es sei eine Verschwörung gegen ihn, den König, noch rechtzeitig vereitelt worden, und da habe Gregor XIII. allerdings einen Dankgottesdienst veranstaltet; derselbe habe aber nur der Rettung des königlichen Lebens gegolten. Man wird solche Vorwände nicht mehr an's Licht zu bringen wagen, wenn man einmal begriffen hat, daß nur die lautere Wahrheit der Geschichtschreibung Werth und Würde verleiht."

Waren die Gräuel der Inquisition in Spanien und den Niederlanden am gehäuftesten, das Eingeständniß hier den kirchlich gesinnten Historikern also am widerwärtigsten, so kamen andererseits gerade in diesen Ländern Umstände zusammen, welche es ihnen besonders erleichterten, die Schuld auf die Häupter Anderer zu wälzen. Daß der spätere Rottenburger Bischof, der damalige Tübinger Kirchengeschichts-Professor Herr Karl Joseph Hefele in seinem

„Cardinal Ximenes" zu dieser Transsubstantiation des Uebelthäters ein besonders kräftiges Stück geleistet hat, darüber wird sich seit dem 10. April 1871 kein Mensch mehr wundern. Hefele theilt der spanischen Inquisition einen völlig staatlichen Charakter zu, weil die spanischen Regenten es verstanden haben, sie auch für ihre politischen und persönlichen Zwecke auszunutzen. Wird denn dadurch das Episkopat eine staatliche Einrichtung, daß Könige und Fürsten ihre geistliche Hofprälatur für sich zu verwerthen verstanden? Cardinäle zu ihren Ministern machten? selbst Bischöfen wirksamen Rückhalt boten in deren Widerstand gegen diese oder jene Ansprüche des Papstes?

Aber auch berufenere, den Interessen der Kirche frei gegenüberstehende Geschichtschreiber haben aus den ihnen bekannten Thatsachen ein schiefes Urtheil über die Inquisition geschöpft. Vor Allen Leopold v. Ranke, der Altmeister historischer Forschung und Geschichts-Darstellung in Deutschland. „Wir haben" — so liest man, wie in der ersten Ausgabe von 1837, auch noch in der 1857 gedruckten dritten von „Fürsten und Völker im 16. und 17. Jahrhundert" (S. 288) — „Wir haben über die Inquisition ein berühmtes Buch von Llorente; und wenn ich mich erkühne, nach einem solchen Vorgänger noch Etwas zu sagen, was seiner Meinung widerstreitet, so finde dies darin seine Entschuldigung, daß dieser so gut unterrichtete Autor in dem Interesse der josephinischen Verwaltung schrieb. In diesem Interesse bestreitet er die Freiheiten der baskischen Provinzen, in demselben Interesse sieht er auch in der Inquisition eine Usurpation der geistlichen Macht über die Staatsgewalt. Irre ich indeß nicht ganz, so ergibt sich aus den Thatsachen, die er selber anführt, daß die Inquisition ein königlicher, nur ein mit 'geistlichen Waffen ausgerüsteter Gerichtshof war." Man wird nicht allzuweit in dem vorliegenden Buche vorzudringen brauchen, um aus den darin beigebrachten Thatsachen, die allerdings zum großen Theile erst nach Llorente an's Licht gezogen sind, zu erkennen, daß Ranke wirklich „ganz geirrt" hat. Eine etwas später erschienene Auflage des genannten Buches als die angezogene liegt uns nicht vor; wir sind aber überzeugt, daß wenn der ehrwürdige greise Gelehrte die Frage nach dem kirchlichen oder staatlichen Charakter der spanischen Inquisition im Zusammenhange mit der jetzt besser aufgehellten Geschichte der außerspanischen nochmals erwägt, er sicher zu einem anderen Urtheile kommen und auch hier nicht Anstand nehmen würde, seine irrthümliche Ansicht zu reformiren, gleichwie er seine irrthümliche Ansicht von 1834 über die geringe Bedeutung, die das Papstthum für unsere Tage habe, bereits reformirt hat. Erst die nachvaticanische Zeit hat diesen gewiegten Kenner der Papstpolitik während des 16. und 17. Jahrhunderts das Richtige darüber finden lassen, wie die neueste Ausgabe seines unschätzbaren Werkes: „Die römischen

Päpste, ihre Kirche und ihr Staat" bekundet. „Was ist es heut zu
Tage noch, das uns die Geschichte der päpstlichen Gewalt wichtig
machen kann? nicht mehr ihr besonderes Verhältniß zu uns, das ja
keinen wesentlichen Einfluß weiter ausübt, noch auch Besorgniß irgend
einer Art; die Zeiten, wo wir Etwas fürchten konnten, sind vorüber;
wir fühlen uns allzu gut gesichert." Wenn der Historiograph des
preußischen Staates einer solchen Zuversicht leben konnte, so wird
Manches erklärlich, auch das Wort des Cardinals Wiseman: der
Kampf des Katholicismus gegen den Protestantismus werde dermal=
einst auf märkischem Sande ausgefochten werden. Die Unkraut=Säer
der Parabel kamen eben: „als die Leute schliefen". Ranke hat die
angeführte Stelle aber in der neuesten Ausgabe gestrichen.

Im Uebrigen: wenn das Glaubens=Gericht an und für sich
sowie die von demselben geübte Ketzerverfolgung, wie wir sehen wer=
den, nicht nur von allen Schutzrednern der Inquisition, von den
ältesten bis zu den neuesten, als ein legitimes Recht und eine heilige
Pflicht der Kirche zugetheilt wird, sondern sich diese Dinge auch als
logische Consequenz des unduldsamen Geistes ergeben, der schon in
den allerfrühesten Zeiten seinen Einzug in diese Kirche gehalten
hat — kann man da noch betreffs eines einzelnen Landes im
Zweifel sein, ob man in diesem Ketzergericht und seinen Unthaten
den Ausfluß der geistlichen oder einer weltlichen Macht vor sich
habe?! Den Baum selbst erkennen diese Schutzredner als einen von
ihrer Kirchengewalt gepflanzten wohl an, nur die allerbittersten
Früchte sollen ihm nicht eigen, sondern fremde Zuthat sein. Der
Leser wird richten, ob an diesem Baume nicht auch diese allerbit=
tersten Früchte wenigstens an denjenigen Zweigen wachsen mußten,
die unter dem Schatten unselbständiger, von der Hierarchie beherrsch=
ter und dabei geldgieriger Kronenträger in's Laub schossen. So
eigenmächtig wir oft die spanischen Herrscher in die Angelegenheiten
des h. Officiums werden eingreifen sehen, auch dort gehorchte die
Staatsgewalt nur dem finstern Geiste priesterlicher Unduldsamkeit:

> „Du bist der Richter, der Büttel bin ich,
> Und mit dem Gehorsam des Knechtes
> Vollstreck' ich das Urtheil, das du gefällt,
> Und sei es ein ungerechtes.

> „Ich bin dein Lictor, und ich geh'
> Beständig mit dem blanken
> Richtbeil hinter dir — ich bin
> Die That von deinem Gedanken."

In dem Kapitel über Arbues werden wir Stimmen hören, die
uns belehren, daß es nur der religiöse Indifferentismus unserer Tage,
nur unsere Gefühls=Kälte für die kirchlichen Dinge ist, welche uns

dem Wirken einer kräftigen Glaubens-Inquisition keinen Geschmack abgewinnen lassen, während sie doch als ein unentbehrliches Glied in die Heils-Oekonomie des Christenthums gehöre. Ein angesehener römischer Theologe, Muzarelli, sagt uns in einem „Tractat über die Inquisition", daß dieselbe nichts Anderes sei als ein der Kirche unentbehrlicher Ersatz für die ehemalige Wundergabe der Apostel. Er verweist auf den plötzlichen Tod des Ananias und der Saphira, die nicht all' ihr Gut dem Petrus in den gemeinsamen Bruderschaftssäckel ablieferten und diesem doch sagten, es sei Alles, darob aber sofort todt hinstürzten, sowie auf den Simon Magus, den ebenfalls plötzlicher Tod traf, weil er angeblich priesterliche Heilsgaben um Geld kaufen wollte, und so der Gründer des späterhin allerdings in der römischen Kirche selbst zu hoher Blüthe gediehenen geistlichen Aemter-Schachers geworden ist. Diese Wunder der urplötzlichen Bestrafung, sagt Muzarelli, hätten aufgehört und so sei es nöthig geworden, Diejenigen, welche gegen die Kirche sündigten, durch die Inquisition zu bestrafen. Der Bibelgläubige hat wohl bis dahin gemeint, die Apostelgeschichte erzähle in dem Fall des Ananias ein unmittelbares Eingreifen Gottes; dem ist also nach Muzarelli nicht so: sein und seines Weibes Tod war eine Kirchenstrafe, ein summarischer Inquisitions-Proceß. Auch Pius IX. nimmt die Execution für seinen ersten Vorgänger in Anspruch. Als im Januar 1875 seine ehemaligen Ministerial-Beamten zu ihrem „Vater und Wohlthäter" kamen, um ihm zu gratuliren und für die ununterbrochenen Besoldungen aus der Peterspfennig-Kasse zu danken, da beklagte Pius „die dunkle Stunde, in der die Finsterniß dieses arme Italien überrumpelte" und „die Eindringlinge sich an die Stelle setzten, die Ihr inne hattet. Diese Usurpation, meine Lieben, war schon seit langer Zeit vorbereitet. Es ist schon mehr als 20 Jahre her, daß ein katholischer Fürst, da er in einer der größeren Städte Italiens zu Tische saß, gleich einem Professor von seinem Katheder aus, die Ansicht aussprach: er habe niemals begreifen können, was die weltliche Herrschaft mit dem Stellvertreter Christi zu schaffen habe; der h. Petrus habe diese weltliche Herrschaft ja auch niemals besessen. Dieser Fürst bedachte nicht — er hat es vielleicht niemals gewußt, — daß der Apostelfürst, wenn er auch damals die weltliche Herrschaft thatsächlich nicht genoß, nichtsdestoweniger von Gott die Gabe erhalten hatte, die Heuchler und die Lügner eines plötzlichen Todes sterben zu lassen." Nach Bekanntwerden dieser Rede hat man sich viel Kopfbrechens gemacht über den logischen Zusammenhang zwischen der weltlichen Papstherrschaft und der angeblichen Wundergabe des h. Petrus. Wenn man die päpstliche Rede und die Muzarelli'schen Ausführungen mit der Thatsache zusammenhält, daß die bekanntlich erlogene Schenkung Constantins von ganz Italien an den Papst noch im Jahre 1478 als Glaubensartikel behandelt wurde, und man zu Straßburg fünf Personen wegen Leugnung dieser Schenkung verbrannte — dann kommt schon mehr Licht in die Sache. Die Inquisition ist gelähmt, die weltliche Papstherrschaft verloren, trotz wiederholter vaticanischer Edictal=Ladung hat sich eine Judith für die widrigen Holofernes nicht finden lassen wollen — Pius IX. wird in Folge dessen offenbar von dem Gelüste gequält, wieder, gleich dem vorgeblichen ersten Inhaber seines apostolischen Stuhles, seine Feinde auf geistig = telegraphischem Wege ohne weitere Procedur und sonstigen Executions=Embarras kalt machen zu können.

Zu einer besonderen Art, die spanische Inquisition und in dieser das ganze h. Officium zu vertheidigen, hat das oben mit den Worten L. v. Ranke's genannte Buch: „Histoire critique de l'inquisition d'Espagne" von Don Juan Antonio Llorente die Handhabe bieten müssen. Dasselbe erschien in vier Bänden zu Paris in den Jahren 1815 bis 1817 und in deutscher Sprache von Höck zu Gmünd in den Jahren 1821 und 1822. Die römisch=gesinnten Tendenz=Historiker glauben die Zeugenschaft dieses Buches damit zu vernichten, daß sie die eine und andere unrichtige Angabe in demselben betonen und seinem Verfasser persönlich Etwas am Zeuge flicken. Ueber den Lebensgang Llorente's gibt jede Encyklopädie genügende Auskunft. Im Jahre 1782 war er General = Vicar zu Calahorra geworden. Zweimal: von 1789 bis 1790 und von 1793 bis 1796 wurde er General=Secretär des h. Officiums zu Madrid und hatte als solcher Zutritt zu allen Archiven desselben; er war also wie kein Anderer im Stande, die Welt zu deren Schrecken mit den Mysterien des unheimlichen Tribunals bekannt zu machen. Llorente hat diese Gelegenheit bei dem Zusammenbruche der alten spanischen Staats=Ordnung in voller Muße zu Paris ausgenutzt. Die vier Bände sind freilich wegen ihrer trockenen Aufzählung der Inquisitions=Opfer sowie wegen ihres ebenso weitschweifigen wie gleichförmigen und darum ermüdenden Details kaum lesbar; aber die im großen Ganzen unanfechtbare Quelle zur Kunde der spanischen Inquisitions=Gräuel bleiben sie dennoch, was man auch dagegen vorbringen mag. Was Llorente's summarische Zahlen=Angaben der Processirten betrifft, so ist er, wie von gediegenen Forschern, z. B. dem Amerikaner Prescott, nachgewiesen wurde, allerdings in einzelnen Fällen mit seinen Additionen und Conjecturen zu wenig scrupulös verfahren. Er hat sich weiterhin an seinem Berufe als Historiker dadurch versündigt, daß er als Staats=Archivar unter dem Könige Joseph Bonaparte eingestandenermaßen die Proceß=Acten mit Ausnahme derjenigen über einige besonders berühmte Fälle, nachdem sie für ihn keinen Werth mehr hatten, verbrennen ließ. Das zu tadeln war und ist die Kritik vollauf befugt, dabei hat sie sich aber auch zu bescheiden. Man ist jedoch

weiter gegangen: man hat ihm seine politischen Wandlungen vorgeworfen, die, abgesehen davon, daß sie mit seinen Berichten aus den
Inquisitions-Archiven Nichts zu thun haben, in jenen Tagen staatlichen Wirrwarrs und wogender Parteikämpfe nicht als besondere
Verbrechen erscheinen können; es haben doch auch manche andere ausgezeichnete Spanier den Josephinos sich angeschlossen, weil sie von
ihnen die Abstellung von Mißbräuchen hofften, die sie unter den
Bourbonen vergebens erstrebt hatten. Die allerwiderlichste Verdächtigung hat der im Jahre 1822 durch den Klerus aus Paris
und Frankreich hinausgehetzte, schon 1823 zu Madrid in größter
Dürftigkeit gestorbene Mann erst in allerneuester Zeit erfahren. Dieselbe ist von keinem Geringeren ausgegangen als von Dr. Constantin
v. Höfler, Professor der Geschichte zu Prag, Wirklichem Mitgliede
der Kaiserlichen Akademie der Wissenschaften zu Wien. Im XXV.
Bande der Denkschriften der philosophisch-historischen Klasse dieses
letztgenannten Instituts veröffentlicht Herr v. Höfler eine Abhandlung
„Zur Kritik und Quellenkunde der ersten Regierungsjahre Kaiser
Karl's V." und da heißt es über Llorente: „Wie genau er es überhaupt mit Zahlen nahm, geht auch aus dem Umstande hervor, daß
er selbst des Unterschlagens von elf Millionen Realen (etwa zwei
Millionen Mark) beschuldigt wurde." „Beschuldigt wurde!"
Llorente leitete nämlich unter König Joseph die Aufhebung der Klöster und die Verwaltung von deren Vermögen. Weiß denn Herr
v. Höfler einen einzigen Mann in der Geschichte zu nennen, der jemals eines solchen Amtes waltete und doch von dem Mönchsgeschrei:
er habe gestohlen, verschont geblieben wäre? Aber auch nach dem
übrigen Inhalte der genannten akademischen Publication scheint
es, als ob Herr v. Höfler es wieder einmal für nöthig hielte, sich
bei den Kirchlichen zu rehabilitiren — bei den Vaticanern unserer Tage! Ist ihm, dem Kenner der Papst-Geschichte, Angesichts
der großen Komödie zu Rom im Jahre 1870 vielleicht ein unbedachtes Wort über der Zähne Gehege geglitten, welches er jetzt in
Vergessenheit bringen möchte? Hat man etwa von dem Gedanken-
Austausch erfahren, den er über das Concil mit dem Leitmeritzer
Dom-Capitular Dr. Ginzel, ehrenwerthen Andenkens, gepflogen? Es
scheint fast so. Der Geschichtsforscher läßt sich in der genannten aka-
demischen Abhandlung zu folgender Schmeichelei herab: „Durch das
verdienstvolle Werk des Herrn Bischof v. Hefele über Cardinal
Ximenes ist eigentlich erst diese großartige Persönlichkeit »unser«
geworden?" Und im Sommer 1872 hat doch Herr v. Höfler keinen
Anstand genommen, den Herrn Bischof v. Hefele wegen seiner ein
Jahr früher erfolgten „Unterwerfung" einen „Esel" zu tituliren!
Er schreibt weiter in derselben Abhandlung: „Für die Bewegung der
Jahre 1520 bis 1522 bietet Böhmer's „Bibliotheca Wiffeniana"

Nichts, als die Begründung der Thatsache, daß in Spanien für die lutherische Reformation kein Boden war. Wenn man aber strenggläubige Katholiken deshalb, weil ihre Werke später auf den Index gesetzt wurden, zu Reformatoren im protestantischen Sinne des Wortes stempelt, Juan Valdés und den Verfasser des Büchleins „De beneficio Christi" dazu macht, so ist dies eine licentia poetica, welche der Historiker zurückweisen muß. Mir ist diese Jagd nach Reformatoren immer als etwas Krankhaftes erschienen." Ei, hat denn auch die Kirche des Herrn v. Höfler den Juan Valdés und den Verfasser des genannten Schriftchens ebenfalls für gute Katholiken gehalten? Wir werden im Verlaufe unseres Buches sehen, wie sie durch ihre Inquisitoren dem Juan Valdés und seinen Gesinnungsgenossen mitgespielt hat. Das erwähnte Schriftchen „Von der Wohlthat Christi", ein um das Jahr 1540 im evangelischen Geiste geschriebener erbaulicher Tractat, war in mehr als 40,000 Exemplaren durch ganz Italien verbreitet gewesen, die Inquisitoren machten aber so gründlich Jagd darauf, daß erst im Jahre 1843 ein italienisches Exemplar auf der Bibliothek des St. Johns-College zu Cambridge hat auffindig gemacht werden können. Und Herr v. Höfler, welcher die Bemühungen Karl's V., die reformatorischen Neigungen in Spanien zu ersticken, so gut kennt wie Einer, sagt uns, daß dort kein Boden dafür gewesen sei! Doch auch davon später zur Genüge! Hier soll nur Herr v. Höfler, da er das „Krankhafte" nicht zu lieben erklärt, in voller Gesundheit vor dem Leser auftreten — mag er sich dann von den Eminenzen zu Prag und Wien sein gutkirchliches Wohlbefinden attestiren lassen! Herr Dr. Constantin v. Höfler ist der Autor der nachfolgenden — wir beschränken uns auf einige Perlen aus einem ganzen Rosenkranze derselben Art — im „Rheinischen Merkur" anonym abgedruckten Epigramme:

Das neue Dogma.

Leicht ist's zu sagen, was stets, was an allen Orten geglaubt ward;
Aber des Streites bedarf, was selbst Erfindung nur ist.

Pius IX.

O unseliger Greis, der die Herzen beängstigt, den Seelen
Statt des erquickenden Thau's eig'ne Vergötterung beut!
Ist's doch, als gäbest du Hagelschlag den dürstenden Fluren,
Welche im Sonnenbrand sich nach Erlabung gesehnt.

Idem.

„Als zum Papst sie mich wählten, entfesselte ich die Bewegung,
Welche den Thronen galt, aber mich selbst fast begrub.
Jetzt, ein Greis, entfessl' ich den Sturm im Schooße der Kirche;
Die ich zu einen gedacht', spalte ich mitten entzwei."

Ludibrium Vaticanum.

„Samson war nur im Recht; wir tödten die Geister mit Formeln.
Wenn der Syllabus siegt — hört auch das Leben schon auf.“

Idem.

Nicht den Honorius, nicht die Johannes werdet ihr retten,
Doch der Concilien Recht opfert für immer ihr auf.
„Alles opfern wir auf: Chalcedon, Basel und Costnitz!“
Euer unfehlbarer Papst wird ja zum Moloch bereits!

Pio Nono!

„Alles hab' ich verbraucht in vollster Ruhe des Geistes,
Was zur Heilung der Zeit frühere Päpste erdacht.
Neue Heilige hab' ich gemacht, als seien die alten
Werthlos und der Apostel Gebet helfe der Kirche Nichts mehr.
Zum Concil berief ich Bischöfe und Aebte nullius,
Damit lieferten sie mir wie gebunden sich aus.
Wirklich: sie lehren es jetzt, daß mein Dogma von Anfang gewesen,
Wenige, die es bekämpft, nehmen es gläubig schon an.
Größeres Wunder hat nie die Kirche gesehen, als daß die,
Welche ich ‚Esel‘ genannt, selbst sich als solche bekannt!“

Idem.

„Eins wohl ist mir, wie keinem der früheren Päpste gelungen:
Hab' ich getäuscht auch nicht, doch wohl enttäuschet die Welt.
Als zu Trient das Concil nach langer Berathung geendet,
Kehrte die Hälfte der Welt wieder zur Kirche zurück.
Aber noch eh' mein Concil die unfreie Berathung geschlossen,
Fing schon der Abfall an, der jetzt still sich vollzieht.“

Unser Akademiker hatte, als er im Jahre 1872 diese Pfeile aus dem Hinterhalte abschoß, das 61. Lebensjahr bereits überschritten. Die Vorrede der, wie wir gesehen haben, wieder ganz von „gutkirchlichem“ Geiste durchwehten akademischen Abhandlung ist vom 29. September 1875 datirt. Damit hätten wir den ansehnlichsten Bezweifler der Lauterkeit Llorente's zur Genüge betrachtet und es sei denn dieser Excurs geschlossen, den wir übrigens, da v. Höfler sich aus Augendienerei der ganzen Geschichtsverdrehung v. Hefele's in Betreff des Charakters der spanischen Inquisition mitschuldig machte, uns keinenfalls haben sparen dürfen.

Die Innsbrucker Jesuiten, d. h. die an der dortigen königlichkaiserlichen Universität die katholisch-theologische Facultät inne habenden Priester Soc. Jesu, sind offenherziger: sie lassen jede faule Ausrede fallen, indem sie gleich im 1. Hefte der „Zeitschrift für katholische Theologie“, welche sie seit Januar 1877 herausgeben, unter lobender Anerkennung einer Reihe von Artikeln in einer spanischen Zeitschrift sagen: „Der Verfasser vertheidigt die Ansicht, daß die spanische Inquisition kirchlicher Einsetzung und ihrer Beschaffenheit nach ein kirchlich-politischer Gerichtshof gewesen sei. Mit großer Erudition und mit Beibringung vieler päpstlicher Documente bekämpft er die Meinung Derjenigen, die mit Bischof Hefele dafür halten, dieselbe sei ein weltliches Tribunal gewesen und von den Königen Spaniens aus politischen Gründen eingeführt worden." Die Sache ist freilich für Jeden, der sehen will und frei reden darf, selbstverständlich — wie wäre es denn sonst auch zu erklären, daß die einzigen lichtfreundlichen Könige, deren die Halbinsel sich erfreute: Ferdinand VI. und Don Carlos III. so viel Mühe gehabt hätten, das heilige Tribunal zu reformiren und in gewisse Schranken zurückzuweisen! Die Innsbrucker Jesuiten sagen also die Wahrheit, aber ein peinliches Eingeständniß ist ihnen, als glaubensglühenden Christen, das nicht: im Gegentheil schwellt sichtlich die Hoffnung ihre Brust, es werde bald die Zeit kommen, wo sie die Kirche, die sie unter Pius IX. sich fertig gezimmert und mit dem Strauße gekrönt haben, auch mit dem nothwendigen Inventarstück eines bürgerliche Strafen verhängenden Glaubensgerichts wieder versehen können.

Wenn wir im nächsten Kapitel die unzerreißbaren Verbindungen schlagen zwischen dem schon gleich in seinen Anfängen von den Gottesgelahrten durch Unduldsamkeit vergifteten officiellen Christenthum und den Mordbränden der Inquisition anderthalb Tausend Jahre später, so hat es doch allezeit Einzelne gegeben, welche es begriffen, daß das von Christus gewollte Reich Gottes „inwendig" im Menschen sein müsse und äußerer Zwang eine ihm fremde Sache sei. So steht lichtvoll vor uns die herzliche Freundschaft des h. Basilius mit dem Heiden Libanius, die ungebrochene Herzenstreue des Bischofs Synesius gegen seine heidnisch gebliebene, später zu Alexandria in einer Kirche von „christlichen" Mönchen erschlagene, bis auf die Knochen zerfleischte und dann verbrannte Mutter Hypatia. Der „Geist der Zeit", dem man so gerne die Schuld aufbürdet, hinderte den römischkatholischen Vicomte d'Orthes nicht, dem Befehle Karl's IX., der ihm den Mord der Protestanten zu Bayonne aufgab, zu widerstehen; er hinderte den gleichfalls katholischen edeln Kanzler de l'Hospital, den Cato Frankreichs, nicht, die Mordknechte der Bartholomäusnacht zu verwünschen, noch den ebenfalls katholischen zeitgenössischen Historiker de Thou ihnen in seiner Geschichte das Verdammungs-Urtheil zu sprechen. Dem „Geiste der Zeit" und aller priesterlichen Abwehr zum Trotz hat der edle Maximilian II. von Oesterreich religiöse Duldung in seinen Staaten gewährt, und der heldenmüthige König Stephan Báthori von Polen (1576—1586) gab, als man ihn zu Verfolgungen um des Glaubens willen drängen wollte, den Ketzerrichtern zur Antwort: „Rex sum Polonorum et non conscientiarum" — „Ich bin König der Polen, nicht der Gewissen." „O doctiorum quidquid est assurgite huic tam colendo nomini!" — diese Worte setzte der Engländer Mark Pattison seinem 1875 erschienenen Werke über den als Sprach-Gelehrter wie als Mensch gleich verehrungswerthen Calvinisten Isaak Casaubon (1559—1610) an die Stirne. Und was sagte dieser Calvinist, trotz der eigenen Ueberzeugungstreue, als er den zweiten Sohn zum Katholicismus übertreten und, noch über den Schritt des ersten hinaus, sogar Capuciner werden sah? Er ertheilte ihm den väterlichen Segen mit den Worten: „Mon fils, je ne te condamne point, ne me condamne point non plus; nous paraîtrons tous deux au tribunal de Jésus-Christ" — „Mein Sohn, ich verdamme dich nicht; verdamme auch du mich nicht; beide werden wir uns einst zu verantworten haben vor dem Richterstuhle Jesu Christi."

Nur ein Element gibt es vielleicht in der Geschichte der Inquisition, welches der „Geist der Zeit" zu verantworten hat: die unmenschliche Härte der Strafen, ganz gewiß aber nicht, daß man diese grausamen Strafen für Mörder, Räuber, Falschmünzer u. s. w. auch auf Dinge applicirte, welche nur vor das innere Forum gehören, und worüber der Mensch nur seinem Gott Rechenschaft zu geben hat und sonst Keinem. Der Geist, der dazu führte, war der Geist der Priester, die ja auf der Höhe der Zeit und über ihr zu stehen stets beansprucht haben. Wir sagten „vielleicht". Mag z. B. die Tortur, die Folter, immerhin bei den Alten für die Sclaven bestanden haben und selbst in der römischen Kaiserzeit für einige Delicte, wie Majestätsbeleidigung, Giftmischerei u. s. w. auch auf Freie ausgedehnt worden sein — es waren doch nur die blöden religiösen Begriffe des Mittelalters von der Gottheit, welche sie unter Christen zur Anwendung brachte. In den italienischen Städten war sie um das 13. Jahrhundert aus dem römischen Recht wieder aufgelebt. Wie man in den germanischen Ländern dazu kam, ergibt sich aus der Entwickelung, den der Strafproceß hier genommen hat. Das altgermanische Verfahren, bei welchem Anklage und Urtheilsprechung der ganzen Gemeinde oblag, dem Angeklagten aber das Recht zustand, seine Unschuld zu beweisen, im Nothfalle mit dem Schwerte, mit seinem eigenen Eid oder dem Schwur von einer bestimmten Zahl von Eideshelfern, die seine Glaubwürdigkeit beschworen, war unmöglich geworden. Bei dem Uebergehen des Rechtsprechens an Einzelne und der Ueberhandnahme der Mißbräuche bei diesem Beweisverfahren konnte man nicht anders, als dem Richter die Pflicht auflegen, dem Angeklagten seine Schuld zu beweisen und ihn dabei an ganz bestimmte Regeln zu binden. Nur der konnte wegen eines Verbrechens verurtheilt werden, der geständig oder durch zwei classische Zeugen überführt worden war. Diese Fälle sind aber, wie man weiß, im Criminalproceß die allerseltensten. So verfiel man, erleuchtet von dem mittelalterlichen Kirchenthum, auf den Ausweg der sogenannten „media eruendae veritatis", indem man deducirte: Gott, der ein starker und gerechter Herr sei, könne und werde es nicht dulden, daß ein Unschuldiger bestraft werde; er werde ihm in allen Anfechtungen hülfreich zur Hand gehen, ihn alle Pein siegreich überwinden lassen und seine gerechte Sache schon in dieser Zeitlichkeit zur Geltung bringen. Ihre erste Anwendung und Ausbildung scheint die Tortur oder das sogenannte „peinliche Verhör" gerade im freisinnigen Eng- land gefunden zu haben. Die großen strafgesetzgeberischen Werke des 16. Jahrhunderts nahmen sie auf und construirten sie nach allen Seiten wissenschaftlich. Die im Londoner Tower aufbewahrten Daum- schrauben waren noch im Jahre 1734 gegen einen gewissen Johann Durant zur Anwendung gekommen; acht Jahre früher noch gegen den des Mordes beschuldigten Burnworth' die sogenannte „Presse", wobei der Bauch des auf dem Rücken liegenden Inquirenten mit einem Gewicht von 400 Pfund beschwert wurde und die Folterknechte sich noch obendrauf setzten, oder ein scharfkantiges Holz dem Rückgrat unterlegten, wenn sie ihrem Opfer „gut sein", d. h. dasselbe schnell erlösen wollten. Erst 1772 hatte es mit der Tortur jeder Art in Großbritannien ein Ende. Aber sie war in allen Culturländern regelrechter Brauch geworden. In Folge der großen französischen Revolution unterblieb sie dann stillschweigend, wo sie nicht vorher gesetzlich aufgehoben worden war. Ausdrücklich beseitigt wurde sie in vielen Staaten Deutschlands erst zu Anfang dieses Jahrhunderts, in Gotha z. B. erst 1828.

So entschieden wir also die Anmaßung der römischen Kirchen- lenker, alle Menschen mit Gewalt zu ihrer Glaubens-Façon bekehren zu wollen und die Widerstrebenden an Leib und Leben zu strafen, sowie die Willfährigkeit der ihre Aufgabe verkennenden oder irrge- führten staatlichen Gewalthaber, ihnen hierbei Bütteldienste zu leisten, verurtheilen — die Grausamkeit, mit der dieses durch die geist- lichen und weltlichen Gerichte bis zur neuesten Zeit geschah, fällt wenigstens zum großen Theile wirklich auf den „Geist der Zeit", der sich ohne den Klerus und sehr oft gegen ihn zur Menschlichkeit emporarbeiten und die Fürsten von der Einbildung heilen mußte, als ob sie für den Glauben, das Fasten und den Kirchenbesuch jedes Einzelnen ihrer Unterthanen vor Gott verantwortlich seien.

Erstes Kapitel.

„Was ein Häkchen werden soll, krümmt sich bei Zeiten."

Wenn wir uns an den Groß-Inquisitor Ludwig Paramo halten wollten, so müßten wir in diesem Kapitel anheben wie die alten Welt-Chroniken mit den Worten: „Im Anfange schuf Gott Himmel und Erde". Denn dieser Sicilianer verlegt in seinem dickleibigen, zu Ende des 16. Jahrhunderts in Madrid erschienenen Buche: „Ueber den Ursprung, die Entwickelung, das hohe Ansehen und den Nutzen des h. Inquisitions-Officiums" die Gründung dieser „hochansehnlichen und nützlichen" Anstalt geradezu in's Paradies. Gott-Vater ist nach ihm der erste Inquisitor gewesen. Der Ruf: „Adam, wo bist Du?" war die erste Ketzer-Aufspürung. Das Verfahren Gottes mit dem gefallenen ersten Menschenpaare enthält nach Paramo schon alle späteren ausgebildeten Formalitäten des päpstlichen Glaubens-Tribunals im Keime: die Verurtheilung selbst ist das Urbild der inquisitorischen, mit gewissen Bußwerken verbundenen Wiederaufnahme der reuigen Ketzer in den Schooß der Kirche. Die Röcke von Fellen — was sind sie anders als die Buß-Säcke, welche die reuigen Ketzer tragen mußten? Die Vertreibung aus dem Paradiese ist der deutlichste Fingerzeig, daß die Güter der Ketzer confiscirt werden müssen. Und dann zählt dieser schriftgelehrte Mönch eine ganze Reihenfolge alttestamentlicher Inquisitoren auf, die, rückwärts gesehen, strebsame Nachfolger des unerreichbaren göttlichen Vorbildes, vorwärts gesehen aber zur Vollkommenheit mahnende Muster für die Späteren waren: von den Erzvätern und Moses an bis auf David, Johannes den Täufer und den Heiland selbst. Und es sind in der That kräftige Beispiele darunter, so z. B. das im III. Buch der Könige, wo der Prophet Elias, nachdem er Regen gemacht hatte, den 450 Baals-Priestern den Hals abschneidet mit eigner Hand und sich dann schließlich eine Tagreise weit in der Wüste unter einen Wachholderbaum niedersetzt in der nach einem so gottgefälligen Wirken noch kaum zu erwartenden bescheidenen Erwägung: er sei „nicht besser als seine Väter".

Neuere Vertreter der Inquisition greifen nicht ganz so weit
zurück, wie ihr Geistesverwandter Paramo, nicht gerade bis in's Pa-
radies; die Berufungen auf die betreffenden Vorgänge im Alten
Bunde verschmähen sie aber doch selten. Der zeitige Weihbischof und
General-Vicar zu Köln, Johann Anton Friedrich Baudri, Doctor der
Theologie, Bischof von Arethusa i. p. i., Hausprälat und Thron-
Assistent des Papstes, römischer Patricier ꝛc., Ritter hoher Orden,
läßt sich's genügen, daß die Inquisition gleichalterig ist mit dem
Christenthum; er macht gewißermaßen den Apostel Johannes zu ihrem
Patron, der, wie St. Hieronymus berichtet, als er zu alt geworden
war, um noch lange Predigten zu halten, doch immer noch wenig-
stens die eine kurze Mahnung wiederholen zu müssen meinte: „Kind-
lein, liebet einander!" Was aber erzählt St. Irenäus auf die
Zeugenschaft des St. Polikarp hin, der selbst noch St. Johannes'
Schüler war, von diesem Letztern: „Als Cerinth" (ein Theologe, dessen
Auffassung von der Person Christi mit der des theologisirenden Evange-
listen schon nicht mehr ganz stimmte) „die Bäder zu Ephesus besuchte, entfernte sich der h. Johannes sofort unter dem Ausrufe:
»Lasset uns fliehen, damit die Badehallen, in denen Cerinth, der
Feind der Wahrheit, sich befindet, nicht über uns zusammenstürzen!«"
So früh schon hatte der „Glaube", d. h. das Theologen-Gezänk, die
Liebe, die höchste und alle anderen umfassende Christen-Tugend überwunden! Wenn die römische Kirchen-Hierarchie eintausendachthundert-
siebenzig Jahre brauchte, um über die eigentliche Kernfrage des Christenthums in's Reine zu kommen — denn die Kernfrage ist es doch
wohl, ob Einer, wer es auch sei, am Evangelium „aus sich allein,
ohne Zustimmung der Kirche", und zwar maßgebend für alle Gläubigen, soll herumflicken und deuteln können — dann war's doch sicher
kein verdammenswerthes Verbrechen, wenn auf der Grenzscheide des
ersten und zweiten Jahrhunderts die mit ihrer orientalischen Phantasie nach begrifflichem Verständniß der christlichen Erlösungs-Theorie
ringenden Geister ein Bischen umher irrlichtelirten. Diese Gnostiker
meinten noch immer mit Recht zur Christengemeinde zu gehören,
denn sie lebten nach Christi Gebot. Polikarp aber, der eben genannte Jünger des „Apostels der Liebe" gab dem Gnostiker Marcion
auf diese Zumuthung zur Antwort: „Ich dich als Mitchrist anerkennen? . . . Den Erstgeborenen des Teufels erkenne ich in dir."
Gleichmäßig ging es den übrigen Gnostikern von den übrigen Kir-
chenvätern. Dr. G. Roßkoff, Professor an der evang. theol. Facultät
zu Wien, nennt das in seiner „Geschichte des Teufels" treffend die
„Herabdrückungsmethode der Kirchenlehrer". Die Abweichenden von
der als allein richtig behaupteten Lehre werden vom Eifer der Po-
lemik nicht blos in moralischer Hinsicht herabgedrückt, sondern mit
dem Teufel selbst in Zusammenhang gebracht. Da sich im kirchlichen

Bewußtsein die Vorstellung befestigt hatte: die Kirche sei die Anstalt, die das Reich Gottes auf Erden vertrete, und ihre Glieder seien berufen, jene zu fördern, so konnte, meinte man, jede von ihr abweichende Ueberzeugung nur in dem Teufel, als dem Feinde der Kirche und dem Widersacher des Gottesreichs, ihren Grund haben. So wurde denn die sogenannte Ketzerei als Teufelsdienst und beide mit der davon für unzertrennlich gehaltenen Zauberei als gleichbedeutende und mit gleich schweren Strafen zu belegende Verbrechen ausgegeben. So bürgerte sich, wo im späteren Mittelalter die regelrechte Ketzer-Inquisition auf hartnäckigen Widerstand stieß, wie z. B. in Deutschland, dieselbe Sache unter dem Modus der Hexen-Ausrottung ein. Schon die allerersten Christen machte der „ausschließlich wahre" Glaube nicht nur selig, sondern auch — feindselig gegen Andersdenkende. Die verschiedenen Abzweigungen der Gnostiker, deren sittliche Strenge selbst bei mehreren christlichen Schriftstellern Anerkennung fand, wurden im Allgemeinen doch als die lasterhaftesten Menschen verschrieen. Irenäus verdammt selbstredend die Karpokratianer als Gnostiker; obschon er ihren Lebenswandel unangetastet lassen muß, berichtet er doch, daß sie ihre Jünger mit einem Zeichen versehen, wie in der späteren Zeit der Hexenprocesse der Teufel seinen Bundesgenossen das Stigma aufdrückt. Marcus, der Stifter einer anderen Gnostiker-Schule, wird von Irenäus nicht nur für einen argen Wollüstling, sondern auch für einen teuflischen Zauberer verschrieen. Die Montanisten, die sich von der herrschenden Glaubenslehre nicht weiter entfernten, als daß sie in Ansehung der Sittenlehre die übernatürliche Offenbarung mit der Herabkunft des h. Geistes noch nicht abgeschlossen sein ließen, folgten den strengsten Moral-Grundsätzen; das schützte sie aber nicht vor der Beschuldigung: sie seien Spieler, Wollüstlinge und Wucherer, die als vom Teufel Besessene durch Beschwörung bekehrt werden müßten. Diese Methode des „Herabdrückens" wollen wir hiermit ein für alle Mal constatirt haben; dieselbe ist geübt worden auch im Kreise der Reformatoren des 16. Jahrhunderts und wird von den Römischen geübt noch in unseren Tagen. „Es kann", schreibt das Englische Parlaments-Mitglied W. C. Cartwright in seiner 1876 erschienenen „historical Sketch": „The Jesuits: their Constitution and Teaching" (S. 70, Note) „Es kann nachgewiesen werden, daß bis zur Stunde die Gefühle der unleidlichsten Intoleranz von Seiten Solcher gepflegt und verbreitet werden, welche auf den einflußreichsten Höhen der menschlichen Gesellschaft stehen. Die hervorragende Bedeutung des (mittlerweile gestorbenen) Jesuiten-Paters Perrone als Gelehrten wird von Niemand in Abrede gestellt werden. Nun, dieser Theologe verfaßte zum Volksgebrauch in Italien einen Katechismus, in welchem folgende Sätze vorkommen:

S. 59: „Unter den Predigern und Verbreitern des Protestantismus darf man keine Rechtlichkeit suchen."
S. 60: „Die Leute, die sich Protestanten nennen, sind allerwärts der Abschaum aller Schlechtigkeit und Unsittlichkeit."
S. 93: „Ihr müßt euch vor dem Protestantismus und vor Denen, welche ihn zu verbreiten suchen, nicht nur hüten, sondern sie auch mit Schrecken und.Abscheu betrachten. Ich meine so, daß beim bloßen Wort Protestantismus ein Schauder euch überlaufen muß, ärger, als hörtet ihr von einem Mordanschlag auf euer Leben. Der Protestantismus und seine Gönner sind in der religiösen und sittlichen Welt das, was die Pest und die Pestkranken in der physischen sind."
So weit Cartwright.

„Es hat", schreibt W. E. Hartpole Lecky in seiner „History of European Morals from Augustus to Charlemagne", „wohl niemals auf Erden eine Gemeinschaft gegeben, deren Glieder untereinander durch eine tiefere Zuneigung verbunden gewesen wären als die Christen in den Tagen der Verfolgung; niemals eine Gemeinschaft, welche bei allem Abscheu vor der Sünde selbst, dem Sünder mit größerer Milde entgegen getreten wäre. Es hat aber auch ganz sicher niemals eine Gemeinschaft gegeben, welche nach Erringung des Sieges rücksichtslosere Unduldsamkeit gezeigt hätte." Diese Unduldsamkeit niederzuhalten, waren selbst die gemeinsamen Calamitäten und Leiden nicht im Stande. Die Verfolgung des Decius war kaum vorbei, da schrieb der h. Cyprian eine Abhandlung zum Nachweise, daß jetzt so wenig mehr Einer außerhalb der Kirche gerettet werden könne, wie bei der Sündfluth Einer gerettet wurde außerhalb der Arche, ja daß Einer, der für seine Ueberzeugung das Martyrthum erleide, wenn diese Ueberzeugung nicht die christliche Wahrheit gewesen sei, direct zur Hölle fahre. Selbst von den, wie wir gesehen haben, nur in einer nebensächlichen Auffassung abweichenden Montanisten hielten sich die Orthodoxen auch in der Arena, in der sie gemeinsam gemartert wurden, ängstlich zurück — noch im Tode wollten sie keine Gemeinschaft mit ihnen! Aus dem 4. Jahrhundert erzählt uns der h. Augustin, daß, als er noch der christlichen Secte der Manichäer angehört habe, seine Mutter Monica eine Zeit lang mit ihrem Sohne nicht einmal an demselben Tische habe essen wollen. Als er aus seinem achtzehnten Jahre bekennen mußte: „Lieben und geliebt zu werden war mir süß, aber immer um so mehr, wenn ich zugleich den Körper der Liebenden genoß; die Ader der Freundschaft also beschmutzte ich durch den Unflath sinnlicher Genüsse und verdunkelte ihren Glanz durch höllische Wollust" — da war er trotzdem das Muttersöhnchen geblieben; als er sich aber einer Christensecte zuwandte, die in den Augen der Monica als nicht ganz correct im Glauben galt, da schnitt sie das Tischtuch entzwei zwischen sich und ihm. Der h. Ambrosius von Mailand folgte zu Ende des 4. Jahrhunderts nur den Spuren und dem Geiste der Christen des zweiten, wenn er einen Mitbischof, der eine Juden-Synagoge verbrannt hatte, vertheidigte und als die bekanntlich schon christlich gewordene römische Reichsregierung den Wiederaufbau anordnete, darüber ein so wüstes Geschrei erhob, wie heutzutage, wenn in Preußen oder Baden oder der Schweiz den Altkatholiken eine Kirche zur Mitbenutzung eingeräumt wird. Das Christenthum war zur Zeit des Ambrosius freilich schon Staats-Religion geworden, aber mit der hergebrachten Gottesverehrung hatte man doch nicht so schnell aufräumen können; da predigte denn unser Heiliger unter Hinweis auf die noch geduldeten Vestalinnen ohne Unterlaß, es sei ein Verbrechen Seitens einer christlichen Regierung, einen anderen Cultus zu erhalten, als den officiellen.

Dieser unduldsame Geist, diese ausschießliche Rechthaberei — nicht des Christenthums Christi, denn wozu hatte dieser uns dann die Parabel vom barmherzigen Samaritan erzählt? sondern der Christen — diese Rechthaberei war es denn auch, was die Verfolgung seitens der heidnischen Kaiser theils angeregt, theils ermöglicht hat. An sich waren die Römer durch ihre Weltherrschaft darauf vorbereitet, auch die neue christliche Religion neben so vielen anderen Arten der Gottesverehrung zu dulden. Nur die Juden in Rom, welche als der Hauptrest einer unterjochten Nation von Zeit zu Zeit revoltirten, und die eigenem Geständniß zufolge aus ihnen hervorgegangenen Christen reizten zum Angriffe. Die Lehrer der Letzteren behaupteten, daß alle Religionen, nur die eigene und die der Juden ausgenommen, Teufelswerk seien, der Cultus, mit dem man sie verehre, Teufelsdienst. Sie arbeiteten, während der Glaubenseifer der Juden sich wenigstens auf die Sorge beschränkte, daß Keiner ihren Reihen entweiche, mit unermüdlicher Energie darauf hin, die ihrigen zu füllen. Die Verhöhnung der Landes-Gottheiten, die Beleidigung ihrer Verehrer lief dabei nicht nur so nebenher: es war ein Haupt-Factor ihrer propagandistischen Thätigkeit; es gewährte ihnen Genugthuung, durch Beschädigung der Statuen der Götter zu zeigen, daß von diesen Nichts zu erwarten sei, was aber nicht Gottes sei, sei nothwendig des Teufels. Rache und Strafe des wahren Gottes für diesen Teufelsdienst seien ja in den Widerwärtigkeiten, die das Reich träfen, deutlich zu erkennen. Die Christen wollten nicht nur neben den übrigen Religionen geduldet sein, sondern allein Geltung haben. Jeder nichtchristliche Römer mußte erkennen, daß das die Art legen heiße an den Bestand des Reiches, das in seiner Ausdehnung über alle Haupt-Nationen der Welt Raum haben mußte für alle Formen der Gottesverehrung. Freilich haben die Schutzredner der Christen, wenn diese bedrückt wurden, freie Religions-Uebung gefordert, jedoch immer nur allein für sich; was, wie schon an dem Beispiele des Ambrosius gezeigt, sofort nach der Besitznahme des Kaiserthrones durch das Christenthum wirklich eintrat, das war, ohne Prophetengabe, im Voraus mit Sicherheit zu erwarten. Ohne daß schon die gespenstigen Schatten der Inquisitions-Gräuel, der Albigenser-Metzeleien, der Opfer in der Bartholomäusnacht vor ihrer Seele aufzusteigen brauchten, konnten die Römer doch mit logischer Gewißheit schließen, wohin die Consequenzen einer Religions-Anschauung führen würden, die jede Abweichung von derselben als ein Verbrechen betrachte, das, weil es nach des Christen-Gottes vorgeblichem Wort die ewige Verdammniß nach sich ziehe, auch auf Erden gewiß mit dem leiblichen Tode gesühnt werden müsse. Im Uebrigen waren die Christenverfolgungen der römischen Kaiser, so furchtbar sie zeitweise und stellenweise gewesen sein mögen, doch keine so ununterbrochene und umfassende Reihe von Gewaltthaten, wie die sensationsdurstigen Pamphletschreiber des Alterthums von der Sorte eines Lactantius und die reliquienbedürftigen Mönche des Mittelalters es dem gläubigen Volke zu erzählen für gut fanden. Nach dem Vorgange von E. Gibbon ist das von W. E. H. Lecky in dessen schon genanntem Buche überzeugend dargelegt worden. Gleicherweise constatirt Prof. L. Friedlaender zu Königsberg, einer unserer verständigsten Alterthumsforscher, in seiner „Sittengeschichte Roms" diese christliche Geschichtsfälschung. Auch Dr. L. D. A. Martini's, Prof. an der Universität zu Rostock, im Jahre 1813 erschienene Abhandlung „Ueber die Einführung der christlichen Religion als Staats-Religion im römischen Reiche durch den Kaiser Constantin" verdient gerade heute wieder gelesen zu werden. In derselben werden nicht nur die sogenannten Christen-Verfolgungen, auch die des Diocletian, welche der Partei-Eifer der Gegenwart zum Ueberdruß im Munde führt, auf den eigentlichen historischen Befund zurückgebracht, sondern auch die Maßnahmen des Kaisers Constantin als rein staatliche, mit dem eigentlichen Christenthum wenig zusammenhängende Bestrebungen gewürdigt. Eigentlich religiöse Verfolgungen waren jene alle nicht; es waren einfach die Rücksichten der Macht oder der Sicherheit des Herrscherthums, welche gegen oder für die Christen einnahmen und bei dem offen eingestandenen nach Alleinherrschaft strebenden Wesen der Christen wider dieselben einnehmen mußten. Glaubenskriege im eigentlichen Begriffe des Wortes haben erst Jene erzeugt, welche es für gottgefälliger erachteten, das Rechte nach ihrem beschränkten Menschensinne zu glauben als das Rechte im Sinne Christi zu thun.

Mit diesem Urtheile über die fast ausnahmslos selbstgeschaffenen Drangsale der ersten Christen tritt man den Einzelnen nicht zu nahe, welche aus Liebe für ihren göttlichen Meister, für die Ueberzeugung von der Wahrheit ihrer Sache ungebrochenen, ja meist freudigen Muthes in den Tod gingen, während sie mit einem einzigen Wort sich von allem Leid hätten retten können. Diese lebenskräftigen Männer, diese großherzigen, in der Maienblüthe des Lebens stehenden Jungfrauen, diese ehrwürdigen Greise bleiben auf ewig als leuchtende Sterne stehen am Himmel der Menschheit. Leider haben gerade Die, welche mit ihren bekreuzten Mitren am anmaßlichsten unter dem Glorienscheine dieser Lichter einherstolziren, sich deren in unseren Tagen am wenigsten würdig gezeigt.

Falsch ist es jedoch und durchaus unverständig, wenn die Blutzeugen der ersten christlichen Jahrhunderte, wie dies noch in einem neueren Buche, „Neun Capitel" 2c. von Fr. Maassen zu Wien geschieht, als „für die Gewissens-Freiheit" gestorben bezeichnet werden. Die Gewissens-Freiheit war ein, den römischen Staatslenkern zur Zeit der heidnischen Kaiser, nicht aber den Christen und den Juden faßbarer Begriff; dann ging derselbe verloren, bis nach mehr als einem Jahrtausend die dira necessitas, die Staats-Raison ihn in Norddeutschland wiederfinden ließ. Die Theologen, die römischen wie die protestantischen, hätten ihn begraben sein lassen, auch die Fürsten der Neuzeit, die ausschließlich diesen oder jenen folgten: die Monarchen Preußens erkannten es — und dies Erkennen war ihr Verdienst bei der Sache — als ihre Regenten-Aufgabe, staatliche Ordnungen zu schaffen, nach welchen Lutheraner, Reformirte und Katholiken lernten, miteinander als Bürger eines Vaterlandes zu leben. Die ersten Christen hatten die Gewissens-Freiheit vorgefunden und gerade das war's, was den Wortführern der ersten Christen, welche anstatt für ihre Kirche als göttliche Stiftung Existenz-Berechtigung zu fordern, gegen alle anderen Bekenntnisse offensiv angingen, nicht paßte; sie ist auch noch heute nicht der römischen Katholiken letztes Ziel. Man erinnere sich des Aufruhrs, den die Rede Karl v. Montalembert's auf dem internationalen Katholiken-Congreß im Jahre 1863 zu Mecheln im Lager der belgischen, französischen und deutschen Ultramontanen erregte! „Ich bin", sagte er, „für die Gewissens-Freiheit ohne Hintergedanken wie ohne Bedenken; ich gestehe alle Consequenzen zu, welche die Billigkeit fordert und die öffentliche Moral nicht zurückweist. Und wenn man mir die Frage vorlegt: »Kann man heutigen Tages die Freiheit für die Wahrheit verlangen, d. h. für sich selbst — denn Jeder hält, wenn er kein absichtlicher Betrüger ist, seine Ansicht für die Wahrheit — und die dem Irrthum, d. h. Denen, welche anders denken als wir, verweigern?« so antworte ich frei heraus: Nein. Vermeiden wir jeden Schein, als wollten wir uns in die moderne Gesellschaft, deren Banner wir entfalten, einschleichen, indem wir ihre Grundsätze anrufen und ihre Bürgschaften fordern, um eines Tages unseren religiösen Gegnern die Rechte zu bestreiten, unter dem Vorwande, daß der Irrthum keine Rechte habe. »Katholiken, versteht es wohl!« sagt unser großer und geliebter Lacordaire, »wenn ihr die Gewissens-Freiheit

für euch wollt, müßt ihr sie für alle Menschen unter allen Himmels=
strichen wollen. Wenn ihr sie nur für euch fordert, wird man sie
euch nie geben; gewährt sie, wo ihr die Herren seid, damit man sie
euch zugestehe, wo ihr die Knechte seid!«" Seit dem Tage hatte Graf
v. Montalembert das bis dahin genossene unbedingte Vertrauen als
der welterfahrenste Vorkämpfer der katholischen Interessen in Schrift
und Wort bei den Ultramontanen verloren.

Von dem Augenblicke an, wo das Christenthum durch Constan=
tin zur Macht im römischen Reiche gelangte, kamen auch die Zwangs=
Mittel zu seinen Gunsten gegen die Juden, die Häretiker und die
alten Göttergläubigen in Uebung. Die Ersteren waren ohnehin zu
dieser Zeit unruhig und so wurde ihnen denn zur Last gegeben, daß
sie „mit Steinen und anderen Kundgebungen ihrer Wuth" Diejeni=
gen verfolgten, welche ihre Religions=Gemeinschaft verließen. Con=
stantin erließ ein Gesetz, wonach jeder Jude, der einem abtrünnigen
Glaubensgenossen in alttestamentlicher Erinnerung eine Probe von
dem Gefühl des Gesteinigtwerdens verschaffe, verbrannt werden solle;
zur selben Zeit wurde der Uebertritt vom Christenthum zum Juden=
thum unter Strafe gestellt. Strenger ging man gegen die Arianer
und Donatisten vor. Ihre Kirchen wurden zerstört, ihre Zusammen=
künfte verboten, ihre Bischöfe in's Exil geschickt, ihre Schriften ver=
brannt, Hehler solcher mit dem Tode bedroht. So lange Constantin
jedoch seiner Sache nicht ganz sicher war, behielt er den Titel eines
Pontifex Maximus bei und scheint sogar mitunter noch als solcher
fungirt zu haben. Je mehr aber die einflußreichen Verwaltungs=
stellen in christliche Hände kamen, um so klarer erkannte der nun
auch seines heidnischen Mitregenten entledigte Kaiser, nach welcher
Seite er sich endgültig zu entscheiden habe. Trotz aller Feindselig=
keit des Reichs=Regimentes gegen die Verehrung der alten Götter,
erhielten sich jedoch, wie schon bemerkt, noch einzelne Culte bis zu
Ende des 4. Jahrhunderts, der Zeit des Theodosius des Großen und
des Ambrosius von Mailand. Der unter des Erstgenannten Enkel,
Theodosius dem Jüngern, zusammengestellte und nach ihm benannte
Straf=Codex enthält bereits nicht weniger als 66 Bestimmungen
allein gegen die christlichen Sectirer. Die der weltlichen Macht
von der Kirche in den Mund gegebene Argumentation war einfach:
Nur in der Kirche ist Heil; Unfolgsamkeit gegen sie oder abweichende
Meinung von ihr, als der Trägerin der göttlichen Offenbarung, ein
Verbrechen, das von dem Staate, der nach Anleitung der Kirche
auch die sittliche Ordnung zu handhaben hat, bestraft werden muß;
das Vorbild zu diesen Strafen haben wir im Levitischen Gesetz,
welches den Götzendiener dem Tode überliefert. Man sieht: auch
hier war mit dem ersten Schritt alles Uebrige so gut wie gethan.
Um die Durchführung dieser Theorie und deren rechtliche Begrün=

bung hat sich besonders St. Augustin verdient gemacht, so daß er
hierin bis über's Reformations-Zeitalter hinaus maßgebende Autorität
geblieben ist. Aus seinem unmoralischen Sinnestaumel zum „allein
seligmachenden Glauben" bekehrt — es steht nicht ganz fest, ob er
die Sünde oder die Sünde ihn verlassen hat, da Letzteres bei dem
von ihm eingestandenen Empressement schon früh eingetreten sein
konnte — erklärte es dieser Bischof von Hippo in Nordafrika als
eine sehr verdienstliche Sache, die Ketzer zu bestrafen, selbst mit dem
Tode, wenn man sie oder Andere nur so von der den Unbußfertigen
aufgesparten ewigen Verdammniß bewahren könne. Der Abfall vom
wahren Glauben sei in der Schrift geradezu als geistiger Ehebruch
gebrandmarkt; er sei die schlimmste Art von Mord — Seelen-
Mord; schließlich stelle er auch thatsächliche Gotteslästerung dar; alle
diese Verbrechen seien aber im höchsten Grade strafwürdig. Hiernach
sei ja auch im Alten Bunde gehandelt worden. Wenn es im Neuen
Testamente an Beispielen fehle, daß die Apostel Gewalt angewendet
hätten, so erkläre sich das einfach dadurch, daß sie eben keine Gewalt
gehabt hätten — es gab zu ihrer Zeit noch keine christlichen Fürsten, deren starke Hand sie anrufen konnten. Der bischöfliche Theologe hält es geradezu für einen Act der Barmherzigkeit an dem
Ketzer selbst, wenn man ihm das Fortsündigen unmöglich mache.
Es ist das freilich eine Sorte von Barmherzigkeit, die stark an
Jsaak Walton's „Art of Angling" erinnert; darin wird nämlich
der Liebhaber der Angelfischerei ermahnt, wenn er einen Frosch an-
löbere, „den Haken durch das Maul und wieder durch den Kiemen
herauszuziehen, dann mit feiner Nadel und Seidenfaden den Ober-
schenkel bloß mit einem Stich an den Draht des Hakens zu befestigen, und das Thier hierbei so zu behandeln, als ob man es
liebete."

Die erste Hinrichtung von Häretikern, zu welcher Geistliche direct hingewirkt hatten, scheint die der Priscillianisten im Jahre 385
gewesen zu sein. Hieronymus und Augustinus beschuldigen sie des
Manichäismus; Augustin mußte es wissen, denn er war ja selber
ein Manichäer gewesen. Zwei dunkle Ehrenmänner: die Bischöfe
Ursatius und Jthacius hatten diese Glaubensreinigung betrieben; sie
erlebten die Genugthuung, daß zwei ihrer Amtsbrüder unter den
Qualen der Folter sich abscheulicher Dinge schuldig bekannten und
vor den Augen des Jthacius von dem dienstwilligen Kaiser zu Trier
verbrannt wurden. Zwei bischöfliche Collegen der Denuncianten und
ihrer Opfer, St. Ambrosius von Mailand und St. Martin von
Tours, nannten diese Ketzer-Verbrennung schändlich, aber wohl weniger wegen ihrer selbst, als weil sie fühlten, daß sie dem ganzen
Stande wenig Ehre einbringe; besonders da der Hauptankläger, der
Jthacius, doch ein recht schmutziges Werkzeug in der Hand des stra-

fenden Gottes gewesen ist: Sulpicius Severus, ein Zeitgenosse des Hieronymus, nennt ihn „verwegen, geschwätzig, unverschämt, verschwenderisch und gefräßig."

In den folgenden fünf bis sechs Jahrhunderten war im Abendlande wenig Zeit übrig zum Grübeln; es gab also auch wenig Ketzerei. In Italien hatte man unter der Herrschaft der Ostgothen und Longobarden die Erfahrung gemacht, daß Arianer und Athanasianer viele Menschenalter hindurch bei gegenseitiger Duldung friedlich beieinander leben konnten. Vom 8. bis in's 11. Jahrhundert entstanden, nachdem der Arianismus allgemach abgestorben war, keine Lehrabweichungen, welche die Leidenschaften zu erregen geeignet gewesen wären. Als jedoch seit dem Ende des 11. Jahrhunderts das Hildebrand'sche Papal-System sich entwickelte und man zu Rom, · von einer Machtstufe zur andern folgerichtig fortschreitend, das ganze kirchliche Leben und Denken sich zu unterwerfen strebte, da zeigten sich auch wieder Ketzer. Als das Wild da war, fehlten auch die Jäger nicht. Die Entscheidung des Papstes Urban II., daß, wenn man einen Excommunicirten ermorde, dies nicht als ein Vergehen zu betrachten sei, wurde in's bürgerliche Gesetzbuch hineinbesorgt, ebenso die oben mitgetheilte Argumentation Augustin's zu Gunsten der Rechtmäßigkeit der Ketzervertilgung zur Gewissensregel für den Klerus gemacht und an den geistlichen Gerichtshöfen practicirt.

Bald kam auch die neue Scholastik mit ihrer Unwissenheit in der Geschichte und ihrer frechen Willkür in der Schrift-Auslegung hinzu. Thomas von Aquin eignete sich die Gründe Augustin's an. Die h. Schrift wurde wieder zur feilen Metze gemacht für hierarchische Gelüste. Man sagte: in der Bibel würden die Häretiker Diebe und Wölfe genannt — die Diebe aber pflege man zu hängen und die Wölfe todt zu schlagen. Oder aber: der Verbreiter einer falschen Lehre sei auf moralischem Gebiete, was die Falschmünzer und Giftmischer auf dem materiellen; da nun der Staat Letztere mit dem Tode bestrafe, so widerfahre den Häretikern mit Recht das Gleiche. Oder man stempelte die Abweichung von der kirchlichen Lehre zu einem Verbrechen der beleidigten göttlichen Majestät und übertrug nun die Bestimmungen des römischen Rechts über das gegen den Kaiser begangene Majestäts-Verbrechen auf die Häresie. Die Häretiker, sagte man weiter, seien Söhne des Satans, und da sei es denn billig und gerecht, daß ihnen das Loos ihres Vaters schon in diesem irdischen Leben zu Theil werde, d. h. daß sie brännten gleich ihm. Der „englische Lehrer" setzte außerdem den entgegenstehenden biblischen Gründen für Duldung oder mildere Behandlung das Wort des Apostels entgegen: daß man einen Häretiker nach zweimaliger vergeblicher Ermahnung meiden solle; dieses Meiden aber, fügte er bei, könne am wirksamsten durch Hinrichtung geschehen; bei Rückfälligen sei sogar die wiederholte Ermahnung nicht nöthig, die solle man — S. Summa II, 2 sq. 11, art. 3 und 4 — nur kurzweg verbrennen.

„Misericordia et Justitia" — „Barmherzigkeit und Gerechtigkeit" — das wurde mit der Zeit die Devise auf dem Banner und Wappen der Glaubens-Inquisition, welche letztere der Eingangs genannte Sicilianer Paramo mit dem Samaritan der Bibel vergleicht. In den folgenden Kapiteln werden wir nun sehen, wie dieser Samaritan die wunden Länder heilt mit dem Wein seiner Strenge und dem Oel seiner Gnade.

Zweites Kapitel.

„Wind gesäet — Sturm geerntet.“

Nach dem am 1. September 1159 erfolgten Tode des Papstes Adrian IV. gab es nach sehr tumultuarischen Vorgängen eine Doppelwahl. Jede der beiden Parteien, welche sich schon lange mit großer Schroffheit gegenüber gestanden hatten, erhob ihren Führer zum Papst. Der Erkorene der Kaiserlichen nannte sich Victor IV., der Widerpart Alexander III. Gegenseitig überhäuften die Parteien sich mit den ärgsten Beschuldigungen; jede stellte die Wahl der andern mit den schwärzesten Farben als ordnungswidrig, gewaltthätig und deshalb ungültig dar. „Daß“, sagt W. Wattenbach, „auf einer Seite unerhört und schamlos gelogen wurde, war außer Zweifel; aber wohl schon damals lag die Vermuthung nahe, welche den Thatsachen entspricht, daß auf beiden Seiten gelogen wurde.“

Die gesammte Kirche Frankreichs war auf Seiten Alexander's. Dieser, dessen Bleibens in Rom nicht war, begab sich dorthin, und zwar zur See — eine Landreise durch Italien, welches mit Ausnahme weniger Bischöfe zu dem Gegner hielt, wäre gefährlicher gewesen als die Stürme auf offenem Meere. Heinrich II. von England, welcher ebenfalls Alexander anerkannte und sich eben in der Normandie befand, beeilte sich, wie Ludwig VII. von Frankreich, den Gast zu begrüßen. In der Stadt Conci (Cosne) an der Loire, wo sie mit Alexander zusammentrafen, schritten sie neben dem reitenden Papste her und hielten dessen Pferd am Zügel. In der Abtei Bourg-Dieu wagte der englische König es nicht, sich in des Papstes Gegenwart auf einen Stuhl zu setzen; er hockte mit seinen Baronen auf dem Fußboden nieder. Aber hatte nicht auch der Vorgänger Alexander's III., der Eingangs genannte Adrian IV., der einzige auf britischem Boden geborene Papst, dem englischen Könige Irland „geschenkt“? In der Unterwürfigkeit vor dem „Statthalter Gottes auf Erden“ thaten sich's, wie wir sehen, der englische und französische

Herrscher der eine dem andern zuvor, unter sich lagen sie meist im Kriege. Frankreich war damals sehr klein. Während Burgund fester als je mit dem Deutschen Reiche vereinigt war, auch Lyon und selbst Marseille dazu gehörten, war die westliche Hälfte fast ganz im Besitze der Insel-Briten. Heinrich II., König von England und Herzog der Normandie, war Erbe der Grafschaften Anjou und Maine, und dazu hatte er sich vermählt mit der von dem Papstverehrer Ludwig VII. aus der Ehe verstoßenen Erbtochter von Poitou und Guienne.

Um dieselbe Zeit, da der englische König vor dem Papste — und ein ganzer Papst ist Alexander III. ja nicht einmal gewesen, da die halbe Christenheit ihm die Obedienz verweigerte — auf dem Boden hockte, wurden auf englischem Boden der „Einheit der Kirche" die ersten Ketzer geopfert. Man nannte sie „Publicaner" oder „Patariner"; sie waren nicht zahlreich und von Geburt Deutsche. Was von ihnen berichtet wird, lautet in moralischer Beziehung nicht zu ihren Gunsten, aber diese Berichte führen sich zurück auf die Angaben eines amtlichen Gegners, des Walter Mapes, eines Hof-Chronisten und Archidiaconus zu Oxford. Wie — beiläufig bemerkt — Reinhold Pauli, auf Grimm sich stützend, irgendwo in seinen „Bildern aus Alt-England" erwähnt, hat der Kölnische Klerus Anspruch auf diesen Walter Mapes als Landsmann und Amtsbruder. In Betreff der Lehren der Patariner verbreitete man die Sage, daß sie von dem Abendmahl, der Taufe und dem Ehe-Sacrament Nichts wissen wollten und die rechtliche Unterwerfung der ganzen Christenheit unter den römischen Papst bestritten. Zusammenhangen sollten sie mit Gleichgesinnten in Frankreich, Spanien, Italien und Deutschland. So war's auch der Fall, aber wo ist der Ursprung der Secte, damit wir ihrem wahren Wesen auf den Grund kommen? Sie ist — das läßt sich nachweisen, von der Kirchenpolitik Gregor's VII. groß gezogen worden, so daß man betreffs ihrer, wie kaum in einem andern Falle, den Römern das Wort des deutschen Dichters zurufen darf: „Ihr laßt die Armen schuldig werden, dann übergebt ihr sie der Pein."

Schon ein Zeitgenosse, der Bischof Benzo von Alba, einer Stadt zwischen Chierasco und Asti in Oberitalien, der seine Geschichte freilich in kaiserlichem Geiste schrieb und den Päpstlichen deshalb mißliebig ist, rief aus: „Hat nicht dieser Alexander, welchen Hiltibrand auf Petri Stuhl erhob, die Pataria ausgeheckt?" Daß dem wirklich so ist, das ergibt sich schon aus dem Quellen-Material, welches der ultramontane Apologet Gregor's VII., A. Fr. Gfrörer, in seinem Buche beigebracht hat, nur möchten er und die Päpstlichen überhaupt den Mohr verleugnen, nachdem er seine Schuldigkeit gethan hatte. Demgegenüber ist aber von Rudolf Baxmann und W. Wattenbach in deren Büchern über die Papst-Politik nachgewiesen worden, daß der

Göthe'sche Zauberlehrling hier schon ein Vorbild hat, und die Patariner nur die ihnen vom Papste angewiesenen Bahnen weiter
verfolgten, wenn sie dem ganzen römischen Pfaffenwesen überhaupt
aufsässig wurden.

Um die Mitte des 11. Jahrhunderts machte nämlich der Geist
Hildebrand's, welcher Geist in der Abtei Clugny bei Lyon seine
eigentliche" Brutstätte hatte, „die erste Studie im großen Massen-
kampf und in gährender Volksbewegung" — wie Bagmann sich ausdrückt. Denn lange bevor er selbst auf den päpstlichen Bischofs-
Stuhl zu Rom kam, war Hildebrand dort die Hauptperson, „der
Herr des Papstes Nicolaus' II.", sagt Petrus Damiani. Im Lateranensischen Concil von 1059 wurde dem Volke verboten, den Messen
verheiratheter und simonistischer Priester beizuwohnen; gegen alle
frühere Lehre und Uebung wurden die von solchen Geistlichen gespen-
deten Sacramente für ungültig erklärt. Das Volk wurde sogar zu
Gewaltthaten förmlich angeleitet. Die Verhältnisse in Ober-Italien
und besonders in Mailand waren so geartet, daß es hier zuerst zum
Losbruche kommen mußte. Hier war ein sehr zahlreicher gebildeter,
durchgängig verheiratheter Klerus vorhanden; für Beförderungen bestand eine gewisse Taxe. Simonie oder Aemterkauf brauchte das
nicht gerade zu sein, wenn auch zugegeben werden soll, daß ärmere
und vielleicht würdigere Bewerber dadurch oft ausgeschlossen wurden,
und überhaupt bei hoher Taxe ein auf solche Weise erlangtes Amt
mißbraucht werden konnte, um die Auslagen wieder einzutreiben.

Die Mailändische Kirche, Priester und Volk, war stolz auf die
Bewahrung ihrer alten vom h. Ambrosius ererbten Liturgie und die
Unabhängigkeit ihrer Erzbischöfe von Rom. Weiter noch als die
griechische Kirche mit ihren halben Maßregeln gethan hatte, dehnten
die lombardischen Geistlichen das Recht der Verheirathung aus. Freilich gab es päpstliche Canones, mit denen sie dadurch in Widerspruch traten. Man brauchte zu Rom nur die rechten Satzungen
aus dem großen Vorrath aufzusuchen, ihre allgemeine Verbindlichkeit
zu behaupten, und leicht ließ sich ein Zunder in die Volksmasse,
die leicht erregliche und bewegliche, werfen, um den Ungehorsam gegen
die „unsittlichen, lasterhaften, ihren Stand schändenden Priester" zu
nähren. Hierzu fand sich ein Führer unter der Geistlichkeit selbst:
Anselm aus Baggio, einem mailändischen Ort. Er hatte im Kloster
Bec und in Deutschland gelebt und dort Clugny's Ideen eingesogen.
Jetzt fühlte er den Beruf in sich, die strenge Partei der Römischen
zu organisiren, insbesondere auch die Volksmasse mit in das Interesse
an der „Reinigkeit und Lauterkeit" des Lebens der Priester hinein-
zuziehen. Die Ostfriesen im Norden Europas freilich hielten ihr
häusliches Interesse zugleich mit der „Reinigkeit und Lauterkeit
des Lebens der Priester" besser ohne Cölibat gewahrt. Die Priesterehe

erhielt sich dort noch im 15. Jahrhundert, was Aeneas Silvius
Piccolomini, als Papst Pius II. genannt — der überhaupt in Betreff der priesterlichen Enthaltsamkeit der Meinung war: das Bessere
sei des Guten Feind — gewußt und erzählt hat. Denn: „de Prie-
steren ahne Ehefruwen wilden se nicht gerne bii sick liden
up dat se andere lüden bedden nicht besudelen".

Als Anselm im Jahre 1056 von Mailand fort sollte, um den
Bischofstuhl von Lucca zu besteigen, konnte er zwei begeisterten Anhängern seiner Sache: Ariald und Landulf dem Jüngern, die Agitation getrost überlassen. Der Erstgenannte hatte nicht einmal die
Weihen, er ließ sich „Magister der freien Künste" nennen. Der Chronist sagt: Sie wandten sich zuerst an die Scholaren, d. h. an den
in Mailand studirenden Nachwuchs des Klerus und zogen diese jungen Leute auf ihre Seite. Dann dehnten sie ihre Thätigkeit über
weitere Kreise aus. Landulf bearbeitete das Volk in der Stadt,
Ariald reiste auf den Dörfern herum und predigte den Bauern.
Durch Schellen und Ausrufer, welche in den Straßen herum rannten,
wurde das Stadtvolk nach dem Theater beschieden; dort war ein
Pult errichtet, auf das stieg Landulf hinauf und hielt glühende Reden an die versammelte Menge. „In solcher Weise" — sagt Giulini,
ein mailändischer Edelmann, welcher im 18. Jahrhundert die Geschichte seiner Vaterstadt beschrieb — „und von solchen Personen
wurden damals die öffentlichen Angelegenheiten berathen!"

Die von der Gegenpartei nannten sich Ambrosianer, spalteten
sich aber, je nach den inneren Parteien der Stadt auch wieder in
eine aristokratische und eine demokratische Fraction. Anselm hatte
freilich, um seiner Partei Masse zu geben, noch u n t e r den demokra-
tischen Bürgerstand hinabsteigen müssen, zu dem gemeinen Volk, zu
den „Lumpen", der Pataria, wie man im Dialect sagte und wie
das Stichwort der Parteien wurde *). Die „Lumpen" hatten ihren
Rückhalt in Rom. Die bisher beschriebene Wendung hatten die Mailändischen Angelegenheiten gegen den Spätherbst 1057 genommen,
als Rom offen eingriff. Der Mailänder Chronist sagt kurz und
bündig: „Oldeprand (Hildebrand, Prandellus) kam." Ariald brachte
mit gewaltigem Wort den Aufstand in Gang. Es kam zu einem
Volkstumult in der Kathedrale, als der Erzbischof Wido mit seinen
Domherrn Gottesdienst darin hielt. Das gutkirchliche „Lumpenpack"
stürmte die Wohnungen der Geistlichen, jagte die Weiber hinaus,

---

*) Ueber die Herkunft dieser Benennung: „Pataria" sind viele gelehrte
Vermuthungen aufgestellt worden. Rudolf Bazmann hält mit Recht an der
von Diez im „Wörterbuch der romanischen Sprachen (I, 310) gegebenen. Das
Cremonesische und Neuprovençalische hat nämlich patta, pata = Latz, Klappe an
den Kleider, Lappen, Lumpen.

plünderte innerhalb und außerhalb der Stadt, zwang die Kleriker zur Unterfertigung einer Urkunde, in der sie Enthaltsamkeit gelobten, und verschwor sich selber förmlich, in Zukunft nur aus den Händen „reiner" Kleriker die Sacramente zu empfangen. Der Streit wurde vor das päpstliche Forum gebracht, zumal da Landulf, wie schon bemerkt, bloß „Magister" war, keine Weihen trug und doch vor dem Volke zu predigen sich unterfing. Erzbischof Wido berief eine Synode nach Fontanetum in der Diöcese Novara. Die Parteigänger Roms stellten sich aber vor jener Synode nicht. Als sie in drei Tagen nicht erschienen waren, und unterdessen mit neuen Mitteln und frischer Leidenschaft agitirten, schleuderten die Ambrosianer das Anathem gegen sie. Landulf besonders arbeitete auf ein förmliches Schisma unter den Gläubigen hin, während Ariald nach Rom ging, um das Einverständniß mit Hildebrand zu befestigen. Er drang auch durch und erlangte die Aufhebung des Synodalbeschlusses von Fontanetum durch den Papst, welcher dem Ariald den Bischof Anselm von Lucca sammt Hildebrand als Begleiter nach Mailand mitgab. Den friedlicheren Weisungen des Papstes entgegen brachten diese es mit ihren Brandreden richtig zu blutigen Straßenkämpfen. Das war im Jahre 1058.

Mit bloßer Molestirung der verheiratheten Geistlichen und ein bischen zeitweiligem Straßentumult war der Papst-Curie nicht gedient: die Mailänder Kirche sollte fester ins römische Garn gereiht werden. Im Jahre 1059 wurden Peter Damiani, Cardinal von Ostia, und Bischof Anselm von Lucca nach Mailand geschickt, um auf einer abzuhaltenden neuen Synode das große Wort zu führen gegen alles Herkommen. Damiani selbst schildert, wie das in der Stadt aufgenommen wurde. Das Volk schrie: „Eine Schande ist es, daß Mailands freie Kirche der römischen unterthan sein soll. Der Papst hat kein Recht, über den h. Ambrosius zu richten." Und das „gutkirchliche, treukatholische" Volk war damals dasselbe wie heute: zum Dreinschlagen practicabel, im Disputiren wenig raisonnabel. Die Art, wie es sich von dem Cardinal umstimmen ließ, erinnert lebhaft an jene bekannten wackeren Achtundvierziger, welche von einem Volksredner über die Vortheile einer freien Presse gründlich belehrt und dann gefragt, was sie nun lieber wollten: Preßfreiheit oder Censur — dem Manne auf der Tribüne mit Salbstbewußtsein in's Gesicht donnerten: „Preßfreiheit und Censur!" Er und sein Amtsgenosse, sagte der Cardinal, seien nicht gekommen, den h. Ambrosius zu demüthigen, sondern vielmehr die Würde desselben zu erhöhen. Der Ruhm des h. Ambrosius bestehe ja gerade darin, den Ehrenvorzug des h. Petrus bereitwillig anzuerkennen, im Einklange mit ihm die Einheit der Kirche zu befestigen. Die biedern Mailänder jauchzten Beifall — denn hatte der Cardinal ihnen nicht gesagt:

die Würde ihrer Kirche werde erhöht? Der Chronist Arnulf straft seine Landsleute hierfür mit Benutzung der Worte des Apostels Paulus im Galater-Briefe (III, 1.): „O, ihr thörichten Mailänder, wer hat euch behext?! Ihr seiget Mücken und verschlucket Kameele. Künftig wird es heißen: Rom ist Mailands Herrin geworden und siehe: gegen Recht und Herkommen muß euer Erzbischof nach Rom zur Synode folgen!" Und das mußte er denn auch, „denn", sagt der Bischof Bonizo von Sutri, „die Patariner machten ihm Füße". Mit ihm kamen die übrigen Bischöfe der Lombardei, die von Turin, Asti, Alba, Vercelli, Novara, Lodi, Brescia.

Die Kämpfe der Ambrosianer und der Patariner entbrannten auf's Neue um die Mitte der 60er Jahre. Diesmal blieben anfänglich die erstgenannten obenauf; die Kleriker, welche ehelos in gemeinsamem Haushalte zusammenlebten, wurden vertrieben, Arialb selbst todt- geschlagen; man warf seine entsetzlich verstümmelte Leiche in den Lago Maggiore. Das war Ende Juli 1066. Durch diese Unthat hatten sich für Augen, denen es paßte, nicht auf den Beginn der Dinge zurückzusehen, die Ambrosianer in's Unrecht gesetzt. Ein Bru- der Landulf's, der Kriegsmann Herlembald Cotta, übernahm nun die Führung der Partei und der Papst Alexander II. — das war der mehrgenannte Lucceser Bischof Anselm da Baggio auf Betreiben Hildebrand's inzwischen geworden — übergab ihm zur Aufmunterung bei einem Besuche in Rom das „Banner des h. Petrus", welches er an einen Lanzenschaft befestigt seitdem vor sich hertragen ließ. Das Aufwerfen der Fahne ist überall der Anfang militärischer Organisation — meint auch Gfrörer; das Hauptquartier durfte also auch nicht fehlen. Der Chronist erzählt, wie der Patariner- Capitano dazu kam: „Da das Haus, welches Herlembald sonst zu Mailand bewohnte, nicht geräumig genug war, um seinen Anhang aufzunehmen, bezog er einen großen Palast vor der Kirche zum h. Victor, der einen ausgedehnten Hof sammt Garten umschloß und Raum genug darbot, um nicht nur seine Gesellen selbst, sondern auch deren Rosse und Maulthiere unterzubringen". Diese Gesellen bestanden aus eigentlichen Soldaten und den militärisch gegliederten Zünften der Stadt. Das Hildebrand'sche Kreuzheer war fertig.

Auch der „Finger Gottes" wurde sichtbar: Arialb's Leiche hatte sich nach zehn Monaten unverwest in den Wassern des großen Sees gefunden und verübte seitdem Mirakel in der Ambrosiuskirche zu Mailand.

Nun mußte die „Unenthaltsamkeit" der Priester die Kriegskasse der Pataria füllen. Da auf tausend Mailänder Kleriker nur kaum fünf unbeweibte kamen, so floß die Quelle reichlich. Der Chronist erzählt: Herlembald errichtete eine Behörde von 30 Männern, welche folgendes Gesetz gegen den Klerus zu vollstrecken hatten: „Wenn ein

Priester oder Levite mit zwölf Eideshelfern auf das Evangelium beschwören kann, daß er seit dem Tage, da er geweiht worden, kein
Weib berührt hat, so ist er frei von Schatzung, wo nicht, so wird
sein ganzes Vermögen eingezogen." Neben den Priestern brand-
schatzte der päpstliche Capitano auch den Stadt-Adel; auch „erholte
er sich", wie Gfrörer mit unvergleichlicher Unverfrorenheit sich ausdrückt, „insbesondere an den vielen Landgütern des Erzbischofs". Das
Brandschatzungs- und Raubsystem Herlembald's wurde durch eine
gegen Ende Juli 1067 von Rom nach Mailand gekommene officielle
Gesandtschaft, bestehend aus zwei Cardinälen, Maginard, Bischof von
Silvacandida, und Johann Minutus, Presbyter von Santa Maria
Transtiberina, kraft apostolischer Vollmacht am 1. August 1067
sanctionirt. Und nun hören wir Gfrörer, über das „Gesetz",
durch welches dies geschah: „Dasselbe entfernt den Charakter der
Gewaltthätigkeit, der bisher dem Wirken Herlembald's anklebte, bahnt
den Weg zu geregelten Zuständen, eröffnet dem Anführer der Patariner durch die (auf das Eheleben der Geistlichen 2c.) angedrohten
Bußen Hülfsquellen, um in geordneter Weise die Ausgaben seines Heeres
zu decken und unterwirft den Mailänder Klerus und durch ihn die
ganze lombardische Kirche der geistlichen Hoheit des römischen Stuhls!"
    Bei Erzbischof Wido's Tode im Jahre 1071 floß wegen der
Wahl eines Nachfolgers auf's Neue Blut in den Straßen der Stadt.
    Dieselbe Gewaltherrschaft, welche die Pataria in Mailand übte,
gewann und übte sie nach und nach in allen Städten Ober-Italiens
bis hinunter nach Ravenna und Florenz, aber „diese Kleinen faßten
erst Muth, die Fäuste zu rühren, nun ein Schlag in der Metropole geglückt war", sagt Gfrörer; er nennt die Pataria mit ihren
„Plebejer-Fäusten" ein „Bollwerk" für das Papstthum, wie Gregor VII. es wollte und gestaltete. „Der ursprünglich von den
Gregorianern gegen die beweibten Priester und Simonisten begonnene
Kampf erlangte erst durch das Aufkommen der Pataria practische
Bedeutung, weil seitdem das Volk zur Ausführung der kirchlichen
Beschlüsse seinen Arm herlieh." Und nun setzen wir noch das Ge-
sammturtheil Gfrörer's über Gregor VII. hierher: „Entweder enthält
das Christenthum Nichts als Täuschungen oder es kann das Reich
Gottes nur in Hildebrand's Sinn hier unten gefördert werden."
    Nun schelte ein Römling noch die Art der „Glaubensausbreitung",
wie die Mohamedaner sie durch das „Schwert des Propheten" betrieben haben!
    Der von Hildebrand gebilligte Lehrsatz der Pataria aber, daß
die Sacramente unwürdiger Priester werthlos seien, der
fand leichtbegreiflicher Weise sein Echo in allen jenen
Gemüthern, welche in fanatischer Orthodoxie und hierarchi-
schem Herrschgelüste die rechten Früchte der Lehre Christi

nicht wiedererkennen konnten und die außerehelichen Fleisches-Werke der Geistlichen für jedenfalls noch unwürdiger hielten als das eheliche Leben, das ja auch dem Apostelfürsten Petrus nicht fremd gewesen war. Wie die Gottesgelahrten aus den von den Orthodoxen herrührenden Berichten herausgefunden haben, mischten sich in der That auch wirklich nichtchristliche Elemente bei; jedenfalls war's dienlich befunden worden, die „Abtrünnigen" durch solche Behauptungen in den Augen des Volks herabzusetzen. Manichäisch nennen sie diese, angeblich dem Christenthume widersprechenden Lehren von zwei gleichewigen Welt-Principien, einem guten und einem bösen. Und nicht blos die priester-feindlichen Anschauungen wurden vom elften Jahrhundert an durch die christliche Welt getragen: auch dem Namen Patariner begegnen wir, wie oben bemerkt, neben manchem anderen zur Bezeichnung der Ketzer dieser Zeiten.

Diejenigen Patariner oder Publicaner, welche wir hundert Jahre nach dem Beginn der Mailänder Wirren in England finden, verlegten die Herkunft ihrer Secte in die Gascogne; sie habe sich von da durch Frankreich, Italien, Spanien und Deutschland verbreitet. Welche Beschuldigungen man auf die unmittelbar aus Deutschland nach England herübergekommenen Patariner häufte, haben wir bei Beginn dieses Kapitels angedeutet. Wie uns scheint, haben sie durch ihr Verhalten in der Zeit der Trübsal von dem Vorwurfe, die Religion zur Befriedigung fleischlicher Lüste herabgewürdigt zu haben, sich genügend gereinigt. Sie hätten ihr Leben salviren und dann Gelegenheit genug finden können, es zu genießen, wenn sie nicht einer festen religiösen Ueberzeugung gewesen wären und unverbrüchlich daran gehalten hätten. Aber, obgleich der in England gewonnenen Jünger viele schwankten — die aus Deutschland über den Canal herübergekommenen Patariner hielten standhaft an ihrem Glauben. Im Jahre 1160 trat zu Orford ein National-Concil zusammen. Dasselbe erließ an die Ketzer die Mahnung, ihre irrigen Lehren fahren zu lassen und sich mit der Kirche auszusöhnen; diese aber blieben taub für Ueberredungen wie für Drohungen und machten die Worte des Herrn für sich geltend: „Selig sind, die verfolgt werden um der Gerechtigkeit willen, denn ihrer ist das Himmelreich." Die Bischöfe überwiesen die Häretiker nun der weltlichen Gewalt zur Bestrafung. Die Patariner aber blieben „verstockt", wie die Martyrer der ersten Zeiten des Christenthums. Mit einem glühenden Eisen wurde ihnen ein Mal auf die Stirne gebrannt, damit dieses Zeichen sie verrathe als des Verbrechens schuldig, ihre eigenen Gedanken zu haben über den Weg, auf dem sie selig werden könnten. Mit entblößtem Oberleib wurden sie unter Ruthenstreichen durch die Straßen getrieben. Sie trugen schweigend ihre Schmerzen und schrieen nicht auf in ihrer Noth; sie fluchten nicht ihren Drängern und wiederholten ohne Unterlaß die Worte ihres Meisters: „Selig seid ihr, wenn die Menschen euch schmähen und verfolgen und alles Böse fälschlich wider euch vorbringen um meinetwillen." Niemand durfte ihnen Nahrung geben oder Obdach; das Brandmal auf ihrer Stirne sollte sie kennzeichnen als Solche, denen Keiner Barmherzigkeit erweisen, sondern an denen Jeder seine Wuth ungestraft auslassen dürfe. Das Haus, welches durch ihren Fuß verunreinigt war, mußte abgetragen und die brennbaren Materialien außerhalb der Wohnstätten dem Feuer übergeben werden. Ein englischer Kleriker aus jener Zeit berichtet unter Frohlocken, daß es Winterszeit war, als diese unglücklichen Fremdlinge aus Oxford in's offene Land hinausgetrieben wurden; die Kälte sei außergewöhnlich streng gewesen, und doch habe Keiner sich rühren lassen, so daß die „Feinde der Kirche" unter freiem Himmel vor Frost und Noth meist elendiglich zu Grunde gegangen seien.

Als die Kirchengewaltigen einander aufmunterten, die Ketzer, deren man habhaft werde, so zu tormentiren, daß es als abschreckendes Beispiel wirke für alle Andern, da begannen die Ketzer ihren Verfolgern nachzuahmen. Es war ihnen verwehrt, Gott zu dienen, wie sie es für recht hielten; es war ihnen verwehrt, die Häuser der Rechtgläubigen zu betreten; es war ihnen sogar verwehrt und unmöglich gemacht, sich die nothwendigsten Lebensbedürfnisse zu beschaffen — blieb da Denjenigen, welche die Verfolgung überdauert hatten, etwas Anderes übrig, als unter freiem Himmel sich zusammen zu thun zu Schutz und Trutz? In verschiedenen Theilen Europas finden wir solche Banden, oft mehrere Tausend Mann stark. Sie dienten den Fürsten, welche Sold bezahlen konnten, um Sold, anderen um die in Aussicht gestellte Beute. Sie wurden mit verschiedenen Namen benannt, hier „Patariner", dort „Routiers" oder „Wegelagerer", auch, weil in Brabant sich ursprünglich einige dieser Schaaren zusammengerottet haben sollen, „Brabanzonen". Ist da sittliche Verwilderung nicht nothwendige Folge? In ihren Reihen war schließlich jeder Mann, der zu ihrer Verstärkung, jedes Weib, das zu ihrem Vergnügen beitragen konnte, willkommen. Mit der Nachfrage nach dem religiösen Glauben Derer, die sich ihnen zugesellen wollten, waren sie nicht zudringlich und die einzige Tugend, welche sie forderten, war treues Festhalten an der eigenen Genossenschaft. Freilich: wenn Klöster erstürmt und geplündert wurden unter Ermordung und Wegschleppung der Insassen, wenn eine Stadt oder ein Dorf niedergebrannt und sonstige Verheerungen verübt wurden, und es stellte sich heraus, daß auch nur einige ausgesprochene Ketzer unter der betreffenden Bande sich befunden hatten, so ermangelten die Hof-Prälaten nicht, mit salbungsvollen Worten den Nachweis zu führen, daß die „Feinde der Kirche" auch Feinde der gesellschaftlichen Ordnung, ja, was mehr ist: Feinde jeglicher Obrigkeit seien von Gottes Gnaden.

In der Fortsetzung der Kirchengeschichte von Baronius wird zum Jahre 1183 nach einem gewissen Antonius vermerkt, daß eine Menge von „Coterelli" oder Briganten vom Volke in Flandern (. . . in provincia Bituricensi) erschlagen worden sei, weil sie Frauen bedrängt, Kirchen verbrannt, Priester, nachdem sie dieselben gebrandschatzt, gepeinigt oder gar zu Tod geprügelt; auch mit den kirchlichen Gefäßen und ihrem heiligen Inhalt seien sie gar schrecklich umgegangen. Diese Unholde werden „Coterelli haeretici", d. h. „ketzerische Räuber" genannt, und die Bewohner des genannten Landes wandten sich, nachdem sie selbst vorläufig sieben Tausend erschlagen hatten, an den Landesherrn Philipp II. — der später auf einem Kreuzzuge vor St. Jean d'Acre fiel, hier also Gelegenheit hatte, sich auf den Kampf mit Ungläubigen einzuüben —, damit dieser ihnen vollends den Garaus mache. Es wurde denn auch weder Weib noch Kind geschont und — dieses Letzte war gewiß für Viele die Haupt- sache — „hübsche Beute gemacht".

Antonius Pagius fügt in seinen kritischen Noten zu der ge- nannten Kirchengeschichte aus einer anderen Quelle bei, daß in dem- selben Jahre, gleich nach Weihnachten, der Erzbischof Wilhelm von Rheims und Graf Philipp von Flandern zu einer Berathung zu- sammengekommen seien. Ein Weib hatte über gewisse Ketzer im Lande Angaben gemacht. Diese Ketzer waren ohne leitendes Haupt und wurden mit verschiedenen Namen bezeichnet; der Eine nannte sie Manichäer, der Andere Kataphrygier, der Dritte Arianer; Papst Alexander III. aber, der von ihnen gewußt, habe sie, so hieß es, Patariner oder Patervianer genannt. Der Erzbischof und der Graf ließen sich Viele von ihnen vorführen — es war ein buntes Gemisch: Adelige und Unadelige, Geistliche, Soldaten und Bauern, Mädchen, Wittwen und Ehefrauen. Der Erzbischof und der Graf kamen über- ein, daß sie festgenommen und verbrannt, ihre Habe aber zwischen der Geistlichkeit und dem Fürsten getheilt werden solle. Rigord fügt in einer Note bei: „In diesem Jahre wurden in Flandern durch den hochwürdigsten Erzbischof Wilhelm von Rheims, Cardinal-Pres- byter von St. Sabina zu Rom, Legat des Apostolischen Stuhles, und den erlauchten Grafen Philipp von Flandern viele Ketzer lebendig verbrannt."

Der Hildebrandismus hatte in der Pataria eine Ruthe gebun- den zur Züchtigung der beweibten Priester und Simonisten im Mai- ländischen, aber die Ruthe selbst grünte auf zu einem Ketzerstrauche im Garten der römischen Kirche. Daneben blieben die Uebel, die man damit hatte bekämpfen wollen, nicht nur bestehen: das eine nahm in der Folgezeit eine gewiß noch viel unchristlichere F o r m , das andere eine ganz riesenhafte Ausdehnung an und wurde gerade im Centrum der Kirche zu einem perennirenden Hausübel. Der

Leser weiß, zu welchen Surrogaten der zum Cölibat disciplinirte
römische Klerus greift und wenn den Kirchen-Paladinen von der
Art des Dr. August Reichensperger, der sonst gegen alle Surrogate
im Heiligthum der Kunst und der Kirche eifert, dieses Surrogat
als ein leidliches erscheint, soll's uns doppelt recht sein. Wer sich
nicht mit der Raffinade begnügt, wie sie von Diplomaten wie Al-
fred v. Reumont aus der Geschichte des Papstthums ausgeläutert
wird, wer also weiß, wie der Cölibat gehalten worden ist, der
wird auch in diesem Punkte das echte naturwüchsige Material den
Surrogaten vorziehen.

Und nun gar die römische Indignation über die „Simonie"
des Mailänder Klerus! Dante hat ja eine ganz extrae Strafe ersonnen, mit der er die simonistischen Päpste jener Zeit nach Gregor VII. in der Hölle gepeinigt werden läßt. Sie befinden sich in
Grüften auf dem Kopfe stehend; die Beine ragen durch runde
Oeffnungen in den Sargdeckeln heraus in die Luft. Durch das
Thal, in welchem sie der Reihe nach nebeneinander eingesperrt sind,
züngelt eine Flamme über den Boden, so daß sich das seltsame
Schauspiel einer Beleuchtung bietet, zu welchem Füße und Beine als
hin- und herflackernde Fackeln dienen. Man lese nach im 19. Ge-
sang der „Hölle", was Nicolaus III. (1277 bis 1280), welcher in
dem herantretenden Dichter seinen ihn abzulösen kommenden Nachfolger, Bonifaz VIII. (1294 bis 1303), vermuthete, von dem Dichter
sich sagen lassen muß, und man wird einräumen, daß die Entrüstung
der Römlinge über die „Simonie" der Mailänder etwas sehr voreilig war —

> „Und wär's nicht, daß mich noch in Schranken hält
> Die Ehrfurcht vor dem hohen Schlüssel-Amte,
> Das Du geführt hast in der sonn'gen Welt,
>
> So spräch' ich Härt'res noch, denn die verdammte
> Habsucht, die Guten drückend und die Schlechten
> Erhöhend, trübt die Menschheit, die gesammte.

Drittes Kapitel.

Einem „tief gefühlten Bedürfniß" wird abgeholfen.

Obschon es dem Papste Alexander III. (1159) nicht wenig zu
schaffen machte, sich gegen seinen vom deutschen Kaiser und fast ganz
Italien unterstützten Mitbewerber um den römischen Stuhl zu behaupten, versäumte er doch gleichzeitig auch Nichts in der Bekämpfung
der Ketzer, welche dem Inhaber dieses Stuhls die Anerkennung als
eines Stellvertreters Gottes verweigerten. Und dieser Widerspenstigen
gab es im Süden Frankreichs und im Norden Spaniens viele. Im
Jahre 1162 lud Alexander die Geistlichkeit zu einer Synode nach
Montpellier und drohte gleichzeitig der Laienschaft, den Fürsten wie
dem Volke, mit seiner Ungnade, wenn sie versäume, so gegen die
Ketzer vorzugehen, wie er mit seinen priesterlichen Räthen es anordne.
Jeder weltliche Fürst, so erging der Beschluß der genannten Synode,
welcher die Bestrafung der in seinem Gebiete gefangenen Ketzer ver-
weigere, sei selber als Ketzer zu betrachten und werde von dem gegen
Jene geschleuderten Fluche mitgetroffen.

Noch gründlicher wurde in dieser Beziehung auf dem zum
29. Mai 1163 nach Tours berufenen Concile zu Werke gegangen.
An dem genannten Tage fanden sich siebenzehn Cardinäle, hundert-
vierundzwanzig Bischöfe, vierhundertundvierzehn Aebte und eine beträchtliche Menge von Priestern und Laien in der Kirche des h. Mau-
ritius um den Thron ihres Pontifex zusammen. Die Geistlichkeit
waren meist Engländer und Franzosen, nur wenige Italiener; so
bedingte es, wie wir wissen, die Alexander zugefallene Obedienz.
Arnulf, Bischof von Lisieux, hielt auf Alexanders Geheiß eine Rede
über die verschiedenen Bedürfnisse und Nöthe der Kirche, welche sich
aber auf so salbungsvoller Höhe hielt, daß der Personen, die man
sich zum Opfer erloren hatte, kaum gedacht wurde: denn hier war
die eigentliche Geburtsstätte der inquisitorischen Ketzer-Verfolgung.
Indem wir das Wort inquisitorisch betonen, deuten wir an, daß
wir dabei vorwiegend die Form im Auge haben; die Ketzer-Verfol-

gung ist ja, wie wir wissen, der Sache nach schon viel früher geübt worden. Jagbares Wild für die Rechtgläubigen waren die Ketzer schon längst; als neu kam jetzt hinzu, daß ein heimliches Tribunal sich mit ihrer Aufspürung befaßte, daß tonsurirte Richter über ihr Leben und ihren Besitz aburtheilen sollten. „Eine fluchwürdige Häresie" — so sagen die Väter von Tours — „ist jüngster Zeit in den Gegenden von Toulouse ausgebrochen; sie frißt um sich wie der Krebs, so daß schon eine große Menge Volks in der Gascogne und den benachbarten Provinzen angesteckt ist." Nach den nun folgenden heftigen Klagen über den tückischen und verheerenden Charakter der neuen Irrlehren heißt es dann weiter: „Wir befehlen den Bischöfen dieser Lande, wachsam zu sein und bei Strafe des Anathems zu verhindern, daß den Anhängern dieser Ketzerei, so viele man deren entdeckt, länger Obdach gewährt oder von irgendwem irgendwelche Hülfe geleistet werde. Niemand darf mit solchen Leuten verkehren, sei es kaufend oder verkaufend; jeder menschlichen Tröstung sollen sie entbehren, damit sie gezwungen werden, von dem Irrthum ihres Lebens abzulassen. Und so Einer wagt, diesem Befehl entgegen zu handeln, soll ihn das Anathem treffen als den Theilhaber an der ketzerischen Bosheit. Diejenigen aber, die man ergreift, sollen in das Gefängniß eines katholischen Fürsten eingesperrt und ihnen alles Eigenthum genommen werden. Genaue Nachforschung soll gehalten werden nach solchen Orten, wo diese Ketzer von rund herum im Geheimen zusammen kommen; denn nichts Anderes führt sie zusammen als ihr Irrthum. Darum sollen Diejenigen, welche man in irgend einem Hause versammelt trifft, mit der ganzen Strenge der kirchlichen Gesetze bestraft werden."

Das Alles war leichter gesagt als gethan: Fr. v. Hurter räumt in seinem Innocenz III. ein, daß die in staunenswerther und bedrohlicher Menge überall im Abendlande wie Pilze aufschießenden Secten in allen Ständen der Gesellschaft Boden hatten, selbst in den Domcapiteln und Mönchsklöstern; d. h. zu deutsch: nachdem die römische Curie durch ihre innere sittliche Fäulniß während der letzten Jahrhunderte in allen wahrhaft christlichen Gemüthern einen tiefen Ekel gegen sich erzeugt hatte, fand sie jetzt, wo sie die Ueberleitung der alten Kirchenverfassung in eine, alle Rechte der Gemeinden und Einzelnen absorbirende Theokratie im Sturmschritte betrieb, Widerstand überall. Alexander und seine Helfer mußten die Wahrnehmung machen, daß die „fluchwürdigen Irrlehren" nicht blos in geheimen Conventikeln, sondern offen von den Predigtstühlen verbreitet wurden; einem solchen Scandal wollte er mit allen Mitteln ein Ende machen. Er berief eine große Anzahl Theologen und anderer gelehrter Männer — so wenigstens nannte man diese Leute, vielleicht blos aus Artigkeit — zu sich nach Paris. Paris war, beiläufig bemerkt, die eigentliche Heimath, der Brennpunkt der hierarchischen Richtung, die jetzt der Klosterpflege von Clugny entwachsen war. Alexander hatte dort studirt. Wie berichtet wird, fanden sich über drei Tausend der Eingeladenen zu Weihnachten 1164 zu Paris ein, um die Weisungen ihres Pontifex entgegenzunehmen. Alexander präsentirte sich ihnen in allem Pompe. Von seinen Cardinälen umgeben, that er Folgendes kund und zu wissen: Es sei ihm zu Ohren gekommen, daß mancherlei Meinungen unter dem eingeborenen französischen Klerus im Schwange seien; er verbiete und verwerfe hiermit alles abschweifende, unberechtigte Gerede und Gefrage über theologische Gegenstände. Alexander wies darauf den Bischof von Paris an, diesem Befehl in ganz Frankreich Gehorsam zu verschaffen. Das war wiederum keine leichte Aufgabe; so groß und stark war zu jener Zeit das Ansehen und die Autorität eines Bischofs noch nicht, daß man sich einfach Schweigen gebieten ließ. Das Bedürfniß nach einem Tribunal, welches dem Wohlgefallen des Papstes stricte Geltung hätte verschaffen können, machte sich recht fühlbar — was war das für eine peinigende Situation, daß z. B. der Bischof von Albi, der nächste Nachbar der Toulouser Diöcese, sich mit verschiedenen andern Prälaten dazu herablassen mußte, mit den Ketzern jener Gegend — das Volk nannte sie die „frommen Leute" — öffentlich zu disputiren, um den römischen Glauben vor ihnen zu rechtfertigen! Daß die „lehrende Kirche" den Sieg davon trug, ist selbstverständlich. In Gegenwart der Einwohner aus den zwei Nachbarstädten Albi und Lombers, sowie aus den umliegenden Dörfern, des Erzbischofs von Narbonne, des Bischofs von Toulouse, mehrerer Aebte, Prioren und sonstiger Priester, einiger Laien von Rang und Stand, darunter die Gräfin von Toulouse mit verschiedenen anderen Damen, wurden die Ketzer über ihr Glauben und Nichtglauben befragt. Es haperte in der That mit ihrer römischen Rechtgläubigkeit; sie erwiesen sich als dieselben Häretiker, wie man ihnen schon auf den Synoden zu Orleans (1022) und zu Arras (1025) entgegentreten mußte, wie sich deren zwischen 1043 bis 1048 auch in Chalons, 1052 selbst auf norddeutschem Boden, u. a. zu Goslar, gezeigt hatten. Sie legten den priesterlichen Segnungen und Bekreuzungen keine Kraft und keinen Werth bei; ihre Ansichten hinsichtlich der Sacramente waren demnach mangelhafter Natur. In dem Kapitel über die Waldesier werden wir auf diese Anschauungen etwas näher eingehen müssen; hier beschäftigt uns ja hauptsächlich der Nachweis, daß die Inquisitions-Tribunale einem tiefgefühlten Bedürfnisse der römischen Kirchengewalt entsprungen sind. Die „frommen Männer" und „frommen Frauen" wurden condemnirt und durch die Söldner von Lombers, welche sie zum Verhör herbeigebracht hatten, zur Bestrafung nach den kirchlichen Gesetzen in die Gefängnisse abgeführt.

Es wird berichtet, daß der Graf von Toulouse, seine Ohnmacht fühlend, die Verbreitung der Ketzereien aufzuhalten, sich an den englischen König Heinrich II. gewendet habe, damit dieser die Häresie niederhalte. Heinrich II. habe sich mit dem Könige von Frankreich in's Einvernehmen gesetzt und beide beschlossen, im Jahre 1178 zusammen nach Toulouse zu kommen, um ihr Bestes in der Sache zu thun. Hinterher scheinen sie sich die Sache anders überlegt und es practischer erachtet zu haben, Prediger dorthin zu schicken, die dem Volke mit Ueberredung zu Leibe gingen. Nachdem sie ihr Vorhaben dem Papste Alexander III. mitgetheilt und dieser dasselbe gebilligt hatte, bestimmten sie zur Leitung dieser friedlichen Bekehrungs-Mission den Cardinal Peter von S. Crisogono zu Rom, der päpstlicher Legat in Frankreich war, den Erzbischof Guérin von Bourges, den Bischof Reginald von Bath, den Bischof Jean de Belles-mains von Poitiers, den Abt Heinrich von Clairvaux und verschiedene Andere. Sich auf die Belehrung dieser Gottesgelahrten allein zu verlassen, erschien den zwei Königen aber doch nicht räthlich; sie schärften daher dem Grafen von Toulouse, dem Vicomte von Turenne und dem Raymund von Castelnau ein, mit starker Hand dabei zu sein und kein Mittel zu unterlassen, was ihnen zur Vertreibung der Ketzer aus ihren Gebieten förderlich erscheinen möchte. Gerade in Toulouse waren Priester und Volk von den unrömischen Religionsbegriffen angesteckt. Dort fanden die Bekehrungs-Missionäre denn auch schlimme Aufnahme; man rief ihnen Namen zu wie „Abtrünniger", „Häretiker", „Heuchler". Der Cardinal-Legat versuchte ihnen zu predigen, aber man wollte ihn nicht hören. Er forderte die frommen Leute vor, auf daß sie ihren Irrthümern abschwören möchten, aber es kam Niemand. Hierdurch sich gedemüthigt fühlend, hieß der Cardinal den Bischof von Toulouse und Andere, die Namen der Widersetzlichen sammeln und ihm einreichen, damit den Ketzern ihr verdientes Recht werde. Unter denen, die zuerst benuncirt wurden, war ein gewisser Peter Mauran, einer der angesehensten Männer der Stadt; dieser wurde als der Leiter der Secte bezeichnet. Er war hochbetagt, reich begütert und sehr eifrig für seinen Glauben; er besaß zu Toulouse zwei Wohnhäuser, eines innerhalb, eines außerhalb der Stadt; zur Nachtzeit hielt er in denselben Versammlungen ab, wobei er selbst predigte. An ihm sollte ein Exempel statuirt werden. Der Graf ließ ihn vorfordern, aber er erschien nicht. Als er auf wiederholte Vorladung doch sich einstellte, erklärte er, ein wahrer Katholik zu sein, katholisch wie die ersten Christen gewesen seien. Der Graf drohte und schmeichelte abwechselnd; als aber weder das Eine noch das Andere fruchtete, ließ er den Ketzer dem Legaten und seiner Gesellschaft vorführen.

Einer dieser Missionäre warf Mauran sofort die Beschuldigung in's Gesicht: „Peter, Euere Mitbürger klagen Euch an, daß Ihr den

wahren Glauben verlaſſen und Euch der Arianiſchen Ketzerei in die
Arme geworfen habt; ja noch mehr: Ihr verharrt nicht nur ſelbſt
in dieſen Irrthümern, ſondern zieht auch Andere in dieſelben hinein."
Mauran entgegnete, worin er verharre, das ſei der alte katholiſche
Glaube. Nun drängte man ihn, er ſolle ſich auf einen Eid zu deſſen
einzelnen Stücken bekennen. Dagegen wehrte Mauran ſich mit der
Einrede, er ſei ein ehrlicher Mann, deſſen Verſicherung man trauen
müſſe auch ohne Eid; aber ſo lange er ſich auch geſträubt hatte, ſei
es aus Widerwillen vor dem Schwören überhaupt oder gerade vor
dieſem Eide — ſchließlich erklärte er ſich bereit, ihrem Verlangen
zu entſprechen. Es wurden nun mit großem Ceremoniel „heilige
Reliquien" herbeigebracht und die Hymne: „Komm Schöpfer, komm
o heil'ger Geiſt!" angeſtimmt. Als dann Mauran auf ſeinen Eid
gefragt wurde, was er von dem „Sacrament des Altars" halte,
erklärte er, für ihn ſei das Brod noch Brod auch nach der Conſe-
cration. Danach fragten ſie Nichts mehr; an der einen Antwort
hatten ſie genug. Mauran wurde dem Grafen zur Einſperrung überliefert; dieſer confiscirte ſeine Güter und gab Befehl, die zwei Häuſer
des Ketzers dem Erdboden gleich zu machen, weil dieſelben zu ketzeri-
ſchen Verſammlungen gedient hatten.

Das brachte die ganze Stadt in Aufregung. Wie in der
„Histoire Générale de Languedoc" von Vaysette (Toulouse 1841),
der wir hierbei folgen, erzählt wird, fiel Mauran von ſeinem Be-
kenntniſſe ab; er wurde barfüßig und mit entblößtem Oberkörper
aus dem Gefängniſſe vor den Legaten geführt und bat dieſen um
Gnade. Die Verzeihung wurde ihm gewährt, aber ſeine geſammte
Habe blieb einſtweilen confiscirt; ſie ſollte ihm jedoch, mit Ausnahme
der beiden ruinirten Häuſer, zurückerſtattet werden, wenn er binnen
vierzig Tagen auf einen Kreuzzug nach Jeruſalem ſich begebe und
nachdem er dort drei Jahre im Dienſte der Armen und Kranken
verweilt habe. Bevor er aber die Fahrt nach Jeruſalem antrete,
habe er in Toulouse Bußgänge zu machen zu verſchiedenen Kirchen
und zwar unter Geißelhieben auf die nackten Schultern auf dem
ganzen Wege; weiter habe er 500 vollwichtige Pfund Silber dem
Grafen zu bezahlen, ſeinem Herrn; endlich müſſe er Erſatz leiſten für
das, was er von den Kirchen, Klöſtern u. ſ. w. u. ſ. w. genommen
habe. Das Alles ausführen zu wollen, mußte Mauran mit einem
Eide bekräftigen.

Nachdem der Legat eine geraume Zeit in der Provinz Toulouse
zugebracht hatte, kam er zu dem Entſchluſſe, Alle, welche ihm als
Ketzer angezeigt worden waren, ſo wie Diejenigen, auf welchen auch
nur der Verdacht der Häreſie laſtete oder welche mit Ketzern in Verkehr
ſtanden, mit dem großen Kirchenbanne zu belegen. Der Abt von
Clairvaux verlangte um dieſelbe Zeit, beurlaubt zu werden, um ein

General-Kapitel seines Ordens abhalten zu können. Der Legat gewährte ihm denselben unter der Bedingung, daß er vorher mit dem Bischof von Bath zu den Albigensern sich begebe und den Fürsten des Landes, Roger de Béziers, auffordere, den von ihm aus irgend welchem Grunde gefangen gehaltenen und von Häretikern bewachten Bischof von Albi freizulassen, sowie alle Ketzer von seinem Gebiete zu verbannen. Der Bischof von Bath machte sich mit dem Abte und noch zwei anderen Begleitern zur Ausführung dieses Auftrages auf den Weg. Roger aber, der von ihrem Kommen gehört hatte, wich ihnen aus; die Begebnisse von Toulouse standen ihm vor der Seele und er fürchtete ein ähnliches Schicksal wie das des alten Mauran. Als die zwei Prälaten zu Castres anlangten, welches einer der stärksten Plätze des Landes war, fanden sie dort Roger's Gattin und Familie unter der Bewachung einer Truppe Krieger und so vor einem Gewaltstreiche gesichert; aber was sonst gegen den Fürsten geschehen konnte, geschah redlich. Die Prälaten predigten vor allem Volke, Roger sei ein Ketzer, ein Verräther, ein Meineidiger, denn er habe das dem Bischofe von Albi gemachte Sicherheits-Versprechen nicht gehalten. Sie belegten den Grafen mit dem Banne und erklärten ihm den Krieg im Namen Jesu Christi, im Namen des Papstes, im Namen der Könige von Frankreich und England. Das geschah Alles mit der möglichsten Feierlichkeit in Gegenwart der Gräfin und ihrer Cavaliere. Zum Schlusse mußten der Graf von Toulouse und der Adel der Provinz in Gegenwart des Legaten vor einer öffentlichen Versammlung schwören, daß sie den Ketzern in keiner Weise Vorschub leisten wollten. Damit seine Mission für erfüllt haltend, reiste der Legat mit seiner Begleitung ab.

Das nächste General-Concil wurde gehalten im Lateran, der bischöflichen Kirche Roms und darum „aller Kirchen der Stadt und des Erdkreises Mutter und Haupt." Alexander war so weit seines Mitrivalen um den päpstlichen Thron mächtig geworden, daß er aus Frankreich nach Rom zurückkehren und dieses Concil im Jahre 1179 dorthin berufen konnte. In drei feierlichen Sitzungen wurden die arg verwirrten kirchlichen Angelegenheiten zu ordnen gesucht. Einer der Hauptbeschlüsse betraf die Häretiker in der Gascogne und in der Gegend von Albi und Toulouse. Darin heißt es: „Da diese Häretiker sich nicht mehr still und verborgen halten, sondern ihre Irrthümer kühn veröffentlichen und Schwache und Einfältige zu denselben verführen, so wird hiermit über sie und über ihre Beschützer der Bann verhängt." Die gleiche Strafe wurde gegen die spanischen Ketzer und ihre Beschützer im Gebiete von Aragon, Navarra und in den baskischen Provinzen ausgesprochen, welche dabei beschuldigt wurden: sie seien „gegen die Rechtgläubigen grausam und schonten nicht Witwen und Waisen." „Wer gegen solche Ketzer," heißt es weiter, „eine Verpflichtung hat, soll so lange nicht gehalten sein, derselben nachzukommen, bis die Ketzer sich bekehrt haben. Ihrer Gewalt soll man Gewalt entgegen setzen, ihre Güter confisciren; sie selbst aber können von christlichen Fürsten zu Sclaven gemacht werden." In den Bestimmungen dieses Concils gegen die Ketzer sehen wir die Obliegenheiten der späteren Familiaren und geheimen Anzeiger der Inquisition schon im Umrisse angedeutet. Auch die Theilnahme weltlicher Officianten an diesem Concil gab einen Vorgeschmack von dem künftigen Zusammenarbeiten der staatlichen und kirchlichen Functionäre des h. Officiums.

Alexander III. starb am 11. August 1181. Sein Nachfolger, Lucius III. wurde schon wieder einmal von den Römern verjagt. Im Jahre 1184 hielt er in Anwesenheit des Kaisers Friedrich Barbarossa eine Synode zu Verona. In Uebereinstimmung mit den Prälaten und dem Kaiser wurde beschlossen, „daß alle Katharer, »Armen von Lyon« und wie die Häretiker alle heißen, mit dem Banne belegt sein sollen; ebenso sollen excommunicirt sein alle Anderen, welche ohne Erlaubniß predigen und Irrthümer verbreiten, welche anders lehren als die Kirche zu Rom in Betreff der Eucharistie, der Taufe, der Sündenvergebung und anderer Punkte. Das gleiche Strafurtheil treffe ihre Beschützer." Da aber die bloßen Kirchenstrafen von solchen Leuten oft verachtet werden, weil sie den Werth der geistlichen Zucht nicht zu würdigen wissen, so wurde bestimmt: „Ein häretischer Geistlicher solle zuerst degradirt, und wenn er dann nicht widerrufe, dem weltlichen Arm überliefert werden; ein ketzerischer Laie aber, der nicht widerrufe, solle ohne Weiteres der weltlichen Obrigkeit zur Bestrafung übergeben werden. Die Verdächtigen, welche sich nicht herbeilassen, vor dem Bischof sich zu reinigen, seien ebenso wie die nachweislichen Ketzer zu behandeln. Habe aber Jemand seine Häresie abgeschworen und sei wieder rückfällig geworden, so solle ihm zum zweiten Mal ein Widerruf aus Gnade gestattet sein; leiste er ihn jedoch nicht, so sei er dem weltlichen Arm zu übergeben. Das Eigenthum verurtheilter Kleriker soll der Kirche anheimfallen, an welcher sie angestellt gewesen waren. Dieses Excommunications-Decret gegen die Ketzer soll bei allen großen Kirchenfeierlichkeiten oder wann sonst immer sich Gelegenheit ergibt, von den Bischöfen auf's Neue verkündet werden; solche Bischöfe, welche sich hierin fahrlässig erweisen, sollen auf drei Jahre von ihren oberhirtlichen Functionen suspendirt werden."

Die noch nachfolgenden Bestimmungen derselben Veroneser Synode können dem Leser zeigen, wie die eigentliche Inquisition, vorab die bischöfliche, Schritt vor Schritt sich ausbildete. „Wir fügen hinzu," fährt der Papst fort, „auf den Rath der Bischöfe und mit Zustimmung des Kaisers und der Herren seines Hofes, daß jeder

Bischof jährlich wenigstens ein Mal, sei es in eigener Person, sei es durch seinen Archidiakon oder andere geeignete Stellvertreter diejenigen Theile seiner Diöcese durchforsche, in welchen dem Gerüchte zufolge Ketzer wohnen sollen. Der Bischof oder sein Stellvertreter soll dann in einer solchen Gegend drei oder vier Männer guten Rufes, oder auch, wenn er das für räthlich erachtet, sämmtliche Bewohner der Nachbarschaft auf den Eid nehmen, daß sie ihm alle Häretiker, alle Personen, welche geheime Zusammenkünfte haben, Jeden, der gegenüber den Gläubigen etwas Absonderliches in seinem Benehmen zeigt, namhaft machen, damit der Bischof oder sein Stellvertreter ihn vorlgben und prüfen könne. Wer sich dann von dem Verdachte nicht reinigt und sich zu leben anschickt, wie andere Gläubigen leben, oder wer rückfällig wird, der soll von dem Bischof mit den auf die Ketzerei gesetzten Strafen belegt werden."

Aber noch mehr!

„Die weltliche Obrigkeit aller Art: Barone, Gubernatoren, Consuln, Magistrate u. s. w. sollen eidlich geloben, die Beschlüsse gegen die Ketzer und die über diese verhängten Strafen vollziehen zu wollen, bei Verlust aller ihrer Aemter und Würden. Alle Beschützer der Ketzer aber sollen gebrandmarkt sein mit Ehrlosigkeit bis in's Grab und derohalben sollen sie unfähig sein, als Anwälte oder Zeugen zu fungiren, unfähig zur Besorgung eines jeden bürgerlichen Amtes."

In den einundzwanzig Jahren zwischen dem Concil zu Tours und dem zu Verona hat sich der Foetus der h. Inquisition bereits so weit ausgebildet, daß sich schon jedes Glied der späteren Gestalt deutlich erkennen läßt. Das Kind, gezeugt vom Fanatismus mit der hierarchischen Herrschbegier, verspricht schon nach diesen Anzeichen ein stattliches Wesen zu werden. In den folgenden Kapiteln werden wir sehen, wie dieses Dämchen Inquisition aufblüht. Zuerst wird sie in ein südfranzösisches Pensionat geschickt, wo sie den richtigen Schick und Schliff erhält, um dann auf spanischem Boden, die Geldgier der dortigen Herrscher als würdige Gouvernante stets zur Seite, zur üppigsten Fülle zu gedeihen. Wir begleiten sie dann auf ihren tugendsamen Pfaden durch die römisch-katholische Welt bis hin nach Indien, um schließlich zu sehen, wie sie als abgelebte Hetäre krebskrank, kraftlos und ehrlos, die letzte Zuflucht findet im Vatican, dem Hospital für unheilbare Kranken.

Viertes Kapitel.

Innocenz III. und die „kleinen Füchse".

Gerade dieselben drei Päpste: Innocenz III., Gregor IX. und Innocenz IV., welche die Lehre von der Universal - Herrschaft des römischen Stuhls über Fürsten und Völker, die Vereinigung aller Macht und aller Rechte, der staatlichen wie der kirchlichen, in der Hand des „Stellvertreters Gottes" zu Rom als den Kern des Evangeliums verkündigten und behandelten, gerade diese drei sind es auch, welche vorzugsweise das Institut der Inquisition ausgebaut haben. Als Cardinal, was er mit 29 Jahren geworden, schrieb Lothar Graf von Segni sein Büchlein „de contemptu mundi" — „über die Verachtung der Welt". Er machte darin den Weltlichen die Welt verächtlich und suchte sie gleichzeitig dem Papstthum zu gewinnen. Der Cardinal Lothar war ein gewiegter Jurist und darin eine Personification des Geistes, welcher zu Ende des 12. Jahrhunderts die Kirche beherrschte; in den Vordergrund trat das Streben nach Besitz und Macht, der sittigende Beruf in den Hintergrund. Dieses Streben der Hierarchie nach Herrschaft war so ausgeprägt, daß sogar die Sünde selbst ihm dienen mußte: Innocenz erließ die berühmte Decretale „Novit", in welcher er den Papst zum inappellabeln Richter über Alles machte, was sich unter den Begriff der Sünde subsumiren läßt. Wie der Papst um Königreiche, so kämpfte jedes Stift, jeder Pfarrer um Grundbesitz, um Zehnten, um die geistliche Jurisdiction. Das canonistische Studium hatte längst das theologische überwuchert, denn überall gab es Processe zu führen. Am 8. Januar 1198 war Lothar, 37jährig, Papst geworden, gleich am folgenden Tage nach seiner Erhebung entblößte er als Innocenz III. das „Schwert des h. Petrus" und nöthigte den kaiserlichen Präfecten von Rom, ihm zu huldigen; überall wurden die vom deutschen Kaiser eingesetzten Befehlshaber vertrieben — das mittlere Italien kam unter das Regiment des Papstes.

Die Briefe Innocenz' III. sind Zeuge, was Alles er für die Inquisition gethan hat. Seine Thronbesteigung war der Welt kaum verkündigt, da klagten ihm der Erzbischof von Auch und dessen Amtsbrüder in der Gascogne und den Nachbarprovinzen, daß ihre Diöcesen bedrängt würden durch den Eifer zahlreicher Prediger, welche mit wiederaufgeweckten Irrthümern die Einfältigen verführten. Daraufhin gab Innocenz dem Erzbischof die Vollmacht, gegen die Prediger vorzugehen, wie er selbst es für gut halte, jedenfalls aber solche Mittel anzuwenden, welche dazu angethan seien, mit der Ketzerei und allen Denjenigen, die damit befleckt seien, gründlich aufzuräumen.

Bald darauf machte Innocenz sich an die fundamentale und systematische Behandlung dieser Angelegenheit. Er richtete Apostolische Briefe an die Metropolitane zu Aix, Narbonne, Vienne, Arles, Ambrun, Terracina und Lyon, worin er diesen ankündigte, daß er zwei Reise-Inquisitoren aussenden werde, die Cisterzienser-Ordensbrüder Rainer und Guy, welche bekleidet seien mit der nöthigen Vollmacht, „jene kleinen Füchse, die Waldesier, Katharer und Patariner zu fangen und zu tödten — diese Füchse hätten zwar verschiedene Gesichter, aber mit den Schwänzen hingen sie in gemeinsamer Härese zusammen; vom Satan seien sie ausgeschickt mit Feuerbränden zur Verwüstung des Weinberges des Herrn der Heerschaaren." Rainer wird in diesen Sendschreiben als „sehr gelehrt", Guy als „absonderlich wohlwollend" ausgegeben. Die Kirchenfürsten wurden ernstlich ermahnt, sie freundlich aufzunehmen, mit Liebe zu behandeln und ihnen auf alle Weise behülflich zu sein, diejenigen Ketzer, welche sich absolut von ihren bösen Wegen nicht wollten abbringen lassen, aus dem Lande zu vertreiben. Alles was Bruder Rainer in Betreff dieser Diener des Satans und Derer, die denselben das Ohr leihen, anordnen werde, müßten sie pünktlich und bescheidenen Sinnes ausführen. Den Fürsten, Grafen und Baronen wird, unter Verheißung der Vergebung ihrer Sünden, gleichfalls zur Pflicht gemacht, die zwei Brüder mit geziemender Ehrfurcht aufzunehmen und ihnen kräftig und mannhaft in der Züchtigung der Bösewichter beizustehen. Wer von den Ketzern der Ermahnung zur Sinnesänderung kein Gehör gebe, der werde von Rainer aus der Kirche ausgeschlossen werden, und Sache der Fürsten, Grafen und Barone werde es dann sein, ihr Vermögen in Beschlag zu nehmen, die Unbußfertigen selbst aber des Landes zu verweisen; wer es trotzdem dann wage, noch länger auf dem heimathlichen Boden zu verweilen, der habe strengere Maßregeln zu gewärtigen.

Die Rechtgläubigkeit war aber allerwärts in solcher Bedrängniß, daß Innocenz beschloß, Frankreich dem „Wohlwollen" des Bruders Guy allein zu überlassen, während er in einem Rundschreiben die Prälaten und die auf den Papst hörenden Fürsten benachrichtigte,

daß der „in Wort und That gewaltige" Rainer sich nach Spanien
begeben habe, um dort der Kirche Christi zu dienen. Weitere Be-
glaubigungsschreiben gaben ihm die Zügel zur Disciplinirung des
spanischen und portugiesischen Klerus in die Hand, ganz abgesehen
von seiner unbeschränkten Jurisdiction als Inquisitor in allen Punkten, die den Glauben und das kirchliche Leben betreffen. Rainer war
schließlich beauftragt, Namens seines Herrn zu Rom von dem Könige
von Portugal für seine Desinfections - Arbeiten klingende Gegenlei-
stungen einzufordern. Die übrigen Herrscher werden also ebensowenig
ungeschoren davon gekommen sein, denn — „der Arbeiter ist ja seines Lohnes werth" und „wer am Altare dient, will vom Altare
auch essen." Die gleichen Aufträge und Vollmachten wurden Rainer,
wenn er in Spanien seine Aufgabe gelöst haben werde, auch für die
Gemeinden, Kirchen und Klöster in Frankreich ertheilt und auch dort
die Landes-Autoritäten zu seiner Unterstützung angewiesen.

Mit der Vertreibung der Ketzer von Haus und Heim hätte sich
der „Statthalter Gottes auf Erden" allerdings schon begnügen können,
aber es erschien ihm doch besser, sie ganz aus dem Wege zu räumen,
damit sie das Unheil nicht anderswo hintrügen. Eine große Anzahl
von Patarinern, welche von dem Erzbischof von Spoleto verjagt worden waren, wanderten nach Ungarn und fanden dort Zuflucht in
dem Gebiete eines Barbaren, des Ban Culinus von Bosnien. Dieser
duldete es nicht blos, daß sie sich zwischen seinen übrigen Unterthanen ansiedelten, sondern ermuthigte sie auch, ihre Lehren zu verbreiten und sich nach ihrem Meister „Christen" zu nennen. Davon
hörte Innocenz und er säumte nicht, einen Brief in den bittersten
Ausdrücken an König Emerich — oder wie er von den Schreibern im
Lateran genannt wurde: Hemmerad — zu richten. Er solle, läßt
Innocenz ihm befehlen, seine Lenden gürten zu königlicher Rache für
diese Schmach an Christus und dem christlichen Namen. Wenn der
Ban Culinus den hergelaufenen Ketzern nicht sofort die Scholle ent-
ziehe, auf der sie sich niedergelassen hätten, und sie des Landes ver-
weise, so müsse Hemmerad ihm und seinen Schützlingen unverweigerlich
den Krieg erklären und sie niedermachen, den Einen mit den Andern.
Zum Bedauern des Papstes erlaubten die ungarischen Gesetze es
nicht, daß seinem Verlangen hätte entsprochen werden können; die
Gesetze im Kirchenstaate waren in dieser Beziehung handlicher eingerichtet. Innocenz gab dem König, als einem Manne von „großer
Weisheit und Menschlichkeit" Belehrungen über die Strafen, welche
bei ihm auf die verschiedenen Klassen und Grade der Ketzerei festgesetzt seien. „In andern Staaten aber," so schrieb der anmaßliche
Papst-König in diesem vom 14. October des Jahres 1200 datirten
Briefe, „haben wir verordnet, daß die weltlichen Gewalten
und Fürsten dies ausführen; welche und welcher von ihnen

sich dessen weigern sollte, die lassen Wir durch strenge Kirchenstrafen dazu zwingen." Troß Allem scheint König Emerich dem römischen Bischof die verlangte Gefälligkeit nicht geleistet und weder Ungarn noch Bosnien die Landesgesetze in der Art umgeschaffen zu haben, daß sie mit dem allmälig sich ausgestaltenden Codex der Glaubens-Inquisition in besseren Einklang gekommen wären.

Innocenz aber wußte mit den Patarinern in Bosnien doch zum gewünschten Ziele zu kommen. Er hatte den Erzbischof von Spalatus belehrt, wie er die Saracenen auf Sicilien, welche durch die deutschen Eroberer dieser Insel mit Gewalt an den Taufstein getrieben worden waren, ihrem Zwangs-Christenthum jedoch keinen Geschmack abgewinnen konnten, bestrafen solle, und in der That einigen Erfolg damit gehabt; einen gleichen Erfolg hoffte er auch jetzt noch in Bosnien. So Etwas wie das h. Officium ließ sich freilich nicht dort anbringen — das hatte er bereits erprobt, und so hätten vielleicht die Patariner oder „Christen" sich dort behauptet, wenn nicht Kalo-Johannes, der Bulgaren-König, der sich, um sich vom griechischen Reiche unabhängig zu machen, den Patriarchen zu Konstantinopel ab- und dem Papste zu Rom zugewandt hatte, und dafür dann von diesem mit der Königskrone beschenkt worden war, in's Mittel gelegt hätte. Innocenz schickte einen Boten an diesen, um durch Intrigue zu bewirken, was er mit Drohungen nicht hatte erlangen können. Scheu gemacht durch die Einmischung des Bulgarenfürsten, dem zum Lohne für den Bruch seines Vasalleneides außer der Krone auch noch ein eigener Patriarch von Innocenz gewährt worden war, unterzeichneten die Führer der Patariner eine Verpflichtung, Altäre und Kreuze in ihren Kirchen aufzurichten und die Ernennungen zu kirchlichen Aemtern in ihren Gemeinden der Bestätigung und Ueberwachung des römischen Bischofs zu unterstellen.

Mit dem Könige Alonso von Castilien zankt Innocenz in einem Schreiben vom 5. Mai 1205, weil dieser Fürst den unter seinem Scepter lebenden Juden und Saracenen einige Gnaden-Acte erwiesen hatte. Ein anderes Breve vom 16. Juni desselben Jahres gestattet dem Könige Pedro von Aragonien, alles Eigenthum, welches er von Häretikern abnehmen könne, „rechtmäßig" zu besitzen, denn: nach göttlicher Einrichtung ist die Habe der Ketzer der Kirche anheimgefallen in dem Augenblicke, da diese von dem Pfade des wahren Glaubens abwichen, und die Kirche kann dasselbe überweisen, wem sie will. Weitere Briefe Innocenz' III. sind an Philipp von Frankreich — unterm 15. Juli 1205 — und andere Fürsten dieses Landes gerichtet; sie anbefehlen die Unterdrückung des „Uebermuths" der Juden — wir werden später genauer sehen, worin dieser „Uebermuth" bestand und wie dessen Unterdrückung eingeleitet zu werden pflegte. Philipp von Aragonien vollführte was er vom Papste geheißen war und wurde mit der beweglichen und unbeweglichen Habe seiner Opfer belohnt; als er in Folge solcher Regierungsweise Rebellion der miß= handelten Unterthanen zu fürchten hatte, wies unterm 9. Juni 1206 Innocenz ihm ein der „Kirche" gehöriges Castell · als Hauptstand= quartier an, damit er den „Krieg" gegen sein eigenes Land mit mehr Sicherheit führen könne. Die Ketzerei war also damals so verbreitet in Spanien, daß sie nur mit Söldnerschaaren niederge= halten werden konnte. Gleicherweise sackten, durch ein päpstliches Breve vom 17. November 1207 „berechtigt", der König und die Großen in Frankreich die Besitzthümer der Albigenser in Frankreich ein, nachdem sie deren Eigenthümer theils getödtet, theils von Tou= louse weg in's Elend getrieben hatten.

Der Verfasser der „Gesta Innocentii P. P. III. ab Auctore anonymo, sed coaetaneo, scripta" soll uns nun als Augenzeuge erzählen, wie Innocenz in seinem eigenen Herrschaftsgebiete es mit den Ketzern gehalten hat.

„Im zehnten Jahre seines Pontificats verließ unser heiligster Herr, nachdem er das Fest Christi-Himmelfahrt" (4. Juni 1207) „ge= feiert hatte, die Stadt" (Rom) „und kam nach Viterbo, wo die Bevöl= kerung ihn mit großer Freude und vielen Ehrenbezeugungen empfing. Er begann sofort, Maßregeln gegen die Unstäthigkeit der Patariner zu treffen, in welche die Stadt Viterbo tief versunken war — man muß sich des Geständnisses fast schämen, daß es Ketzer gab dicht unter den Augen Roms, auf dem eigensten Patrimonium Petri, so daß das Wort fast berechtigt erscheinen konnte: »Arzt hilf dir selbst! Zieh' erst den Balken aus dem eigenen Auge und dann erst den Splitter aus dem Auge deines Bruders.« Die Patariner aber, von dem Kommen des Papstes unterrichtet, hatten sich auf die Flucht be= geben. Der Papst forderte den Bischof und den Klerus der Stadt vor sich und ordnete eine genaue Untersuchung an; über diese ließ er sich dann Bericht erstatten und Alle, welche als Begünstiger, Heh= ler und Freunde der Ketzer verdächtig waren, durch den Bürgermeister und Rath der Stadt verhaften; im Gefängniß mußten sie einen Eid leisten und Bürgschaft stellen, daß sie künftig in Allem, was man von ihnen fordere, gehorsam sein wollten."

Die Häuser der geflüchteten Patariner wurden dem Boden gleich gemacht; ihr auffindbares Mobilar-Vermögen in Beschlag genommen, der Rath der Stadt angewiesen, strenge Nachforschung zu halten nach Dingen, die vielleicht versteckt worden seien und sich hierbei, den Heh= lerei verdächtigen Personen gegenüber, auch nicht davor zu scheuen, über ihre gesetzlichen Befugnisse hinauszugehen. Dann verkündete der Papst in einer allgemeinen Versammlung von Klerus und Volk ein Decret folgenden Inhalts: „Jeder Häretiker, besonders aber jeder Patariner, welcher im Patrimonium des h. Petrus gefunden wird, soll unverzüglich ergriffen und dem weltlichen Arm zur Bestrafung nach der Strenge des Gesetzes übergeben werden. All sein Eigenthum hat er verwirkt; ein Drittel desselben gehört Demjenigen, der ihn festgenommen, das zweite Drittel dem Gerichtshofe, der ihn verurtheilt, das dritte wird im öffentlichen Nutzen verwendet. Das Haus eines Ketzers wird demolirt, um nie wieder aufgebaut zu werden; die Stätte, wo es gestanden, diene zur Mistgrube. Wer dem Ketzer als Freund nahe gestanden hat, werde gestraft um ein Viertheil seines Vermögens; diese Buße fällt dem Staat anheim; wer sich wiederholt eines solchen verbrecherischen Umgangs schuldig macht, muß das Land verlassen. Derartige Begünstiger von Ketzern haben kein Klage-Recht in keiner irgendwie gearteten Sache, können aber selbst verklagt werden von Jedermann. Kein Richter, kein Advocat, kein Notar soll ihnen Dienste leisten unter Gefahr des Amts-Verlustes. Kein Geistlicher soll ihnen beistehen, oder ein Opfer von ihnen annehmen. Als gänzlich Gebannte sollen sie gemieden sein von Allen." Das Decret wurde einregistrirt als öffentliches Recht, und Jedem, der ein bürgerliches Amt bekleidete, wurde es einmal im Jahre vorgelesen und er mußte dann schwören, es unverbrüchlich zu halten.

Soweit war Innocenz vorgegangen auf Grund seiner alleinigen und obersten Autorität; nunmehr bewirkte er die Aufnahme seiner Entscheidungen in das canonische Recht. Indem dies geschah, wurde das, was man im eigentlichen Sinne die Inquisition nennt, zu einer integrirenden Einrichtung der römischen Kirche. Die Hildebrand'sche Schule, sowie die Concile von Tours, vom Lateran und von Verona hatten, wie wir im Vorhergegangenen gesehen, gewissermaßen die Volksmassen gegen die Ketzer zu bewaffnen gesucht. Im Jahre 1209 versammelte Innocenz ein Concil zu Avignon unter dem Vorsitze seiner Legaten und fügte dort dem allmälig zu einem System sich aufbauenden Gesetzbuch der Inquisition ein wichtiges Kapitel hinzu. Er verordnet, daß die Bischöfe ihre große und strafbare Nachlässigkeit abthun und vorab öfter predigen sollen. Er klagt, daß er sich auf den Gehorsam des Klerus nicht verlassen könne und ruft die Hülfe des weltlichen Schwertes an, da das geistliche sich nicht schneidig genug erweise. Er befiehlt, daß jeder Bischof aus den Stadt-Bürgern, Grafen, Vögten, Rittern und sonstigen Gläubigen seiner Diöcese die ihm geeignet Scheinenden auswähle und sie schwören lasse, alle aus der Kirche ausgeschlossenen Häretiker zu vertilgen. „Und damit es dem Bischof besser gelinge, seine Diöcese von der Pest der Häresie zu reinigen, soll er einen Geistlichen sowie zwei oder drei Laien, nach Umständen auch mehr, die guten Rufes sind, in jeder Stadt- oder Land-Pfarrei auf den Eid verpflichten, wo immer sie einen Ketzer, einen Ketzer-Hehler oder Ketzer-Helfer finden, denselben dem Bischof, dem Magistrat, dem Stadt-Hauptmann oder Land-Vogt zuzuführen, auf daß er mit den canonischen und gesetzlichen Strafen belegt, ihm aber in allen Fällen jedes Besitzrecht auf Eigenthum aberkannt werde. Wenn jedoch die vorgenannten oder anderen Behörden in diesem Dienste Gottes sich nachlässig zeigen oder die Weisungen des Bischofs geringschätzig behandeln, so sollen ihre Personen mit der großen Excommunication belegt, ihre Gebiete aber dem Banne der Kirche unterstellt werden."

In dem Decret war nicht gesagt, welche Mittel die Bischöfe anwenden sollten, um die Ketzer aufzuspüren, welche Mittel sie „in diesem Dienste Gottes" wirklich angewendet haben, das kam bald darauf an's Tageslicht, als zu Paris eine Ketzerei auftauchte unter dem Namen eines gewissen Amalrich, und das neue Gesetz Innocenz' zur Anwendung gebracht wurde. Der Geschichts-Professor J. B. Weiß zu Graz, ein Gesinnungsgenosse Gfrörer's, schildert diesen Amalrich aus Bena bei Chartres als einen idealen Pantheisten, läßt ihm aber das Lob eines „durch Scharfsinn und Freiheit des Geistes ausgezeichneten Lehrers der Philosophie und Theologie" an der Universität (Sorbonne) zu Paris.

„Die Kunde von dieser Häresie" — so wird im „Concilium Parisiense adversus Amalrici Haeresin, a. D. 1209" berichtet — „war auf geheimem Wege zu den Ohren des Bischofs Peter von Paris und des Bruders Guérin, des vertrauten Rathgebers des Königs Philipp August gelangt. Sie ließen im Stillen den Magister Raoul, einen Kleriker in Nemours, zu sich kommen und beauftragten ihn, nach den zu der Secte gehörigen Leuten genaue Nachforschung zu halten. Dieser Raoul war ein sehr geschickter und schlauer Mann und äußerst glaubenseifrig. Kam er im Verfolge des erhaltenen Auftrages zu Solchen, von denen er ausgekundschaftet hatte, daß sie zu der Secte gehörten, so gab er sich mit großer Verstellungskunst den Anschein, als gehöre auch er zu derselben Religions-Partei. Das glaubten ihm die Arglosen dann und offenbarten ihm alle ihre Geheimnisse. So fügte es Gott, daß viele Priester und Mönche, sowie Laien, beiderlei Geschlechts, die lange im Verborgenen der Ketzerei zugethan waren, endlich entdeckt, gefangen genommen, nach Paris gebracht, von dem versammelten Concile ihres Verbrechens überführt und verurtheilt wurden. Diejenigen, welche geistliche Weihen empfangen hatten, wurden degradirt und dann mit den Andern dem Gericht König Philipp's übergeben. Philipp war ein gutchristlicher Herrscher und eifrig katholisch; er rief seine Gerichtsdiener und gab ihnen Befehl, die Ketzer allesammt zu verbrennen. So geschah es außerhalb des Stadtthors zu Champeaux." Vier wurden zu lebenslänglichem Gefängniß verurtheilt. Derer, die in den Flammen starben, waren es zehn an der Zahl. Ihre Feinde selbst mußten ihnen hinterher

das Zeugniß geben, daß sie sich ausgezeichnet hätten durch Ehrbarkeit
und Lebensernst. Wenn es Innocenz hinterbracht wurde, daß diese
oder jene Ketzer von vorwurfsfreiem und musterhaftem Wandel seien,
so bezeichnete er das als eine ganz abgefeimte besondere Spitz-
büberei der Ketzer: sie lebten deshalb so streng nach christlicher Sitte,
um die Gläubigen irre zu führen und ihnen dadurch ihre Lehre
als annehmbar erscheinen zu lassen.

Auf dem vierten Lateranensischen Concil, dem zwölften allgemeinen, im Jahre 1215, ging Innocenz noch einen Schritt weiter
in der Ausbildung der Ketzer-Jagd. Zu diesem Concil hatten sich
71 Erzbischöfe, im Ganzen 413 Bischöfe, 800 Aebte und mehrere
Fürsten Europas eingefunden. Dieses Concil hatte große Geschäfte.
Vor Allem mußten die Fürsten und Völker Europas zu einem neuen
Kreuzzug aufgestachelt werden; dieser kam denn auch, als der sechste,
später unter Honorius III. zu Stande. Die zweite Aufgabe der
Synode war angeblich die Verbesserung der Sitten und Hebung des
kirchlichen Lebens. Die österliche Beichte und Communion wurde
allerdings den Gläubigen hier zur Pflicht gemacht — mit der wirklichen Verbesserung der Sitten hatte es gute Weile. Schließlich
galt es, die Irrlehren Berengar's, Joachim's, Amalrich's, der Albigenser und anderer Ketzer auf's Neue zu verdammen. Mit der Ketzer-
Verfolgung war man jedoch schon im besten Zuge. Vorab wurden
die bischöflichen Inquisitions-Reisen und die Beiziehung zu vereidender
Local-Schöffen nachdrücklich in empfehlende Erinnerung gebracht.
Weiterhin wurde dann theils neu, theils genauer bestimmt:

„Jeder Häretiker, welcher sich gegen den »heiligen katholischen
und alleinseligmachenden Glauben«, wie derselbe von den Vätern in
St. Johann vom Lateran angenommen ist, auflehnt, ist gebannt und
verdammt. Hiervon ist keine Ketzerei, sie habe einen Namen, welchen
sie wolle, ausgenommen, denn diese Füchse, wenn sie auch im Gesichte sich nicht gleichen, hangen mit den Schwänzen zusammen und
stimmen überein im Hochmuth.

„Wenn sie aber verurtheilt sind, so werden sie den anwesenden Vertretern der weltlichen Macht übergeben, um nach
dem Gesetze bestraft zu werden, nur daß die Kleriker vorher von
ihren Weihen degradirt werden. Wenn es sich um Laien handelt,
so wird deren Vermögen confiscirt; das der Kleriker fällt an die betreffenden Kirchen, an denen sie ihr Amt hatten.

„Personen, die nur mit Verdacht behaftet sind, werden — sie müßten sich dann von dem Verdachte zu reinigen im
Stande sein — nur excommunicirt und den Gläubigen als Solche
bezeichnet, die sie zu meiden haben. Verharren sie dann ein Jahr
lang im Banne, so sollen sie als der Häresie überführt behandelt werden.

„Die weltlichen Gewalten müssen angeregt und überredet, nöthigenfalls aber auch durch die Androhung kirchlicher Zuchtmittel dazu
getrieben werden, sich öffentlich und eidlich zur Vertheidigung des Glaubens zu verpflichten, sowohl dadurch, daß sie selbst ihm treu bleiben,
als daß sie versprechen, Alles aufzubieten, um Diejenigen, welche die
Kirche ihnen als Ketzer bezeichnet hat, von ihrem Gebiete zu vertreiben."

Derjenige weltliche Gebieter, welcher nach einer einmaligen Mahnung von kirchlicher Seite es versäumt, sein Land von der ketzerischen
Verunreinigung zu säubern, soll unter Androhung des Bannes von
dem Erzbischof und andern Bischöfen hierzu angehalten werden. Verharrt er ein Jahr lang in seiner Hartnäckigkeit, so sollen die Einwohner seines Landes ihrer Unterthanenpflicht entbunden und seine
Territorien von solchen Katholiken in Besitz genommen werden, von
denen sich erwarten läßt, daß sie die Ketzer aus denselben wegschaffen
und die Reinheit des Glaubens wieder herstellen.

Von dem in Rede stehenden Concil wurde auch die Strafe der
Ehrlosigkeit über Alle ausgesprochen, welche seinen Beschlüssen zu
widerstreben wagen sollten. In Folge dieser Ehrlosigkeit sollten dergleichen Unfügsame unfähig sein für jedes öffentliche Amt, unfähig
zu jeglichem Wahlrecht, unfähig testamentarisch über ihr Vermögen
zu verfügen, unfähig, wenn es ein Fürst war, in Betreff seines
Nachfolgers eine Bestimmung zu treffen; in der Trübsal sollte ihnen
Niemand den Trost des Beistandes, nach dem Tode Keiner ihnen die
Ehre eines christlichen Begräbnisses gewähren.

Nach alledem ist das Tribunal des h. Officiums allerdings
noch nicht errichtet, aber die Inquisitoren sind bereits da, wenn auch
einstweilen nur erst in der Person der Diöcesan-Bischöfe. Das genügte Rom jedoch nicht auf die Dauer. Im Allgemeinen hatten die
Bischöfe jener Jahrhunderte im Vergleich zu denen der Gegenwart
zu sehr das Gefühl ihrer persönlichen Würde und ihrer eigenthümlichen Rechte, um auf den Befehl ihres mit dem Ehren-Primat be-
dachten Collegen tagtäglich ihre Hände in Blut zu tauchen. Das
Gestöhne gemarterter Ketzer war für die Ohren eines humanen
Mannes keine Musik; die weniger humanen hatten naturgemäß oft
persönliche Bedenken, so streng vorzugehen, wie die ihnen gegebenen
Anweisungen es verlangten. Der römische Wille: die Ketzerei
gründlich zu verderben, fand deshalb in den Ländern der Christenheit keine gleichmäßige Vertretung, oft nicht einmal in zwei benachbarten Kirchensprengeln. Aber selbst wenn dies der Fall gewesen
wäre: ein so kolossales Werk wie das, die Menschengeister alle über
den römischen Leisten zu schlagen, alles individuelle Denken und
Fühlen in religiösen Dingen zu vernichten, den durch die Scandale
bei der römischen Kurie und auf dem Papstthron so frevelhaft her-

ausgeforderten Widerwillen der wahrhaft religiösen, nicht blos kircheneifrigen Gemüther niederzuhalten — diese kolossale Aufgabe erforderte eine Maschine, die blind arbeitete und rücksichtlos und von einer Kraft in Bewegung gesetzt wurde, die einen Ueberblick über das ganze Arbeitsfeld hatte. Es genügte nicht, daß die einzelnen bischöflichen Curien den Häretikern nachspürten und daß die einzelnen Magistrate so viel Ketzer verbrannten, als die „Kirche" ihnen als solche zu bezeichnen beliebte — es mußte ein eigenes kirchliches Departement geschaffen werden, um die Arbeit, welche aus den zahllosen gefüllten Gefängnissen, den Verhören und Executionen erwuchs, zu bewältigen. Dann konnte man, da die in's Auge gefaßten Opfer unter den Volksmassen zerstreut wohnten, der Mitwirkung dieser letzteren nicht entrathen: es galt also die gutkirchlichen Massen für den angestrebten Zweck zu bearbeiten.

Schließlich kam noch Eins in Betracht: das canonische Recht, so sehr es nach den Bedürfnissen einer der Theokratie zusteuernden Hierarchie zugemodelt wurde — es fußte doch immer auf gewissen Rechtsgrundsätzen und bildete ein logisch geschlossenes System. Gerade darum aber war es in den zur Ketzer-Ausrottung zu führenden Processen nicht auslänglich. Die Bestimmungen des canonischen Rechts waren für die Mitglieder des Klerus ein starkes Schutzmittel bei allen Angriffen und Klagen gegen dieselben; da nun aber auch den Häretikern unter dem Klerus zu Leibe gegangen werden sollte, so konnten weder die canonischen Rechtsformen noch die bischöflichen Gerichtshöfe, die danach ihre Urtheile schöpfen, genügen — es mußte ein außerhalb der ordnungsmäßigen Hierarchie stehendes Tribunal errichtet werden, welches, von den Bischöfen unabhängig, diese selbst vorladen konnte. Wie der Codex für dieses Tribunal sich gemach entwickelte, haben wir in den bisherigen Kapiteln ausgeführt, wir werden in einem der nächstfolgenden auch das Tribunal sich erheben sehen. Vorher aber müssen wir das Jagdrevier und das Wild selbst für diese Kesseltreiben etwas genauer in Betracht ziehen.

Fünftes Kapitel.

Apostel hoch zu Roß und Ketzer in Sandalen.

"Die Geistlichen ziehen dem armen Leben Christi die weißen Frauen, den rothen Wein, die schönen Pferde und üppigen Gelage vor" — so schildert ein Zeitgenosse Innocenz' III. den Klerus in Südfrankreich, jenen Provinzen, worin die Ketzerei am besten gedieh: in Aquitanien, Languedoc, Narbonne, der Provence. Es hatten ja seit Jahrhunderten meist rechte Tugendmuster auf Petri Stuhl gesessen — der Abt Desiderius von Monte-Casino nannte Benedict IX. geradezu 'den "Teufel" — und wie das in die Ferne wirkt, hat uns der gleichfalls zu Innocenz' Zeiten lebende herzensfromme Walther von der Vogelweide in jenen Versen gesungen, die sich 1870 wieder so schön bewährten, daß man hätte d'rauf setzen können: "Gedruckt in diesem Jahr" —

> "Mit väterlichem Beispiel geht der Papst voran,
> Sie folgen stets ihm Schritt vor Schritt auf seiner Bahn.
> Nun merke, Welt, was mir daran nicht wohl gefalle:
> Geizt er, so geizen mit ihm alle;
> Lügt er, sie lügen mit ihm alle seinen Lug,
> Und trüget er, sie trügen mit ihm seinen Trug."

Selbst der ultramontane österreichische Geschichtschreiber Weiß nennt den zwischen der damaligen Kirche und der ursprünglichen apostolischen Einfachheit bestehenden Gegensatz einen "schreienden". Der Erzbischof Berengar II. von Narbonne jagte wie ein Nimrod; während zehn Jahren hatte er sich nicht ein Mal in seinem Sprengel umgesehen, ja nicht einmal seine Domkirche besucht; leichtfertig ertheilte er die Weihen, und fragte nie nach dem sittlichen Leben Derer, die sie begehrten. Seine Amtsbrüder von Carcassonne und

Toulouse standen auf derselben Höhe hohepriesterlicher Vollkommenheit; sie wurden deshalb von den früher schon genannten durch Innocenz zur Ketzerbelehrung in's Land geschickten Cisterzienser-Mönchen
Rainer und Guy ihres Amtes enthoben. Fragen wir aber, wer diejenige Persönlichkeit wohl war, die z. B. zu Toulouse an die
Stelle trat, so antwortet uns Weiß nach seinen gewiß gutkirchlichen
Quellen: „Fulco, der Sohn eines reichen Genuesen, früher fahren-
der Sänger an vielen Höfen, heiter und reich an glühenden Liebes-
liedern." Er gibt uns dann noch folgende Auskunft: „Im Jahre
1199 durch den Tod seiner Angebeteten zum ernsteren Leben erweckt,
trat Fulco mit seiner Gattin und seinen zwei Söhnen in den Cister-
zienser-Orden. Noch immer dichtete er Liebeslieder voll Gluth, aber
sie galten jetzt der h. Jungfrau." Ein solches Remplacement der
lang und vielseitig geübten irdischen Liebe durch die „himmlische"
kömmt ja öfter vor, ist sogar sprüchwörtlich. Gewöhnlich bethätigt
sich dann die „ernstere Lebensanschauung" sehr ernst — gegen Andere. Aber es ist doch bezeichnend für die Zustände, daß dieser Fulco
noch als Heilmittel für eine ganze Diöcese dienen konnte, trotzdem
er einer „Angebeteten" pflog neben seinem Weibe, dessen Hinsterben
ihn vielleicht gar nicht „ernst" gemacht haben würde — und das
Alles in einem Alter, da er schon zwei zur Standeswahl heran-
gereifte Söhne hatte!

Kein Wunder, daß eine solche Kirche wahrhaft christlich gesinnten Gemüthern keine Befriedigung bieten konnte — war doch selbst
von der Hildebrand'schen Reform Nichts übrig geblieben als fanatische
Orthodoxie und hierarchisches Streben. Darum begegnen wir zuerst
der Erscheinung, daß nicht nur Ungläubige, sondern gerade Gemeinden von innig und aufrichtig frommen Mitgliedern von der römischen Kirche Nichts wissen wollen und von ihr als abtrünnig verfolgt werden. So galt der Kampf der Ketzer in Ober-Italien und
im Rhone-Thal weniger der alten Lehre, als der äußeren Gestaltung
der Kirche.

In der Lombardei wirkten die Lehren Arnold's von Brescia
fort. Dieser hatte die weltliche Macht und den irdischen Reichthum
mit dem geistlichen Amt und priesterlichen Leben für unvereinbar
erklärt, den Klerus sowie das Mönchthum auf die apostolische Armuth verwiesen und letztere nicht allein mit Worten, sondern auch
durch seinen eigenen Lebenswandel gelehrt. Der Leser wird sich der
Pataria erinnern; die Grundsätze derselben hatten zu Brescia mit
zuerst Boden gefunden und am längsten behalten; aber die Curie
wollte, nachdem sie durch die Pataria ihr Ziel erreicht, d. h. den
unabhängigen Klerus in Ober-Italien unter das römische Joch gedemüthigt hatte, von den Grundsätzen der Patariner Nichts mehr
wissen. Der Fortbestand patarenischer Lehren, das Studium der h.

Schrift und, wie Wilhelm v. Giesebrecht meint, ohne Zweifel auch die Beschäftigung mit dem römischen Recht werden zusammengewirkt haben, um in Arnold, welcher selbst Kleriker war und zu den Augustiner Chorherrn gehörte, die Ueberzeugung zu befestigen, daß die außerkirchliche Macht des Klerus weder in den göttlichen noch in den weltlichen Gesetzen begründet sei. Wenn der mönchische Chronist Otto von Freisingen berichtet, Arnold habe auch über das Sacrament des Altars und die Kindertaufe nicht kirchlich gedacht, so entbehrt dies jeden Beweises; nicht einmal der h. Bernhard, Arnold's bitterster Feind, hat es ihm vorgeworfen. Arnold wurde vom Papste Hadrian IV. dem Präfecten der Stadt Rom übergeben. Der Präfect war der Blutrichter Roms, und er vollführte sein Amt im Juni 1155. Arnold wurde gehängt, sein Leichnam verbrannt und die Aschenreste in den Tiber gestreut, damit, wie Otto von Freisingen sagt, das thörichte Volk nicht seine Gebeine verehre.

Arnold von Brescia hat nur die weltliche Macht der Kirche bekämpft und diese ist auf kein Dogma gestützt; nicht einmal von ihrem eigenen Standpunkte aus hatten also Papst und Curie das Recht, ihn einen Häretiker zu nennen. Arnold's Lehre ist durchaus nüchtern und ohne Schwärmerei, wie diese bei Ketzern sich wohl mitunter findet. Sein schon genannter Gegner, Bernhard von Clairvaux, ruft aus: „Möchte seine Lehre so heilvoll sein, wie sein Wandel streng ist!" aber ein anderer geistlicher Zeitgenosse, Johann Parvus von Salisbury, sagt von dieser Lehre: „Sie entsprach dem Evangelium, aber sie stand im Widerspruch mit allen Lebensverhältnissen." So war's. Der h. Bernhard v. Clairvaux, dem es kein Bedenken erregte, das geistliche und das weltliche Schwert in der Hand des Papstes vereinigt zu sehen (cfr. Bern. Epist. 256), der in jeder Erweiterung geistlicher Macht einen neuen Sieg über die arge Welt sah, erwartete das Heil von einer Art von Kirchen- und Staats-Regiment, das sich von dem Regiment eines großen wohlgeordneten Klosters nicht wesentlich unterschied. Aber auch andere Betreiber einer ernstlichen Kirchenreform, welche zwischen der geistlichen und weltlichen Macht der Kirche wohl zu unterscheiden wußten und die Vereinigung der beiden Schwerter in einer Hand mißbilligten, waren nichtsdestoweniger von Hildebrand'schen Ideen dermaßen erfüllt, daß sie sich nicht entschließen konnten, einen scheinbaren äußeren Gewinn der Kirche aufzugeben; ihre Reform-Bestrebungen kamen deshalb über Moral-Predigten nicht hinaus. In Wirklichkeit gab es nur einen sichern Weg, die erkannte Verderbniß der Kirche gründlich zu heilen: nur dadurch war dem Verfall der Kirche zu steuern, daß man ihr die weltliche Macht, die sie gewonnen hatte, wieder entzog. Auch Dante hat ja (Fegefeuer XVI, 106 fgde.) auf diesen Punkt als auf die wunde Stelle hingewiesen.

„Einst pflegte Rom, der guten Ordnung Gründ'rin,
Zwei Sonnen zu besitzen, welche diesen
Und jenen Weg, der Welt und Gottes, zeigten.
Verlöscht hat eine jetzt die ander', es eint sich
Das Schwert dem Hirtenstab, und so verbunden
Muß sich nothwendig Beides schlecht behaben,
Dieweil vereint Eins nicht das And're fürchtet.
Willst Du mir glauben nicht, merk' auf die Aehren,
Denn jeglich Kraut erkennt man an dem Samen."

Eine gründliche Reform aber schloß eine Revolution in sich, welche nicht nur die Weltverhältnisse auf die Zeiten vor Gregor VII., sondern in eine viel weiter entlegene Vergangenheit zurückgeführt hätte. Arnold von Brescia allein hat den Muth gehabt, nicht nur auf diesen Weg hinzuweisen, sondern ihn auch kühn zu betreten und unerschrocken auf demselben vorwärts zu gehen. Die wahre Kirche war ihm allein die arme Kirche der ersten Jahrhunderte; die herrschsüchtige Kirche seiner Zeit war ihm nicht das Haus Gottes und ihre verweltlichten Bischöfe und Priester nicht die wahren Träger der frohen Botschaft. Und er begann, — das mußten ihm ja, wie wir gesehen haben, seine Feinde lassen — die Reform an sich selbst. Aber es war ihm nicht genug, selber ein wahrer Priester zu sein: durch Lehre und mit Gewalt wollte er die gesammte Kirche umgestalten. Mit seinen Lehren erfüllte er die Lombardei, Frankreich, Deutschland, endlich das gegen den Papst aufständische Volk von Rom; mit Gewalt ist er wiederholt in Brescia seinem Bischof, in Rom dem Oberhaupt der gesammten Kirche entgegen getreten. Zu einer Zeit, da die Träger der hierarchischen Ideen über die materielle Gewalt verfügten, mußte er unterliegen — ex ossibus ultor! Die „italienischen Armen" in der Lombardei traten in Verbindung mit den im Rhonethal weit verbreiteten „Waldesiern", oder den „Armen von Lyon", wie sie gleichfalls genannt werden. In der Geschichte der Waldesier hat erst vor einigen Jahren ein Münchener Gelehrter, Wilhelm Preger, was die richtige Würdigung dieser Ketzer betrifft, die bisherigen Forscher Herzog, Dieckhoff, Muston u. s. w., so reiches Detail diese auch in ihren Büchern auch beibringen, doch weit überholt. Eine neu aufgefundene Quelle, ein Sendschreiben der mit den Waldesiern verbrüderten „italischen Armen" über die zwischen ihnen und jenen hervortretenden Meinungs-Abweichungen, hat ihn dabei mächtig gefördert. Dieses Sendschreiben ist im Namen der „italischen Armen" von zehn ihrer Vertreter an ihre Brüder und Freunde „trans alpes", also nach diesseits der Alpen, gerichtet; es handelt über eine Zusammenkunft, die im Mai 1218 bei Bergamo zwischen sechs Vertretern der „italischen Armen" und eben so vielen Abgesandten der Waldesier stattgefunden hatte. Da fünf der sechs italienischen Vertreter auch noch das Sendschreiben eigenhändig unterzeichnet haben, so kann dessen Abfassung nicht allzulange nach 1218 erfolgt sein; Preger setzt sie in die Zeit um's Jahr 1230. Die Erzählung der Zusammenstöße der Waldesier mit der Inquisition einem späteren Kapitel aufbehaltend, fassen wir hier in möglichster Kürze nur das zusammen, was sich im Lichte des erwähnten Sendschreibens über die Stellung der italischen und Lyoner Armen zur römischen Kirche jetzt mit Sicherheit behaupten läßt.

Die Waldesier sind ein um's Jahr 1170 durch Peter Waldez von Lyon gestifteter Verein von Laien für apostolisches Leben und für freie apostolische Predigt. Wegen ihres unberufenen Predigens von der römischen Kirche gebannt, beriefen sie sich auf die höhere Autorität der h. Schrift. Gemäß der Vorschrift, welche Christus bei Aussendung der Apostel und der siebenzig Jünger gab, zogen die waldesischen Prediger je zu zweien und, ehe die Verfolgung Vorsicht gebot, in einer eigenen schwarzen Tracht durch das Land. Da es die Heiligung des Lebens war, auf welche sie vor Allem drangen und für welche sie Anleitung in der Schrift suchten, so griffen sie vom Kirchenwesen vornehmlich dasjenige an, was ihnen den Ernst heiligen Lebens zu gefährden schien, wie z. B. die Lehre, daß die Mittheilungen der Gnade an die Priesterweihe, an geweihte Orte und Dinge gebunden seien. Sie verwarfen die Anbetung der consecrirten Hostie, die Bilderverehrung, die Anrufung der Heiligen, die Lehre vom Fegefeuer und die darauf sich gründenden Fürbitten, Messen und Gebete. Als wider das Evangelium streitend erschien ihnen das Schwören, die Todesstrafe, die Verbreitung des Christenthums mittels Gewalt und die äußerliche Bestrafung des Abfalls von demselben. Die Eucharistie haben sie nur in vereinzelten Fällen von ihren Predigern verwalten lassen, sonst aber, wo es anging, d. h. wo man ihnen dieselbe geben wollte, sie aus den Händen der römischen Priester empfangen. Die „italischen Armen" dagegen richteten einen eigenen Priesterstand ein. Die Waldesier hatten nämlich im Gegensatze zu den „italischen Armen" die Ansicht, daß die Gnadenmittel wirksam seien, nicht in Folge der Ordination des Spenders, auch nicht in Folge der sittlichen Würdigkeit desselben, sondern in Folge des verheißenden Wortes Christi. Das Recht, dieses Wort zu erfüllen, hat jeder Getaufte. Darum verlegten sie auch in die Gemeinde, d. h. in die Gesammtheit der Getauften das Recht, sowohl den Gesammtvorsteher zu wählen, als Diener für die priesterlichen Functionen nach Gutdünken auf Lebensdauer oder auf eine gewisse Zeit zu ordiniren. Ein Lehrer der „italischen Armen" hat, um die Rechtmäßigkeit der priesterlichen Gewalt des Waldez zu beweisen, folgendermaßen argumentirt: „Jeder aus jener Gemeinde konnte sein eigenes priesterliches und Verwaltungsrecht dem Waldez

verleihen, und so konnte jene ganze Gemeinde dem Walde; die Leitung Aller übertragen und hat sie ihm übertragen, und so wählten
sie ihn zum Priester und Vorsteher für Alle." Wer eben getauft war, nahm an dem allgemeinen Priesterthum Theil und es
hing also von seinem redlichen Streben nach Vollkommenheit ab, ob
er im Falle des Bedürfnisses mit den Functionen desselben auch für
Andere betraut wurde. Mit dem Buß-Sacrament nahmen sie es
viel ernster als die römischen Priester; vor Allem legten sie den
Hauptwerth in das Herzensbekenntniß vor Gott; die Privatbeichte vor
nichtordinirten Laien war nicht ausgeschlossen. Die Lossprechungs-
formel ist beachtenswerth; es ist eine solche in deutscher Sprache aus
dem Jahre 1404 erhalten geblieben; sie lautet: „Unser Herr, der
da vergab Zacheo, Mariae Magdalenae und Paulo, der da befreite
Petrum von den Banden der Ketten — der wolle dir vergeben deine Sünde! Der Herr segne dich und behüte dich!" zc.
Die Prediger der Waldesier lebten in freiwilliger Armuth und enthielten sich der eigenen Arbeit für ihren Unterhalt. Nach den Worten Christi (Matth. 10, 10 und Luc. 10, 7) sollten sie, gleich den
Jüngern, ihr Brod von Denen nehmen, welchen sie das Evangelium
zubrachten. Die Kindertaufe scheint bei den Waldesiern die herrschende
Uebung gewesen zu sein.

Einen der Punkte, in welchem die „italischen Armen" von
ihren Bundesbrüdern, den Waldesiern, abwichen, haben wir schon
beiläufig erwähnt; die ersteren sind im Gegensatze zu den letzeren
der Meinung, daß die Kraft und Wirkung priesterlicher Handlungen
von der Würdigkeit Desjenigen abhange, der sie vollzieht. „Die
Arnoldisten", so schreibt Wilhelm Durandus in einem 1286 voll-
endeten Werke, „behaupten, nur Diejenigen hätten Gewalt zu binden
oder zu lösen wie die Apostel, welche mit deren Lehre zugleich auch
ihr Leben und ihren Glauben hätten, weshalb auch die Sacramente,
wenn sie von unreinen Priestern verwaltet würden, weder Kraft
hätten, noch zum Heile dienten." Ein zweiter Divergenzpunkt bildete die Beichte. Bei den Waldesiern wurde dieselbe, wie wir gesehen haben, als eine regelmäßige Einrichtung beibehalten; die „italischen Armen" aber erklärten: „Nachdem die Schriftwahrheit jetzt
offenkundig geworden ist, können wir nicht mehr daran glauben,
und wir wollen nicht beichten, selbst wenn die Waldesier uns in
diesem Punkte nöthigen wollten." Daß die „italischen Armen"
in der h. Schrift Gesetz und Evangelium, Buchstabe und Geist
in mehrfacher Beziehung besser zu scheiden wußten, als selbst die
Waldesier, das durfte auch daraus zu entnehmen sein, daß sie von
den Dienern ihrer Gemeinschaft die apostolische Armuth und die
Ehelosigkeit nicht forderten, wenigstens nicht mit solcher Strenge forderten wie die Waldesier. Was nun die kirchliche Verfassung bei

den „italiſchen Armen" betrifft, ſo theilten ſie, gleich den Wal-
deſiern, die höchſte Gewalt der Gemeinde zu. An der Spitze des
italiſchen Verbandes ſtanden „Vorſteher" auf Lebensdauer und zwar,
wie es ſcheint, gleichzeitig immer nur Einer; in der Sache wird
dieſer wohl der Biſchof geweſen ſein, wenn er auch, um den Gegen-
ſatz gegen das römiſche Kirchenweſen auszudrücken, dieſen Namen
nicht führte. Die Anſchauung der Waldeſier von der bleibenden
Kraft der kirchlichen Gnadenmittel, auch wenn der Spender derſelben
nicht im Stande der Heiligung ſtehe, verdrängte nach und nach die
gegentheilige Anſchauung der „italiſchen Armen". Man hat wenigſtens
ſpäter in den Miſſionsgebieten der letzteren die Wahrnehmung gemacht, daß die Genoſſen der Secte die Euchariſtie aus den Händen
der römiſchen Prieſter empfingen ebenſogut wie die Waldeſier.

Während die „Armen im Geiſte", ſowohl die in Ober-Italien,
wie im Rhone-Thal, trotzdem ſie die äußere römiſche Kirche nicht
als die wahre anerkannten und auf Grund der Schrift auch Manches von ihrer Lehre verwarfen, doch dieſelbe Grundlage mit ihr bewahrten, hatten ſich die übrigen Ketzer in Südfrankreich, die Katharer, d. h. die Reinen, weiter von der chriſtlichen Weltanſchauung
entfernt. In Aquitanien, Languedoc u. ſ. w. hatte die am Ende
des dritten Jahrhunderts im Morgenlande geborene, wohl durch
Kreuzfahrer von dort wieder ſtärker in Umlauf gebrachte dualiſtiſche
Doctrin der Manichäer feſten Fuß gefaßt. Sie erklärt ſich, um es
mit einem Worte zu ſagen, das Böſe in der Welt ſo, daß ſie annimmt, der ſchaffende Gott habe wegen des ihm entgegenſtrebenden,
mit ihm gleich ewigen böſen Princips nicht ſo gekonnt, wie er ge-
wollt habe; ein Theil lehrte dagegen, das böſe Princip habe ſeinen
Urſprung erſt aus dem Fall der Engel. Man muß überhaupt
im Auge behalten, daß die Secte der Katharer ſich aus einer
großen Anzahl von kleineren kirchlichen Parteien zuſammenſetzte, die,
oft weit von einander zerſtreut, in ihren Glaubensſätzen nur theil-
weiſe übereinſtimmten. Dieſe Theil-Secten fanden dann auch bald
nach dem Namen ihres ſpeciellen Stifters, bald nach ihrem Wohn-
orte — wir erinnern an die Albigenſer in der Umgegend der Stadt
Albi — ihre beſonderen Namen; ſo kommt es, daß oft (z. B. auf
dem IV. Lateran-Concil) eine und dieſelbe unter verſchiedenen Namen
wiederholt aufgeführt wird. Die Katharer faſteten viel, lebten
überhaupt ſtreng und nüchtern, deuteten aber die katholiſchen Glaubenslehren nach ihrer eigenthümlichen Weltanſchauung von Gut und
Bös und legten auf die Sacramente, deren Spendung an die böſe
Materie geknüpft war, von der die Seele ſich gerade losringen müſſe,
ſowie auf ceremoniellen Gottesdienſt keinen Werth; kurz: die römiſche
Kirche erſchien ihnen als etwas Antichriſtliches, und deren Klerus
war, wie ſchon Eingangs bemerkt, in Südfrankreich geradezu darauf

aus, mit seinem üppigen Leben den Beweis hierfür zu liefern. „Die Vereinigung der Guten — das ist die Kirche", sagten sie; mit dieser Definition begnügte sich bekanntlich auch Karl der Große. In der Eucharistie sahen sie das Liebesmahl der altapostolischen Gemeinden, als Sacrament der Buße feierten sie ein gemeinsames Schuldbekenntniß. Ohne Schwärmerei in manchen Punkten lief's nicht ab; auch wird es an der einen und andern sittlichen Ausartung des manichäistischen Mysticismus nicht gefehlt haben — wie viel Unheil hätte ein rechtzeitiges wahrhaftes Apostolat der Kirche hier verhüten können!

Schon im Jahre 1017 war einer Gesellschaft von Männern, denen man zur Last legte, daß sie heimliche Zusammenkünfte hielten, zwei weltregierende Urprincipe annähmen, die Trinität leugneten und den Sacramenten der Taufe und des Abendmahls die Kraft absprächen, zu Orleans der Prozeß gemacht worden. Dreizehn Mitglieder dieser Verbindung, welche sich nicht „belehren" wollten, wurden verbrannt. Ihre Vorsteher waren zwei beim Volke im Rufe heiligmäßigen Lebens stehende Canoniker: Heribert und Lisoi. Dasselbe Schicksal hatte ein im Jahre 1025 gleichfalls zu Orleans entdeckter Verein, dem man manichäische Tendenzen beimaß.

Auch die im Laufe des 11., 12. und zu Anfang des 13. Jahrhunderts an verschiedenen andern Orten Frankreichs, Italiens, der Rheinlande u. s. w. einzeln oder in kleinen Gruppen verfolgten Ketzer werden meist unter den Begriff der Katharer subsumirt. Es sind solcher Vorkommnisse zu constatiren: 1101 in Agen, 1115 zu Soifsons, 1119 zu Toulouse, 1140 zu Perigueux, um 1180 zu Rheims, 1200 in Besançon, 1201 zu Paris, zu Goslar in Norddeutschland, wo im Jahre 1052 einige Ketzer gehenkt wurden; 1121 in Trier, 1113, 1146, dann wieder zwischen 1156—1167, der RegierungsEpoche des Rainald von Dassel, Reichskanzler und Erzbischof von Köln, zu Köln und Bonn.

„Dem Eindringen der Lehren der Katharer", schreibt Julius Ficker in der Biographie Rainald's, „trat er mit Strenge entgegen. Einer der eifrigsten Verfolger, der Stiftsherr Egbert von Bonn, widmete ihm sein gegen die Katharer geschriebenes Werk." Die im Jahre 1113 zu Bonn Verbrannten waren Anhänger des Niederländers Tanchelm. „In Köln", erzählt Stadt-Archivar L. Ennen, „begann diese Secte ihre Propaganda mit Erfolg. Erzbischof Friedrich, Markgraf von Kärnthen und Friaul, aber befahl dagegen einzuschreiten; ihre Verbrüderung (»Gilda«) wurde gesprengt, und alle Mitglieder, deren man habhaft werden konnte, mußten sich 1113 in der Domkirche auf einer unter dem Vorsitze des Erzbischofs gehaltenen Synode über die ihnen zur Last gelegten Verbrechen verantworten. Die sich durch ein Gottesurtheil nicht zu reinigen vermochten und ihren Irrthümern nicht abschwören wollten, wurden in der Nähe von

Bonn in Gegenwart des Grafen öffentlich verbrannt." Es waren ihrer nach einer aus Hartzheim's „Concilia Germ." in Ennen und Eckertz „Geschichtsquellen" I, 498 abgedruckten Notiz, drei. Dem unglücklichen Tanchelm gibt Dr. F. J. Ritter in seiner Kirchenge- schichte das Zeugniß, daß, wenn er auch im Fleische vollendet habe, er doch im Geiste begonnen: „Seine Opposition war zunächst ge- gen die Geistlichen gerichtet, ging dann aber bis zur Leugnung der Sacramente fort. Der vornehmste Schauplatz seiner Wirksamkeit, den er etwa zwölf Jahre behauptete, war Antwerpen und seine Um- gebung. Nach einem Schreiben der Kirche von Utrecht an den Erz- bischof Friedrich von Köln war die Geistlichkeit in Antwerpen sehr entartet; nur Einer befaßte sich mit der Seelsorge und selbst dieser hatte beim Volke kein Ansehen. Tanchelm, nachdem er in der Mönchs- kutte sich einen Anhang in der untern Volksklasse verschafft hatte, trat offen als kirchlicher Demagog hervor. Ihn als einen Heuchler von Anbeginn zu bezeichnen, ist nicht nöthig; es hat vielmehr allen Anschein, daß er gut anfing." Tanchelm mußte später aus Ant- werpen weichen und wurde im Jahre 1124 von einem Geistlichen erschlagen.

In dem vorstehend erwähnten Schreiben der Kirche von Utrecht an den Erzbischof von Köln wird auch eines Schmiedes Namens Manasses gedacht, den der Erzbischof zusammen mit Tanchelm hatte festnehmen lassen. Dieser hatte, im Verein mit einem gewissen Prie- ster Evermacher, durch sein Eifern gegen den Klerus, Sacramente u. s. w. einen großen Theil der Diöcese Utrecht in Verwirrung ge- bracht, so daß die dortige Geistlichkeit in dem mehrerwähnten Schrei- ben an Friedrich in die für sie selbst und den Zustand ihrer Kirche gewiß nicht schmeichelhafte Klage ausbricht: „So weit ist es mit der Religion gekommen, daß man desto heiliger erscheint, je mehr man die Kirche verachtet."

Das Eingangs-Citat dieses Kapitels und das Citat am Schlusse stehen in natürlichem Zusammenhange wie Kopf und Schwanz einer zu einem Kreise sich verbeißenden Schlange, wie Ursache und Folge- rung. Angesichts der herrschsüchtigen, zu Roß und Wagen daher stolzirenden Priester mußten die wirklich nach dem Evangelium lebenden, die Apostel sogar bis zu den Sandalen — Sabots — nachahmenden und deshalb auch Insabotati genannten Christen noth- wendig zu Ketzern werden.

Sechstes Kapitel.

Die Inquisition zu Toulouse.

„Mann des Verderbens! Welcher Hochmuth hat dich aufgebläht, welcher Wahnsinn dich befallen, daß du den Frieden mit deinen Mitmenschen verschmähst und der in der katholischen Wahrheit geeinigten Welt dich nicht beigesellst? Vermöchte ich die Wände deines Herzens zu durchbrechen, so würde ich dir die Gräuel zeigen, die du darin angerichtet hast. Aber es ist härter als ein Fels und läßt die Worte des Heils nicht durchdringen. Ist es dir ein Kleines, den Menschen zur Last zu sein, willst du auch dem Herrn noch dich in den Weg stellen? Fürchtest du die ewigen Flammen nicht, so fürchte wenigstens die zeitliche Züchtigung!" So schrieb flammenden Zornes Innocenz III. an den Grafen Raimund VI. von Toulouse, einen jener kleinen Landesherrn in Aquitanien, welche den Katharern Stütze und Halt waren. Und dann rief er den König und die Großen Nordfrankreichs auf, sie sollten die Kirche im Süden nicht Schiffbruch leiden lassen, sondern den Arm erheben und die Ketzer bekriegen: „Auf, Streiter Christi, haltet der Kirche den Schild des Glaubens vor gegen ihre Feinde! erhebet euch, umgürtet euch mit dem Schwert!" Der päpstliche Legat Milo gab persönlich dieser Aufforderung beim König Philipp August Nachdruck; diesen reizten die Aussichten auf Ausdehnung seiner Macht nach dem Süden, aber — erklärte er — „er habe auf beiden Seiten zwei schreckliche Löwen: den deutschen Kaiser und den englischen König; darum könne weder er, noch sein Sohn das Reich verlassen, doch gestatte er seinen Baronen, der Kirche zu helfen." Die beutelustigen Barone aber riefen: „Auf, auf! laßt uns diese anmaßenden Provençalen züchtigen, ihre Lästerworte gegen den Papst in ihrem Halse ersticken!" Es mochte das Rittervolk wohl reizen, den Krieg zu tragen in das üppige Leben des schönen Languedoc, unter das betriebsame, selbstbewußte, noch die Reste der lateinischen Cultur bewahrende Bürgerthum des

74

Südens. Was aber die „Lästerworte" gegen den Papst betrifft, so kamen sie vorwiegend aus priesterlichen Kehlen — der geistliche Troubadour Pierre Cardinal war ja doch Allen voran in der Satire und Verspottung des römischen Unwesens.

Wie war denn aber die dem Kreuzzug vorausgegangene friedliche Mission der päpstlichen Legaten beschaffen gewesen, lag es doch vielleicht an ihr, daß — wie Kiesel in seiner Weltgeschichte sich ausdrückt — „die Wiederaufrichtung der Kirche in diesen Gegenden ohne Unterstützung der Gewalt nicht mehr zu erwarten war und der Papst sich genöthigt sah, gegen die zu einer politischen Macht gelangten, auf friedlichem Wege nicht zu bekehrenden Häretiker wie gegen die Saracenen das Kreuz predigen zu lassen"? Uns scheint es so. Die früher genannten Cisterzienser-Mönche Rainer und Guy hatten trotz der von Innocenz III. an ihnen gerühmten „Gelehrsamkeit" und „Menschenfreundlichkeit" Nichts ausgerichtet; ein paar Jahre später waren andere Missionäre geschickt worden, aber sie hatten nicht bessern Erfolg: was sie mit ihren Worten aufrichteten, rissen sie mit ihrer Unduldsamkeit und ihrer Grausamkeit wieder zusammen. Einer von ihnen, der päpstliche Legat Peter von Castelnau, bezahlte am 15. Januar 1209 das Uebermaß seines Eifers mit dem Leben. Und was erzählen uns die Biographen des h. Dominicus? „. . . Als er mit seinem Bischofe auf der Heimreise aus Rom nach Osma in Alt-Castilien nach Montpellier kamen, fanden sie drei päpstliche Legaten als Missionäre vor, die trotz ihres lebendigen Eifers keine Erfolge erzielten und, nun entmuthigt, eben im Begriffe waren, ihre Sendung aufzugeben. Sie munterten dieselben wieder auf und ertheilten ihnen den Rath, sich ihres Gepränges von Dienern und Pferden zu entäußern, ihr Werk nicht im Glanze der triumphirenden Kirche, sondern in evangelischer Armuth und Demuth, in der Einfalt der Apostel zu treiben. Die Legaten folgten der Weisung und sicher wären die Früchte der Mission, welcher sich nun nicht nur der Bischof von Osma mit Dominicus, sondern noch an dreißig Aebte und Mönche des Cisterzienser-Ordens zugesellten, reichlich gewesen, hätte es nicht an einer einheitlichen Führung gefehlt und hätte nicht — das Geräusch von Waffen die Stimme der Friedensprediger übertönt." So Dr. Theodor Stabell aus dem Stifte St. Peter in Salzburg in seinem Leben des h. Dominicus.

Lassen wir uns nun den Geistlichen Dr. Karl Kiesel weiter erzählen. Der von Innocenz III. angeregte „kriegerische Angriff rief aber kriegerische Bertheidigung hervor. Die durch Einmischung weltlicher Beweggründe über das von dem Papste gewollte und empfohlene Maß hinausgehende Härte der Angreifer schloß die Angegriffenen, bei welchen sich der schwärmerische Eifer mit der Sorge für das äußere Bestehen vereinigte, zur hartnäckigsten

Gegenwehr aneinander. Die Irrgläubigen stritten überdies auch mit gereiztem National=Gefühl, da die Gegner meistentheils Nord=franzosen waren und in der Folge mit dem Eingreifen des Königs eine neue Herrschaft ihnen nahte. Es begann ein zwanzigjähriger Krieg, der durch das ihm folgende Unglück der Länder den Feinden der Kirche Anlaß zu dem unbegründeten Vorwurfe gab, die Bestra=fung des Irrglaubens durch blutige Strenge beabsichtigt zu haben." (Unbegründet?.. Der Leser erkennt, daß Dr. Kiesel trotz Allem ein richtiger römischer Priester ist.) „Das erste Kreuzheer sammelte sich zu Lyon. An seine Spitze trat Graf Simon von Montfort. Dieser bewährte sich als tapferer und geschickter Führer, schadete aber durch Verfolgung eigenen Vortheils, wobei die päpstlichen Legaten ihm zu wenig widerstanden, der Kirche, mit deren Sache die seinige verwechselt wurde, in der öffentlichen Meinung. Mehrmaliges Ent=gegenkommen Raimund's führte nicht zur Ausgleichung, da Simon durch Forderungen, die er für sich selbst machte, denselben in seine feindliche Stellung zurücktrieb. Béziers und Carcassonne wurden von dem Kreuzheere, das sich im Laufe des Krieges öfters ergänzte und erneuerte, erobert."

Unter welchen Gräueln dies geschah, das erzählt Dr. Kiesel dem katholischen Volke nicht, wir können ihm deshalb auch das Uebrige erlassen. Der im Interesse der Hildebrand'schen Ideen Weltgeschichte schreibende Dr. J. B. Weiß mag ihn ablösen: „In Montpellier kam der Vicegraf Raimund Roger von Béziers selber, bot seine Unterwerfung an, betheuerte seine Rechtgläubigkeit — seine Beamten hätten gegen seinen Willen die Ketzer beschützt. Der Abt von Cisterz, Arnold Amalrich, eine harte, schroffe Natur, wies ihn zurück: er solle sich wehren, so gut er könne. Das Kreuzheer zählte wohl über 100,000 Mann, die Mehrzahl der Bischöfe an seiner Spitze; die Pilger hatten sich meist nur auf 40 Tage zum Kreuz=zug verpflichtet. Der Vicegraf kehrte nach Béziers zurück, das er aufforderte, sich zu wehren so gut es könne, er selbst aber beschloß, mit dem Kerne seiner Truppen Carcassonne zu vertheidigen. Bald stand das Kreuzheer vor Béziers und sandte den Bischof der Stadt in dieselbe hinein. Er mahnte in der Hauptkirche seine Untergebe=nen, die Ketzer der Stadt entweder auszuliefern, oder aber selbst auszuwandern, um nicht unter den Ruinen begraben zu werden. Die Bewohner (nota bene: die nichtketzerischen!) betheuerten, eher wür=den sie ihre eigenen Kinder aufzehren, als diese Forderungen erfüllen. Die Belagerer hingegen verschworen sich, sie würden jetzt Niemanden schonen und Alles mit Feuer und Schwert vertilgen. Alsbald be=gann der Kampf. Die Eingeschlossenen machten einen Ausfall, wur=den aber zurückgeworfen. Schnell waren auf Sturmleitern die Mauern erstiegen und im ersten Ausbruch lange verhaltenen Zornes wurden ohne Unterschied des Alters, des Geschlechtes und der Religion Alle niedergemacht. In der Hauptkirche sollen 7000 Menschen zusammengehauen worden sein; die Stadt wurde geplündert und in Schutt gelegt, am 22. Juli 1209. Im ersten Schrecken ergaben sich mehr als hundert Schlösser der Umgegend den Kreuzfahrern."

Dr. J. B. Weiß erzählt viel; nach seinen Angaben kann man sich schon eine Vorstellung machen von jener 100,000 Köpfe starken, von dem Papste aufgerufenen, von den Landesbischöfen geführten, um den Kreuzfahrer = Ablaß und die in Aussicht stehende Beute 40 Tage dienenden Mordbrenner-Bande; aber Dr. J. B. Weiß sollte bei solchen Gesellen nicht reden von einem „ersten Ausbruch lange verhaltenen Zornes". Wir sehen ja, wie die Katholiken von Béziers selbst sich für ihre Mitbürger von der Katharer=Secte opfern, so friedlich hatten sie miteinander gelebt — was hätte denn der „Zorn" der aus dem Norden zusammengesetzten Horden für gerechten Grund haben können ohne die wüsteste Beutegier und die Aufstachelung der römischen Priesterschaft?! Dr. J. B. Weiß erzählt auch nicht Alles. Der Ordens=Genosse des von ihm selbst durch die oben berichteten Thatsachen als „harte und schroffe Natur" charakterisirten Abts Arnold Amalrich: Cäsarius von Heisterbach, soll ihn ergänzen. Als die Kreuzfahrer = Meute auf die Stadt losgelassen wurde, gab ihr der genannte päpstliche Legat die auf die ketzerfreundliche Renitenz der Katholiken allerdings wohl passende Weisung: „Hauet sie Alle nieder! der Herr wird die Seinen schon herausfinden."*) Und so wurden denn auch die katholischen Domherrn, welche in ihren Chorkleidern den Wüthenden in der Kirche entgegentraten, sammt den übrigen 7000 Katholiken — die Gesammtzahl der Schlachtopfer wird auf 20,000 angegeben — niedergemacht.

Erst 1226, zehn Jahre nach Innocenz' III. Tode, war der heldenmüthige Widerstand der Albigenser überwunden. Die Ketzerei trat aus der Offentlichkeit in das Verborgene zurück, und im Verborgenen wurde sie von jetzt an verfolgt; was die Kriegsfurie von

---

*) In der „Zeitschrift für Philosophie und katholische Theologie", herausgegeben von Dr. Achterfeld, Dr. Braun und Dr. Vogelsang, Neue Folge, IV. Jahrgang, Erstes Heft, Seite 161 u. ff., hat ein Schönfärber versucht, diese Thatsache in Abrede zu stellen, weil Cäsarius von Heisterbach — abergläubisch gewesen sei. Du lieber Himmel! sind das nicht selbst die meisten Päpste und Bischöfe des Mittelalters gewesen, der Hirt sammt der Herde? Doch, was reden wir vom Mittelalter! Der zur Stunde noch lebendige Weihbischof und General=Vicar Dr. J. A. F. Baudri zu Köln hat folgenden Satz geschrieben und drucken lassen: „Merkwürdig bleiben die nicht einzelnen sondern vielfachen Fälle, in welchen gerichtlich festgestellt ist, daß dieser oder jener Körper (eines der Zauberei Angeklagten) nur wenige Loth gewogen habe." S. Aschbach's „Kirchenlexikon" Bd. IV, S. 376. Das betreffende Wort des Papst = Legaten steht in „Caesarius Heisterbachensis Historiar. memorabil.", Coloniae. 1591. Lib. V. c. 21.

dem früheren reich blühenden Leben noch übrig gelaffen hatte, das wurde jetzt im Geheimen vergiftet: in die von dem Schwerte gezogenen Furchen wurde das Reis der Inquifition eingefenkt. Als Fulco, der schon genannte Bischof von Toulouse, im Jahre 1215 zum Lateranenfifchen Concile in Rom erschien, hatte er einen frommen Zeloten bei fich, einen 45jährigen Spanier, den breits früher erwähnten Dominicus. Diefer Dominicus wurde zu einer weltgeschichtlichen Perfönlichkeit. Neuere Biographen, befonders Dominicaner — auch Lacordaire — laffen ihn aus dem berühmten adeligen Geschlechte der Guzman stammen; das ift bloße Coloratur und ohne hiftorifchen Grund. Dominicus. stammte aus Calaruega in Alt-Caftilien. Ein geiftlicher Oheim mütterlicherfeits ließ ihn ftudiren. Im Jahre 1203 begleitete Dominicus, der 1195 mit 25 Jahren Canonicus an der Kathedrale von Osma geworden war, feinen Bischof, Diego von Azevedo nach Südfrankreich und hatte fich, wie wir schon gehört haben, dort den päpftlichen Legaten als Miffionar unter den Albigenfern angeschloffen. Ueber diefe feine Lebens-Epoche bemerkt fein schon angezogener priefterlicher Biograph, Dr. Th. Stabell, nach gewiß gutkirchlichen Quellen: „Der Krieg mit Erbitterung und Graufamkeit geführt, ging in ein wildes Morden und Metzeln über; aber Dominicus blieb diefen Gräuelfcenen gänzlich fremd, er bewahrte feine Hände rein von Blut: die Berichte aus jener Zeit — aus den beiderfeitigen Lagern — erwähnen feiner mit keinem Worte, weder bei Befprechungen und Verhandlungen, noch bei Siegesfeften und Feierlichkeiten irgend einer Art. Alle anderen Glaubensboten flohen, oder griffen perfönlich in den Kreuzzug ein; er allein blieb feinem apoftolifchen Berufe treu und weilte mehrere Jahre lang in den Gegenden, die den blutigen Schauplatz des Krieges umgaben." (Die Ketzer find alfo nicht fo offenfiv gewefen, wie man, um die eigenen Gräuelthaten gegen fie zu rechtfertigen, fie fonft darftellt.) „Er erkannte es klar, daß Meinungen fich nicht beherrfchen laffen durch Gewalt, daß Irrthümer und Vorurtheile nicht ausgerottet werden mit Feuer und Schwert, fondern daß man dem falfchen Wahne die Wahrheit entgegenftellen müffe, um durch ihren lichten Strahl die trüben Nebel zu verfcheuchen. Die Unwiffenheit des Volkes war fo groß, daß es nicht einmal die Grundlehren des Chriftenthums kannte."

Diefe feine Erfahrungen machte Dominicus in Rom geltend, indem er es als förderlich empfahl, wenn des Wortes mächtige Priefter fich zu einem Verein zufammenthäten, um, mit kirchlicher Autorität ausgerüftet, nach gemeinfamem Plane und mit uneigennütziger Drangabe aller Kräfte die Härefie durch Belehrung zu bekämpfen. Man fieht: der Plan und der Wille des Einzelnen war gut, und dennoch wurde Dominicus das, was feine träumerifche Mutter, kurz bevor er das Licht der Welt erblickte, in ihm gesehen haben wollte. Sie werde, meinte sie, von einem Hunde genesen, der mit einer brennenden Fackel im Maul die ganze Welt in Flammen setze. Dominicus wurde das dadurch, daß er sich und seine Ordensschaar in den Dienst jener Macht stellte, die, während des ganzen Verlaufs der Weltgeschichte, wo und wann immer sie die Gewalt in Händen hatte, den von ihm unter den Albigensern gemachten Erfahrungen Hohn sprach und allzeit nur nach dem Grundsatze verfuhr, daß sie das Recht habe, die Menschen zu einer Gottseligkeit zu zwingen, wie sie dieselbe eben nach ihren eigenen zeitweiligen Bedürfnissen approbirt hatte.

Dasselbe Gefühl, welches die „italischen Armen" und die „Armen von Lyon" aus der Kirche hinausgetrieben hatte, rief jetzt noch einmal zwei mächtige Schöpfungen innerhalb der Kirche in's Leben: die zwei großen Bettel-Orden des Dominicus und des Franz von Assisi. Der erste wurde jedoch bald zu einem blos dienenden Gliede in dem hierarchischen Getriebe, während bei den Franziscanern mehr eine mystisch-schwärmerische Frömmigkeit heimisch wurde, welche sie schon bald selbst in Opposition zum päpstlichen Stuhl und zur Hierarchie überhaupt brachte. Doch davon in einem spätern Kapitel; in dem gegenwärtigen haben wir die rasche Umwandlung der Prediger-Brüder des Dominicus in Inquisitions-Mönche des h. Officiums zu verfolgen.

Im Jahre 1221, als Dominicus starb, war sein, vier Jahre vorher vom Papste bestätigter Orden bereits über ganz Europa verbreitet. Auf dem in dem genannten Jahre zu Bologna abgehaltenen General-Kapitel wurde er in die acht Provinzen: Spanien, Provence, Frankreich, Lombardei, Rom, Deutschland, Ungarn und England eingetheilt. Neben einem dem Originale parallel laufenden zweiten Orden für Dominicanerinnen, wurde ein denselben Zwecken dienender sogenannter „Dritter Orden" geschaffen für Weltleute beiderlei Geschlechts: Die Miliz Christi. Die männlichen Mitglieder derselben, durchgängig Adelige und verheirathet: sie sollten die Prediger-Brüder bei ihrem Bekehrungswerke unterstützen und schützen. Eine eigene Staatstracht. Sie paradirten damals wie die von Pius IX. so zahlreich creirten päpstlichen Ritter „mit Mantel und Schwert" von heutzutage, waren aber nicht so harmlos wie diese. Auch die zur Miliz gehörenden Damen hatte ihr Staatskleid; die Farbe desselben war vorgeschrieben, der Schnitt dem Gusto anheimgegeben. Die Farben: schwarz und weiß, mußten beide sichtbar sein. Diese Miliz-Brüder und -Schwestern dienten den Dominicanern im Inquisitions-Geschäft als Spür- und Apportir-Hunde, bei feierlichen Aufzügen des h. Officiums als Statisten und Decoration; sie hatten die Ehre, zur „Familie" gerechnet zu werden. Wir werden noch oft solcher „Familiaren" zu erwähnen haben. Als der Bedarf groß wurde, begnügten die Inquisitoren sich natürlich auch mit Familiaren bürgerlicher Geburt; Viele gaben sich zu diesem Bütteldienste her allein in der wohlbegründeten Hoffnung, sich selbst dadurch vor dem Mißtrauen und der Beunruhigung durch das Glaubens-Tribunal sicher zu stellen.

Honorius III., Innocenz' III. Nachfolger, gab dem Gesinde-Institut der „Familiaren" seine förmliche Gutheißung. Im Jahre 1224 finden wir es auf italienischem Boden in Thätigkeit. Aber nicht allein dort. Schon unterm 22. Februar 1239 spricht Kaiser Friedrich II. in einer zu Padua veröffentlichten Constitution von den „Familiaren" als von „Inquisitoren, welche der Apostolische Stuhl für das Reich ernannt hat." „Und Wir erklären", sagt er an einer andern Stelle des Documents, „daß die Prediger-Brüder und die Minder-Brüder, die zur Vertheidigung des Glaubens gegen die Ketzer in Unser Reich geschickt werden, unter Unserem besonderen Schutze stehen."

Wer Friedrich's II. Kämpfe mit den Päpsten kennt, weiß, daß er in der Beurtheilung kirchlicher Dinge seine Zeitgenossen um Haupteslänge überragte, daß er also gewiß keine Sympathien hegte für die Inquisitions-Dominicaner und keinen Haß gegen Diejenigen, welche von denselben verfolgt wurden, und doch hat die Geschichte vier Ketzer-Edicte unter seinem Namen zu verzeichnen, die nicht anders denn scheußlich genannt werden können. Drei davon sind unter dem zuletztangeführten Datum ergangen und das mildeste von ihnen setzt folgende Strafen fest: für die Reuigen lebenslängliche Gefängnißstrafe „nach den canonischen Bestimmungen der Kirche," Ausreißen der Zunge für Gotteslästerer, den Feuertod für die Rückfälligen und die gleiche Strafe für Kinder wegen unterlassener Ueberlieferung des häretischen Vaters an das Ketzergericht, Vermögens-Confiscation, Ehren- und Aemterverlust für die Beherberger und Begünstiger der Ketzer wie für diese selbst. Fast jede Seite unseres Buches zeigt ja, wie die römische Theokratie des Mittelalters auch die weltlichen Regierungen als Ketzerverfolger in Eid und Pflicht zu nehmen wußte. Diesem Geiste mußte also auch Friedrich II. dienstbar sein, wiewohl er selbst den Hierarchen wegen seiner Unfügsamkeit in ihre politischen Pläne als „Christusleugner und Epikuräer" galt. Und gerade diese seine Anrüchigkeit zwang ihn wohl, dem übermächtigen Papstthum die Gewissen seiner Reichs-Insassen zu opfern. Wir sagen es nochmals: Friedrich's Edicte sind scheußlich, aber der zeitgenössische Innocenz IV. befahl ja doch, daß dieselben „zum Seelenheile der Gläubigen" befolgt werden sollten und diese päpstliche Sanction sicherte ihnen erst ihre Wirkung. So erkannte der Aasvogel, welcher das Ei zum Ausbrüten unter den Kaiserthron gelegt hatte, das daraus

hervorgegangene Wesen sofort an „als Bein von seinem Bein." Be=
sänftigt hat übrigens Kaiser Friedrich den ihm aufsäßigen Inno=
cenz IV. damit dennoch nicht — nur wenige Monate nach dem
22. Februar, am Palmsonntage, wurde er als Feind der Kirche mit
dem Banne belegt und als solcher verfolgt bis in's Grab. Was
darüber hinaus noch geschehen konnte, das besorgte Dante: er sperrte
den heldenmüthigen Staufer in seine Hölle. (S. Ges. X, V. 119):

> Er sprach: „Hier liegen mehr als tausend Seelen,
> Der Cardinal, der Zweite Friederich
> Und And're, die's nicht noth thut, aufzuzählen."

Aber im Tode mußte auch Dante, der nie eines der Geheim=
nisse der christlichen Lehre angezweifelt hatte, es erfahren, daß das
nicht genüge, um in den Augen der Kirche kein Ketzer zu sein:
gerade weil er das Maß der sittlichen Forderungen des Christenthums
an die desfallsigen Leistungen der Hierarchie angelegt und letztere
voll Ungenüge und Widerspruch mit den ersteren befunden hatte, ge=
rade deswegen wollte der Cardinal Bertrando di Poggato im
Jahre 1327, also wenige Jahre, nachdem Dante in Ravenna seine
Pilgerlaufbahn vollendet hatte, die Gebeine des Dichters als die eines
Ketzers dem Feuer überliefern. Wenn auch diese äußerste That des
rohen Fanatismus durch Pino della Tosa, einen Landsmann des
Dichters, verhindert wurde, so verschaffte der Cardinal sich doch die
Genugthuung, daß er Dante's nicht vollendete lateinische Schrift:
„De Monarchia", in welcher die Rechte des Kaisers gegen den Papst
vertheidigt werden, öffentlich auf dem Scheiterhaufen verbrannte.

Ludwig IX. von Frankreich hatte übrigens, wie es einem „Hei=
ligen" der römischen Kirche geziemte, dem ketzerischen deutschen Kaiser
in der Förderung der Inquisition den Vorrang abgelaufen, indem
er zu Paris im April des Jahres 1228 gewissen Statuten über die
Freiheiten der Kirche sein königliches Insiegel aufdrückte. In einem
dieser Edicte wurden nämlich bereits Prämien ausgesetzt für die
Treiber bei den demnächst zu eröffnenden Ketzer=Jagden. Es heißt
da: „Da Diejenigen, welche es sich angelegen sein lassen, die Häre=
tiker aufzuspüren und abzufassen, in der Erfüllung dieser Pflicht er=
muntert und belohnt zu werden verdienen, so beschließen, verordnen
und befehlen Wir allen Unseren Amtsleuten, daß sie für jeden über=
wiesenen Häretiker, der in ihrem Bezirke gefangen wird, auszezahlen
sollen: zwei Mark Silber, wenn er in den ersten sechs Monaten
nach seiner Verurtheilung lebendig gefangen wird, eine Mark, wenn
dies später geschieht."

Das Gebäude des h. Officiums war noch nicht aufgerichtet,
aber die Fundamente waren gelegt; schon erhoben sich die Grund=
mauern über den Boden und man konnte bereits erkennen, was die

Anlage zu bedeuten hatte. Unter dem nun folgenden Pontificate Gregor's IX. (1227 bis 1241) wurden die Haupt-Etagen im Rohbau vollendet und der Zimmermanns-Strauß aufgesteckt.

Auch die Stadt Toulouse war von dem Kreuzheere erobert worden; doch hatte man dem letzten Grafen den Namen als Herrscher und einen Schatten seiner früheren Gewalt belassen unter der Bedingung, daß er selbst von seinem häretischen Glauben abgehe und das Land von den Ketzern säubern helfe. Im Jahre 1229 wurde dann zu Toulouse unter dem Vorsitze des Cardinal-Legaten Romanus eine große Synode abgehalten. Dieselbe umfaßte die Kirchenprovinzen Narbonne, Bordeaux und Auch und war von sehr vielen Bischöfen und einem großen Theile des südfranzösischen Adels besucht. Obgleich die Beschlüsse dieser Synode im Wesentlichen denjenigen der früheren Versammlungen dieser Art gleichen, so wurden doch auch für die Zukunft Anordnungen gegen die Häresie getroffen, welche bereits zur innern Einrichtung des h. Officiums gehören. Es wurde, nachdem die Synode durch Untersuchung der Rechtgläubigkeit vieler Personen und durch Auferlegung von Bußwerken verschiedener Art und Schwere selbst einen Inquisitions-Act ausgeübt hatte, vor Allem den Erzbischöfen und Bischöfen wiederholt eingeschärft, in allen Pfarreien einen Priester und einen, zwei, drei oder mehrere Laien von gutem Rufe aufzustellen und eidlich dazu zu verpflichten, daß sie in ihren betreffenden Kirchspielen angelegentlich und gewissenhaft die Ketzer aufsuchen und dieselben sammt ihren Gönnern, Hehlern und Beschützern dem Bischofe oder dem Gutsherrn und seinen Beamten anzeigen wollten. Ebensolche Fürsorge sollen die nicht unter einem Bischofe stehenden, sondern dem Papste direct unterstellten, sogenannten exemten Aebte in ihren Gebieten eintreten lassen. Aber auch die weltlichen Herren sind verpflichtet, die Ketzer in den Dörfern, Wäldern und sonstigen Verbergplätzen aufzuspüren und ihre Schlupfwinkel zerstören zu lassen; wer von ihnen in seinem Gebiete wissentlich Ketzer verweilen läßt, wird desselben verlustig erklärt und selbst als Ketzer bestraft. Eine etwas geringere Strafe trifft ihn, wenn sein Territorium zwar nicht mit seinem Willen, aber durch seine Nachlässigkeit eine Aufenthaltsstätte der Ketzer wird. Das Haus, in welchem ein Ketzer angetroffen wird, soll niedergerissen werden. Auch der nachlässige Beamte unterliegt schwerer Strafe; damit aber Keiner gestraft oder freigelassen werde, ohne daß die Kirche ihr Jawort dazu gegeben habe, so soll weder das Eine noch das Andere geschehen ohne Gutheißung des Bischofs. Jeder Beliebige ist befugt, Ketzer fest- und gefangen zu nehmen. Solche, die freiwillig der Häresie entsagen, sollen, wenn ihr bisheriger Wohnort gleichfalls von Ketzerei angesteckt ist, in eine Ortschaft mit lauter Rechtgläubigen übersiedeln, auf ihrer Kleidung zwei Kreuze von auffälliger Farbe aufgenäht tragen und kein öffentliches Amt erhalten, bevor sie nicht durch den Papst oder seinen Legaten nach Vollendung ihrer Buße feierlich wieder in die Kirche aufgenommen seien. Diejenigen aber, welche ihre Ketzerei drangeben nur aus Furcht vor Strafe, die sollen von dem Bischofe in Haft gehalten werden, damit sie nicht auch Andere noch anstecken; ihr Unterhalt aber müsse aus ihrem eigenen Vermögen oder von der Diöcese bestritten werden. In jeder Pfarrei soll eine genaue Liste aller Einwohner aufbewahrt werden. Alle Mannspersonen von 14 Jahren und darüber und alle Weibspersonen vom 12. Jahre an müssen schwören, dem Glauben treu zu sein und die Ketzer der Obrigkeit anzuzeigen, und dieser Eid müsse alle zwei Jahre erneuert werden. Wer sich des Eides weigert, ist der Häresie verdächtig. Wer nicht dreimal im Jahre, auf Weihnachten, Ostern und Pfingsten, beichte und communicire, soll gleichfalls als der Häresie verdächtig angesehen werden. Die Laien sollen die heiligen Schriften nicht besitzen außer den Psalmen, daneben allenfalls ein Brevier oder die „Marianischen Tageszeiten"; „aber", fügen die Väter der Synode bei, „wir verbieten auf's Strengste, daß man die als erlaubt genannten Bücher in der Volkssprache besitze." Ein wegen Häresie oder des Verdachts derselben für ehrlos Erklärter soll das Amt eines Arztes nicht versehen dürfen.

Als der päpstliche Legat beim Schlusse der Synode nach Rom zurückkehrte, nahm er die Acten des, wie bemerkt, auf derselben gleichzeitig abgehaltenen Glaubensgerichtes mit sich, „damit sie nicht in jenem Lande irgend einmal in die Hände unberufener Leute kommen, was für Diejenigen, welche gegen die Verurtheilten Zeugniß abgelegt haben, lebensbedrohlich werden könnte". So findet sich auch die Heimlichkeit, die Seele der späteren so ungeheuerlichen Wirksamkeit des h. Officiums, gleichfalls bereits in den ersten Anfängen vorgebildet.

Neben den bischöflichen Inquisitoren wie sie durch die Toulouser Synode eingeführt wurden, finden wir nach einigen Jahren auch Dominicaner mit dem Inquisitionsgeschäfte betraut. Von Anfang an hatte, wie wir wissen, der neue Orden den Zweck, die Häretiker zunächst durch Predigten zu belehren, und Papst Honorius III. hatte diese Prediger = Mönche als tüchtige Helfer in dieser Beziehung allen Bischöfen empfohlen. Da sie so großen Eifer zeigten, so werden schon vor dem Bestehen der eigentlichen Inquisitions=Aemter zeit= und ausnahmsweise die Inquisitions=Geschäfte in ihre Hände gelegt worden sein; die Bischöfe waren ja, wie in den angeführten Synodal=Beschlüssen mehrfach gesagt ist, befugt, diese Geschäfte durch besondere Delegirte vornehmen zu lassen. Es entsprach aber auch ganz den bei der Function des Ordens maßgebend gewesenen Plänen Roms, wenn die Bischöfe das Inquisitions=Institut unabhängig neben sich stellten; das war der erste Schritt zu den späteren Zuständen, wo es über ihnen stand und auch sie zu coramiren sich mächtig zeigte.

Das erste Paar von Dominicaner-Inquisitoren begann sein Werk zu Toulouse nach mehreren gescheiterten Anläufen im Jahre 1234. Eröffnet wurde die Mission mit einer Predigt über Ecclesiasticus Cap. 48, B. 1.: „Und Elias, der Prophet, loderte auf wie ein Feuer und sein Wort zündete wie eine Fackel." Aus dem Elias wurde selbstverständlich der Ordensvater Dominicus ausgebeutelt. Die Sache ließ sich in den ersten Wochen ganz gut an. Einzelne kamen, um der Häresie abzuschwören und um Verzeihung zu erbitten, Andere, um ihre Nachbarn als Ketzer zu denunciren, wieder Andere, um die Mönche vorkommenden Falls ihres Beistands zu versichern. Viele wurden mit Bußübungen belegt; da das aber die Meisten gegen deren Willen traf, so verloren sie die Geduld und hingen das bekreuzigte Bußgewand an den Nagel. Die Mönche versuchten ihre geistliche Autorität zu behaupten und das brachte die Bevölkerung nur noch mehr gegen sie in Aufregung. Das Ende vom Lied war, daß man sie zum Thore hinausjagte, nachdem sie kaum ein Jahr amtirt oder vielmehr zu amtiren versucht hatten.

Es währte nicht lange und es kamen Andere an ihre Stelle. Der polnische Dominicaner Abraham Bzobius, einer der Fortsetzer der Kirchengeschichte des Baronius, theilt einen Brief Gregor's IX. mit, welchen dieser an den Magister Peter aus dem Prediger-Orden zu Pampeluna, einen der neuen Inquisitoren für Toulouse, geschrieben hat. Der Papst scheut sich nicht, darin dem Genannten einen alttestamentlichen Fanatiker, dessen Gräuelthaten im 4. Buche Mosis Cap. 25, B. 6 u. ff. nachzulesen sind, als nachahmenswerthes Beispiel aufzustellen. „Da Wir nun", schreibt er, „kraft des auf Unsere Schultern gelegten Amtes verpflichtet sind, die Steine des Anstoßes aus dem Königreiche Gottes hinauszuwerfen und diese wilden Thiere nach Kräften zu bekämpfen, so legen wir das Schwert des Wortes Gottes in deine Hände. Folge darum dem Worte des Propheten und halte dieses Schwert nicht trocken vom Blute, sondern gehe gleich Phinees, entflammt von Eifer für den katholischen Glauben, diesem pestilenzialischen Ketzergezücht kräftig zu Leibe. Siehe eifrig nach diesen Häretikern, ihren Anhängern, Begünstigern und Vertheidigern und strafe die, welche du nach oben gegebener Anleitung schuldig finden wirst. Richte dich nach den Canones und Entscheiden, die zum Schrecken der Häretiker von Uns gegeben worden sind, und wo es nöthig ist, rufe den weltlichen Arm zur Hülfe gegen sie auf."

Leider war der weltliche Arm nur allzu willfährig. Graf Raimund VII. von Toulouse, der letzte seines Stammes, hatte noch ein

Mal versucht, sich des römischen Gewissensdrucks in seinem Gebiete zu erwehren — es war mißlungen; mit Hülfe eines neuen Kreuzheers wurde er „belehrt"; der Rücken wurde ihm gebrochen für immer. Nachdem Raimund alles Mögliche, sogar die Gründung und den Unterhalt der katholischen Universität zu Toulouse eidlich gelobt hatte, wurde er mit entblößten Schultern, Armen und Füßen an den beiden Enden einer ihm um den Hals geschlungenen Stola von einem Pfaffen unter Geißelhieben in die Kirche gezerrt, vor dem Altare vom päpstlichen Legaten vom Banne gelöst und mit der Kirche versöhnt. „Nun ist der Lümmel zahm!" konnte Mephisto auch hier accompagniren. Graf Raimund gab, wie um sich bei den Mördern seiner Landeskinder einzuschmeicheln, von freien Stücken den Entschluß kund, aller häretischen Verderbniß in seinem Gebiete auf einen Schlag ein Ende zu machen. Der Papst war entzückt, als er von dem frommen Vorhaben hörte. Es wird bei Raynald zum Jahre 1249 berichtet, daß der unselige Graf, einige Wochen vor seinem am 27. September erfolgten Tode, in seiner Gegenwart achtzig Personen wegen Ketzerei, zusammen in einem Haufen, in die Flammen werfen ließ.

Auf das Ansuchen Ludwig's IX., des „Heiligen", von Frankreich, ernannte Papst Alexander IV. im Jahre 1255 den Provincial der Dominicaner und den Guardian der Franziscaner zu Paris zu General-Inquisitoren für das ganze Königreich. Zu Anfang des 14. Jahrhunderts finden wir regelmäßige Tribunale in voller Thätigkeit, welche ihre Jurisdiction auf drei Autoritäten stützen: die Civil-Autorität wirkt in den Magistraten, die regelrechte geistliche Gewalt in den Bischöfen, die päpstliche direct in den Inquisitoren. Neben einer strengen geistlichen Gefängniß-Disciplin findet sich die der weltlichen Macht zugeschobene öffentliche Hinrichtung. Das ist's, was man gewöhnlich die „alte" Inquisition nennt.

König Philipp der Schöne beeiferte sich, es seinem Vorgänger, Ludwig dem Heiligen, in der Förderung der Glaubens-Inquisitoren gleich zu thun, bekam aber doch bald Zweifel, ob es wohlgethan sei, sie mit den Straf- und Zuchtmitteln unbedingt gewähren zu lassen. Auf Grund von Beschwerden seiner eigenen Richter erließ er im Jahre 1302 eine Verordnung dahin: die Inquisitoren hätten sich innerhalb ihrer Schranken zu halten und dürften nicht in die weltliche Gerichtsbarkeit eingreifen, indem sie Gelder von seinen Unterthanen erpreßten oder sonst die Grenzen ihrer berechtigten Autorität überschritten. Er untersagte den Richtern auf's Strengste, den Inquisitoren irgend welchen Beistand zu leisten, wenn dieselben Juden wegen Wuchers oder anderer Geld-Manipulationen, die nicht streng unter die gerichtliche Erkenntniß der Inquisitoren fielen, verfolgten. Es ist übrigens zu beachten, daß dieses Eingreifen der königlichen

Autorität nur die behäbigen Juden — denn den Anderen fehlte
ja das Handwerkszeug zu Geldgeschäften — in Schutz nahm, während es die armen Ketzer, denen es an Mitteln fehlte, die Gunst des
Königs und der Richter für sich rege zu machen, den Glaubenswächtern auf Gnade und Ungnade überließ.

Philipp von Limborch, Professor der Theologie bei den Remon-
stranten, einer Theil-Nomination der holländischen Calvinisten, und
Verfasser einer im Jahre 1692 zu Amsterdam gedruckten Allgemeinen
Geschichte der Inquisition, war im Besitze einer Handschrift aus den
Archiven des Glaubens-Gerichtes zu Toulouse, welches, wie wir gesehen haben, von allen zuerst zur vollständigen Einrichtung kam.
Diese Handschrift bildete einen Pergament-Band mit zwei Holzdeckeln,
auf welche beide, vorn und hinten, die Inschrift: „L. Sentencia-
rum" — d. h. „Urtelsspruch-Buch" — eingeschnitten war. Jedes der
darin enthaltenen Actenstücke war von wenigstens einem der vier Notare, welche das Original-Urtheil abgefaßt hatten, eigenhändig unterzeichnet und durch das beigedruckte Amtssiegel beglaubigt. Limborch
hat von diesem Sentenzenbuch einen genauen Abdruck besorgt und
von jedem Siegel eine Abbildung beigegeben; nur die abgekürzten
Silben hat er ausgeschrieben, die barbarische Anorthographie des
Kirchenlateins aus dem 14. Jahrhundert aber gewissenhaft beibehalten.
In diesem Abdruck, der 420 Folio-Seiten füllt, haben wir also eine
Original-Quelle über die Leistungen des ersten Inquisitions-Tribunals. Wir geben im Nachstehenden einen Begriff von denselben.

Was wir jetzt ein Auto-de-fé, einen Glaubens-Act, nennen, hieß
damals „General-Predigt des Glaubens", weil die Handlung einer
jeden solchen gerichtlichen Gefängniß-Entleerung zu Toulouse mit einer
Predigt eröffnet wurde. Dieser Gebrauch wurde beibehalten, so lange
als die Verbrennungen auf dem Scheiterhaufen überhaupt öffentlich
stattfinden konnten. Die Urtheile, welche die Richter zu vierzehn
„General-Predigten" fällten, sind, Wort für Wort, wie die Notare
sie abgefaßt hatten, in Limborch's „Sentenzenbuch" aufbewahrt. Das
erste ist datirt vom 1. Sonntag nach Frühlingsanfang im Jahre
1308, das letzte vom Sonntag in der Octave von Maria Geburt
im Jahre 1322. Die erste dieser „General-Predigten" wurde gehalten in der Kathedral-Kirche von St. Stephan und für jede der
folgenden wurde die Kirche oder der Marktplatz aus dem Gesichtspunkte gewählt, daß eine große Zuschauer-Menge beiwohnen konnte.

Ein Landeshauptmann, ein Richter, ein Kreiswärtel und ein
Civil-Gouverneur vertraten den Monarchen; sie beschworen auf das
Evangelium ihren Glauben an Jesus Christus und an die heilige
Römische Kirche und gelobten, Christus und die Kirche mit aller
Macht zu vertheidigen, alle Häretiker sammt deren Helfern und
Schützern zu verfolgen, zu fassen, bei der Kirche und ihren Inqui-

fitoren anzuklagen und fie ihnen vorzuführen. Sie gelobten ferner eidlich, keiner der vorbezeichneten ketzerischen oder der Ketzerei ver- dächtigen Personen irgend welches Amt anzuvertrauen, noch fie in ihre Familie einzulassen, oder ihre Freundschaft, ihre Dienste, ihren Rath anzunehmen; sollten fie unwissentlich einmal einen solchen Menschen in ihr Haus aufgenommen haben, und fie würden dess' inne, fo würden fie ihm unverzüglich die Thüre weisen. Am Schlusse wiederholten fie dann das Gelübde des Gehorsams gegen Gott, die Kirche und die Jnquifitoren.

Dann folgte eine gewisse Anzahl von „Confuln" oder Civil- Magistrats-Perfonen, welche Wort für Wort in derselben Weise und auf dieselben Verpflichtungen vereidigt wurden.

Der Erzbischof der Kirchenprovinz fowie die benachbarten Bi- schöfe hatten aber bereits mit Mißbehagen gemerkt, daß die römischen Sendlinge ihnen hinfichtlich der geistlichen Jurisdiction in ihren Diöcesen über den Kopf gewachsen waren — jetzt fuchten fie zu retten, was noch zu retten war. Sie erreichten in Folge desfalls gepflogener Verhandlungen denn fo viel, daß ihnen bei den „Gene- ral-Predigten" ein officieller Sitz eingeräumt wurde; fo waren fie doch nicht gerade nur bloße Zuschauer. Dem Erzbischof wurde fo- gar schließlich zugestanden, daß er feine „unendlich höhere Juris- diction" ausüben und „einige" feiner Bischöfe zur Anwesenheit einer „General-Predigt" autorisiren durfte. Waren diese aber durch an- dere Geschäfte abgehalten, oder zufällig menschlicherer Gemüthsart, als daß fie an einem solchen Schauspiel Gefallen gefunden hätten, fo schickten fie fogenannte „canonische Commissare", welche dann, wenn irgend ein Entschuldigungsgrund für die Angeklagten oder ein Anlaß zur Begnadigung derselben vorlag, dieses geltend machen durften.

Waren die Eidschwüre entgegengenommen, fo sprachen die zwei General-Jnquifitoren die Excommunication aus über Alle, welche auf irgend welche Art, öffentlich oder im Geheimen, ihnen felbst oder ihren Unterbeamten entgegen gearbeitet hatten oder ihnen in der Ausübung ihres heiligen Amtes hinderlich gewesen waren.

Das „Haus der Jnquifition" zu Toulouse — und zu dieser Zeit bestand ein anderes solches „Haus" in der nahen Bischofsstadt Carcassonne und höchstwahrscheinlich auch noch fonstwo in der Nach- barschaft — wurde von feinen Jnsassen geleert; dieselben erschienen truppenweise in der Kathedrale. Im „Sentenzenbuche" heißt es: fie wurden „educti e muro" — „aus der Einmauerung herausgebracht". Da überall in den ältesten handschriftlichen Quellen nachdrücklichst auf f icheren Verschluß der gefangenen Häretiker gehalten wird, die Jn- quifitions-Gefängnisse in der Zeit Philipp's des Schönen auch ge- meinhin „Mauern" genannt werden („murus", „in muro inclu- dantur", „immurare" u. f. w. find stehende Ausdrücke), fo haben wir wohl an Gewölbe zu denken, die nur oben eine Oeffnung hatten, durch die man mittels einer Leiter hinabstieg; vielleicht auch an enge Einzelzellen. Die Urtheile des „Sentenzenbuchs" lauten nun theils auf's Tragen der Kreuzflecke auf den Kleidern, theils auf harte leibliche Bußwerke. Greifen wir ein Beispiel von jeder Sorte heraus. Das erstfolgende gilt einem Kreuzträger.

„Im Namen des Herrn, Amen! Wir, die vorgenannten Inquisitoren der häretischen Verderbtheit" (Bruder Bernhard Guy und Bruder Johann de Belna, vom Prediger-Orden) „und der delegirte Commissar des obengenannten Erzbischofs von Toulouse, und ich, Bruder Bernhard Guy, in meiner weiteren Eigenschaft als Commissar der ehrwürdigen Väter und Herren in Christo: der Bischöfe G— und R— und G—, zu deren Diöcesen die unten aufgeführten Personen gehören," .... Nach diesem Eingang folgen dann 57 Namen mit genauen Personal-Notizen, aus denen hervorgeht, daß ganze Familien von der Inquisition aufgehoben und eingesperrt wurden. Die religiösen Ueberzeugungen, wegen deren sie verurtheilt worden waren, erschienen in dem betreffenden Schriftstück als solche, die man heutzutage als evangelisch bezeichnen würde. „Diese Männer und Frauen", heißt es weiter, „eingemauert zur Buße wegen Vergehen ketzerischer Bosheit und diese Buße in demüthiger Unterwerfung unter unsere und der h. Kirche Bestimmung nun schon viele Jahre tragend, sollen heute, so haben wir in Milde beschlossen, aus Gnade eine Ermäßigung ihrer Buße erfahren und aus der Mauer-Haft entlassen werden. Aber wir vermahnen sie eindringlich, Alle und Jeden, unter Hinweisung auf den von ihnen geleisteten Schwur, daß sie zum Ersatz für die ihnen abgekürzte Gefängnißbuße von jetzt ab fortwährend zwei Kreuze von gelbem Filz" (die Größe wird hier genau vorgeschrieben) „auf jedem Kleidungsstück tragen, das Hemd ausgenommen, und zwar eines auf der Brust und eines auf dem Rücken zwischen den Schultern, dergestalt, daß sie sich ohne diese Kreuze nicht sehen lassen, weder in ihrer Behausung noch auf der Straße. Wenn die Kreuze zerrissen oder verschlissen sind, so müssen sie ausgebessert oder erneuert werden. Und so lange diese Personen noch leben, sollen sie gehalten sein, jedes Jahr die Kirche von St. Stephan zu Toulouse am Festtage dieses Heiligen zu besuchen, ebenso die St. Saturnius-Kirche zu Toulouse in der Oster-Octave; in jeder dieser Kirchen sollen sie der Messe beiwohnen und die Predigt hören. Sie sollen drei Mal jährlich beichten; vor Weihnachten, vor Ostern und vor Weißer Sonntag und an diesen Festtagen die Communion empfangen, es sei denn, daß ihr Priester ihnen räth, sich derselben zu enthalten. An jedem Sonn- und Feiertage sollen sie in ihrer Pfarrkirche eine Messe hören von Anfang bis zum Ende, auch die Predigt, so oft deren eine in ihrer Kirche gehalten wird; nur die gewichtigsten Gründe

können sie hiervon entschuldigen. An Festtagen haben sie sich der
Arbeit zu enthalten. Ein öffentliches Amt können sie nie bekleiden.
Die vier Advent-Wochen hindurch müssen sie fasten wie vor Ostern,
auch sich der Wahrsagerei enthalten und des Loos-Zeichens, überhaupt
dürfen sie keinen Werth auf Geld legen. Sie sollen eifrig sein in
der Aufspürung jeder Art von Ketzern, deren Anhängern, Hehlern
und Begünstigern, sowie Solcher, die wegen Ketzerei flüchtig sind.
Den katholischen Glauben, die geistlichen Personen, die Rechte der
Kirchen und das h. Officium der Inquisition müssen sie verehren
aus allen Kräften ihrer Seele. Auch eine Pilgerfahrt sollen sie
machen, je nach den Anweisungen, welche in den ihnen zu übergeben-
den Briefen enthalten sind. Diese Briefe haben sie sich zu erbitten
und zu bewahren, das darin Gesagte aber genau zu befolgen. Wir
und unsere Nachfolger im Amte der Inquisition haben und behalten
volle Gewalt, die oben genannten Personen, alle oder zum Theil,
zur Strafe der Mauer-Haft zurückzuführen, selbst ohne neuen Anlaß,
auch diese Mauer-Haft zu erschweren oder zu mildern oder nachzulassen, Jedem und auf welche Art es uns oder einem unserer Nachfolger angemessen erscheint."

Am Sonntag, 23. April 1312, dem Feste von St. Georg
Martyr, hielten Bernhard Guy und ein Mit-Inquisitor „zu Ehren
der heiligen Römischen Kirche" unter dem üblichen Aufgebot von
geistlichen und weltlichen Autoritäten eine General-Predigt auf dem
gewöhnlichen Platze. Auch diesmal wurden Männer, Weiber und
Kinder, darunter ganze Familien vorgeführt. Ein Beamter des h.
Officiums verlas die Liste von 87 Namen: „Du, Raymund Vasco;
und du, Bernarda Wilhelma, ehemalige Ehefrau von dem und dem;"
„und du" . . . „und du" . . . bis zu Ende. „Es ist verlesen und
euch in eurer Volkssprache wiederholt worden, wie schwer und viel-
facher Art ihr durch das verdammenswerthe Verbrechen der Häresie
gefrevelt habt. Heute seid ihr nun persönlich an diesen Ort vor
uns gebracht worden, damit ihr euere Buße empfahet und den endgültigen Urtheilsspruch aus unserem Munde über euch ergehen lasset.
Ihr seid, wie ihr sagt, von dem Verlangen beseelt, aufrichtig und
ungeheuchelten Glaubens zur Einheit der Kirche zurückzukehren und
hier öffentlich abzuschwören aller Häresie, aller Anhänglichkeit an die
Ketzer, zu welcher Secte sie gehören mögen, all ihrem Glauben und
ihrem Gottesdienst, all ihrer Gunst, Hartnäckigkeit und Bosheit; und
ihr wollt geloben, zu halten und zu vertheidigen die allein wahre
Religion, die Ketzer aufzusuchen und zu verrathen, wo immer ihr
deren verborgen wißt; und ihr seid bereit, zu schwören, daß ihr für-
derhin in schlichter Unterwürfigkeit gehorsamen wollt den Geboten
der Kirche und den unseren. Unter diesen Voraussetzungen und Bedingungen erbittet ihr in geziemender Demuth die Lossprechung von

der Excommunication, die wegen der besagten Vergehen über euch verhängt worden ist. Wenn ihr nun in der That willig seid, aufrichtig in den Schooß der Kirche zurückzulehren und zu halten, was wir euch aufzuerlegen für gut finden, so wollen wir, indem wir das heilige Evangelium vor unseren Augen liegen haben, damit wir, wie vor Gottes Angesicht, die Gerechtigkeit zum Maßstab unseres Urtheils nehmen" . . .

Genug der ekeln Phrasen! eilen wir zum Ende! — nach all dem Vorausgegangenen ist doch gewiß eine milde Sentenz zu erwarten. Bruder Bernhard hat ja den Gott der Barmherzigkeit und Gerechtigkeit angerufen; er hat ja Gottes Wort vor sich liegen und darin das Beispiel Christi vor Augen, der gesagt hat: „Geh' hin in Frieden; deine Sünden sind dir vergeben!" Wie lautet aber der Schlußsatz? „ . . . Als Richter dieses Tribunals und nachdem wir den Rath frommer, im kirchlichen und bürgerlichen Recht wohlerfahrener Männer gehört haben, verurtheilen wir euch, wie es hier geschrieben steht, zu lebenslänglicher Einmauerung, damit ihr heilsame Buße übt, essend das Brod der Trübsal und mischend euern Trank mit vielen Thränen."

Die Barmherzigkeit und Gnade des h. Officiums ist jedoch damit noch nicht erschöpft; über drei Männer (einer derselben ein Greis) und drei Frauen (zwei von ihnen Wittwen) ergeht folgendes Gericht: „Ihr aber, weil ihr mehr und schwerer gefehlt und deshalb eine empfindlichere Strafe verwirkt habt, ihr sollt in engere und strengere Haft kommen, indem ihr mit Gelenk-Schellen an Ketten gelegt werdet." Den Schluß des Spruches bildet auch hier die übliche Abdrohung noch härterer Zucht, wenn es sich herausstelle, daß Einer bei dem Verhöre das Geringste verheimlicht habe.

In einer andern „General-Predigt" fordert ein Waldesier, Hugo de Cernon, vor allen seinen Leidensgefährten unsere Theilnahme heraus. Von Kindheit an war derselbe Zeuge der Frömmigkeit seines Vaters, in dessen Hause jeder wandernde Prediger christlicher Gastfreundschaft froh wurde. Die Inquisitoren hatten dem gefangenen Sohne die Namen von 13 ketzerischen Personen erpreßt, die er entweder als Gäste des Vaters kennen gelernt, oder denen er, nach dessen Tode, selbst Obdach gegeben hatte. Er hatte mit ihnen gebetet vor dem Essen und nach dem Essen. „Wenn sie sich zu Tische setzen" — so erzählt der Inquisitor Eymerich, den wir später genauer kennen lernen werden — „so sprechen sie: »Möge der, welcher für seine Jünger in der Wüste die fünf Gerstenbrode gesegnet hat, auch diese unsere Speise segnen!« und wenn sie vom Tische aufstehen, so beten sie mit zum Himmel erhobenen Händen und Augen aus der Geheimen Offenbarung Johannis die Worte: »Preis und Ehre und Weisheit und Stärke, Dank und Lob sei unserem Gotte in Ewigkeit,

Amen!«" Hugo de Cernon hatte auch sonst mit den wandernden Glaubensboten gebetet, mit gebogenen Knien auf einen Stuhl gelehnt, „wie es bei ihnen des Betens Art und Brauch ist". Noch mehr: er hatte ihren Gesprächen gelauscht, und sich ihre Belehrungen gefallen lassen, wie z. B. die, daß Schwören vor Gericht im Neuen Testamente verboten sei, und daß es kein Fegfeuer gebe. Die Inquisitoren machten es ihm auch zum Vorwurfe, daß er zwei Mal seine Sünden bei Waldesiern gebeichtet und sich die Lossprechung und eine Buße habe geben lassen, „trotzdem es ihm bekannt war, daß sie keine von der Römischen Kirche geweihten Priester hätten".

Des gleichen Verbrechens der Gastfreundschaft gegen Waldesier hatte sich eine gewisse Juliana, Ehefrau des Vincenz Vertelperio, schuldig gemacht; sie hatte im Einverständnisse mit ihrem Gatten einigen Pastoren derselben Nachtlager gewährt und im Familienkreise mit diesen Gästen gebetet. Auch fand sich in den Acten aufgezeichnet, daß Juliana sich von einem dieser, „Barba" genannten Wanderlehrer eine Nadel hatte schenken lassen.

Weitere Angeklagte der in Rede stehenden „General = Predigten" gehörten zu einem Hause, in welchem die gemeinsame Familien = Andacht vordem nicht üblich gewesen, nachdem sie aber ein Barba eingeführt hatte, auch fortgesetzt worden war. Das Hauptverbrechen eines der Verurtheilten bestand darin, daß er mehreren gefangenen Waldesiern Geld und Kleider zugetragen hatte, welche Almosen ihm von guten Leuten zu diesem Zwecke übergeben worden waren. Hierbei ist daran zu erinnern, daß die Inquisition um diese Zeit noch keine eigenen Gefängnisse hatte. Die staatlichen Gefängnisse waren aber für Besucher zugänglich; ja die Gefangenen fanden vielfach bloß in Almosen ihren Unterhalt.

Und wie Mancher wird in den vierzehn „General = Predigten" aufgeführt, der nur wegen solcher „Verbrechen", wie die eben erwähnten, dem weltlichen Arme übergeben und lebendig verbrannt wurde!

Ein Fall, der eines Priesters Namens Johann Philibert, ist besonders merkwürdig; wir geben die Geschichte nachstehend in ihren Umrissen, soweit diese aus dem „Sentenzenbuch" erkennbar sind. Johann Philibert wurde, als er in der Pfarre von St. Laurenz in Burgund angestellt war, zusammen mit einer anderen Person mit der Aufsuchung eines flüchtigen Waldesiers beauftragt. Der Ober= Inquisitor hatte ihm eine schriftliche Vollmacht mitgegeben, auf Grund deren er den weltlichen Arm anrufen konnte, falls dieser sich nöthig erweisen sollte, um den Flüchtling zu fassen und zurückzuführen. Welchen Erfolg Philibert mit diesem Auftrage hatte, ist nicht angegeben; aber der Verkehr mit den verfolgten Christen, in welchen er bei der Ausführung desselben kam, machte aus dem Familiaren der Inquisition einen Familiaren wahren Christenthums. Von Haus zu

Haus, von Ort zu Ort fand er in den Waldesiern nur fromme Befolger des Evangeliums; ihm selbst schenkten Alle vertrauendes Entgegenkommen; nachdem er wiederholt ihren gottesdienstlichen Versammlungen beigewohnt hatte, kehrte er heim durchdrungen von der Wahrheit des Wortes, das ein Waldesier Namens Cristino zu ihm gesprochen hatte: es sei besser, Schweinehirt zu sein, als Messe-Priester mit sündigem Herzen.

Der theilweise Abfall eines Priesters von der römischen Kirche konnte der Wachsamkeit der Inquisition nicht lange entgehen. Wie so mancher seiner Standesgenossen in jener Zeit, fuhr Philibert fort, am Altare zu dienen, nachdem er längst den Glauben an die sogenannte Transsubstantiation verloren hatte. Als Bruder Guy von Rheims, der Inquisitor für Burgund, ihn bei gegebener Gelegenheit aufforderte, seine Rechtgläubigkeit im Sinne des h. Officiums auf die Evangelienbücher zu beschwören, verweigerte er dies und wurde unter Beobachtung genommen, als er auch einer wiederholten Aufforderung keine Folge gab. Es währte nicht lange und er wurde vor den genannten Inquisitor in den Palast des Erzbischofs zu Besançon geladen. In Gegenwart von zehn oder zwölf Zeugen und einem Notar wurde er vereidet, die Wahrheit zu sagen. Er gestand seinen brieflichen Verkehr mit den Waldesiern und nannte es einen Frevel gegen Gott, daß die Inquisitoren diese fromm nach Christi Lehre lebenden Leute verfolgten. Mit welchen Mitteln man ihn mürbe gemacht hat, ist nicht zu ersehen, aber in soweit beugte er sich schließlich unter die an ihn gestellten Forderungen, daß er den Waldesiern abschwor und die Zusage machte, sie nach Kräften verfolgen zu helfen. Auch das wird man nach den im achten Jahrzehnt des 19. Jahrhunderts gemachten Erfahrungen verstehen, daß man in der Hoffnung, Johann Philibert sei aufrichtig bekehrt, und sein zeitweiliger Abfall der Welt unbekannt geblieben, nicht viel Aufhebens von der Sache machte. Ohne ihm irgendwelche öffentliche Buße oder Strafe aufzuerlegen, ließ man ihn in die Gascogne zurückgehen. Dort setzte er seinen Verkehr mit den Waldesiern wieder fort: er besuchte sie von Ort zu Ort, aß und trank in ihren Häusern und wohnte ihren heimlichen Andachts- und Erbauungs-Uebungen bei; er betheiligte sich am Vorlesen der Evangelien und apostolischen Sendschreiben in der Landessprache und lauschte den von irgend einem Gemeindegliede daran geknüpften Ermahnungen. Und wie die „Tausende" des Döllinger, noch heute, im Jahre 1877, wo wir dies schreiben, im Herzen die vaticanischen Neuerungen verwerfen, trotzdem sie sich den römischen Forderungen äußerlich gefügt haben, so fuhr auch Johann Philibert fort, auf den römischen Altären zu opfern. Vierzehn volle Jahre hindurch hinkte er so auf beiden Seiten, zeigte Morgens die Hostie den Gläubigen zur Anbetung und trug Nachts

den gefangenen Waldesiern Nahrung und Kleidung und geistige Tröstung zu.

Endlich, im October 1319, wurde er zu Toulouse wieder festgenommen und dem Inquisitor vorgeführt. Dieser hielt ihm das Protocoll über seine Abschwörung zu Besançon vor, und sprach, da es für einen
Rückfälligen nicht zum zweiten Male Gnade gab, das Verdammungs-
urtheil über ihn. So lautete dasselbe: „Da die Kirche kein Mittel
mehr hat, um Deiner Verderbtheit entgegen zu wirken, so thun Wir
durch Gegenwärtiges kund und zu wissen, daß Du, der vorbenannte
Johann Philibert, Geistlicher, der h. Weihen und Grade entkleidet
werden sollst; und wenn Du begrabirt bist, sollst Du übergeben
werden dem weltlichen Arm und Gericht. Diesem überlassen Wir Dich
also hiermit, indem Wir dasselbe bitten, Dein Leben und Deine Glieder
unversehrt zu erhalten, Dir auch, wenn Du zu würdiger Buße bereit bist, die Ablegung der Beichte und den Empfang der Eucharistie zu gestatten." Da der Sitz des Bischofs von Auch, welchem
die Jurisdiction über Johann Philibert zustand, erledigt war, trat
der zu Avignon residirende Papst Johann XXII., der selbst Franzose
und früher Bischof in der Kirchenprovinz von Toulouse gewesen war,
aushelfend in die Lücke ein und fertigte das Document aus, wodurch
der Erzbischof zur Degradation Philibert's angewiesen und letzterer dem
weltlichen Arm überantwortet wurde.

Am Sonntag, 15. Juni 1320, saß der Erzbischof in der Kathedrale, umgeben von Geistlichen aller Grade, lauter Männer, die
für die Glaubensreinheit eiferten. Eine große Menge Laien war
gleichfalls anwesend. Da wurde Johann Philibert aus dem Gefängnisse geholt und mit dem ganzen geistlichen Ornat, soweit er ihm
zustand, behangen, an einen erhöhten Platz geführt, von wo er allen
Anwesenden sichtbar war. Auf einem Credenz-Tische in seiner Nähe
lagen und standen Evangelien- und Meßbücher, Altar-Geräthe und
priesterliche Symbola. Die Actenstücke des Processes und die päpstliche Vollmacht zur Degradation wurden verlesen. Ein gewisser Raimund Fesch saß dabei, um das Protocoll über den Verlauf der vorzunehmenden Handlung zu führen. Wir wollen den Leser mit den
Einzelheiten des Verlaufs nicht ermüden — im Ceremoniell ist die
römische Kirche allzeit stark gewesen. Um die Zurücknahme der
durch die geistlichen Weihen ihm verliehenen Gnaden und Gaben,
Würden und Bürden zu versinnbilden, wurden dem Delinquenten
der Reihe nach vom Opferkelche und der Opferschlüssel an bis hinab
zum Kerzenzünder und Kirchenschlüssel alle kirchendienstlichen Uten-
silien erst in die Hände gegeben und dann wieder herausgerissen.
Ebenso beraubte man ihn stückweise der auf seinem Leibe aufge-
häuften priesterlichen Gewänder. Dann erklärte im Namen der heiligen Dreifaltigkeit Raimund Fesch, daß Johann Philibert nun von

jeder priesterlichen Weihe und Würde, von jedem geistlichen Beneficium und Privilegium degradirt und abgesetzt sei. „Derowegen
erklären wir anmit dem hier gegenwärtigen sehr edeln Herrn Guyard
Guy, Landeshauptmann von Toulouse, daß er Dich nunmehr in seine
Jurisdiction übernehmen mag. Wir ersuchen ihn aber inständigst,
er wolle seinen Urtheilsspruch über Dich so einrichten, daß Du nicht
in Gefahr des Todes kommest oder Dir ein Glied verstümmelt werde."
Eine priesterliche Spur hatte jedoch Johann Philibert noch an sich:
die auf seinem Wirbel in's Haar geschorene Krone. Um diese gleichfalls zu vernichten, wurde ein Bartscheerer geholt, dessen Messer an
die Stelle einer bloßen Lichtung bald eine unbegrenzte Wüste geschaffen hatte; Johann Philibert stand vor allem Volke als Kahlkopf
auf der für ihn hergerichteten Tribüne. Jetzt wurde er herunterge-
zogen, aus der Kirche gezerrt und den Flammen übergeben. Der
Notar Raimund Fesch aber hatte sein Protocoll mit der Uebergabe
des Delinquenten an die weltliche Gewalt beschlossen.

Nicht nur Lebendige verbrannten die Inquisitoren, sondern auch
Todte. Bei den Verhören der Waldesier und anderer namhafter
Ketzer bekamen sie oftmals Kunde von Personen, die in deren Glau-
bensgemeinschaft gestorben waren. Auch über diese, die bereits vor
einem höheren Richter gestanden hatten, fällten sie dann förmliche
Urtheile. Eins derselben stehe hier als Beispiel von vielen in dem
„Sentenzenbuche": „Vor dem Allgegenwärtigen Gott: In Erwägung,
daß das Verbrechen der Häresie wegen seiner Schwere und Unge-
heuerlichkeit nach kirchlichem wie nach bürgerlichem Recht nicht nur
an den Lebendigen, sondern auch an den Todten gestraft werden
muß," ꝛc. ꝛc. „Wir thun kund und zu wissen, daß die Vorgenannten
(zwei Männer und vier Frauen) zu Lebzeiten Beherberger, Anhänger,
Helfer und Begünstiger Waldesischer Ketzer gewesen sind; daß sie in
die Ewigkeit gegangen sind, ohne das Verbrechen der Waldesischen
Ketzerei, dessen sie sich schuldig gemacht haben, zu bereuen; und so
verdammen wir sie als solche, sie die genannten Männer und Frauen
sammt ihrem Gedächtniß. Wir befehlen, daß zum Zeichen dieser
Verdammniß die Gebeine der besagten Wilhelm und Michael und
der besagten Weiber, wenn dieselben von den Gebeinen der gläubig
Verstorbenen geschieden werden können, auf den geweihten Begräbniß-
Stätten ausgehoben oder ausgegraben und verbrannt werden sollen."
Diese Sentenz erging zu Toulouse bei der letzten der vierzehn von
Limborch veröffentlichten „General-Predigten".

Sogar über Bücher erstreckte sich auch schon das Gericht der
Toulouser Inquisition. Am 28. November 1319 wurden auf Befehl und im Namen von Bernhard Guy zwei Lastwagen voll hebräi-
scher Bücher, nämlich alle, deren man bei den Nachforschungen in
Wohnungen der Juden habhaft werden konnte, durch die Straßen

von Toulouse zur Richtstätte gefahren. Eine Anzahl königlicher Gerichtsdiener gab diesen schweinsledernen Ketzern das Geleit und ein
Ausrufer schritt den Wagen vorher, um mit lauter Stimme zu verkünden, daß die Bücher — es waren Abschriften des Talmud u. s. w.
— Lästerungen enthielten gegen die Christenheit, wie gelehrte Leute,
die sich auf die Sprache verständen, erforscht hätten. Bei dieser Verbrennung des Talmud führte man übrigens nur ein Gebot der
„Kirche" aus: Gregor IX., ein Erz-Judenverfolger, hatte es so angeordnet. Seinem Befehle wurde Statt gegeben auch Seitens des
Kanzlers der Universität zu Paris schon im Jahre 1230 öffentlich
vor versammeltem Klerus und Volke. Nach einer Pause von dreizehn Jahren erfuhr das genannte Buch das gleiche Schicksal wiederholt zu Paris, dies Mal auf Anweisung von Innocenz IV. Die
Werke des Raimundus Lullus, eines der ausgezeichnetsten Geister
des Mittelalters, dem man trotz aller Seltsamkeiten die aufrichtigste
Begeisterung für das Christenthum nicht abstreiten kann, wurden auf
Befehl Gregor's XI. verbrannt im Jahre 1376. Wir haben hier
die Behauptung, daß im Talmud Blasphemien und in den anderen
vernichteten Büchern Häresien enthalten seien, nicht zu widerlegen —
wir haben nur auf das Alter des Gebrauchs der römischen Kirche
hinzuweisen: dasjenige, was ihr nicht paßte, durch Brand aus der
Welt zu schaffen, anstatt es geistig zu überwinden.

Nur noch ein kleineres Geschichtchen aus dem „Sentenzen-Buch"
und wir wollen dieses Kapitel schließen, um dann in einem der
folgenden noch eine Haupt- und Staats-Action der Toulouser Inquisition nachzutragen.

Am Sonntag dem 28. Juni 1321 erscholl auf dem Marktplatz
von Castel de Cordua, einer Stadt der Diöcese Albi, der Ton einer
Trompete, um die Einwohner zusammen zu berufen zur Anhörung
dessen, was zwei Inquisitoren und deren Räthe, sowie die vom Bischof gesandten Commissare der Bevölkerung und ihrer magistratlichen
Vertretung kund thun wollten. Der Magistrat und die Stadtschöffen
eilten zur Stelle, um bereit gehaltene Bittschrift mit sich nehmend,
welche als Blitz-Ableiter dienen sollte gegen die vorausgesehene Straf-
rede des Oberhirten und den gefürchteten Urtheilsspruch der Inquisitoren. In Castel de Cordua waren nämlich kurz vorher schlimme
Dinge geschehen. Zwei Inquisitoren hatten auch in dieser Stadt
ihres Amtes gewaltet und einige Einwohner derselben gefänglich eingezogen; das setzte allgemeine Erbitterung ab; die Bürger rotteten
sich zusammen, erbrachen die Haft-Locale und stießen sehr unehr-
erbietige Drohungen gegen die päpstlichen Glaubens-Prüfer aus. Die
Inquisitoren flüchteten im ersten Schrecken aus der Stadt, ließen
dann aber aus der Ferne ein Anathem über dieselbe ergehen, welches,
wie die Dinge einmal lagen, für die Corduaner die schlimmsten Wir-

lungen hatte. Man mußte zu Kreuze kriechen und um Gnade nach-
suchen. Jetzt wagten sich die Vertreter des h. Officiums wieder herbei. Sie nahmen die im Namen der ganzen Einwohnerschaft abge-
gebene demüthige und ehrerbietige Erklärung, daß man das begangene
Unrecht einsehe und um gnädige Strafe bitte, auch in Zukunft sich
Allem fügen werde, huldvoll entgegen. Als die wackeren Väter der
Stadt diese Unterwürfigkeits-Versicherung abgegeben, und an die anwesenden geistlichen Notare die geziemende Bitte gerichtet hatten: sie
möchten auch schriftlich Act davon nehmen zum Zeugniß für ewige
Zeiten, da erhob sich auf ihren Wink von der ganzen anwesenden
Menge: Männern, Frauen und Kindern, ein gewaltiger Aufschrei,
der einem Dreifachen Ausdruck gab: dem Reueschmerz über das Vor-
gefallene, dem Verlangen nach Aufhebung der Strafe, dem Gelöbniß
der Besserung, kurz den Erklärungen der Stadtväter als allgemeine
Bestätigung diente. Die Inquisitoren und bischöflichen Commissare
nickten Gewährung. Sie ließen die Stadt-Vorsteher einzeln die Ca-
pitulations-Bedingungen beschwören, dann hielten sie ein Evangelien-
buch allem Volke sichtbar empor — das Eidleisten auf das Crucifix
scheint noch nicht Sitte gewesen zu sein — und forderten auch die
Menge auf, durch Erhebung der Hände an Eidesstatt das Gelöbniß
zu geben, der h. Glaubens-Inquisition gegen häretische Bosheit hin-
füro keinen Widerstand mehr entgegensetzen zu wollen. Von der hin-
knieenden Menge wurde zum Schluß ein Buß-Psalm angestimmt
und beim Hinsterben der letzten Trauertöne sprachen die Inquisitoren über die Reumüthigen die Formel, welche die Stadt von dem
Banne löste.

Als soweit Alles im Reinen war, folgte die Verkündigung der
Buße. Da die heilige Mutter Kirche allzeit milde ist im Strafen,
wenn sie so aufrichtige Reue und so redliches Streben nach Besserung sieht, wie es hier bei Magistrat und Volk zu Tage trat, so
legten die Glaubenswächter außer einer schweren Jahressteuer zum
Vortheil des Bischofs und der Inquisitoren auf unbestimmte Zeit
der Stadt keine andere Lasten auf als den Bau einer Kapelle zu
Ehren des h. Petrus Martyr. Dieser war im Ordens-, Amts- und
Schicksals-Genosse des Peter Arbues, also Dominicaner, General-Inquisitor und ein Opfer der Volkswuth. Auf der Suche nach Wale
desiern war er — das Jahr ist mit Sicherheit nicht festzustellen —
bald nach der Mitte des 13. Jahrhunderts auf dem Wege von Como
nach Mailand erschlagen worden. Dieser Heilige, dessen Name im
Römischen Martyrologium unter dem 29. April verzeichnet ist, war
der eigentliche Patron des h. Officiums geworden. Sein Bild nebst
denen von drei anderen, eben so curiosen Heiligen sollte in der Kapelle, deren Ort, Größe, Baumaterial, Einrichtung und reiche Ausstattung auch im Uebrigen genau vorgeschrieben wurde, als Altarbild

gemalt werden*). Auch als Statuen von Holz oder Stein sollten dieselben chriftlichen Tugend-Mufter an anderen Stellen der Kapelle figuriren. Letztere mußte zu einer bestimmten Zeit fertiggestellt und eingerichtet fein, widrigenfalls von zwei zu zwei Jahren sich erhöhende Strafgelder zu bezahlen waren. Alle diese Verbindlichkeiten wurden von der Stadt mit Brief und Siegel eingegangen und unter derselben Gewähr den Inquifitoren die Befugniß zugesprochen, künftighin in der Stadt zu schalten und zu walten nach Gutdünken.

So brachten sich die Inquifitions-Tribunale mit Bann und Interdict in Frankreich zu gesetzlicher Anerkennung.

---

*) Die Dominicaner zu Benedig haben um die Mittte des 16. Jahrhunderts den „Tod des h. Petrus Martyr" als Altarbild malen laffen für die Kirche S. S. Giovanni e Paolo von keinem Geringeren als — Tizian. Das Bild war von Napoleon I. nach Paris geschleppt und dort glücklich restaurirt, nach 15 Jahren aber zurückgebracht, erst in der Akademie aufbewahrt, dann aber auf das Drängen der Geistlichkeit der Kirche wiedergegeben worden, um schließlich das Schickfal so manches Opfers feines Helden zu erfahren — im Jahre 1873 ift es mit einem Theile der Kirche verbrannt. Zum Glück für die Kunft existirt eine aus dem Jahre 1862 herrührende Copie von dem — bereits verstorbenen — braunschweiger Maler Rudolf Henneberg, der durch feine „Jagd nach dem Glück" weiteren Kreisen bekannt geworden ift.

Siebentes Kapitel.

Die „Bundeslade des Herrn" findet in Frankreich keine dauernde Stätte.

„Laffe die Priester wider sie die silbernen Posaunen blasen, laut und hell, und das Volk aus den Zelten rufen zum Kampf! Vorwärts mit der Bundeslade des Herrn! Nieder mit den Mauern des Jerichos der Ketzerei! Mögen sie zusammenbrechen unter nie endendem Fluche!" So heißt es in der Decretale: „Inter sollicitudines" des Papstes Innocenz III., welche in der Hauptsache aus einem an den Erzbischof von Sens gerichteten Schreiben besteht. Der Erzbischof, dem der Papst das Compliment macht, daß er dem h. Stuhl sehr ergeben und von großer Hirtensorgfalt sei, wird trotzdem ermahnt zum Eifern für das Gesetz Christi gegen die Häretiker; er möge das Schwert der canonischen Strafen nicht ·in der Scheide lassen, sondern die Ketzer und ihre Gönner damit niederschlagen; die „kleinen Füchse, welche den Weinberg des Herrn verwüsten, und trotz ihrer verschiedenen Gesichter durch das Band des Hochmuths mit den Schwänzen zusammenhängend, ein und dasselbe Ziel verfolgen" sammt ihren Gönnern entweder vertilgen oder aus dem Lande verjagen.

Bald nach dem Erlaß dieser Bulle ereignete sich folgende Geschichte.

In der Stadt La Charité — sie gehört nun zu dem Departement Nièvre — hatten der Diöcesan-Bischof und sein Amtsbruder von Meaux die Bevölkerung von Stadt und Umgegend zusammen entboten und sie geheißen, alle Diejenigen ausfindig zu machen, welche im Munde der Leute als Ketzer galten oder dem Einen und Andern als solche verdächtig erschienen. Höchst verdächtig erschien in den Augen der Zeloten der Dechant von Nevers. Er wurde wegen dieses dringenden Verdachts durch den Metropoliten zu Sens von allen priesterlichen Functionen entbunden und ihm aufgegeben, an dem und dem Tage zu Melun zu erscheinen, um dort wegen ihm zur Last fallender Häresie sich zu verantworten. Der Dechant stellte sich pünktlich ein und fah fich einem Gerichtshofe gegenüber, wie er damals in Frankreich etwas Neues war. Er war zusammengesetzt von dem Erzbischof und bestand aus diesem, den Bischöfen von Melun und Nevers, sowie mehreren Doctoren des bürgerlichen und des canonischen Rechts. Der Erzbischof war Ankläger und Richter in einer Person. Es wurden Zeugen von beiden Seiten vernommen und deren Aussagen öffentlich verlesen, aber ein Schuldbeweis ließ sich daraus nicht herstellen. Das Gesetzbuch der Inquisition war eben noch unausgebildet, Form und Regel des Proceß-Ganges schützten den Verklagten noch vor ungerechtem Urtheil. Der Dechant verlangte freigesprochen zu werden; dazu konnte aber der Erzbischof sich nicht entschließen: der Inculpat hatte zwar nicht der Ketzerei überführt werden können, aber es hatte sich doch herausgestellt, daß er mit Ketzern menschlich verkehrt hatte. Die drei bischöflichen Richter zogen noch einen Amtsbruder, den von Troyes, zur Berathung bei und kamen dann zu dem Beschluß, den verdächtigen Dechanten zu einer neuen Untersuchung nach Rom zu schicken. Dort fiel der Entscheid der Cardinäle dahin aus, der Dechant solle zwar, nach Frankreich zurückgekehrt, sein Einkommen fortbeziehen, aber, weil er doch verdächtig sei, vom Kirchendienst suspendirt bleiben. Gleichzeitig wurde der Erzbischof unterm 7. Mai 1199 vom Papste ermächtigt, mit aller Strenge gegen ihn vorzugehen, sobald er den geringsten Anlaß gebe.

Zur selben Zeit wurde auch ein Abt nach Rom geschickt, weil die Bischöfe gleichfalls über seine strafbare Ketzerei nicht in's Reine kommen konnten. Ueber diesen erging das Urtheil Innocenz' III. unterm 19. Juni 1199 dahin, daß der Erzbischof ihn auf Lebenszeit in einem Kloster einsperre.

Es kamen aber, nach gut einem Menschenalter, förderlichere Elemente in die Glaubensgerichte Frankreichs. Noch im Jahre seiner Erhebung zum Papst — 1243 — theilte Innocenz IV. in einem Briefe an zwei seiner Nuncien diesen mit, Kaiser Friedrich II. habe sich beschwert, daß er, der Papst, Jemanden, dem Kaiser zum Trotz zum Legaten ernannt habe, bloß weil er nach dem Willen des Grafen von Avignon sei; demgegenüber erkläre er, daß er bei der betreffenden Ernennung gar nicht an „diesen Fürsten" gedacht habe und, Gott sei sein Zeuge, nur dem Wink gefolgt sei, welchen die Dominicaner-Prediger ihm in dieser Hinsicht aus Rücksicht auf eine regelrechtere Bestrafung der Ketzer und deren Gönner gegeben hätten; demgemäß habe er den Legaten denn auch instruirt.

Schon Gregor IX. (1227—1241) hatte in einem Briefe an den Bruder-Minister der Minoriten in Navarra und an den Prior der Prediger-Brüder zu Pampeluna diese daran erinnert, „das Schwert des Glaubens sei nicht in ihre Hand gegeben, um es rein von Blut zu halten;" sie sollten „mit Eifer für den katholischen Glauben"

gegen die Ketzer vorgehen und „wenn nöthig" die Beihülfe des weltlichen Arms anrufen.

Der weltliche Arm wurde denn auch angerufen und, dem römischen Winke gehorsam, bat König Ludwig IX., der „Heilige", den
Papst Alexander IV. (1254 bis 1261) um die Einsetzung von Glaubensrichtern in ganz Frankreich. Wir glauben nicht, daß unter unseren Lesern auch nur ein Einziger ist, der, nachdem er uns so weit
gefolgt, sich diese Thatsache als einen Beweis aufdrängen ließe für
den staatlichen Ursprung der Inquisitions-Tribunale in Frankreich;
andernfalls hoffen wir, ohne hier mit Worten streiten zu wollen, auf
seine Bekehrung von dem weiteren Verlaufe unserer Geschichte. Der
Papst gewährte die Bitte des Königs und ernannte den Prior der
Dominicaner zu Paris zum General-Inquisitor für das ganze Königreich und für die Grafschaft Toulouse.

Das Wirken des Toulouser Glaubens-Tribunals haben wir aus
dem dort aufbewahrten und durch Limborch's Abdruck uns vermit-
telten „Spruchbuch" kennen gelernt. Es läßt sich daraus schließen,
daß, wenn die Autorität des Papstes über jede andere Autorität gesiegt haben würde, die Kirche Frankreichs schon sehr bald zertreten
unter den Füßen des Inquisitions-Ungeheuers gelegen hätte. Aber
der Welt-Klerus widerstand der Neuerung. Vorab gestattete er, daß
die Flüchtlinge der Inquisition des kirchlichen Asyl-Rechtes sich be-
dienten und an den Altären Schutz suchten vor den Schergen des
obersten Priesters. Das half freilich nur eine Zeit lang: Papst Nicolaus IV. (1288 bis 1292) ermächtigte die Beamten und Familiaren der neuen Heils-Anstalt, ihre Opfer auch an geheiligter Stätte
abzufassen. Weiteren und solideren Widerstand fand der Papst und
seine Glaubensprüfer, abgesehen von der zeitweilig ungefügen Staatsgewalt, an den Bischöfen, die, wissend, daß sie zur Regierung der
Kirche Gottes berufen seien, an ihren Befugnissen festhielten, und an
dem Welt-Klerus überhaupt.

Die Kirchengeschichte von Frankreich ist nicht nur wie die des
ganzen übrigen Europa voll von Streitigkeiten zwischen der geistlichen
Macht und der weltlichen, sie weist auch, und fast mehr als andere
Länder, zahlreiche Fälle auf, wo der Klerus des Landes mit der römischen Kirchenleitung zum Schutze der alt hergebrachten canonischen
Freiheiten im Kriege lag. Aus diesen Interessen-Conflicten erklärt
es sich, daß die Inquisition als beständiger rein geistlicher Gerichtshof
selbst in den schlimmsten Zeiten auf französischem Boden es nicht zu
dem Ansehen und der ungehinderten Wirksamkeit brachte wie in einigen anderen katholischen Ländern. Versäumt wurde deshalb für die
Aufrechterhaltung jener Hefe des Christenthums, die man den „heiligen
unverfälschten römischen Glauben" nannte, doch Nichts: was anderwärts die Mönche und ihre Familiaren, das besorgten hier auf Be-

fehl der durch die Kirche dazu ermunterten Könige die Civil-Commissare und ihre Dragoner.

Während vier oder fünf Jahrhunderten standen den Ansprüchen des Papstthums bald der König oder das Parlament, bald beide zusammen gegenüber, und der Erfolg war bald auf der einen, bald auf der andern Seite, je nachdem diese oder jene mehr Intriguen, mehr käufliche Dienste und mehr Gewalt in die Wagschale zu werfen hatte. Wir sehen, daß Philipp der Schöne den Fulco, einen blutdürstigen Inquisitor in Aquitanien, zwingt, sich eine Untersuchung seines Gebarens durch königliche Commissare gefallen zu lassen und den Befehl hinzunehmen: die Häretiker müßten in die königlichen Gefängnisse abgeführt, nicht in den Kerkern des „heiligen Hauses" zurückbehalten, auch immer dann wieder auf freien Fuß gesetzt werden, wenn der königlich bestallte Landvogt es ablehne, bei dem Processe mitzuwirken. Bald aber wird Philipp mit dem Banne und Frankreich mit dem Interdicte belegt. Das war für die sogenannte Häresie was Dung ist für das Land. Zu einer andern Zeit finden wir, wie König Karl V. (1364 bis 1380) durch Gregor XI. gedrängt wird, dem absterbenden h. Officium neues Leben zu geben durch Erlaß neuer Ketzer-Edicte und Aussendung frischer Brand-Commissare und der König ist schwach genug, sich dazu zu verstehen. Er gibt den Glaubens-Sergeanten Hülfsmannschaften und füllt die königlichen Gefängnisse mit Leuten, die den Priestern bezüglich ihrer religiösen Meinungen verdächtig erschienen. Wo die vorhandenen Gefängnisse nicht ausreichten, wurden neue gebaut. Dem Bedürfnisse der damaligen Zeit verdankte auch die weltberühmte Bastille von St. Antoine in Paris ihre Entstehung. Ein Ketzer war ihr erster Insasse: Hugo Aubriot, der Vorsteher der Pariser Kaufmannschaft. Er selbst hatte auf königlichen Befehl am 22. April 1369 den Grundstein eingeweiht zu dem Gebäude, das halb Festung, halb Gefängniß zu sein bestimmt war. Noch war die Burg nicht ganz vollendet, da wurde er, der am Hofe in so hoher Gunst gestanden hatte, dem Klerus in der Reinheit seines Glaubens und seiner kirchlichen Haltung verdächtigt, zu immerwährender Leibeshaft verurtheilt und in die Bastille eingesperrt. Nicht mit Unrecht wird diese daher mitunter die „französische Inquisition" genannt. Bei einem durch Steuerdruck hervorgerufenen Volksaufstand im Jahre 1381 wurde Aubriot befreit und zum Haupte dieser Bewegung erkoren; er entzog sich dieser mißlichen Bestimmung aber durch die Flucht. Die Erstürmung und das Wegfegen der Bastille im Jahre 1789 war also auch eine, wenn gleich späte Sühne für die mißhandelte Freiheit des religiösen Gewissens.

Das heilige Feuer dieser Freiheit schien im 15. Jahrhundert in Frankreich völlig erstickt zu sein; erst bei dem frischen Hauche, der bei dem Ausbruche der Reformation aus Deutschland herüberwehte, lebte sie auch hier wieder auf, troß den Versuchen, die aus der Asche der alten Märtyrer sich erhebenden Funken auf's Neue mit Blut und Thränen auszulöschen. Obgleich die Theologen-Facultät der Pariser Hochschule, die Sorbonne, als erbittertste Feindin aller Religionsneuerungen, Luther als einen der gefährlichsten Keßer verdammt hatte, traten deßungeachtet Gelehrte und selbst Geistliche in dessen Fußstapfen.

Zu diesen gehört Wilhelm Briçonnet, seit 1516 Bischof von Meaux, der durch Heranziehung mehrerer gleichgesinnter Männer für eine Reform der Kirche nachhaltig wirkte. Allein von den Franziscaner-Mönchen in der Stadt seines Sißes bei dem Parlamente zu Paris, das in Unduldsamkeit mit der Sorbonne wetteiferte, denuncirt, ward Briçonnet eingeschüchtert und die Verhaftung der von ihm berufenen Lehrer verfügt. Zwei derselben: Wilhelm v. Farel und Jacob Lefevre, entzogen sich ihr durch die Flucht; die zwei andern: Jacob Pavannes und Gerhard Roussel, durch Widerruf. Diese Treulosigkeit gegen die bessere Ueberzeugung sühnte Pavannes jedoch bald: er wurde im Jahre 1525 als „rückfälliger Keßer" zu Paris öffentlich verbrannt. Demselben Schicksal würde auch Roussel wohl ohne den Schuß der Schwester des Königs Franz I., Margarethe von Navarra, kaum entgangen sein. Aus Deutschland, wohin er geflohen war, nach Frankreich zurückgekehrt, hatte er wiederholt zu Paris im Sinne der Neuerer gepredigt und wurde verhaftet. Der Einfluß seiner hohen Beschüßerin gab ihm nicht nur die Freiheit, sondern auch den Bischofstuhl zu Oleron in Bearn. Er beschloß aber seine Tage, 101 Jahr alt, gleichwie Lefevre, ohne Amt zu Nerac, dem Hauptorte der Herrschaft Albret, den Margarethe ihnen zum Aufenthalt angewiesen hatte. Farel hatte in der Schweiz einen Wirkungskreis seines Sinnes gesucht und gefunden.

König Franz I., in der Schlacht bei Pavia Gefangener des deutschen Kaisers Karl's V. geworden, war durch die Königin-Schwester von dem Geschick dieser vier Männer brieflich unterrichtet worden. „Wir haben" — so schrieb er nach einer im Anhalt'schen Hausarchiv befindlichen gesandtschaftlichen Copie am 12. November 1525 an das Parlament zu Paris — „vernommen, daß Lefevre und mehrere andere gelehrte Männer, sei es aus Euerem eigenen Antriebe, sei es auf Anstiften ihrer Feinde, welche schon früher Verdächtigungen über sie bei Uns angebracht haben, verfolgt werden. Nicht unbekannt sind Uns deren Schriften geblieben. Um aber in Unserem Urtheile sicher zu gehen, haben Wir namentlich die des Lefevre von befähigten Personen einer Prüfung unterziehen lassen. Diese nun fanden nicht nur nichts Gefährliches oder Verwerfliches darin, sondern gaben denselben vielmehr ein herrliches Zeugniß. Darum gebieten Wir Euch bei Unserer Ungnade, abzustehen von allem ferneren Vorgehen gegen jene Männer. Wir sind gewillt, alle Diejenigen zu schützen, die für die Ausbreitung von Kenntnissen, Wissenschaften und wahrer Frömmigkeit thätig sind."

Leider wurden, als Franz im Anfange des folgenden Jahres aus Madrid in sein Reich zurückkehrte, ihm die Dinge mit Erfolg anders dargestellt. Durch Kriegsunglück, Haft, harte Freiheits- und Friedensbedingungen verstimmten Geistes, war Franz dem Nachweise des fanatischen Cardinals von Tournon zugänglich: der mißlungene Ausgang seiner Unternehmungen sei ein Zorneszeichen des Himmels wegen des in Frankreich so häufigen Abfalls von dem alleinselig-machenden Glauben; und man werde es noch erfahren: die Ketzereien seien bloß scheinbar gegen die Kirche gerichtet; im Grunde seien sie viel mehr politischer als religiöser Tendenz; sie zielten ab auf die Herabwürdigung der königlichen Autorität und den Umsturz alles Bestehenden.

Ein Edelmann aus der Provinz Artois, Louis Berquin, erfuhr den Wandel der Anschauungen des Königs zuerst. Früher hatte er die Schriften des Erasmus, mit Zusätzen versehen, ungehindert ver-breiten dürfen, trotz allen Denunciationen und allem Murren der Sorbonne; jetzt wurde er, vierzig Jahre alt, im Jahre 1529 zu Paris als Ketzer erwürgt und auf dem Greveplatz öffentlich verbrannt.

Andere Einflüsse brachten den König freilich öfter in's Schwan-ken, so daß er ein Mal trotz aller Gegenvorstellungen des Cardinals von Tournon im Begriffe war, den deutschen Reformator Melanch-thon nach Frankreich zu berufen. In diesem versöhnlichen Sinne wirkten besonders außer der Königin-Schwester, die Brüder du Bellay, deren einer, Johann, 1560 als Cardinal und Erzbischof von Paris, ein anderer, Renatus, 1546 als Bischof von Mons starb. Die Rö-misch-Gesinnten in der Umgebung des Königs mußten dem mit Erfolg entgegen zu arbeiten und die einzelnen Ausbrüche der unmöglich gemachten freien Meinungsäußerung auszubeuten. So waren im November 1534, in einer und derselben Nacht, zu Paris und an andern Orten heftige Schmähschriften gegen die Brotverwandlung in der Messe an den Straßenecken, ja sogar ein Exemplar auch an die Thür des königlichen Zimmers im Louvre angeheftet worden. Das entflammte begreiflicher Weise des Königs Zorn und der Klerus ver-säumte es nicht, die Gluth zu schüren. Bei massenhaften Einsperrun-gen und Inquisitionen ließ Franz I. es nicht bewenden: für diesen öffentlichen Frevel sollte auch eine öffentliche Sühne Statt finden; er ließ durch den Erzbischof, den genannten Johann du Bellay, eine feierliche Procession abhalten. Dieselbe zog am Morgen des 21. Ja-nuar 1535 von der Kirche St. Germain l'Auxerrois nach Notre-Dame. Voran sammt seinem ganzen Klerus der Erzbischof mit der

Monstranz, allen transportabeln Reliquien und der Statue der Genovefa, der jungfräulichen Schutzpatronin der Stadt Paris. Dicht hinter dem Traghimmel schritt der König, barhaupt, ein Wachslicht tragend, seine drei Söhne, seine Brüder, das diplomatische Corps, einige in Paris zufällig anwesende Bischöfe, ein Theil des Hofadels, viele Beamte u. s. w. In Notre-Dame wurde eine Sühnmesse gelesen und dann setzten sich die Notabilitäten unter den Theilnehmern an der Procession zu gemeinsamem Mahle nieder. In der Rede, womit der König die Tafel aufhob, gab er seinem Schmerze über die Veranlassung zu der Bußfeier kräftigen Ausdruck, Alle ermahnend, sich um ihres ewigen und zeitlichen Heiles willen vor der Ansteckung der Sectirerei zu hüten. Diese Rede erschien später im Druck. Auf dem Wege, den der mit seinen Söhnen und dem Gefolge nach dem Louvre heimreitende König zu passiren hatte, war denselben noch eine Nachfeier bereitet. Zu genau vorausberechneter Stunde hatte man die unter den Verhafteten schuldig befundenen sechs Personen zum Feuertode auf die sechs öffentlichen Plätze an jenem Wege hinausgeführt — der König sollte das ihm zugedachte Schauspiel sechs Mal genießen. Und der „Meister dieser Lustbarkeit" Criminal-Lieutenant Morin, Doctor der Theologie, einer der berüchtigtsten Inquisitoren, hatte dem Tag zu Ehren ein Uebriges gethan: neben jedem der sechs Scheiterhaufen war ein Zieh- oder Wipp-Galgen aufgerichtet. An diesem festgebunden, wurde das Opfer auf- und niedergelassen, bis der Gemarterte halb verbrannt in die Gluth stürzte. Zweien dieser Brandopfer ließ Morin, weil constatirt worden war, daß sie ihre Beredtsamkeit zur Ausbreitung der Ketzerei mißbraucht hatten, vorher die Zunge ausschneiden.

Noch in demselben Monat zeigte es sich, daß gerade in Folge dieser öffentlichen Schandthat die Protestanten im Stillen an Boden gewannen; sie selbst nannten das Jahr 1535 wegen der massenhaften nächtlichen Verbreitung von Tractaten gegen Ablaß und Messe das „Flugschriftenjahr". Es erschienen im Laufe der Zeit auch Carricaturen auf die Person des Königs. Wenn das Wort: „cui bono?" — „wer hatte den Vortheil davon?" nicht ohne Sinn ist, wird man über den Ursprung dieser Pasquille nicht im Zweifel sein. Mit vor Wuth zitternder Hand unterzeichnete Franz bei einem solchen Anlasse am 2. August 1540 den Befehl: Jedermann, einerlei weß' Ranges und Standes, solle, wenn er der Hinneigung zur Ketzerei verdächtig sei, eingezogen werden. Zur Feststellung der Anklage seien alle Mittel, mit Ausnahme der Tortur, anzuwenden. Bei Verlust seines Amtes habe jeder Richter Glaubens-Processe sofort, mit Hintansetzung aller sonstigen vorliegenden Fälle zu erledigen und die Ergebnisse der Untersuchungen den Parlamenten zum Spruche vorzulegen. In demselben Jahre noch wurde Stephan Lebrun, ein gelehrter Mann, wegen abweichenden Glaubens im Dauphiné verbrannt.

An die Geistlichen erließ Franz eine geheime Verordnung, daß sie in ihren Predigten vorzüglich auf den Gehorsam gegen die Kirche hinzuweisen und alle Laien ernstlich zu ermahnen hätten, diejenigen anzuzeigen, welche in Religionssachen sich lau oder zweideutig benähmen. Jeder sei ein Ketzer, der die Satzung vom Fegfeuer verwerfe, die Gerechtwerdung durch den Glauben behaupte, die Anrufung der Heiligen sowie die Verehrung der Bilder derselben Abgötterei heiße, die Wunder der Heiligen anzweifele, die Ceremonien mißachte, die Verbindlichkeit der Kirchengebote über's Fasten und dergleichen bestreite, von der Sündenvergebung der Priester Nichts wissen wolle, die allgemeine Verbreitung der Bibel begehre. Oeffentlich erging das Verbot: Pflicht eines jeden Katholiken sei, die Namen aller Personen anzugeben, welche gegen kirchliche Gesetze und Gebräuche sich vergingen; Bücher besäßen, läsen, verliehen oder auf sonstige Art verbreiteten, die dem herrschenden Glauben zuwider seien; die in Häusern oder Gärten heimliche Zusammenkünfte veranstalteten oder ihre Wohnungen zu derartigen Conventikeln hergäben. Wer von solchen strafbaren Vorgängen Kunde habe, solle sofort einem der nachbenannten Doctoren der Theologie Bericht erstatten: Heinrich Gervais, Nicolaus Leclerc, Peter Richard, Robert Bouchet, Johann Benoit, Johann Morin, Franz Picard. Der letztgenannte war Dechant an der Kirche zu St. Germain l'Auxerrois. Er wußte sich als Verfolger der Protestanten bei dem verhetzten Pariser Pöbel so beliebt zu machen, daß am 19. September 1556 bei zwanzig Tausend Menschen seiner Leiche das Geleit gaben.

Aber die Hugenotten waren nicht die Einzigen, welche unter die Aufsicht der geistlichen Polizei geriethen. Der Name eines gewissen Matthäus Ori, eines Dominicaners, der viele Jahre als General-Inquisitor von Frankreich fungirte, darf um so weniger in Vergessenheit gerathen, als es ihm zu Theil fiel, auch die Absonderlichkeiten des jungen Ignatius von Loyola, des späteren Gründers der Gesellschaft Jesu, zu überwachen. Ignatius war nämlich eine Zeit lang Student an der Universität zu Paris. Er wurde Ori verdächtig und dieser behielt ihn im Auge. Das berühmte „Buch der geistlichen Uebungen" wurde der Censur unterzogen und Ignatius, sein Verfasser, hatte nicht geringe Mühe, den General-Inquisitor von seiner Rechtgläubigkeit zu überzeugen.

Derselbe Ori verhinderte auch, so viel an ihm lag, die Verbreitung der h. Schriften in England. Richard Grafton und Edward Whitchurch kamen nach Paris herüber, um hier Coverdale's Bibelübersetzung drucken zu lassen, da dort die Papier- und Arbeits-Preise niedriger waren als in London. König Heinrich VIII. selbst hatte sich für das Vorhaben dieser Männer bei König Franz I. verwandt und dieser ihnen daraufhin „jed' Recht und Freiheit" gewährt, diese Bibel in lateinischer und englischer Sprache zu drucken und die fertigen Exemplare „ohne alle Belästigung und Behinderung" nach England ausführen zu dürfen. Gestützt auf die königliche Zusage gaben Grafton und Whitchurch sich an's Werk. Von dem Buche waren eben die letzten Bogen in der Presse, als Ori den Drucker faßte. Der Verfolgungsbefehl ist unter dem 17. December 1538 von Heinrich Gervais, Prior der Dominicaner zu Paris und General-Vicar des Ori, ausgestellt. Es heißt darin: „Seitdem Uebersetzungen der heiligen Schriften, sowohl der des Alten wie des Neuen Testamentes, gemacht wurden, die dem gewöhnlichen Volk in die Hände fielen, würden nicht selten Solche gefunden, die im Glauben von der gesunden Lehre abweichen. Es sei deshalb auch durch mehrfache Edicte des hohen Parlamentshauses vorgesehen, daß Keiner weder das Alte noch das Neue Testament in der Landessprache drucken oder von Andern gedruckt verkaufen dürfe. Nun sei ihm (Ori) aber bekannt geworden, daß ein gewisser Franz Regnault, Buchhändler zu Paris, die Bibel in der britischen oder englischen Volkssprache drucke; das könne nur zu Aergernissen und Irrthümern in der Kirche führen. Deshalb befehle er allen Priestern, Vicaren und Curaten ꝛc. den besagten F. Regnault und Alle, welche dabei betheiligt sein könnten, zur Verantwortung vorzuladen ꝛc. Und er verbiete den Urhebern und Theilhabern dieser Gesetzwidrigkeit unter Androhung aller zulässigen canonischen Strafen, die besagte Bibel zu drucken und das bereits davon Gedruckte zu verbergen oder zu verschleppen." Dieses Document war gegengezeichnet und gesiegelt von „Le Tellier, Notar der Inquisition".

Mit den angezogenen Parlaments-Edicten hatte es allerdings seine Richtigkeit; Franz I. war aber, als er die besagte Licenz ertheilte, offenbar der Meinung, daß er nicht gegen dieselben verstoße, wenn er Fremden die Erlaubniß gebe, eine zur Ausfuhr bestimmte Bibel in einer fremden Sprache herzustellen.

F. Regnault wurde ohne Verzug vor das Inquisitions-Tribunal gestellt und dort verschiedener Ketzereien bezüchtigt. Auch die mehrgenannten Engländer und sogar Miles Coverdale, der Uebersetzer, wurden vorgeladen, fanden es aber gerathener, unbeurtheilt heimzureisen. Es waren zweitausendfünfhundert Exemplare von der Bibel gedruckt worden; das Alles fiel in Ori's Hände. Ein Theil wurde auf Befehl des Criminal-Lieutenants auf dem Platze Maubert öffentlich verbrannt, das Uebrige, dadurch zusammenhanglos gemacht, als Maculatur verkauft. Franz I. war vielleicht nur auf das Gesuch des Königs von England eingegangen, weil er es eben nicht abschlagen konnte; die Glaubenseiferer seiner Umgebung sahen den Ausgang der Sache sicher mit Genugthuung. Die Bahn war ihnen in dieser Richtung geebnet.

Was Franz I. — oder vielmehr die Werkzeuge, durch welche er regierte — gegen Ende seines Lebens an den Waldesiern Südfrankreichs gefrevelt hat, wird an anderer Stelle im Zusammenhange mit den Schicksalen dieser alten Christengemeinden in den benachbarten piemontesischen Alpenthälern erzählt. Leider blieben die Waldeser nicht die letzten Opfer der Verfolgungswuth der Päpstlichen unter der Regierung und in dem Lande Franz' I. Und überall hatten die unmittelbaren Creaturen der römischen Curie das Ende der Fäden in ihren Händen: hinter dem Cardinal v. Tournon stand der päpstliche Legat, dieser trieb den König; das giftige InquisitionsGeschmeiß wußte sich die Parlamente und Magistrate zu gefügigen Werkzeugen zu machen, ohne daß diese der Elendigkeit des Geschäftes, das sie zum Ruin des eigenen Landes für Andere, für Ausländer, besorgten, auch nur bewußt geworden wären!

Zu Meaux, wo sich im September 1546 nach dem Vorgange von Straßburg eine reformirte Gemeinde gebildet hatte, drang bald darauf der Bürgermeister in Begleitung mehrerer Schergen in die gottesdienstliche Versammlung und verhaftete „im Namen des Königs", ohne daß der König jemals davon erfuhr, sechszig Personen. Sie wurden gebunden, in elende Kerker geschleppt, dann nach Paris transportirt und vom Parlamente „wegen Ketzerei und versuchten Aufruhrs" — man vergesse nicht, daß jede Zuwiderhandlung gegen den Befehl, gutrömisch zu glauben, schon „versuchter Aufruhr" war — vierzehn zum Feuertode verdammt, welches Urtheil zu Meaux schon am 7. October vollstreckt wurde. Man sieht am Datum, es wurde sehr prompte „Justiz" geübt. Von den Uebrigen peitschte der Henker einige öffentlich aus, etliche waren mit Geldbußen belegt worden. Aehnliche Schauspiele erlebte man wiederholt in andern Städten. Um Geständnisse zu erpressen, verfuhr man hin und wieder mit teuflischer Grausamkeit. Ein Inquisitions-Mönch mit Namen Johann de Roma, der schon ein ganzes Jahrzehnt in der Provence nach dem Glauben wie nach der Habe seiner Opfer gleich eifrig inquirirt hatte, ließ einigen Unglücklichen Stiefel, die mit kochendheißem Talg gefüllt waren, anzwingen und das tonsurirte Scheusal lachte bei den herzzerreißenden Schmerzensschreien der Unglücklichen. König Franz, der davon hörte, befahl den Wütherich festzunehmen; derselbe hatte aber bereits Winke bekommen und sich aus dem Staube gemacht.

Allem Würgen der Päpstlichen zum Trotz — seit dem Blutbade der Waldeser i. J. 1545 war eine Begeisterung über die Reformirten gekommen, die aller Verfolgung, aller Furcht spottete. Im Todesjahre Franz' I. bestanden zahlreiche protestantische Gemeinden, u. A. zu Agen, Allevert, Angers, Blois, Bordeaux, Bourges, Caen,

Corbigny, Dijon, Iffoire, Iffoudun, Langres, Lyon, Meaux, Orleans, Paris, Poitiers, Riom, Rochelle, Rouen, Sancerre, Senlis, Toulouse, Tours, Vienne und Biviers.

Wenn die Keher aber unter Franz I. mit Ruthen gestrichen wurden, so geißelten die Römlinge dieselben unter Heinrich II. mit Scorpionen. Gleich zu Anfang von dessen Regierung erging ein Gesetz, daß ohne Genehmigung der Sorbonne Bücher aus Deutschland, der Schweiz und andern von der Keherseuche inficirten Ländern weder verkauft noch nachgedruckt werden dürften. Alljährlich sei mehrmals Revision der Buchdruckereien und Buchhandlungen vorzunehmen und kein literarischer Nachlaß könne, ohne daß derselbe vorher durch die Doctoren der genannten theologischen Facultät geprüft worden sei, versteigert oder verkauft werden.

Die Männer, welche am meisten zur Verfolgung der Protestanten antrieben, waren die durch ihre Stellung und ihre Persönlichkeit fast allmächtigen Brüder Franz von Lothringen, Herzog von Guise 2c., Generallieutenant aller Armeen, und Cardinal Karl von Guise, Erzbischof von Rheims, gewöhnlich „Cardinal van Lothringen" genannt. Der letztere befand sich eben an der Quelle allen Glaubenseifers zu Rom und versorgte von dort seinen vorgenannten älteren Bruder mit den nöthigen Eingebungen. Beide hegten egoistische Pläne für ihr Geschlecht und hielten es deshalb für zweckdienlich, sich durch ihren „Glaubenseifer" ebenso bei den Geistlichen wie bei der Masse beliebt zu machen. Sie hatten es vorzugsweise auf die Notabilitäten unter den Protestanten abgesehen, denn „wenn man den Hirten schlägt, zerstäubt die Heerde." Viele der intelligentesten Männer unterlagen im Jahre 1548 der königlichen Strafgewalt. Unter ihnen der ausgezeichnete Johann Brugière von Auvergne. Inmitten seiner Predigt unter freiem Himmel wurde er verhaftet, dann einem peinlichen Verhör unterworfen und vom Parlamente zu Paris, nachdem dasselbe von den Inquisitions-Acten Einsicht genommen, zum Feuertod verurtheilt. Am 3. März wurde er verbrannt.

Allen Strafverschärfungen zum Troz war der Erfolg nicht der gewünschte. Die Bischöfe warfen einen Theil der Schuld auf die weltlichen Behörden, welche zu nachlässig seien in dem Aufspüren der Keher; sie beriefen sich darauf, daß die Ahndung der Frevel gegen Glaube und Kirche von Alters her vor die geistlichen Tribunale gehöre, und forderten dies Recht vom Könige zurück. Das Verlangen der Kirchenfürsten wurde erfüllt und im December 1548 ein Gesetz verkündet: in Zukunft müßten die einem peinlichen Verhör unterworfenen Keher sammt den Proceß-Acten den betreffenden Diöcesan-Bischöfen ausgeliefert werden. Das erschien dem Eifer der Eifrigsten im römischen Glauben nicht das Richtige; sie meinten, dem geistlichen Forum der Diöcesan-Bischöfe stünde die Verhängung keiner schärferen

Strafe als lebenslängliches Gefängniß zu; das genüge aber nicht, um vom Abfall von der alleinseligmachenden Kirche abzuschrecken. Die Bischöfe beruhigten diese Feuerseelen mit der Erklärung: sie wüßten Auswege auch zu schärferen Strafen, als sie ihnen canonisch zuständen. Aber man sorgte, daß sie nicht einmal Auswege einzuschlagen brauchten. Das unter dem 27. Juni 1551 aus dem Schlosse zu Chateaubriant in der Bretagne datirte königliche Edict vermied alle bisherige Einseitigkeit: es ermächtigte und verpflichtete weltliche und geistliche Gerichte, die Irrlehrer und deren Anhänger mit aller Schärfe zu treffen. Jedes einzelne Gericht solle auf's andere achten und jede etwaige Lässigkeit desselben unnachsichtig zur Anzeige bringen. Den Adeligen wurde im Unterlassungsfalle die Entziehung ihrer Gutsgerichtsbarkeit angedroht. Jeder, der in ein königliches oder städtisches Amt gelangen wolle, habe vorher den Nachweis zu führen, daß seine Rechtgläubigkeit unverdächtig sei. Den Generalprocuratoren wird auferlegt, in der Stille nachzuforschen, welche Oberlandrichter, Amtmänner und Bürgermeister dem Edict nicht mit pünktlichster Gewissenhaftigkeit Geltung verschafften und darauf zu bringen, daß quartaliter die „Mercuriale" Statt fänden (am Mittwoch [lateinisch: dies Mercurii] abgehaltene allgemeine Gerichtssitzungen zur Prüfung der Mitglieder), in der jeder Gerichts-Rath gewisse auf den Glauben bezügliche Fragen sofort zu beantworten habe. Ketzer beherbergen, sie ihren Verfolgern verheimlichen, ihnen zur Flucht verhelfen, ist ebenfalls straffällig, Auswanderungen nach der Schweiz wurden mit Güter-Confiscation belegt. Die ketzerischen Schulen auf dem Lande — so wurde am 6. August weiter decretirt — sind nöthigenfalls mit Gewalt aufzulösen. Im September wurde das Edict von Chateaubriant zusammen mit früheren wiederholt eingeführt und seine Bestimmungen noch erweitert. Der dritte Theil des Vermögens eines der Häresie Ueberführten sollte Demjenigen zufallen, der ihn bei Gericht angezeigt hatte. Den Theil der confiscirten Güter, welcher gesetzlich dem Staate zufiel, hatte die königliche Maitresse, Diana von Poitiers, sich von Heinrich II. durch eine besondere Schenkungsacte im Voraus verschreiben lassen.

Uebrigens war man schlau genug, die Proceß-Acten stets auf dem Scheiterhaufen der Verurtheilten mit zu verbrennen, vorgeblich damit die Ketzerei in keiner Weise weiter verbreitet werde.

Teuflisch wie die Edicte waren die Martern, welche man für die Opfer derselben ersann. Ein landesherrlicher Befehl — wir haben ja gesehen, wer den Landesherrn zu solchen Dingen antrieb! — ordnete an, wortreichen Verführern vor dem Feuertode die Zunge auszureißen. Man trennte den zum Tode Verurtheilten häufig die Haut vom Leibe, bestreute den geschundenen Körper mit Schwefel und Salz und hing ihn dann an eisernen Ketten über glühende

Kohlen. Weder Geschlecht noch Jugend wurde geschont, Frauen und Kindern dieselben Demüthigungen und Qualen zugefügt wie den Männern.

Zu Lyon wurden im Jahre 1553 fünf junge Theologen, französische Flüchtlinge, verbrannt, welche auf Kosten des Kanton Bern in Lausanne studirt hatten und dann in ihr Vaterland zurückgekehrt waren, um ihren Landsleuten geistlichen Beistand zu leisten; so Martial Alba, Peter l'Ecrivain (auch Scriba genannt), Bernhard Seguin, Karl Fabre (auch Faure geschrieben) und Peter Navières (oder Navihers). Durch einen verrätherischen Reisegefährten, der sie in sein Haus lockte, wurden sie dem Gerichte überliefert, welches durch eine lange, strenge Haft sie erschüttern und zum Abfall bringen wollte. Sie setzten jedoch den Bekehrungsversuchen eine heldenmüthige Entschlossenheit entgegen, durch mehrere Zuschriften der Reformatoren zu Genf: Calvin und Viret, in ihrem Glauben gestärkt. Auch Bern verwendete sich angelegentlichst für die Zöglinge der von ihm gegründeten und beschützten Lehranstalt zu Lausanne, so daß Calvin sich äußerte: wenn irgend Etwas zu erreichen sei, müßten es die Bitten Berns zuwege bringen. Die evangelischen Städte der Schweiz hatten in Gemeinschaft bald nach der Gefangennahme der jungen Prädicanten eine Gesandtschaft an Heinrich II. geschickt. Dieselbe bestand aus dem Bürgermeister von Zürich und einem Gefährten aus Basel. Sie trafen den König zu Tours. Ihr Bericht über die ihnen gewährte Audienz datirt vom 29. Juli 1552. Sie hätten den König gebeten, er möchte seinen Beamten befehlen, daß dieselben nicht so rauh mit Strafen gegen die Reformirten verführen. Sie wollten den König nicht belehren, auch nicht für Ungehorsame gegen das Gesetz Fürbitte thun, sondern nur das Gesuch stellen, daß ihre Glaubensgenossen die h. Schrift lesen und ohne Anstoß ihres Glaubens leben dürften, ohne wider ihr Gewissen gedrängt zu werden. Aber der König war, als sie vorgelassen wurden, gestiefelt und gespornt, um zur Jagd zu reiten. „Ich habe," so lautete sein kurzer Bescheid, „dergleichen Anmuthungen mehr von euch gehabt; aber ich bitte, ihr wolltet mich in meinem Reiche nicht betrüben noch irren; denn ich hindere euch auch nicht in euerem Regiment. Und in Summa: Alle in meinem Reiche dieser Religion sind Aufrührer und böse Leute, deren ich nicht will."

Während der mehr als ein Jahr dauernden Gefangenschaft wurden den Jünglingen Trost und manche Erleichterung zu Theil durch einige zu Lyon wohnhafte, aus St. Gallen eingewanderte Kaufleute, welche sie oft im Gefängnisse besuchten und mehrere Reisen für sie unternahmen. Als alle Bemühungen, sie zu retten gescheitert waren, bestiegen die Jünglinge am 16. Mai 1553 gefaßt den Holzstoß und nahmen durch gegenseitige Zurufe herzlich von einander

Abschied. Der Aelteste von ihnen hörte nicht auf, seine Freunde zu mahnen: „Muth, Brüder, Muth!" bis Qualm und Flammen seine Stimme erstickten.

Auch einen greisen Kriegsmann, Namens Ludwig v. Marsac, führten sie in Lyon mit Andern des evangelischen Glaubens wegen zum Tode. Auf dem Wege zum Richtplaze bemerkte er Stricke um den Hals seiner Gefährten. „Warum," rief er, „legt man mir nicht gleichfalls ein solches Halsband um, warum macht man mich nicht zum Ritter eines so hohen und herrlichen Ordens?"

In dem Maße aber, wie die Opfer, mehrten sich auch die Proselyten. Die Ruhe und Freudigkeit, mit welcher die verfolgten Anhänger eines reineren Glaubens die gräßlichsten Qualen erduldeten, gab Vielen zum offenen Bekenntnisse der besseren Ueberzeugung den nöthigen Muth. Fast jede Gemeinde hatte nicht bloß ihren Prediger, jedwede gab sich, eine vor die andere nach, auch eine Verfassung. Die stärkste, die von Paris, machte damit im Jahre 1555 den Anfang. Robert Le Masson, Herr von La Fontaine aus Angers, ward, nachdem er zu Genf und Lausanne studirt hatte, Geistlicher und veranlaßte die Einrichtung eines Consistoriums zu Paris nach dem Vorbilde der apostolischen Kirche.

Auch der Vater des berühmten Philologen Isaak Casaubon, Arnold Casaubon, gehörte zu denen, welche, nachdem sie in Folge des Kezer-Edicts von Chateaubriant aus dem Vaterlande geflohen waren, jetzt mit einem die größere Gefahr überbietenden Muthe zurückkehrten. Er hatte bei seiner Flucht aus der Gascogne in der Schweiz, zu Genf, eine sichere Zufluchtsstätte gefunden. Mit genauer Noth war er dem Tode des Verbrennens in seiner alten Heimath entgangen. Als die Reformirten Frankreichs allem Wüthen ihrer Feinde zum Troz sich gottbegeistert zu Gemeinden zusammenschlossen, kehrte er mit Weib und Kind in's Vaterland zurück. Zu Crest, einem kleinen Städtchen an der Dröme, wenige Meilen oberhalb der Mündung dieses Flusses in die Rhone, bildete sich eine Gemeinde und da Arnold Casaubon's Gattin diesem Theile des Dauphiné entstammte, erinnerte man sich des Flüchtlings und berief ihn als Pfarrer. Als solcher wirkte er dann von 1561 im Dauphiné bis 1586, wo er zu Die starb, nach einem Leben voll Mühsal und Angst, bald in ärmlichem Hause wohnend, bald vor den Spürhunden der Inquisition auf Jahre in die Berge sich flüchtend. Und dabei war er der einzige Lehrer seines genannten berühmteren Sohnes bis zu dessen neunzehntem Lebensjahre und mit einem solchen Erfolge, daß Isaak schon mit neun Jahren das Latein sprach und schrieb.

Doch wir müssen noch einmal in die fünfziger Jahre zurückgreifen. Dem Cardinal von Lothringen, dem erbittertsten Feinde der Hugenotten, entging keiner ihrer Fortschritte. Auf sein Anstiften mußte der König im Jahre 1555 eine Verordnung unterzeichnen, welche den von den geistlichen Gerichten Verurtheilten die Appellationen an die königlichen Tribunale entzog. Hiergegen remonstrirte das Pariser Parlament. Es stellte dem Könige vor, wie unnatürlich und ungerecht es sei, den wegen ihres Glaubens von den geistlichen Gerichten Verurtheilten alle geordneten Vertheidigungsmittel zu entziehen; auf diese Weise könnten die angesehensten Männer bei völliger Schuldlosigkeit geopfert werden. Es heiße das die Autorität des Königs völlig lahm legen, indem er den besten Theil seiner Machtvollkommenheit, die Rechtspflege, zu Gunsten des geistlichen Standes, der ihm bald über den Kopf wachsen werde, auflöse; mit halbem habe derselbe sich nie begnügt: wenn man ihm den Finger reiche, wolle er die ganze Hand. Diese Vorstellung hatte beim Könige wenigstens den Erfolg, daß er auf der Einregistrirung des angefochtenen Edicts in die vom Parlamente gebilligten Acte nicht bestand. Daß aber der Cardinal von Lothringen sich dabei nicht beruhigt hatte, zeigte sich im zweitfolgenden Jahre. Einstweilen wütheten geistliche und weltliche Ketzer-Gerichte mit Feuer und Schwert weiter. Zu Angers wurden am 24. April 1556 enthauptet Johann Rabec aus der Normandie, ursprünglich Franziscaner-Mönch, der noch im Gefängniß den Johann Spinäus, einen eifrigen Katholiken, der neuen Lehre gewann, und Peter Rousseau von Angevin. In Blois verbrannte man den Prediger Johann Bertrand aus Monloire im Vendomois; in Bordeaux den Bartholomäus Hector von Poitiers, den Hieronymus Casaubon von Bearn, den Arnold Monier von St. Emilion im Bordelais und den Johann de Cazes aus Libourne. Das Parlament zu Chambery in Savoyen verdammte zum Scheiterhaufen den Johann Trigalet, den Anton Laborie und den Johann Vernou, alle drei von Genf geschickt. Bern und Lausanne legten beim Könige Fürsprache für sie ein. Heinrich II. aber antwortete ihrer Deputation: Er könne Denen keinen Pardon gewähren, die auf den Ruin seines Reiches hinarbeiteten.

Unterdessen hatte der Cardinal von Lothringen den Papst Paul IV. für seine Pläne gewonnen und ihn vermocht, durch eine Bulle vom 26. April 1557 die Inquisition nach spanischem Schnitt auch in Frankreich einzuführen. Der Dominicaner Matthias Ori — er ist uns schon als Verbrenner der Bibel-Uebersetzung Coverdale's bekannt — war zum Groß-Inquisitor, Cardinal Karl von Lothringen, sowie die Cardinäle von Bourbon und von Chatillon zu General-Commissären ernannt und sammt den von ihnen zu erwählenden Stellvertretern ermächtigt worden, alle der Ketzerei verdächtigen Individuen, ohne Ausnahme, verhaften und mit dem Tode bestrafen zu lassen. Ein Gesetz vom 24. Juli verkündete dem Lande die Ausführung dieser Bulle mit der weiteren Bestimmung, daß dem Könige die

Stellvertreter der drei Cardinäle namhaft gemacht und dieselben vereidet werden müßten, sich innerhalb der canonischen Vorschriften zu
halten, sowie ihr Verfahren dem Gerichtshofe zu unterbreiten, den
ihre Principale, die drei genannten Cardinäle, in jedem Sprengel
bilden würden. Jeder dieser Gerichtshöfe müsse aus zehn Mitgliedern bestehen, unter denen mindestens sechs Parlamentsräthe der betreffenden Provinz. Der abermalige Widerstand des Parlaments von
Paris, dies Gesetz einzuregistriren, war vergeblich; diesmal setzte der
Hof seinen Willen durch. Indeß mangelte der neuen, durch die Ein-
schiebung von Laien von vorneherein schon gemäßigten Inquisition
die straffe Form des Daseins und Wirkens, deren sie sich in ihrer
Heimath, Spanien und Portugal, erfreute, da nicht bloß mehrere
Mitglieder der höheren Gerichte, sondern auch einflußreiche Mitglieder
des Adels zu den Reformirten gehörten.

Die Pariser Gemeinde vor Allem mehrte sich in überraschender
Weise. Schon machte sich das Bedürfniß eines zweiten Versamm-
lungslocales fühlbar. Bereitwillig stellte Herr v. Bertomier sein Haus
in der Rue St. Jaques zur Verfügung. Hier traf ein Theil der
Gemeinde bei Nachtzeit öfter ein, sich an „Gottes Wort und Tisch"
zu stärken. Diese Versammlungen gewahrten Etliche der feindseligen
Nachbarschaft, und alsbald war ein Attentat geplant. Nachdem man
der Behörde die gebotene Anzeige gemacht, rottete man am Abend
des 4. September den mordlustigen Pöbel zusammen und entritte
um Mitternacht bei der Heimkehr der Reformirten einen Straßen-
kampf. Die Männer unter den Ueberfallenen wehrten sich tapfer;
nur Einer von ihnen blieb todt auf dem Platze. Die Wehrlosen hingegen, Frauen, Greise und Kinder, zusammen über hundertunddreißig,
mußten sich den Schergen des königlichen Procurators Johann Mar-
tiney ergeben. Bei Tagesanbruch führte man sie in die Gefängnisse
ab. Das „gutkatholische Volk", die „echt Katholischen", waren schon
bei der Hand. Die Büttel hatten Noth, die Ketzer vor den zerflei-
schenden Fäusten Derer, die vielleicht eben aus der Frühmesse kamen,
zu schützen. Die schändlichsten Vorwürfe gegen die Häretiker wurden
gegen die Reformirten laut. Als aber die Behörden Beweise verlangten, wollte Niemand mit den schweren Anklagen vertreten, auch Keiner sie widerlegen, aus Furcht, des Einverständnisses mit den Protestanten bezichtigt zu werden. Letztere erachteten eine öffentliche
Vertheidigung ihrer Sitten und Lehren für räthlich und fanden Gelegenheit, diese Schutzschrift für ihre Glaubensgenossen dem Könige
in die Hände zu spielen. Sofort waren zwei Gegen-Libelle da aus
geistlicher Feder, eine von Anton de Mouchy, genannt Demochares,
wohlbestallter Glaubensrichter, eine andere von Robert Cenalis, Bischof von Avranches in der Normandie.

Das Parlament verurtheilte am 27. September den sechzigjährigen Nicolaus Clinet aus Saintonge, Lehrer an der Univerſität, den Parlaments-Advocaten Taurin Gravelle und eine Frau, Philippine Luns aus Perigord, zum Scheiterhaufen. Vier Tage ſpäter wurden zu derſelben Strafe verdammt: Nicolaus Le Cêne, Profeſſor der Medicin, ein gewiſſer Peter Gambard, Franz von Rebeziers aus Strafort im Condomois und Friedrich Danville aus Oleron in Bearn. Die letztern zwei wurden nicht lebendig verbrannt, ſondern, nachdem man ihnen Kugeln in den Mund gezwängt hatte, vorher erdroſſelt. Auch diesmal waren die wackeren Schweizer nicht müßig geblieben. Am Vororte der proteſtantiſchen Städte erſchien ein franzöſiſcher Edelmann Namens Carmel und legte ein Verzeichniß von 135 Perſonen vor, die in Paris, zum evangeliſchen Gottesdienſte verſammelt, überfallen und dem Gefängniſſe überliefert worden ſeien, Perſonen aller Stände, Männer und Weiber. Schon ſeien drei derſelben hingerichtet, „ein Schulmeiſter, ein Advocat und eine Frau". Für die noch zu Paris verhafteten und für eine beträchtliche Anzahl anderer Hugenotten, die zu Dijon gefangen ſaßen, käme er, Carmel, die Verwendung der evangeliſchen Schweiz anflehen. Die Bitte wurde unterſtützt von dem früher genannten Wilhelm v. Farel, jetzt in Neuenburg wirkend, von Theodor Beza zu Lauſanne und Johann v. Budé zu Genf. Zürich meinte, Bern ſollte wieder den Säckelmeiſter Tellier und Hans Wunderlich an den König abordnen, „ſo demſelben ſonderlich erkannt und anmuthig ſeien, da ſie in Beziehung auf die Waldeſier im Thal Agrogne mit einer nicht ungünſtigen Antwort zurückgekehrt waren." Bern aber war der Anſicht, die Geſandtſchaft ſollte, um Nachdruck zu haben, durch Beauftragte ſämmtlicher vier evangeliſchen Städte (die vierte war Schaffhauſen) gebildet werden. So geſchah es. Die Geſandten brachten zu Paris ihr Geſuch mündlich und ſchriftlich vor für „die Leute im Thal Agrogne, für Diejenigen in Paris und andern Städten, die in hartem Gefängniß und bis auf den Tod bedrängt werden der Religion wegen". Am 5. November gab der König perſönlich eine Antwort, die gute Freundſchaft gegen die Schweiz athmete; das Schreiben des Miniſters jedoch drückte ſich in Beziehung auf den eigentlichen Gegenſtand des Geſuchs folgendermaßen aus: „. . . . Den hohen Herrn habe es ein wenig befremdet, in Anbetracht, daß ja auch er gegen die genannten Herren der Kantone und andere befreundete Mächte die nöthigen Rückſichten beobachtet und ſich nicht in ihre Staatsangelegenheiten miſche oder um die Rechtspflege gegen ihre Unterthanen bekümmere." (Er hatte aber doch früher von der Schweiz die Ausweiſung der proteſtantiſchen Flüchtlinge gefordert, dieſer „hohe Herr"!) „So nun, meine er, ſollten auch die genannten Herren der Kantone gegen ihn handeln, und ſich in Zukunft beſcheiden bei dem, was ihm in ſeinem Reiche zu thun und auszuführen beliebe; am

wenigſten aber möchten ſie ſich zu ſchaffen machen mit Sachen der
Religion, die er auch in Zukunft zu beobachten entſchloſſen· iſt, genau wie ſeine Vorgänger als allerchriſtlichſte Könige ſie beobachtet
haben vordem; auch ſeine Unterthanen in ſelbiger anzuhalten, worüber er keinem Andern als nur Gott verantwortlich iſt.“ Beza,
welcher der Geſandtſchaft einen beſſeren Erfolg verheißen hatte, meinte
nachher, ſie habe darin gefehlt, daß ſie, ſtatt ſich unmittelbar an den
König zu wenden, mit dem König völlig beherrſchenden Cardinal von Lothringen unterhandelt habe.

Auch Boten der deutſchen proteſtantiſchen Fürſten erſchienen vor
Heinrich II., um ſich für ihre Religionsgenoſſen in’s Mittel zu legen.
Weil Letzterer deren Kriegshülfe gegen Philipp von Spanien zu be-
nützen gedachte, verfuhr man thatſächlich mit den noch übrigen Ge-
fangenen milder, insbeſondere mit den Frauen, welche meiſt mit
Widerruf, Geld oder Gefängnißſtrafe davon kamen.

Womit der Cardinal von Lothringen ſeine ketzerfeindlichen Pläne
beim Könige immer am beſten förderte, war der Hinweis darauf,
wie Calvin zu Genf die weltliche Macht der geiſtlichen beigeſellt, die
Staatsgemeinde den Kirchenobern untergeordnet habe. Es war wirklich nicht ſchwer, die Thatſache, daß das Regiment Calvin’s ſich beinahe zu einer völligen Theokratie geſtaltet hatte, bei einem Manne
wie Heinrich II. auszubeuten.

Am 23. Mai 1559 erhielt Jacob von Matignon, Graf· von
Torigni, ſpäterhin Marſchall von Frankreich, den Auftrag, die Ausbreitung der neuen Lehre in der Unter-Normandie mit Waffengewalt
zu hemmen, die dazu erforderlichen Koſten aber aus kirchlichen Mitteln zu beſtreiten, weil es ja — „o weiſer Richter, wahrer Daniel!“
— hauptſächlich dem Intereſſe des Klerus gelte.

Das Pariſer Parlament gerieth wegen der Reformirten in Zwie-
ſpalt. Während die eine Kammer, der ſogenannte Große Rath, un-
unterbrochen zu Galgen, Beil, Strang und Scheiterhaufen verurtheilte,
befleißigte ſich die Criminalabtheilung, „Tournelle“ geheißen, einer
gewiſſen Milde. So ließ ſie es z. B. bei vier Schuldigen, die über
die Meſſe geſpöttelt hatten, mit Verbannung ſein Bewenden haben.
Die Procuratoren und Advocaten beantragten eine Generalſitzung des
Parlaments (weil dergleichen innere Angelegenheiten üblicher Weiſe
Mittwochs bereinigt wurden, hieß, wie ſchon oben bemerkt, eine ſolche
Sitzung: „Mercuriale“), damit in das Verfahren gegen die Reformirten Einheit gebracht werde.

Die Mehrzahl der Räthe forderte in dieſer Sitzung Milderung
der bisherigen Bußen, einige ſogar mit kühnem Mannesmuthe völlige Strafloſigkeit. Andere erklärten, das Parlament müſſe ſich wenigſtens ſo lange jeden Vorgehens gegen die Reformirten enthalten,
bis ein allgemeines Concil einerſeits das abgeſtellt habe, was in den

Zuständen der Kirche mit vollem Rechte als ungehörig beklagt werde, und andrerseits entschieden habe, was wirklich zum katholischen Glauben und christlichen Gesetz gehöre; es sei doch offenbar, daß diese Zugehörigkeit von mancherlei Dingen, die kirchlicher Seits gefordert würden, sich nicht beweisen lasse. Die Grundlage einer Reform in Lehre und Gebot dürfe nur die h. Schrift sein*), und da die angeblichen Ketzer ihren Glauben sehr wohl auf dieselbe stützen könnten, sich auch eines Wandels befleißigten, der mit den biblischen Lehren harmonire, so wisse die Justiz nicht, was sie an diesen Leuten zu rächen habe, wenn sie nicht das Christenthum selbst verfolgen wolle. Die Mehrheit der Räthe zeigte sich hiermit einverstanden, doch zu einem förmlichen Beschlusse kam es an diesem Tage nicht.

Die Verfechter der römischen Orthodoxie und des Systems der Ausrottung der Reformirten durch abschreckende Strafen fühlten, daß ein reformfreundlicher Beschluß des Parlaments ihre unumschränkte Herrschaft in den kirchenpolitischen Angelegenheiten brechen würde, andernfalls aber durch die ketzerfreundliche Haltung so vieler hochgestellter Männer sich neue Aussicht auf fette Confiscationen eröffne. Die zur Herzogin von Valentinois erhobene königliche Maitresse Diana von Poitiers im Verein mit den Herren von Guise, besonders dem Cardinal von Lothringen und ihren Creaturen unternahmen es, dem Könige die Hand zu einem gutgeführten Streich auf die Häupter ihrer Gegner im Parlamente zu führen. Sie setzten dem Fürsten auseinander, das Ketzergift fresse immer weiter um sich und bedrohe ernstlich Krone und Reich. Der Arm der strafenden Gerechtigkeit müsse aber augenblicklich nicht in die Massen treffen — oben sitze jetzt verkehrter Weise des Uebels Wurzel: die aus der Art geschlagenen höchsten Richter müsse man, da sie die bestehenden Gesetze auszuführen erklärtermaßen nicht willig seien, zur Verantwortung ziehen. Um einen förmlichen Entscheid zu Gunsten der Sectirer zu verhindern, dürfe der König nicht säumen, persönlich dem Parlamente seine Willensmeinung zu erklären. Das sei das einzige Mittel, den Geist treuer Gläubigkeit und geziemenden Gehorsams in die von der

---

*) Diese Parlamentsherren hatten einen prophetischen Blick oder einen gesunden Instinct, daß sie sich auf die Schrift und nur auf die Schrift steiften. „Das Dogma corrigirte die Geschichte" — hörten wir, als 1870 auf die historischen Steine des Anstoßes für die Infallibilität hingewiesen wurde, aus dem Munde des Westminsterer Erzbischofs E. Manning. Was die kirchliche Ueberlieferung, die mündliche Tradition für die Glaubenslehre heutzutage noch für einen Werth hat, sagte uns der Domdecan und Generalvicar E. von Ketteler's, der Professor der Dogmatik Dr. Heinrich, in seiner im Jahre 1876 erschienenen „Theologischen Erkenntnißlehre" (2. Bd. S. 100): „Die Autorität der Kirchenväter beruht ganz und gar auf der Autorität der Kirche," d. h. so oft dem jeweiligen Papste ein Stück Kirchenvater im bisherigen Verständniß nicht paßt, wird's auf Grund der Unfehlbarkeit passend gemacht. Punctum!

Apostasie mit falschen Anschauungen erfüllten Herzen der Richter zurückzuführen. Der König ging in das ihm aus Trug gesponnene
Netz. Am 10. Juni — wir stehen im Jahre 1559 — erschien er,
von den beiden Herren von Guise: dem Herzog Franz und dem Cardinal von Lothringen begleitet, in der Mercuriale. Er begrüßte die
Räthe mit königlicher Herablassung, ging dann sofort auf die traurigen Religionswirren über und erklärte, er sei, hörend, daß man
hier denselben Gegenstand zur Berathung vorhabe, gekommen, sich
über ihre besfallsige Meinung zu unterrichten; man möge also ruhig
fortfahren.

Die Räthe ließen sich durch den königlichen Zuhörer in ihrer
freien Meinungsäußerung nicht beirren. Arnold du Ferrier, einer
der ausgezeichnetsten Rechtsgelehrten seiner Zeit — er starb im reformirten Glauben als Kanzler Heinrich's III. von Navarra im Jahr
1585 — sprach über die Verderbniß des römischen Stuhls und
nannte ihn die alleinige Ursache aller Neuerungen, welche so lange
Berechtigung hätten, bis eine allgemeine Kirchenversammlung die als
unumgänglich zu fordernden Reformen eingeführt habe. Dem stimmten viele Andere bei. Ludwig du Faur, aus Pibrac, von Natur
ein Mann feurigen Temperaments, wagte sogar die Anspielung: als
der König Achab dem Propheten Elias Vorwürfe gemacht, habe dieser
sie jenem zurückgegeben und gesagt: „Du bist es, der Israel verwirrt;" man solle der Sache auch jetzt auf den Grund gehen und
darauf achten, wer die Religionszwistigkeiten hervorgerufen habe.
Ebenso männlich redete Anne du Bourg von Riom in Auvergne,
seit zwei Jahren geistlicher Rath des Parlaments. Allerdings, sagte
er, finde sich, ohne daß mit Strang und Feuerbrand gegen sie angegangen werde, eine Menge von Lastern in allen Schichten der
Gesellschaft, Blutschande und Ehebruch, Meineid und Mord, aber bei
den religiösen Neuern habe man dergleichen noch nicht nachzuweisen
vermocht und es sei Verleumdung, daß Letztere Pläne gegen das
Wohl des Staates oder dessen Ordnung ersännen. Man könne sie
in der That keiner anderen Unthat zeihen, als daß sie mit dem Lichte
der h. Schrift hineinleuchteten in den römischen Trug und im Kirchenwesen die nöthigen Verbesserungen anstrebten. Renatus von Bail-
let zog die Consequenzen von den Darlegungen seiner Vorredner und
trug auf Revision der Glaubens-Edicte an.

Es änderte Nichts mehr an der von Redner zu Redner sich stei-
gernden Gereiztheit des Königs, daß Andere im weiteren Verlaufe
der Sitzung versicherten, sie würden nach wie vor auf Grund der
bestehenden Gesetze ihre Schuldigkeit thun, wie sie es vor Gott und
dem Könige verantworten könnten — Heinrich fühlte sich durch du
Faur's Erwähnung des Königs Achab und durch du Bourg's Hinweis auf den Sittenzustand aller Klassen persönlich getroffen. Gegen

alles Recht befahl er die augenblickliche Verhaftung der Beiden und entfernte sich im höchsten Zorn. Du Faur und du Bourg wurden in die Bastille gebracht. Drei weitere Redner legte man andernorts in Fesseln. Einige flüchteten, von Freunden gewarnt. Das Bekenntniß, welches du Bourg betreffs seiner religiösen Ueberzeugungen ablegte, stimmte theils mit den Lehren Luther's, theils mit denen Calvin's überein. Der Zumuthung, zu widerrufen, widerstand er. Er wurde zum Scheiterhaufen verdammt, und das Urtheil am 20. December, Nachmittags 5 Uhr, auf dem Greveplatze vollstreckt. Man verfuhr mit besonderer Milde: man brachte den Delinquenten durch den Strang vom Leben zum Tode und übergab ihn dem Feuer erst als Leiche.

Heinrich II. hatte den Ausgang des Processes nicht mehr erlebt: er starb durch einen Unfall bei einem am 29. Juni abgehaltenen Tournier am 10. Juli, gerade vier Wochen nach jener denkwürdigen Parlaments-Sitzung. Bei seinem Tode bestanden im Reiche 2200 reformirte Gemeinden mit mehr als 1,000,000 Seelen.

Die Protestanten sollten in Kürze erfahren, daß der sie verfolgende Geist nicht in Heinrich II., sondern hinter ihm gesteckt hatte: die beiden Guise wurden unter Franz II. erst recht allmächtig am Hofe. Herzog Franz v. Guise wurde Chef der Armee, Karl, der Cardinal von Lothringen — der, obgleich er den religiösen Glauben nur im rothen Kleide hatte, allmälig zwölf Bisthümer und Erzbisthümer in seiner Person accumulirte — erhielt die Leitung aller übrigen Staatsangelegenheiten. Der sechszehnjährige König selbst kündigte dies dem Parlamente an mit dem Bemerken, daß fortan den Befehlen dieser beiden Machthaber die Kraft seiner unmittelbaren Anordnungen inne wohne. Eines der ersten Gesetze Franz' II. ging dahin: Alle Gebäude, in denen die Sectirer geheime Zusammenkünfte halten, müssen dem Erdboden gleich gemacht werden, und die Stellen, worauf sie gestanden haben, wüst bleiben. In einem zweiten, bald nachher erfolgten — es ist unter dem 15. November 1559 erlassen — wurden folgende Strafen und Bestimmungen ausgesprochen: Jeder, der an verbotenen Versammlungen Theil nimmt, hat das Leben verwirkt. Denuncianten erhalten die Hälfte des Besitzthums der Denuncirten, auch dann, wenn die Anklage nicht völlig beweisbar ist. Auf Verheimlichung von Ketzern folgt die Strafe des Bannes. Die Bürgermeister und die Vorsteher der Stadtviertel wurden zur Denunciation verpflichtet. Das füllte die Gefängnisse, brachte die Verdächtigen zu Tausenden auf den Richtplatz. Der Name „Mouchard" für einen Spion stammt wohl aus jener Zeit, denn Anton v. Mouchy warb auf Anordnung der Guise aus dem verdorbensten Gesindel ganze Banden, die als Kundschafter gegen die Reformirten im Lande umherschweiften. In Languedoc betrieb das Geschäft der Cardinal

Georg von Armagnac. Wahrhaft himmelschreiende Frevel wurden gegen das Menschenleben begangen in Poitiers, Toulouse, Aix und anderen Städten.

Zu erkennen waren die Ketzer leicht: wer vor den in den Straßen aufgestellten Heiligen- und Marienbildern nicht die Knie beugte, war ein Calvinist; ein Calvinist, wer in die beigestellten Opferstöcke nicht seinen Beitrag warf zur Unterhaltung der. vor diesen Bildern Tag und Nacht brennenden Wachskerzen; ein Calvinist, wer zu den zotigen Travestien der protestantischen Choräle eine mißfällige Miene, ein ergrimmtes Gesicht machte.

Was Wunder, wenn e n d l i ch der Geist des Widerstandes über die Protestanten kam, wenn das Land in den Bürgerkrieg hinein-trieb?! In diese politischen Wirren einzugehen, ist hier nicht der Ort. Hier sollte durch die einfachen Thatsachen nur nachgewiesen werden, daß der Same zu der bis in's 18. Jahrhundert andauern-den Bluternte der Glaubenskriege von den legitimsten Vertretern der Kirche ausgestreut worden ist. Selbst an der Bartholomäusnacht Karl's IX. hatte Rom nicht bloß nachträgliche F r e u d e, sondern vorwiegenden A n t h e i l. Auch Professor Dr. J. Huber zu München ist der Meinung, Lord E. E. Acton habe in der auf den ersten Seiten unseres Buches schon angezogenen, im Octoberheft der „Nord Britisch Review" von 1869 abgedruckten Studie: „The Massacre of St. Bartholemew" den Nachweis geliefert, daß Pius V., der „Heilige", von der Absicht der Königin-Mutter und des Königs, die Hugenotten niedermetzeln zu lassen, im Voraus unterrichtet gewesen sei.

Schon im Jahre 1563 — unter'm 28. September — war, dem ewigen Drängen der römischen Curie folgend, das ungeheuerliche Edict von Saint-Maur ergangen, in welchem die Regierung scham-los alle in den voraufgegangenen Jahren entstandenen, einige Dul-dung gewährenden Edicte wieder zurücknahm. Unter dem 17. Ja-nuar 1569 schrieb Pius V. den Cardinälen von Bourbon und von Lothringen: „Bietet Alles auf, was in euern Kräften steht, damit der Hof endlich einmal w i r k s a m e Maßregeln zur Vernichtung der Ketzer ergreift." . . . . „Mit Schmerzen vermissen Wir noch immer die entschiedene Durchführung des Edicts, wonach die Güter der Ketzer zu confisciren sind." Am 6. März wendet er sich an den König selbst und verspricht ihm ein kleines Hülfsheer. Jetzt, nach-dem man die Reformirten zur bewaffneten Gegenwehr g e n ö t h i g t hatte — wie leicht war es da für Rom und seine Creaturen, alle nicht römisch-katholischen Christen als geborene Empörer darzustellen! „Wenn", schreibt Pius, „mit Gottes Beistand der erhoffte Sieg er-fochten sein wird, dann müssen Eure Majestät die Ketzer und beson-ders deren Führer mit der größten Schärfe bestrafen, und nicht nur deren Unbilden gegen die Krone, sondern auch diejenigen, welche sie gegen Gott begangen haben, rächen." „Nur gänzliche Ausrottung kann gegen das so stark eingerissene Uebel der Ketzerei helfen, sonst treiben die verschonten Wurzelfasern neue Keime" mahnt derselbe „Heilige" den König nach der Schlacht bei Jarnac unter'm 28. März. Am 13. April, als die Post nach Rom gelangt war, man neige am französischen Hofe zur Versöhnung mit den Hugenotten, gingen vier päpstliche Mahnbriefe zugleich ab: einer an die Königin-Mutter, Katharina von Medici, der zweite an den Herzog von Anjou, den Bruder des Königs, der dritte an den Cardinal von Lothringen, der vierte an Karl IX. selbst.

Der Königin Mutter schrieb er: „Wie Wir erfahren haben, drängen gewisse Leute darauf, daß man einem Theile der Gefangenen Schonung angedeihen lasse. Wenden Sie Ihren ganzen Einfluß auf, daß das nicht geschieht und daß diesen fluchwürdigen Gesellen der verdiente Tod nicht erspart bleibt." In dem Briefe an den Herzog von Anjou findet sich folgender Satz: „Wenn einer der Gefangenen Ihre Vermittelung beim Könige anrufen sollte, so gewähren sie ihm dieselbe nicht! Seien Sie unerbittlich gegen den Einen wie gegen den Anderen, wer es auch sei!" Dem Cardinal wurde aufgetragen, „Alles zu thun, um dem König die Ueberzeugung beizubringen, daß er nur dann den Willen und die Gebote des Erlösers vollkommen erfüllt, nur dann in Wahrheit das Glück seines Königreiches fördert, wenn er sein Ohr verschließt gegen Alle, welche für diese abscheulichen Menschen Fürsprache bei ihm einlegen wollen." Dem Könige wurde mit „dem Zorn Gottes" gedroht, wenn er — was der Papst aber einstweilen nicht im Entferntesten für möglich erachte — so weichherzig sein sollte, aus verwandtschaftlichen oder anderen Rücksichten, „die Gott zugefügten Unbilden" nur leicht zu bestrafen; „Sie dürfen auf die Bitten keines Einzigen hören!" Am 20. October ermahnte Pius „der Heilige" wiederum zu unbarmherziger Geltendmachung eines neu erfochtenen Sieges, und wiederum redet er nicht von politischen Aufrührern, sondern von den „Freveln gegen Gott." „Hüten Sie sich, verführt von vermeintlicher Barmherzigkeit, Frevel zu verzeihen, welche gegen Gott selbst begangen wurden. Es gibt nichts Unzeitigeres, als Erbarmen üben gegen Gottlose, welche den grausamen Tod verdient haben." Immer wieder kam die Botschaft nach Rom, man stehe zu Paris auf dem Punkte, mit den Hugenotten Frieden zu schließen. Unterm 29. Januar 1570 gingen wieder drei Briefe Pius' V. ab: an den König, die Königin-Mutter und den Herzog von Anjou; der Cardinal von Lothringen scheint den Telegraphen nach Rom gespielt zu haben, dies Mal also keiner Aneiferung bedürftig gewesen zu sein. Der König wird seines Theils aufgefordert, „die Ueberreste des innern Krieges zu vernichten durch die Gewalt gerechter Waffen, die gegen ihn selbst und gegen Gott gerichteten Beleidigungen zu rächen und dadurch für sich und seine Nachfolger das Reich zu retten. Diese Mahnungen hatten offenbar nicht die gewünschte Wirkung, denn das Gerücht von dem nahen Friedensschlusse erhielt sich in den päpstlichen Gemächern und, wie man weiß, es war wohlbegründet. Da griff Pius in die Esse nach dem glühendsten Donnerkeil und schleuderte ihn dem zwanzigjährigen König zu: „Sollte es Leute geben" — so foudrete er am 23. April — „die anders denken als Wir und Euere Majestät zu ihrer Meinung hinüberziehen möchten, so glaubet Uns: sie betrügen entweder sich selbst oder sie betrügen, vom Geiste der Schmeichelei bestochen, Euere Majestät. Mögen sie immerhin das allgemeine Beste (siehe unten!) vorschützen, das den Frieden för-dere: das ist ein falscher Vorwand; die Leute, welche ihn zu ihren Zwecken brauchen, lassen es gleichzeitig fehlen an der Achtung vor der katholischen Religion und an der Rücksicht für den Ruhm Eurer Majestät; sie ehren weder Eure Majestät noch Gott. Bedenket es wohl, daß Eure Majestät durch das Eingehen auf Frieden Ihren ergrimmtesten Feinden erlauben würde, aus ihren Räuberhöhlen bis in das Innerste des Königspalastes vorzudringen und daß, gesetzt auch, die Ketzer hätten den Willen nicht, Euch einen Hinterhalt zu legen (was doch sicherlich eine falsche Annahme wäre) Gott selbst durch einen Act seiner Gerechtigkeit ihnen den Gedanken dazu eingeben würde, um so Euch zu züchtigen wegen der um des persönlichen Vortheils willen (siehe oben!) vernachlässigten Re-ligion. Keines Nachweises an Beispielen bedarf es, wie schrecklich es ist, zu fallen in die Hände des lebendigen Gottes, der durch Kriege nicht nur züchtigt und die verderbten Sitten der Menschen bessert, sondern auch Staaten um der Sünde der Könige willen vernich-tet oder sie ihren bisherigen Herrschern nimmt, um sie neuen Herren zu unterwerfen." Unter dem 14. August beschwor dann wieder der Papst den Cardinal von Lothringen, dessen Rath und Weisheit, wie er sich ausdrückt, das Reich lenkten, sein ganzes Ansehen aufzubieten, um den durch einen Friedensschluß Karl's IX. mit den Hugenotten der Kirche drohenden Schlag abzuwenden. Das kam schon zeitlich zu spät: der Friede von St. Germain en Laye war sechs Tage früher, am 8. August, abgeschlossen worden und des Cardinal von Lothringen „Reich und Weisheit" lenkten das Reich vorerst nicht mehr. Er hatte augenblicklich wenig zu sagen. Der Papst aber nannte in späteren Briefen an den Cardinal von Bourbon und den von Lothringen den Frieden einen schmachvollen, in welchem die be-siegten Ketzer dem Könige „abscheuliche, infame," dem katholischen Glauben verderbliche Gesetze auferlegt hätten und verpflichtete die beiden Prälaten wie Alle, die es redlich meinten, zu schonungslosem Kampfe gegen die Feinde des Herrn.

Der jetzt großjährig gewordene Karl IX. hatte, da die Reste des Verfolgungseifers noch an verschiedenen Orten bei dem durch die römischen Priester einmal verhetzten Volke fortglimmten, bald Gelegenheit, seinen in dem besagten Frieden ausgesprochenen Willen als aufrichtigen zu bethätigen. Und er that es. Mit seiner Genehmigung hielten die Protestanten im nächsten Frühjahr eine Synode zu La Rochelle, wo unter Beza's Vorsitz über die Mittel einer engeren Verknüpfung ihrer Gemeinden, über Gegenstände der Lehre und der Kirchenzucht verhandelt wurde. In der Besetzung der Aemter wollte Karl keinen Unterschied der Religionen gemacht sehen. Nach Lothringen, wo der Einfluß der Guisen den Protestanten in diesem Betreff fortwährend hindernd in den Weg trat, ließ er den ausdrücklichen Befehl ergehen, ohne Rücksicht auf die Confession nur solche Personen anzustellen, die am besten befähigt, am friedfertigsten und ordnungsliebendsten seien. Mit Stolz nannte Karl den Frieden von St. Germain s e i n e n und keines anderen Menschen Frieden. Oft betheuerte er mit seinen gewohnten Flüchen: „bei Gottes Leib" und ähnlichen: er glaube jetzt nicht mehr, was man ihm habe aufbinden wollen, daß die Hugenotten ihm nach dem Leben strebten; er halte sie im Gegentheil für gute Unterthanen. Karl's Benehmen entging darum auch dem Argwohn des zelotischen Theils der Katholiken nicht; daß er seinen festlichen Einzug mit der jungen Königin in Paris gerade während der Fasten hielt, wurde ihm als eine Hinneigung zur protestantischen Freiheit gedeutet. Daß Karl persönlich gewillt war, der Religionsverfolgung in seinem Lande ein Ende zu machen, beweist auch die Thatsache, daß er schon zu Anfang des Jahres 1571 an die Nothwendigkeit dachte, sich, wenn die zwischen dem Papste und Philipp II. von Spanien betriebenen neuen Pläne gegen die Ketzer weiter gediehen, an England und die deutschen Protestanten, deren Gesandtschaft soeben mit den Glückwünschen zur Vermählung auch Aufforderungen zum Beharren auf dem Wege der Religionsbuldung überbracht hatte, anzulehnen.

Pius V. hat es wohl verdient, unter die „Heiligen" der römischen Kirche aufgenommen zu werden. Clemens IX. hat diese Schuld im Jahre 1712 abgetragen, nachdem schon Clemens X. im Jahre 1672 eine kleine Abschlagszahlung geleistet und ihn den „Seligen" beigesellt hatte. In der Canonisationsbulle wurde bei Aufzählung seiner Verdienste um die Kirche mit vollem Rechte auf seinen Eifer in der Verfolgung der Ketzer und auf seine Unterstützung Derer, welche dieselben bekriegten, als auf eine Eigenschaft hingewiesen, die ihn der Ehre der Altäre würdig gemacht habe. So wie wir den Mann bereits kennen gelernt haben — in seiner g a n z e n Größe wird erst die Geschichte der Inquisition in Italien ihn uns vorführen — dürfen wir von ihm behaupten, daß er gewiß noch

ein paar Jahre auf die ihm zudecretirte himmlische „Seligkeit" verzichtet haben würde, wenn es ihm vergönnt gewesen wäre, die Bartholomäusnacht im Fleische zu erleben. Leider starb er ein paar Monate
früher. Aber auch sein Nachfolger, Gregor XIII., wußte die Blut-
arbeit zu würdigen. Ein Satz aus dem Berichte des derzeitigen
französischen Gesandten beim Apostolischen Stuhl, Ferrals, an Karl IX.
über eine Conferenz, die er mit dem Papste hatte, sowie ein Satz
aus einer Bulle, worin der Statthalter Christi seine Genugthuung
über die Geschehnisse in jener Mordnacht aussprach, beweisen das. Der
Satz aus dem Berichte des Gesandten lautet: „Se. Heiligkeit befahl
mir schließlich, Ihnen mitzutheilen, daß dieses Ereigniß ihm hundert
Mal angenehmer sei, als fünfzig solcher Siege, wie man im vorigen
Jahre (zu Lepanto) über die Türken davongetragen hat." In der
Bulle heißt es: „Wir selbst haben sofort, nachdem wir dies hörten,
zusammen mit den Cardinälen dem allmächtigen Gotte gedankt
und Ihn gebeten, daß er nach Seiner unermeßlichen Güte den König
im Verfolge seines so frommen und heiligen Planes behüte und schütze
und ihm die Kraft zur Reinigung seines Königreiches von der Pest
der Ketzereien stärke." Angesichts dieser Zeilen hätten wir oben das
Wort „Genugthuung" eigentlich nicht brauchen sollen, denn genug
war dem Papste immer noch nicht geschehen. Er forderte in der
Jubiläumsbulle vom 11. September 1572 die Gläubigen auf, zu
beten, daß Gott dem Könige von Frankreich die Gnade gewähre, sein
glorreiches Unternehmen zu Ende zu führen. Die alleinige „Gnadenverleihung" Gottes scheint ihm jedoch nicht hinreichend sicher gewesen
zu sein; er erinnerte sich, daß man der göttlichen Gnade auf halbem
Wege entgegenkommen müsse und, um sie also wirksam zu machen,
gab er seinem Legaten den Auftrag, den König bei der Beglückwün-
schung zu drängen: er möge nicht auf halbem Wege stehen bleiben
und das begonnene Werk durch radicale Ausrottung der Ketzer in
ganz Frankreich zu Ende führen. Selbst ein Blutweib, wie die Königin-Mutter, fand, als sie dies hörte, den Papst doch etwas un-
genügsam*).

---

*) An die aus Anlaß des Sieges, den die „Kirche" in der Bartholomäus-
nacht errungen, geschlagene Medaille sei nur beiläufig hier erinnert. Sie trug
die Umschrift: „Ugonotorum Strages. 1572. Gregorius XIII. Pont. Max.
An. I." Der Vollständigkeit dürfen wir auch die, drei berühmte Scenen aus
der Bartholomäusnacht darstellenden Fresken in der Sala regia des Vaticans
nicht ganz mit Stillschweigen übergehen. Sie sind bekanntlich, gleich den übrigen
Wanddecorationen dieses früher als Empfangsort fremder Gesandten, jetzt
nur als Vorraum der Sixtinischen und Paulinischen Kapelle dienenden Pracht-
saals von Vasari mit Zuhülfenahme der Gebrüder Zuccari gefertigt und befinden
sich auf den Wandflächen rechts, dicht am Eingange zu der erstgenannten Kapelle.
Selbst die Ultramontanen finden sich durch die Verherrlichung einer solchen That
an diesem Orte genirt; möglich, daß das sich ändern würde, wenn sie wieder die

Hoffmann, Geschichte der Inquisition. I.   8

Nachdem im Jahre 1610 Heinrich IV. unter Ravaillac's Mord-
messer verblutet hatte, wurde bald nach der Thronbesteigung seines
Nachfolgers, Ludwig's XIII., das „Directorium für Inquisitoren"
von Farinacius, die letzte in Rom gedruckte „Anleitung" für die
Functionäre des h. Officiums mit directer Sanction des Königs in
Frankreich eingeführt; das Buch muß also noch einem Bedürfniß entsprochen und die Inquisition ungestört fortbestanden haben. Unter
der Regierung Ludwig's XIV. jedoch wurde die Macht der Glaubensgerichte als eines besonderen Instituts gebrochen. Die Religions-
verfolgungen hörten damit freilich nicht auf — wir werden sehen,
wie noch bis in's 18. Jahrhundert hugenottische Adelige und Geistliche auf die Galeeren geschleppt worden sind, und auch noch im 18.
Jahrhundert hatte Rom und der römische Klerus kein Wort der Mißbilligung gegen diese Frevel — im Gegentheil! Wie passend wäre
es gewesen damals, wenn sie unter der Berufung auf das Beispiel einer sonst so gerne in den Vordergrund gerückten Kirchengröße,
des Mailänder Bischofs Ambrosius, welcher dem mit blutigen Händen
zum Tempel kommenden Kaiser Theodosius den Eintritt wehrte bis
er Buße gethan, „Gott mehr gehorcht hätte als den Menschen," wenn
sie den gekrönten Verfolgern der Gewissen gesagt hätten: „Das ist
euch nicht erlaubt!"

Im Jahre 1643 gelangte Ludwig XIV. zur Herrschaft und
von da ab wurden den Inquisitoren die ihnen bislang noch verbliebenen Vorrechte, eines nach dem andern, entzogen. So hatte ihnen
z. B. die Befugniß zugestanden, diejenigen Geistlichen, welche in das

---

Herren auf der Welt wären. Einstweilen hat der Speierer Domherr Dr. W.
Molitor in seinem „Führer durch die ewige Stadt", nachdem er die anderen
in der Sala regia verherrlichten „Siege der Kirche": „Gregor VII. und Heinrich IV.", „Alexander III. und Barbarossa zu Benedig", „Gregor XI. von Avignon zurückkehrend", und „Schlacht bei Lepanto" — gewiß lauter eindringliche:
„Merkt's euch!" für weltliche Gesandte — sich mit einem „u. s. w." an den
scandalösen Mordgeschichten vorbeigeschlichen. Ebenso macht es Francis Wey
in seinem großen Prachtwerke: „Rome, Description et Souveniers" in welchem
kein Lorbeerblättchen vergessen ist, was zur Zierde der Päpste verwendet werden
kann. So werden die fromm Glaubenden und selig Vertrauenden geflissentlich in
geistiger Unschuld erhalten. Wir haben dem betreffenden Zeitungsausschnitt leider
das Jahr nicht beigesetzt, aber es war zwischen dem preußisch-österreichischen und
deutsch-französischen Krieg in Nr. 22 der „Kreuzzeitung", da gab „ein Katholik"
von, wie er selbst sagt, „ausgesprochen ultramontaner Richtung" die „wohlmei-
nende Versicherung, nie gehört zu haben, daß ein katholischer Lehrer die Bartholomäusnacht mit Lob erwähnt hätte;" er „erklärt es als eine indirecte Beleidigung der katholischen Rechtsauffassung, derartige absurde Auffassungen der Geschichte
bei Katholiken vorauszusetzen." Was muß dieser gutmüthige Patron, wenn er
sich unterdessen in der Kirchengeschichte ein bischen besser unterrichtet hatte, für
Augen gemacht haben, als er im Jahre 1870 sah, daß er es nicht nur mit „katholischen" Lehrern, sondern sogar mit den „unfehlbaren" Oberlehrern zu
thun hatte!

Domcapitel zu Toulouse erwählt wurden, auf ihre Rechtgläubigkeit zu prüfen und jede Wahl, die ihnen in dieser Beziehung verfehlt erschien, zu cassiren. Im Jahre 1646 hob der königliche Rath dieses gehässige Privilegium auf und der Erzbischof von Toulouse, Karl v. Monchal, erhielt für sich und seine Nachfolger volle Autorität, darüber zu urtheilen, welche Personen geeignet seien, zur Würde eines Domherrn befördert zu werden. Auch eine andere hier einschlägige Maßregel, deren Veranlassung eine ganz unscheinbare, deren Wirkung aber eine sehr weitgreifende und für die Beziehungen zwischen dem Papstthum und dem Episkopate überaus folgenreiche war, fiel in das Zeitalter Ludwig's XIV. Ein Nuntius Leo's X. hatte sich herausgenommen, eine in Frankreich gedruckte gegen ein Decret der Congregation des h. Officiums zu Rom gerichtete Broschüre zu verbieten. Das Pariser Parlament erhob sich hiergegen und erklärte: die Congregationen der römischen Curie hätten in Frankreich Nichts zu befehlen, noch der Papst ein Recht, solche Decrete, wie das angegriffene Inquisitions-Decret, veröffentlichen zu lassen. Aus dieser Controverse entstand der, man kann sagen, noch nicht geschlichtete Streit über die beziehentlichen Rechte des Königs und des Papstes, welcher in der berühmten Declaration von 1682 für Frankreich einen einstweiligen Abschluß erhielt. In dieser Declaration, soweit sie uns hier angeht, stellte sich der hohe Klerus auf Seiten der Krone und erklärte, dieselbe habe das Recht, die Landes-Angelegenheiten zu ordnen unabhängig vom Römischen Stuhl.

Das war ein tödtlicher Schlag für die Inquisition, ein Institut, welches von Außen eingeführt, unabhängig von der regelrechten Kirchengewalt im Lande selbst, sein eigenes Leben führte. Gewissen Politikern freilich erschien so ein bischen Inquisition noch immer zeitgemäß in der Hand der Könige, als Werkzeug absoluten Regiments. Wir haben gesehen: der Gallicanische Klerus erklärte in selbstbewußtem Freimuth nach Rom, die Fürsten hätten ihre Autorität unabhängig vom Papste und seien in Angelegenheiten der Regierung Herren im eigenen Lande; selbst in kirchlichen Dingen sei der Gebrauch der Apostolischen Macht durch die in Frankreich und der französischen Kirche angenommenen Institutionen beschränkt. Das Oberste Tribunal der spanischen Inquisition schleuderte ein Verdammungsurtheil gegen diese Erklärung von 35 Bischöfen und ebensovielen hervorragenden Pfarrern; sie sei häretisch. Man legte in Frankreich diesem Verdicte keine Bedeutung bei. Aber dieser selbe Gallicanische Klerus, welcher das für die Ordnung in der Welt und den Frieden der Nationen so nothwendige politische Princip der vom Papste unabhängigen Fürstengewalt so wohl zu wahren wußte — für die Gewissensfreiheit Anderer hatte er keinen Sinn, gegen die Hugenotten stand er da als der erbittertste Gegner. Der berühmte

Urheber der Declaration von 1682, Bischof Bossuet von Meaux, schrieb mit derselben Feder, mit der er die Freiheit des Klerus und des Fürsten gegen Rom vertheidigte, folgende Sätze: „Ich erkläre, daß ich jetzt wie früher immer der Meinung bin, erstens: dem Fürsten stehe die Macht zu, die Ketzer durch Strafgesetze zur An-nahme des Bekenntnisses der katholischen Kirche und zur Uebung ihrer religiösen Gebräuche zu zwingen; zweitens: diese Lehre hat als unabänderliche zu gelten, denn die Kirche hat nach dieser Lehre immer gehandelt und sie auch den Fürsten als Norm ihres Handelns ein-geschärft." Wir sehen: Bossuet, der hocherleuchtete Bossuet, der „Ad-ler von Meaux", war nicht weniger vom Geiste der Verfolgung be-seelt als Fénelon, der „milde" Fénelon, welcher 1686 die Dragoner begleitete, die zur „Bekehrung" der Hugenotten nach Saintonge und Aunis geschickt waren. Im Jahre 1693 schrieb er zwar, ohne sich als Absender zu nennen, einen Brief an den König, um ihm das Elend des Landes auszumalen, das durch jene Dragonaden angerichtet wurde; für den Hauptpunkt aber, das himmelschreiende Unrecht des Wider-rufs aller den Protestanten im Edict von Nantes betreffs der Glau-bensübung gemachten Zugeständnisse hatte er kein tadelndes Wort. Und dieses Edict von Nantes wurde schon im Jahre 1685 wider-rufen, im dritten Jahre nach der Declaration, welche dem Fürsten und dem Klerus die gebührende Freiheit gegen Rom zu sichern be-stimmt war! Da sagt man uns denn, daß doch Papst Innocenz XI. sofort Ludwig XIV. seine Mißbilligung über die Aufhebung des Edicts von Nantes habe aussprechen lassen. Die Thatsache ist rich-tig, sie muß nur auch richtig nach den speciellen Umständen gewür-digt werden. Ludwig XIV. hatte zu jener Zeit zwei Gegner: auf der einen Seite die Hugenotten, die er, um die Glaubenseinheit in seinem Lande wiederherzustellen, vernichten wollte, auf der andern die römische Curie, der gegenüber er die ihm durch die Declaration von 1682 zugebilligten Freiheiten festzuhalten suchte. Nun mußte der Papst damals sehr wohl, daß Ludwig durch die Aufhebung des Edicts von Nantes sich die Sympathien des Klerus sichern würde und einzig deshalb wurde damals die Maßregel zu Rom unbequem gefühlt; die spätere Stellung der päpstlichen Curie ihr gegenüber war eine ganz andere, eine völlig zustimmende.

Wenden wir uns noch einen Augenblick dem Gallicanischen Kle-rus wieder zu. Wir haben gesehen, daß er der römischen Curie zu widerstehen mußte, als diese ein Schriftstück verdammte, welches die französischen Bischöfe ihrerseits approbirt hatten; obgleich nun das h. Officium es niemals dazu brachte, seine eigenen beson-deren Justiz-Paläste und Straf-Gefängnisse in Frankreich zu besitzen, so war dieser selbe Gallicanische Klerus doch sonst allezeit bereit, die Autorität der Römischen Inquisitions-Congregation anzuerkennen, ja ihren Entscheid herauszufordern. Das letztere ist mehrfach geschehen — einmal von achtundachtzig Bischöfen und Prälaten! — im Verlaufe der berühmten jansenistischen Streitigkeiten. Gerade diese zeigen es so deutlich, wie kaum ein anderes Vorkommniß, wie schwer die Hand der Inquisition sich auf ein Land legen kann, in welchem ihre Tribunale nicht einmal geduldet sind. Die Nutzanwendung aus dieser geschichtlichen Wahrnehmung ergibt sich leicht: so lange die obersten vom Papste bestallten Inquisitions-Officianten irgendwie in der weiten Welt, sei es zu Rom sei es anderswo, auch nur eine Miethstube im Besitz haben, um darin zu hausen, bedarf es nur noch des gehorchenden Klerus und mittels der übelberathenen Volksmassen können alle Inquisitions-Gräuel wieder aufleben, wenn nicht eine äußere Macht dies verhindert.

Auf wessen Rechnung es zu schreiben ist, was auch unter Ludwig XIV. an Verfolgungen der Protestanten geleistet wurde, das sagt uns dessen Schwägerin, die deutsche Pfalzgräfin Elisabeth Charlotte, welche, um den Herzog von Orleans zu heirathen, hatte katholisch werden müssen, ihre Psalmen aber doch in altem Geiste weiter sang, wenn sie sich allein glaubte. Noch zu Lebzeiten Ludwig's XIV. schrieb sie an eine vertraute Freundin: „Ich muß gestehen, wenn ich in den (vor dem Hof gehaltenen) Predigten höre, wie man den großen Mann lobt, die Reformirten verfolgt zu haben, so werde ich immer ungeduldig darüber; ich kann nicht leiden, daß man lobt was übel gethan ist." Nach des Königs Tod (1715) ließ sie sich folgendermaßen aus: „Wie traurig, Leute zu sehen, die fromm sein wollen und Alles blindlings glauben, was ihnen die Pfaffen sagen. Der selige König war so; er kannte keinen Buchstaben der h. Schrift — man hatte sie ihn nie lesen lassen; er glaubte, wenn er nur seinen Beichtvater höre und seine Paternoster murmele, so sei er auf rechten Wegen und fürchte Gott aufrichtig. Es machte mir immer viele Mühe; seine Gesinnung war gut; aber die »Alte« (die Maintenon ist gemeint) und die Jesuiten beredeten ihn, daß, wenn er die Reformirten verfolge, er vor Gott und der Welt das Scandal auslösche, das aus dem doppelten Ehebruch herkomme, in dem er mit der Montespan lebte. Ehe die alte Zott hier regierte, war die Religion in Frankreich sehr vernünftig; aber sie hat Alles verdorben, und alle Arten thörichter Andachten eingeführt, wie die Rosenkränze 2c., und wenn die Leute vernünftig sein wollten, ließen die Alte und die Beichtväter sie in's Gefängniß werfen oder verbannen. Sie beide sind an allen den Verfolgungen schuld, die man in Frankreich gegen die armen Reformirten gerichtet. Dieser Jesuit mit den langen Ohren, der Père La Chaise, hat dieses Werk im Einverständniß mit der alten Zott angefangen und der Père Le Telier hat's weiter geführt; daher ist Frankreich ganz ruinirt worden."

Daß die Glaubens-Inquisition, der, wie wir hier von gewiß vertrauter Seite gehört haben, an Stelle der Dominicaner bigotte Maitressen und Hof - Jesuiten in inniglichem Vereine vorstanden, ihre recht schwer getroffenen Opfer hatte, das zeigen uns die Galeerensträflinge. Ihr Schicksal sei zum Schlusse dieses Kapitels in möglichster Kürze nach dem Werke geschildert, in welchem der verdienstvolle Special - Historiker Dr. J. C. Mörikofer zu Zürich erzählt, wie die evangelische Schweiz an den verfolgten Protestanten der katholischen Staaten in Jahrhunderte dauernder Selbstaufopferung ihre Christen- und Menschenpflichten stets treu und rühmlich erfüllt hat.

Frankreich war bis auf Ludwig XIV. gegenüber den Seemächten: Spanien, England und Holland, auf dem Meere im Nachtheile geblieben. Dem suchte der Genannte abzuhelfen. Für eine Kriegsflotte aber waren bei der damaligen Unvollkommenheit der Schiffsbewegung namentlich auch starke Ruderknechte erforderlich. Freiwillige fanden sich für diese Arbeit kaum und so benutzte man denn Verbrecher und Kriegsgefangene, namentlich Türken und Angehörige der Raubstaaten Nordafrikas, zu derselben. Diese Leute wurden je Zwei und Zwei an die Ruderbänke geschmiedet, wo sie ihre Nahrung einnahmen und schliefen und sich nicht weiter von der Stelle bewegen konnten, als es die Länge der Kette gestattete, ohne andern Schutz gegen Regen, Sonnenbrand und Kälte als einen Tuchüberwurf. Für jeden Nachlaß in der Arbeit, auch für den durch natürliche Ermattung bedingten, drohte die Zuchtpeitsche des Aufsehers. Da zur Besetzung der Ruderbänke der einzelnen größeren Kriegsfahrzeuge auf dem Mittelmeere „Galeeren" genannt, durchschnittlich etwa hundert Mann erforderlich waren, so reichte die gewöhnliche Zahl der Verbrecher nicht aus. Daher bemühte sich Frankreich durch Verträge mit den benachbarten Staaten in unentgeltlicher Uebernahme von deren verurtheilten Verbrechern die nöthige Mannschaft für die Ruderbänke zu gewinnen. Zur Vermehrung des erforderlichen Menschen - Materials wurden von Beginn der Regierung Ludwig's die wegen ihres evangelischen Bekenntnisses Verfolgten mit Vorliebe zur Galeerenstrafe verdammt; es muß dies als ein geeignetes Mittel erschienen sein, um dieselben durch elendes elende Sclavenleben entweder zum Abfall zu bringen, oder um sie für ihre Standhaftigkeit um so empfindlicher zu quälen. Ausnahmsweise glücklich waren Diejenigen, welche sich im Laufe der Zeit für die Frohn der Ruderbank zu schwach erwiesen, ohne daß sie gleichzeitig zur Bezeugung evangelischen Sinnes ihre Peiniger zur Rache gereizt hätten. Diese wurden dann als unbrauchbar entlassen, was aber komödienhaft stets dem Könige als besonderer Gnadenerweis angerechnet wurde. Zu diesen gehörte der lebenslänglich auf die Galeeren verurtheilte Pfarrer Peter Breiou, genannt de Grambois, welcher 1686 freigegeben wurde, zuerst nach Zürich kam und später unter den französischen Geistlichen Berns aufgeführt wird.

Die Aufhebung des Edicts von Nantes lieferte evangelische Galériens in Masse. Gleichwohl könnte es auffallen, daß bei den Tausenden der Bestraften doch gleichzeitig nicht mehr als 300 gezählt wurden, welche um ihres Glaubens willen auf die Galeeren verdammt waren. Das kam daher, daß man von vorneherein nur die kräftigsten Personen hierzu bestimmte, weil sich anderenfalls die von der Galeerenarbeit geforderte bessere Gefangenenkost nicht lohnte. Im Uebrigen kamen jene a u s g e f u c h t e n Qualen, von denen einzelne Berichte reden, nur bei Solchen in Anwendung, welche durch ihre Unbeugsamkeit die Genossen zu gleichem Widerstande ermuthigen konnten, wie z. B. Diejenigen, die sich nicht bequemten, bei Abhaltung der Messe auf dem Schiffe die rothe Galeerenkappe abzunehmen. Merkwürdigerweise konnten die Galeerensträflinge ihre Schicksale in ausführlichen Berichten an Freunde und selbst an die evangelischen Regierungen gelangen lassen. Solches bewirkte freilich weniger das Mitleid der Aufseher mit ihren Opfern, als ihre Bestechlichkeit. Namentlich waren die schweizerischen Kaufleute die kühnen und großmüthigen Vermittler dieses brieflichen Verkehrs und der Hülfsgelder. Die schweizer Archive enthalten denn auch zahlreiche Berichte von Galériens selbst oder von vermittelnden Freunden.

So richtete unter'm 28. Januar 1692 ein gewisser Lençonnière ein langes Schreiben an den Bürgermeister und Rath von St. Gallen aus den Galeeren von Marseille. Er erzählt sein Leid, wie er an die Bank geschmiedet Blut und Wasser schwitze. Beigefügt ist ein Verzeichniß von 111 reformirten Schicksalsgenossen zu Marseille. Die sechs an erster Stelle Aufgeführten sind Edelleute, von denen es heißt: „Diese sechs sind alles Herren von Namen und Stand, denen doch weniger geschont wird als den Türken." Ein anderes Schreiben Lençonnière's vom 13. März 1692 gelangte nach Basel. „Es befinden sich" — heißt es darin — „drei Brüder hier, drei Herren de Serres, schon über sechs Jahre. Sie dulden das Härteste ohne Murren. Der zweitälteste sollte neulich gezwungen werden, sich nach der Seite hinzuwenden, wo das Meßopfer gehalten wurde. Er weigerte sich entschieden. Da zog man ihn nackt aus und zählte ihm fünfzig Hiebe mit einem gepichten Stricke auf den Rücken. Ein Anderer, Namens Allix, ein Mann von über sechzig Jahren, erduldete wegen der gleichen Weigerung die gleiche Strafe." Derselbe Lençonnière richtete am 29. Juni 1694 ein Dankschreiben an Zürich: er sei nun schon seit neun Jahren auf den Galeeren in Ketten und vom Ungeziefer bei lebendigem Leibe angefressen. Unter'm 17. Mai 1702 hat Paul de Serres von Lençonnière zu berichten: „Er befindet sich immer auf dem Fort S. Nicolas zusammen mit meinem armen jüngern Bruder, der in einem feuchten Loche sitzt, 18 Fuß unter der Erde, so daß ihm die Kleider auf dem Leibe faulen." Im Frühling 1699 gab der älteste Serres folgende Kunde von dem Zustande seines Bruders David: „Er ist in das tiefste Loch gelegt und mit einer schweren Kette gefesselt. Niemanden bekommt er zu Gesicht, als den Elenden, der ihn verrathen, obgleich er ihm Wohlthaten erwiesen. Daniel wurde nämlich überrascht, als er an einem Abstinenz-Tage Fleisch aß; und als man gar ein Neues Testament bei ihm fand, verschlimmerte sich sein Zustand abermals." Noch im Jahre 1707 befand sich David be Serres im Kerker der Citadelle St. Nicolas; seine zwei Brüder saßen in dem im Meere gelegenen Chateau d'Yf, jenes fürchterliche Gefängniß, welches durch Alex. Dumas' „Graf von Monte Christo" bei den Romanlesern berühmt geworden ist. Durch den Frieden von Ryswick im Jahre 1697 sah Ludwig XIV. sich genöthigt, die auf den Galeeren befindlichen Engländer, Holländer und Spanier zu entlassen; die Schweizer mußten sich noch bis zum Frieden von Utrecht gedulden. Unter'm 5. März 1712 schrieb Friedrich I. von Preußen an die evangelischen Orte, sein Gesandter sei ausführlich instruirt und werde von England und Holland unterstützt, bei den Friedensverhandlungen von Utrecht die Gewissensfreiheit der französischen Kirchen und die Erlösung der Bekenner auf den Galeeren zu bewirken. Wenn Ludwig XIV. bei diesem Friedensschlusse auch hartnäckig sich weigerte, den Protestanten des eigenen Landes irgendwelche Zugeständnisse zu machen, so ließ er doch durch die protestantischen Mächte sich bestimmen, einer Anzahl evangelischer Dulder auf den Galeeren die Freiheit zu schenken. Es wurden deren 234 entlassen, wovon 50 in Frankreich verbleiben durften. Die Uebrigen nahmen ihren Weg nach der Schweiz; sie fanden dort bei ihren Glaubensbrüdern theilnehmende Herzen und hülfreiche Hände. Aber auch in der zweiten Hälfte des 18. Jahrhunderts brachte das offene Bekenntniß des evangelischen Glaubens noch immer Einzelne auf die Galeeren, so Dominic Cherusques aus Bearn im Jahre 1760. Vier Jahre später verdankte der Genfer Chaumont seine Befreiung einer Verwendung bei dem Minister Choiseul durch — Voltaire.

Achtes Kapitel.

Die ersten Ketzerbrände in Italien.

Wie Castel de Cordua und andere seiner Zeit genannte Städte in Frankreich, so empörten sich Anfangs auch vielfach die Communen in Italien, und zwar bald die Behörden, bald das Volk selbst, gegen die Inquisitoren und vertrieben sie. So Viterbo unter Alexander IV. (1254 bis 1261), Parma unter Honorius IV. (1285 bis 1287). Aber die Folgen waren fast immer dieselben: herbe Demüthigungen und harte Strafen. Ebensowenig war Petrus Martyr, oder wie er in Italien hieß: Pietro di Verona, der Einzige, der, von der Volksrache getroffen, in's Gras beißen mußte. Pietro di Ruffia war schon im Jahre 1250 erschlagen worden, und den Pagano di Lecco ereilte dies Geschick im Jahre 1277. In jenen Tagen war, wie wir später sehen werden, sogar die deutsche Geduld noch mustergültig, d. h. gegen geistliche Dränger nicht gar so langmüthig. Zu Rom kam man in Folge derartiger Kundgebungen allerdings in der ersten Zeit mitunter etwas in's Schwanken, aber dort wußte man ja am besten, daß auch „die Stadt" nicht in einem Tage gebaut worden war. „Gegen Verräther und Feinde der gemeinsamen Sache muß ein Jeder zu den Waffen greifen" — dieser dem Tertullian zugeschriebene und in gewissem Sinne unzweifelhaft richtige Grundsatz wurde von kirchlicher Seite überall eingeschärft, wo es galt, die Laienschaft für hierarchische Pläne zu Gewaltthätigkeiten aufzustacheln. Auf solch' künstlichen und nichts weniger als ehrlichen Interpretations-Wegen mußte man dann sowohl die Gesetzgebung, wie die bürgerlichen und communalen Verfassungen der italienischen Staaten und Städte Behufs der Ketzer-Vertilgung auszunützen; selbst die Statuten ganz privater Gilden mußten dazu dienen. So begann das „Innungs-Statut" der Calimala-Zunft zu Florenz mit folgenden zwei Artikeln: „1. Wir wollen befolgen und ehren und schützen den heiligen katholischen Glauben; wir verpflichten uns dem Gouverne-

ment von Florenz mit Rath und That beizustehen, wenn es gilt, die
häretische Bosheit zu vertilgen und wir von dem Gouvernement hierzu
aufgefordert werden. Und das geloben wir in allen Treuen, gemäß
dem Stadtrecht von Florenz." (Das Stadtrecht von Florenz verlangte aber den Beistand der Bevölkerung zu besagtem Zwecke.)
„2. Es ist auch verboten, daß Einer aus uns schlecht von Gott oder
Seinen Heiligen oder der heiligen Maria reden oder auch nur ihre
Namen ohne Achtung und ohne Noth im Zunfthause von Calimala
nennen solle; das Alles unter Strafe von 25 Mark Silber für
Jeden und jedes Mal, welche Strafe nach Gutdünken des Calimala-
Raths erhöhet werden kann." Es ist gewiß nur zu billigen, wenn
eine freie Corporation durch Androhung einer Geldbuße ihre Mitglieder davon abhält, über religiöse Dinge lästerliche oder unanstän-
dige Reden zu führen; aber sie im Allgemeinen zu verpflichten, nach
dem Willen des Gouvernements an der Ketzer-Vertilgung mitzuwirken,
oder ihnen durch schwere Strafen jedes freimüthige Urtheil über
götzendienerisches Wesen unmöglich zu machen, ist doch etwas Anderes.

Nachdem bereits mehrere Dominicaner in der Lombardei erschlagen worden waren, hatten es der Adel und die Magistrate gar
nicht mehr so eilig mit der Geltendmachung der Ketzer-Edicte des
Kaisers Friedrich II., aber Innocenz IV. bestand darauf. Die Diener des h. Officiums wurden demgemäß vom Papste bevollmächtigt,
sie so lange mit kirchlichen Censuren zu belegen, bis sie die päpstlichen und kaiserlichen Ketzer-Edicte dem geltenden Stadt- oder Land-
Recht incorporirten und mit einem Eide beschworen, aus allen Kräften darauf hinzuwirken, daß sie in Vollzug gesetzt würden. Bezüglich
solcher Privat-Personen, welchen mit den Schrecken des Interdicts
nicht beizukommen war, befahl er den Inquisitoren, seinen „lieben
Söhnen", sich, wenn sie Einen im Verdachte der Ketzerei hätten,
Bürgschafts-Gelder für sein gutes Verhalten einhändigen zu lassen,
welche dann als verfallen erachtet werden sollten, wenn sie dem Betreffenden wirklich eine häretische oder der Häresie günstige Handlung
darzuthun vermöchten. Man kann sich denken, wie wohlthätig solche
in Aussicht gestellte Preise auf den Fleiß, den Muth und die Gei-
stesschärfe der Glaubensprüfer einwirkten.

Man beachte die Weltlage zu dieser Zeit: das Kaiserthum und
das Papstthum standen einander, jedes in seiner eigenthümlichen
Waffenrüstung, feindlich gegenüber, so daß Europa in eine päpstlich-
gesinnte und eine kaiserlich-gesinnte Hälfte getheilt war. Ein Italien
gab es kaum mehr: von einem Ende des Landes bis zum andern
war die Bevölkerung durch politische Parteiungen zerklüftet. In dieses Wirrsal warf das Papstthum noch den Gährungsstoff religiöser
Feindseligkeit und zwar so, daß der Begriff eines politischen Gegners
des Papstes mit dem Begriff eines kirchlichen Ketzers sich bei der

römischen Curie und ihren Inquisitions-Sendboten vollständig deckte. Wir brauchen bloß an die Feindschaft der Päpstlichen gegen den in Glaubenssachen völlig mittelalterlich-orthodoxen Dante zu erinnern. Das Papstthum besaß für diesen Krieg seine fliegende Schwadron in den Inquisitoren. Ein Inhaber des „Apostolischen Stuhls" nach dem andern übte die Bande zu ihren Streifzügen ein, ein „Völkerhirt" nach dem andern unterrichtete sie, wie aus den Gläubigen die Kreuzheere zu recrutiren seien, die dann im Namen Christi gegen andere bessere Christen im Dienste sehr unchristlicher Tendenzen aufgeboten wurden. Die Inquisitoren reisten von Ort zu Ort und hielten flammende Reden gegen die „häretische Verderbniß", um Freiwillige für ihr mörderisches Unternehmen zu werben. Als Sold boten sie kirchliche Segnungen und vollkommene Ablässe, daneben wiesen sie dann verlockend auf die Beute hin, die sich im Besitze der zu verfolgenden Ungläubigen finden werde und auf welche diese kein Recht mehr hätten. Die Bibel bewährte sich auch für diese arge Seelen als ein „Mädchen für Alles"; sie mußte die Vorsprüche für die Brandreden liefern. So demonstrirte schon der Dominicaner Raimund von Pennafort, der Secretär Gregor's IX. (1227 bis 1241) und sein Ordensbruder, der Inquisitor Moneta von Cremona: daß wenn die Kirche alle Häretiker ihres Vermögens beraube und ihre Kinder enterbe, dies dem göttlichen Rechte gemäß sei, denn in den Sprüchen Salomons 13, 22 heiße es: „Der Gute hinterläßt seine Kinder und Enkel als Erben; und dem Gerechten wird aufgespart die Habe des Sünders," und Paulus schreibe an die Korinther: „Alles ist euer!"

Die Annalen des 13. und 14. Jahrhunderts sind voll von Conflicten der Inquisition und ihrer Vertreter mit den bürgerlichen Gewalten, aber am häufigsten begegnen uns dieselben doch auf den Blättern der italienischen Geschichte. Die Isolirung der kleinen Staatengebilde, die Unwissenheit der Bevölkerung, sowie die fortschreitende Organisation der kirchlichen Central-Verwaltungs-Maschinerie sicherten jedoch in den meisten Fällen den klericalen Eroberern den Sieg über die geistige und bürgerliche Freiheit.

In Genua, zur Zeit Alexander's IV., verlangte der Groß-Inquisitor Anselm vom Stadt-Gouverneur Philipp von Torino, daß er sämmtliche kaiserlichen und päpstlichen Decrete bezüglich der Häretiker in die bürgerlichen Gesetzbücher aufnehme, sie als darin aufgenommen in der Stadt und dem Stadtgebiet bekannt mache und für ihre allgemeine Durchführung sorge. Der Gouverneur weigerte sich dessen im Einverständnisse mit allen Rathsherren der Republik ohne Ausnahme, und wurde daraufhin als Behinderer des h. Officiums und Beschützer der Ketzerei von dem Inquisitor zum Verhöre vorgeladen. Philipp von Torino erschien nicht. Anselm belegte ihn mit dem

Banne und die Stadt mit dem Interdict. Die Genuesen schickten eine Gesandtschaft an den Papst, welche aber nichts Anderes erzielte, als daß die Wirkung der Straf-Edicte des Inquisitors auf einige Zeit hinausgeschoben wurde, damit — dem widerspenstigen Gouverneur Zeit bleibe zu besserer Erkenntniß und thatkräftiger Sinnesänderung. Damit waren die Mittel zur Abwehr erschöpft; die Republik mußte sich unterwerfen und, wie der Inquisitor gefordert hatte, die ganze kaiserlich-päpstliche Gesetzgebung über die Häresie in ihre städtischen Rechtsbücher aufnehmen.

Als die Städte Padua und Vicenza vor Bonifaz VIII. im Jahre 1302 das habgierige und tyrannische Verfahren der Inquisitoren aus dem Franziscaner-Orden schilderten, nahm der Papst den dortigen Minoriten das Glaubensgericht ab und übertrug es den Dominicanern. Die Paduaner und Vicentiner kamen dadurch allerdings aus dem Regen unter die Traufe. Wurde das Geschrei allzu laut, so ertheilten die Päpste den Dienern des h. Officiums auch einmal -einen Verweis; diese aber wußten, wie das gemeint war, und amtirten in ihrer Art ruhig weiter. Nicht ein einziger Papst jener Zeit hat thatsächlich die der Inquisition geltenden Gesetze gemildert oder auch nur die schlimmsten Auswüchse beschnitten.

Im Gegentheil: Alexander IV. konnte daran denken, den Codex des h. Tribunals zu erweitern, immer größere Einheit und Uniformität in den Geschäftsgang zu bringen, und den Welt-Klerus den Inquisitions-Mönchen immer mehr dienstbar zu machen. Eine gebieterischere Sprache ist nicht möglich als die, welche Alexander IV. zu „seinen geliebten Söhnen, den Stadt-Häuptern, Magistraten und Gemeinden Italiens" redet. „Wir befehlen euch insgesammt (universitati vestrae) mittels Apostolischer Briefe, daß, soweit Wir euch Meldung gethan haben von den Gesetzen des Kaisers Friedrich gegen die häretische Bosheit und sie hierbei abschriftlich folgen, ihr dieselben in euere Rechtsbücher aufnehmet und publicirt, gleicherweise mit aller Genauigkeit danach verfahrt und sie mit allem Fleiße zur Anwendung bringt. Auch haben wir unsere geliebten Söhne, die Brüder Inquisitoren der häretischen Bosheit, angewiesen und in Unseren Briefen an jeden derselben ihnen aufgetragen, daß sie euch, wenn ihr Unserem Befehle nicht gewissenhaft nachkommt, persönlich mit der Excommunication belegen und über euer Gebiet das Interdict verhängen, ohne daß dieserhalb einer Berufung Statt gegeben werden soll." Die Civil-Gewalten zeigten sich aber dennoch nicht so eifrig in der Befolgung dieses Befehls, wie der Papst von ihnen verlangt hatte; Alexander IV. schickte ihnen darum im folgenden Jahre ein neues Decret, welches sie als bloße Hülfsgesellen der Inquisition erscheinen ließ und welchem sie überall Folgeleistung zu sichern hatten. Die Inquisitoren dagegen machte er durch eine Bulle widerstandsfähig gegen alle Gewissensbisse, die sie wegen etwaiger Ueberschreitungen menschlicher und göttlicher Rechte bei der Ausübung ihres heiligen Berufes überkommen könnten. „Der Gott der Gnade und Vater aller Erbarmung" habe ihn, den Papst, angeregt, sie zu stärken mit heilkräftigem Lohne für ihr dem Himmel so gefälliges Wirken: gestützt auf die göttliche Autorität und die Autorität der seligen Apostel Petrus und Paulus gewähre er ihnen im Voraus Nachlaß ihrer desfallsigen Vergehen.

So wirkte Alexander IV. fort bis zu seinem Tode. Zu Chiana im Patrimonium des h. Petrus war ein gewisser Capello der Ketzerei überführt und demgemäß verurtheilt worden. Er scheint aber bei dem Volke Schutz gefunden zu haben, denn die Inquisitoren wußten seiner Person nicht habhaft zu werden. Ein Theil der Stadt-Autoritäten der nächstgelegenen Stadt Viterbo, unzweifelhaft geistlichen Standes, beschlossen nun, den Glaubensrichtern freundnachbarlichen Beistand zu leisten; sie wollten ein Streifcorps bilden und ausziehen, den Capello di Chiana zu fangen. Der „Vater der Gläubigen" zu Rom lobte ihren Eifer und munterte sie dazu auf, gen Chiana zu ziehen und das Besitzthum des Capello zu verwüsten. Der Senat von Viterbo aber wehrte dem Auszug der Kreuzfahrer-Rotte. Da entbrannte Alexander im heiligen Zorne: Sie sollten ziehen dem Senate zum Trotz, denn dieser müsse sein Verbot widerrufen. „Traget Sorge, daß ihr hierin Unseren Mahnungen und Befehlen entsprechet, damit ihr wachset an Verdiensten vor Gott, an Wohlgefallen bei Uns und an Ruhm und Ehre bei den Menschen."

Aus den Apostolischen Briefen des Honorius IV. ergibt sich das Nachstehende über einen Vorgang zu Parma. Die Stadtbehörde führte, einer Sentenz des h. Officiums zu gehorsamen, ein Weib zum Scheiterhaufen. Das Volk befreite die Arme im letzten Augenblick und trieb die Häscher und Henker auseinander. Dann zog die erboste Menge zum Franziscaner-Kloster, der Herberge des h. Officiums, sprengte die Thore, prügelte die Conventualen, die ihnen in die Hände fielen, einen derselben sogar zu Tode. Der Podestà und die übrigen Stadthäupter fühlten keine geringe Genugthuung, auf diese Art der Verpflichtung, ihre Mitbürger auf geistlichen Befehl den Flammen opfern zu müssen, enthoben worden zu sein; sie weigerten sogar, als der Bischof sie wegen des Aufruhrs zur Verantwortung ziehen wollte, diesem den Gehorsam, indem sie seinem Vorladungs-Befehl keine Folge leisteten. Der Widerstand wurde aber auch in diesem Falle gebrochen; schließlich dankten die Helden dem Papste noch für die gnädige Strafe von tausend Mark Silber, durch deren Bezahlung die Stadt den Liebkosungen eines päpstlichen Kreuzzugs entging.

Die Päpste haben sogar von „diesem heiligen Apostolischen Stuhl" herab den Inquisitoren das Beispiel gegeben, wie das heilige Tribunal sich „geschäftlich" ausbeuten lasse. So paßte es genau in das ganze Kirchenregiment. Die Päpste übten ja das „Recht", in Fällen des Ungehorsams gegen ihre Befehle, alle bürgerlichen Bande zu zerreißen, freie Männer, selbst ganze Bevölkerungen, zur Sclaverei zu verdammen, wie z. B. Clemens V. im Jahre 1319 mit den Venetianern gethan hatte. „Nach den von den Völkern gebilligten Rechtsanschauungen jener Tage" — wie der Mainzer Bischof E. v. Ketteler sich auszudrücken pflegte — konnte Clemens IV. im Jahre 1265 festsetzen, daß falls der König von Neapel und Sicilien die Termine des von ihm an den Papst zu zahlenden Tributs nicht einhalte, sein ganzes Reich dem Interdicte verfalle, also wegen einer Geld-Ebbe in den königlichen Kassen sechs bis sieben Millionen Christen des Gottesdienstes und der Sacramente beraubt sein sollten.

Wir haben in dem Abschnitt über die Patariner gesehen, wie Dante den Papst Nicolaus III. in der Hölle gebettet hat: nicht bloß mit geistlichen Aemtern machte dieser Papst Geschäfte, sondern auch mit dem Glaubens-Tribunal. Der Dominicaner Tolomeo di Lucca, damals päpstlicher Bibliothekar, erzählt als Augenzeuge, wie er das Schloß Soriano bei Viterbo mit Allem, was d'rum und d'ran hing, den Besitzern wegen deren vorgeblicher Häresie durch die Inquisition abnehmen ließ und dann das schöne Gut sich und seinen Nepoten zueignete. Schon der gewaltige Ezzelino von Romano in der Lombardei, der sich nicht im geringsten um Glauben und Dogmen bekümmerte, war, nur weil er mit seinem Schwiegervater, dem Kaiser Friedrich II. hielt, auf päpstlichen Befehl im Jahre 1254 gebannt und als Häretiker verurtheilt worden. Ein späterer Papst, Johann XXII., ließ die ebenfalls kaiserlichen Visconti — freilich vergebens — vor die Inquisition vorladen und als Ketzer verurtheilen, bloß weil sie der willkürlichen Verhängung von Bann und Interdict über Mailand nicht nachfragten und einer von ihnen, Matteo Visconti, ausdrücklich befohlen hatte, daß die Todten, als ob Nichts geschehen sei, in gewohnter Weise auf dem Kirchhofe bestattet werden sollten. Wer sich aber dem Interdicte, das bekanntlich alle kirchlichen Handlungen und gottesdienstlichen Feierlichkeiten untersagte, nicht fügte, der verrieth nach einem unfehlbaren Entscheide Urban's IV. vom Jahre 1262 gegen König Manfred von Tarent, Bruder Kaiser Friedrich's II., durch diese Widersetzlichkeit gegen des Papstes Befehl, daß er ein Ketzer war. Das war aber nicht Alles: Matteo Visconti hatte schon seit Jahren den Bischof und Inquisitor Placentino gehindert, Beamte zur Verhaftung von Häretikern anzustellen und die dazu bereits angestellt waren, denen hatte er die Ausübung ihres heiligen Berufes nach Kräften unmöglich gemacht. Bei den hieraus entstandenen Reibereien hatte er sogar den Bischof sammt anderen Prälaten festnehmen und über die

Grenze bringen laſſen. Der polniſche Dominicaner Abraham Bzovius, der Fortſetzer der Baronius'ſchen Annalen, erzählt uns endlich noch, daß Matteo auch der Secte eines gewiſſen Manfredo zugehört habe. Nebenbei war Visconti, um der berechtigten Eigenthümlichkeit der Zeit zu genügen, angeklagt, mit einigen Teufeln in vertrautem Ver= kehr zu ſtehen. Da nun der Arm der Inquiſitions=Mönche gegen dieſen Fürſten nicht ſtark genug war, ſo folgte Schlag auf Schlag Bann in allen Sortimenten, Confiscation ſeiner Staaten, Kreuzzug gegen ihn wie gegen die Albigenſer mit allen den Abläſſen für die Theilnahme hieran, wie ſie den in's heilige Land ziehenden Sara= cenen=Bekämpfern zugebilligt waren, ſchließlich die Androhung der Sclaverei für ſeine Unterthanen, wenn ſie ihrem Fürſten noch wei= terhin anhingen. In gleicher Weiſe wurde gegen den Markgrafen Rinaldo und Obizzo von Eſte, den Herren von Ferrara, verfahren; dieſen half es nicht einmal, daß ſie von Alters her zur Gegenpartei der Kaiſer gehörten und eifrige Katholiken waren: da ſie dem Papſt Ferrara nicht abtreten wollten, ließ dieſer ihnen im Jahre 1320 durch die Inquiſition den Proceß als Ketzer machen. Im Jahre 1356 wurde daſſelbe Verfahren gegen die Dynaſten einiger Städte der Romagna, Ordelaffi und zwei Manfredi ergriffen; ſie wurden, da ſie ihre Städte dem Papſte nicht überlaſſen wollten, erſt durch die Inquiſition als Ketzer verdammt, alſo hierdurch „regierungsun= fähig" gemacht und nun ein Kreuzzug mit reichlichen Indulgenzen gegen ſie ausgeſchrieben. Da jeder Italiener von Rechts wegen hieran Theil zu nehmen hatte, ſo mußte ſich, wer nicht mitziehen konnte oder wollte, mit einer Geldſpende loskaufen. Auf dieſe Art machte der h. Vater ein doppelt einträgliches Geſchäft. So ſchöne Beiſpiele, den Sündern „gegen ein Kleines" den Ablaß in's Haus zu ſchicken, blieben auch für die ſpäteren Verwalter der Gnadenſchätze Gottes unverloren; als Bonifaz IX. das Jubeljahr 1400 verkündete, machte er gleichzeitig bekannt, daß man um des Jubiläums=Ablaſſes theilhaftig zu werden die Romfahrt ſparen könne und nur die Koſten der Reiſe, oder auch nur einen Theil derſelben, an die zu dieſem Zwecke in der ganzen Chriſtenheit errichteten Stationarien zu zahlen brauche. Um auf die Inquiſition zurück zu kommen: es war un= möglich, dem Netze dieſes Gerichtes zu entgehen, wenn ein Inqui= ſitor es auf das Verderben und die Beraubung eines Menſchen ab= geſehen hatte. Darum konnte man ſich des h. Officiums auch zu reinen Geldgeſchäften bedienen, die mit der Religion nicht das Min= deſte zu thun hatten. So wies Clemens VI. im Jahre 1344 den Inquiſitor Piero dell' Aquila, einen Franziscaner=Mönch an, gegen die Commune von Florenz einen Proceß zu eröffnen, weil das Banquier= Haus der Acciajuoli, welches dort beſtanden hatte, aber eingegangen war, einem Cardinal eine anſehnliche Summe ſchuldete, wofür die

Stadt jetzt haftbar gemacht werden sollte. Der Inquisitor erließ
demgemäß Sentenzen und die Stadt mußte nur dadurch der Sache
eine andere Wendung zu geben, daß sie den genannten Glaubensrichter beim römischen Hofe anklagen ließ: er habe die Apostolische
Kammer betrogen. Im Jahre 1346 — so lange hatte der Pro-
ceß sich schon hingeschleppt — schickten die Florentiner eine zahlreiche,
aus den angesehensten Männern bestehende Gesandtschaft an den
Papst, um ihm die. Beweise vorzulegen, daß Piero dell' Aquila
binnen zwei Jahren über 7500 Goldgulden als Strafgelder für
ketzerische Verbrechen von ihren Mitbürgern erpreßt habe. Giovanni
Villani, der berühmte Florentiner Geschichtsschreiber, der im Jahre
1380 als gläubiger Pilger zum Jubiläum nach Rom gezogen war
und bei dieser Gelegenheit den Gedanken gefaßt hatte, „zu Ehren
Gottes und St. Johannis" die Chronik seiner Vaterstadt in der
Vulgär-Sprache zu schreiben — es wurde die erste dieser Art —
bemerkt bei seinem Berichte über diese Gesandtschaft zum Lobe des
geliebten Florenz, daß es damals gar keine Ketzer dort gegeben habe;
aber jedes leichtfertige oder scherzhafte Wort sei als Ketzerei ausge-
legt worden. Die Gesandtschaft erreichte menigstens so viel, daß der
Papst verbot, künftighin wegen des bloßen Verdachts oder auch wegen
wirklich vorhandener Häresie Geldstrafen zu verhängen.

Freilich: auch an wirklichen Ketzern im römischen Sinne
fehlte es in Italien nicht. Man erinnert sich, wie Innocenz III.
im Jahre 1207 zu Viterbo gegen die Patariner wüthete. Ausgerottet wurden nur Personen, nicht die Ideen, nicht der evangelische Protest gegen das verderbte Papstthum, auch nicht thörichte Ab-
irrungen in dem Bestreben, demselben zu widerstehen.

Gregor IX. hatte wieder einmal den Römern auf längere Zeit
aus dem Wege gehen müssen. Da trat, so erzählt uns Ferdinand
Gregorovius, am 1. Februar 1230 der Tiber aus. Die Ueberschwemmung erzeugte Hungersnoth und Pest. Die Römer, welche während
des langen Exils ihren Papst vergessen, die Geistlichkeit geplündert,
die Ketzer gastfreundlich aufgenommen hatten, erinnerten sich in den
großen Wassern mit abergläubischer Angst, daß der Papst ihr Lan-
desherr sei. Sie baten ihn durch Boten, zu ihnen zurückzukehren.
Der Lebensbeschreiber Gregor's IX. zählt gewissenhaft die vielen Tausende von Pfunden Silbers auf, welche gerade dieser Papst den Römern hergab, so oft sie ihm die Rückkehr bewilligten. Auch diesmal
that er sein Möglichstes: er ließ die von den Tiberfluthen eingeriss-
sene Brücke wieder herstellen, die Kloaken reinigen, Getreide herbei-
schaffen, Geld unter das Volk vertheilen, im Lateran ein Armenhaus
einrichten. Das gewann ihm die Massen und erleichterte ihm sein
Vorhaben, die Stadt mit einem Schlage von den Ketzern zu säubern;
denn wie oben schon angedeutet: die Vernichtungskriege Innocenz' III.

gegen dieselben schienen sie an Zahl wie an Energie nur vermehrt zu haben. Tausende von Italienern traten in den Orden des Franz von Assisi, wenigstens in den dritten, der das Leben in der Welt mit der klösterlichen Vollkommenheit vereinigen sollte, aber Derer, die vom römischen Glauben abfielen, waren doch noch mehr. Ueberall saßen sie haufenweise im Patrimonium Petri, in Viterbo, in Perugia, in Orvieto. Die Lombardei war voll von ihnen; im kaiserfeindlichen Mailand hatten sie die Hauptkirche. Nutzlos loderten die Scheiterhaufen. Zu Rom selbst verbanden sich politische und kirchlich-politische Ansichten leicht mit religiösen, so daß hier die kaiserfreundliche Secte der Arnoldisten gewiß zahlreicher war, als die der Waldesier. Die Päpste aber betrachteten die Angriffe auf die Ungebundenheit des Klerus und sein Vermögen, wie z. B. die Edicte der Stadt-Magistrate, welche die Geistlichen wie andere Menschenkinder besteuern und für ihr bürgerliches Verhalten vor dem weltlichen Tribunal verantwortlich zu machen suchten, durchaus als Ketzerei.

Es war das erste Mal, daß ein massenhaftes Ketzergericht in Rom gehalten wurde und Scheiterhaufen öffentlich brannten. Die Inquisitoren schlugen ihr Tribunal vor den Thoren der Kirche S. Maria Maggiore auf; die Cardinäle, der Senator, die Richter nahmen auf den Tribünen Platz, und das gaffende Volk umringte dies schreckliche Theater, auf welchem vor den Richterstühlen Ketzer jedes Standes und Geschlechts ihr Urtheil empfingen. Viele der Häresie überführte Geistliche wurden ihrer Priestergewänder entkleidet und, wenn sie ein reumüthiges Bekenntniß ablegten, zur Buße in entfernten Klöstern verurtheilt. Die sich nicht hierzu verstanden oder als Rückfällige behandelt wurden, verbrannte man auf Holzstößen, vielleicht auf dem Platze vor der Kirche selbst.

Im Jahre 1231 begegnen uns in Italien die ersten eigens dazu bestellten Inquisitoren. Gregor IX., der die zwei Jahre früher abgehaltene Synode von Toulouse durch seine Legaten präsidiren ließ, hat die besonderen Inquisitoren auch in Italien eingeführt. In einer Bulle vom Jahre 1231 belegt er alle Ketzer sowie ihre Beschützer und Hehler mit dem Anathem, erklärt die Verstockten für ehrlos, für unfähig zu öffentlichen Aemtern, zur Zeugnißabgabe, zu Testaten und zur Empfangnahme von Erbschaften; wer verdächtig sei und sich nicht hinlänglich reinige, solle mit dem Banne belegt, wer aber ein Jahr im Banne bleibe, als Häretiker bestraft werden — wir kennen diese und die weiteren Bestimmungen von der Toulouser Synode her. Dieses päpstliche Edict, in welchem der besondern Inquisitoren noch nicht Erwähnung geschieht, veranlaßte den römischen Senats-Vorsteher Anibald, „Anibaldum Senescaleum nostrum" schreibt Gregor IX., auch seinerseits Beschlüsse zur Verfolgung der Ketzer im Gebiete der Stadt Rom zu fassen und in diesem Edicte, welches uns aufbehalten ist, werden zuerst „inquisitores ab ecclesia dati" — „von der Kirche ernannte Inquisitoren" erwähnt. Gregor IX. schickte seine eigene Bulle und das Edict des Senates dem Erzbischof und den diesem untergeordneten Bischöfen, damit sie danach verfahren sollten. Das Gleiche geschah auch in andern Gegenden Italiens.

Das Anibald'sche Edict verdient wegen einzelner seiner Bestimmungen eine genauere Beachtung, denn gerade sie verschafften der Inquisition festeren Boden auch im bürgerlichen Gemeinwesen und lieferten so die Handhabe für den Papst zur Unterwerfung des Volkes. Es wurde also festgesetzt, daß jeder Senator beim Antritt seines Amtes die Ketzer in der Stadt und ihre Anhänger zu ächten, alle von der Inquisition angezeigten Häretiler zu ergreifen und nach gefällter Sentenz innerhalb acht Tagen zu richten habe. Das confiscirte Ketzer-Vermögen solle zwischen die Angeber und den Senator vertheilt und zur Ausbesserung der Stadtmauern bestimmt werden; die Häuser, welche den Ketzern zur Herberge gedient hatten, sollen niedergerissen werden. Die Verheimlichung von Ketzern sollte mit Geld- oder Leibes-Strafen gebüßt werden, in allen Fällen aber mit dem Verluste der bürgerlichen Rechte. Jeder Senator sollte dieses Edict beschwören und als nicht im Amte betrachtet werden, ehe er darauf vereidigt worden war. Handelte er aber dem Schwur zuwider, so sollte er in 200 Mark Silber verurtheilt und zur Führung öffentlicher Aemter unfähig erklärt werden. Die verwirkte Strafe war über ihn durch das nach der Kirche S. Martina am Capitol genannte Richter-Collegium zu verhängen. Das Edict schärfte demnach den Eifer der Angeber und der Stadt-Behörden durch die Aussicht auf Güter-Erwerb. Der Papst zog die römische Stadt-Gemeinde in das Interesse der Inquisition und verpflichtete den Senator, ihr seinen weltlichen Arm zu leihen. Er wurde der gesetzliche Vollstrecker der Ketzergerichte, wie es jeder Magistrats-Vorsteher in andern Städten war. Wenn die Uebertragung dieses, sonst dem Präfecten zustehenden Rechts des Blutbanns auch die Civilgewalt des Podestà mehrte, so würdigte sie ihn doch im Grunde nur herab zum Büttel des geistlichen Tribunals, denn der feierliche Schwur, die, ihm verurtheilt überwiesenen Ketzer binnen einer bestimmten Frist zu bestrafen, band ihn selbst, und über seinem eigenen Haupt schwebte das furchtbare Urtheil der Inquisition, die ihn der Verletzung seiner Amtspflicht und deshalb der Ketzerei schuldig erklären konnte. Das wichtigste Attribut der senatorischen Gewalt wurde also dies, daß sie die Execution an den Ketzern vollzog und es bezeichnet den Geist der damaligen Zeit, daß die Pflicht der Ketzerverfolgung überhaupt als der erste Grundartikel in die Statuten Roms — und anderer Städte des Kirchenstaats — aufgenommen wurde: das erste Kapitel bildete nach der im Capitolinischen Archiv aufbewahrten Handschrift vom Jahre 1469, gleichwie nach den im Jahre 1580 gedruckten Statuten Roms das Glaubensbekenntniß, dann kam als zweites die Verfehmung der Ketzer und dann erst als drittes die Bestimmungen „Ueber die Wahl des Senators". Aber vom „Geiste der Zeit" hätten wir vorstehend gar nicht reden dürfen: noch im siebenzehnten Jahrhundert behauptete einer der berühmtesten Canonisten, Pignatelli, das Recht der Kirche, für sich allein über die Häretiker das Urtheil fällen und den weltlichen Arm zu dessen bedingungsloser Vollstreckung heranziehen zu dürfen, so nachdrücklich, daß er sagte: wenn die weltliche Autorität auch mit Sicherheit wüßte, daß ein Urtheil ungerecht oder wegen fehlerhafter Procedur nichtig sei, sie dasselbe dennoch unweigerlich vollziehen müsse.

Wenigstens vom Jahre 1231 an gab es also in Rom besondere Inquisitoren und, wie es scheint, wurden sie dort Anfangs aus dem Franziskaner-Orden genommen. Wenn der Inquisitor Ketzer verdammt hatte, verlas er die Sentenz in Gegenwart des Senators, seiner Richter und vieler Deputirter oder Zeugen aus dem Klerus der Stadt. Den Vollzug der Strafe übertrug er dann dem Senator unter Androhung des Bannes für den Fall positiver Weigerung oder auch nur bloßer Fahrlässigkeit. Die älteste Urkunde der römischen Inquisition, welche Ferdinand Gregorovius aufgefunden hat, ist vom 22. Januar 1266. Darin verurtheilt Benvenuto von Orvieto, aus dem Orden der Minoriten-Brüder, als „Inquisitor der ketzerischen Verderbniß", den Römer Petrus Petri Riccardi de Blancis, weil derselbe Ketzer beherbergt hatte. Er selbst wird excommunicirt, seine Familie bis ins dritte Glied für infam erklärt. Die Gebeine seines Weibes Carema und seines Vaters sollen ausgegraben und verbrannt werden. Er selbst soll auf Schulter und Brust ein rothes Kreuz, 1¹/₂ Fuß lang und von doppelter Handbreite als Schandzeichen tragen. Der Vicar des Senators — Senator war damals Karl von Anjou — wird mit der Vollstreckung der Sentenz beauftragt. „Verlesen und bekannt gemacht wurde diese Sentenz durch den genannten Bruder Benvenuto, Inquisitor der Stadt, von der Treppe des Capitols." Im Jahre 1301 war „Symon de Tarquinio vom Minder-Brüder-Orden Inquisitor der häretischen und schismatischen Verderbniß in Rom und der römischen Provinz." Dagegen hatten um's Jahr 1233 die Dominicaner im Mailändischen Gebiet schon einen bedeutenden Eifer für die Ausrottung der Häresie bethätigt. In den ersten Decennien des 14. Jahrhunderts war die Genossenschaft der Patariner großentheils erloschen, und die Dominicaner rühmten sich, daß man dies ihren Bemühungen verdanke, da sie in den Städten der Lombardei eine ungeheure Menge Menschen hätten verbrennen lassen. Im Jahre 1235 gab Gregor IX. den Dominicanern den ausdrücklichen Befehl, in einer Reihe von Städten die der Häresie Schuldigen und Verdächtigen wieder mit der Kirche zu versöhnen." Aber neben den Dominicanern erscheinen uns in dieser Zeit noch überall andere Priester und Mönche, die letztern sind zwar meist Minoriten, es fehlen jedoch nicht ganz auch solche aus andern Orden; so war in Frankreich im Jahre 1233 der Benedictiner-Prior Stephan von Clugny mit dem Inquisitions-Geschäft betraut.

Während aber die Masse des Dominicaner-Ordens in der unbedingten Heeresfolge hinter der Papstfahne bald völlig aufging, meinte ein Theil der Franziscaner an den Idealen, die ihren Ordensstifter beseelt hatten, festhalten zu können, und dieser Theil, gerade der bessere, mußte die Dienstleistungen der Genossenschaft an die Inquisition durch diese selbst bitter büßen.

Wie die „schwarzen Brüder" des Dominicus, so hatten die „grauen" des Franziscus das Gebot vollständig habeloser Armuth an die Spitze ihres Canons gestellt, die Mitglieder beider Orden sich bereit gelobt, um dem allein seligmachenden Glauben zum Siege über die arge Welt zu verhelfen, gleich Christus jeden Schmerz und alle Entbehrung zu dulden. Wenn die Dominicaner die Seelen durch begeisterte Predigtworte gewinnen wollten, so suchten dies die Franziscaner zu erzielen durch Hingabe an die intimeren Volksbedürfnisse, dadurch, daß sie sich unter die Menge mischten und schon durch ihre anspruchslose Existenz die Heilsbotschaft verkündeten. Schon um die Mitte des 13. Jahrhunderts durchwandern Franziscaner und Dominicaner alle Gestade des Mittelmeeres; einige von ihnen besuchen den Czaren in Kiew und dringen tief nach Asien unter die Tataren ein: aber ihr Hauptwesen trieben doch vorzüglich die Letztgenannten in Spanien, Frankreich und am Rhein, während die Minder-Brüder in Italien, in einem großen Theile des deutschen Reichs und in England ihre liebste Heimath hatten. Von den Minoriten besaß keiner auf der Welt mehr Eigenthum, als die Kapuzen-Kutte von dickem braunem Tuch und den Strick, der sie um den Leib zusammenhielt; höchstens Gebetbuch, Schreibzeug, Nadel und Zwirn führten sie noch bei sich. Für die niedern Schichten der Bevölkerung in den Städten hatten die Diener der Kirche sich bis dahin so gut wie gar nicht gekümmert. Die Klöster kamen mehr dem Landvolke zu Gute und — das Landvolk ihnen. Den geistlichen Herren an den Kathedralen und Stadtpfarren war der Ertrag der Pfründen die Hauptsache; sie hatten es höchstens mit den wohlhabenden Bürgern zu thun, deren Zunftgenossenschaften sich dazu meist eigene Capläne zu halten pflegten. Da traten die Franziscaner-Brüder unter die bisher durch Mangel an geistlicher Tröstung und Schul-Unterricht beinahe gänzlich verwahrlosten kleinen Leute, die Proletarier. Sie nahmen ihre Wohnsitze meist da, wo sich die arbeitende Bevölkerung in enge un-

gesunde Gassen zusammendrängte, leiblich starrend von Schmutz, heim-
gesucht von Hunger und Seuche, gewohnt an Laster und sittliche
Gebrechen. Nichts ist bezeichnender als der Platz, den sie in London
zur Anlegung ihres ersten Hauses erkoren: er lag im Stink-Gäßchen,
dicht bei den städtischen Schlachthäusern, im heutigen Newgate. Was
Wunder, daß der Minder-Bruder, hülfreich im Aussatz-Spital wie
in der Armenschule, bald als Wohlthäter von Schaaren bisher ver-
lorener Mitmenschen geliebt wurde, die seiner Pflege die Heilung
des Körpers, seiner Lehre und seinem Zuspruch den Frieden ihrer
Seele dankten.

Gegen einen Theil dieser Männer, welche bis dahin für die
treuesten und unermüdlichsten Vorkämpfer der Kirche, für die schönste
Frucht des Ordenslebens gegolten hatten, kehrte nun die Inquisition
ihre Waffen. Auch diesmal wurde der Hund ersäuft, weil man ihn
ersäufen wollte, und wenn er diesmal nachweisbar wirklich Flöhe
hegte, so waren dies doch nur solche, welche die Päpste selbst ihm in
den Pelz gesetzt hatten; auch die bissige Natur des dem Untergang
Geweihten läßt sich nicht abstreiten.

Die Genesis dieser Dinge ist von so hohem Interesse, gerade
jetzt nach dem 18. Juli 1870, wie kaum ein anderes Blatt der
mittelalterlichen Kirchen-Geschichte. Sigmund Riezler entrollt uns
dies Bild in seinem Werke: „Die literarischen Widersacher der Päpste
zur Zeit Ludwig des Baiers."

Der Minoriten-Orden hatte von jeher die Lehre hochgehalten,
daß Christus und die Apostel weder einzeln noch insgesammt Eigenthum besessen hätten und daß der Orden, wie in allen Stücken so
auch hierin sich die unverfälschte Nachfolge des Herrn zur Aufgabe
stellen müsse. Darüber war es zu Reibungen mit den Dominicanern
gekommen, die es mit ihrer Armuth zwar nicht so strenge nahmen
wie ihre Rivalen, aber ihnen dennoch den Vorzug besonderer Ent-
sagung nicht gönnen mochten. Welche Gereiztheit zwischen den
beiden Brüderschaften herrschte, ersieht man aus der Erzählung des
Minoriten-Chronisten Johann von Winterthür: es hätten damals
Dominicaner den Minoriten zum Spott in ihren Kirchen und Klöstern
Christus als Bettler mit einer Geldbüchse abbilden lassen, oder —
noch schöner — den Gekreuzigten, die eine Hand angenagelt, die
andere ausgestreckt, um Gaben zu empfangen und in seine am Gürtel
befestigte Tasche zu stecken. Die Päpste waren Anfangs der Anschauung der Minoriten geneigt. Nicolaus III. erklärte 1279 in einer
Bulle („Exiit qui seminat") unter Excommunications-Androhung
gegen alle Andersgläubigen, daß der Orden wohl daran thue und
das Beispiel Christi wie die Regel des h. Franz befolge, indem er
weder sich als Ganzes noch seinen einzelnen Mitgliedern Eigenthum
gestatte. Christus selbst habe die Armuth in ihrer vollkommensten

Gestalt als Entäußerung jeder Art von Eigenthum betrachtet, und, damit die Minoriten, als seine echtesten Jünger ihm darin folgen könnten, übertrage er hiermit das Eigenthum der Dinge, welche sie zum Lebensbedarfe gar nicht missen könnten, auf die römische Kirche; sie selbst sollten also gar Nichts ihr eigen nennen. Nicolaus richtete dieses Decret nicht blos an den Franziscaner-Orden, der ihn um diesen Entscheid angegangen, sondern an die theologischen Schulen in der ganzen Kirche. Weiter tauchte die Streitfrage auf, welche Art von Nutznießung an den weltlichen Gütern den Ordensmitgliedern erlaubt sei. Im Gegensatz zum mäßigen Gebrauch forderte die strengere Richtung im Orden selbst in unerbittlicher Folgerichtigkeit den „dürftigen" oder ärmlichen Gebrauch, in Befolgung dessen man z. B. auch von den unentbehrlichsten Gütern keine Vorräthe in Keller und Speicher aufbewahren dürfe.

Ein Minorit zu Béziers, Johann Peter von Oliva, vertrat und befolgte mit besonderem Eifer die strengste Auslegung. Nach dessen im Jahre 1297 erfolgtem Tode traten seine Anhänger mit Erlaubniß Papst Cölestin's V. in eine besondere Eremiten-Congregation als „Cölestiner". Unter dem Drucke mancherlei Anfeindungen der laxern Minoriten mußten sie sich jedoch bald nach Griechenland und dessen Inseln zurückziehen. Schon Bonifaz VIII. (1294 bis 1303) befahl, gegen sie einzuschreiten, worauf sich ein Theil der Congregation nach Sicilien und Südfrankreich gewendet zu haben scheint. Papst Clemens V. aber gedachte diese Spaltung des Ordens nicht länger zu dulden. Auf dem Concil zu Vienne erkannte er nach Anhörung beider Parteien in dem Decret „Exivi de paradiso" neuerdings an, daß der Orden kein Eigenthum haben dürfe und daß für die Minoriten der „ärmliche" Nießbrauch das Richtige und Regelrechte sei. Nach diesem Zugeständniß wurden die Spiritualen, welche damals unter der Führung Ubertino's be Casale standen, bei Strafe der Excommunication gezwungen, in den Orden zurückzutreten. Dem Oliva wurden auch in anderen Lehren als der Armuth Christi Ketzereien vorgeworfen; später wurde seine Leiche ausgegraben und sammt seinen Schriften verbrannt. Wie er überhaupt vom Papstthum seiner Zeit dachte, werden wir noch hören.

Johannes XXII. fand trotz Allem bei seiner Erhebung wiederum zahlreiche Minoriten, welche dem Ordens-General und dem Papste selbst widerstrebten. Unter diesen Unfügsamen scheint man zwei Parteien auseinander halten zu müssen, deren erstere genauer als Spiritualen, die letztere als Fraticellen — „Brüderchen" — bezeichnet wird. Die Opposition der Spiritualen beschränkte sich auf Fragen der evangelischen Armuth; sie verwarfen die Anlage von Scheunen, Kellern und sonstigen Vorrathsräumen bei ihren Klöstern u. s. w. Gegen sie ist Johann's Decret „Quorundam exigit" vom Jahre

1317 gerichtet. Gehorsam, erklärt dasselbe, gehe der Armuth und Keuschheit noch vor. Ganz folgerichtig wurden denn auch im folgenden Jahre auf Andrängen des Ordens-Generals Michael von Cesena vier widerspänstige Spiritualen zu Marseille verbrannt, weil sie, wie die am 7. Mai 1318 ergangene Inquisitions-Sentenz besagt, ihre Kutten nicht nach päpstlicher Vorschrift umändern und die päpstlichen Erlasse über die Zulässigkeit von Speichern und Kellern nicht anerkennen wollten. Nachdem diese vier ersten Bekenner der „höchsten Armuth" verbrannt waren, pflegten die Inquisitoren die in der Folgezeit Eingezogenen zu fragen: ob sie diese vier Hingerichteten für „Märtyrer der Wahrheit" hielten, und verhängten über Alle, die dies bejaheten, das gleiche Loos.

Weiter in der Ketzerei als diese Spiritualen ging eine besonders in der Provence, in Toscana und Sicilien verbreitete Partei der Fraticellen unter Heinrich von Ceva, gegen welche Johann XXII. das Decret „Gloriosam ecclesiam" vom 23. Januar 1318 erließ. Auch sie schraubten den Begriff der Armuth auf das Aeußerste. „Des Spottes froh", so sagt der Papst in diesem Decret, „tragen sie kurze schmutzige Röckchen von ungewöhnlicher Form mit kleinen Capuzen." Darüber hinaus leugneten sie den Primat des Papstes, bestritten die Jurisdiction und Weihe der Priester und verwarfen, wie die Waldesier, den Eid. Sie behaupteten, es beständen jetzt zwei Kirchen, die eine unter dem Papst, reich und weltlich, die andere arm und wahrhaft evangelisch — mit der letztern wollten sie sich begnügen. Gegen diese Secte wurde mit der größten Strenge eingeschritten; in Sicilien wurde sie in die gebirgigen Theile der Insel oder über's Meer gescheucht; in Frankreich sah man in der Provinz Narbonne, in Capestang, Béziers, Lodève, Lunel, in den Diöcesen Agde und Maguelone Anhänger derselben den Scheiterhaufen besteigen.

So hatte es seit Jahrzehnten unter den Minoriten gegährt. Bald aber gerieth das Haupt und der größte Theil des Ordens mit Papst Johann selbst in heftigen Streit. Als nämlich im Jahre 1321 der Inquisitor von Narbonne, Johann Belna, ein Dominicaner, bei der Censurirung eines Fraticellen auch den Satz für ketzerisch erklärte, daß Christus und die Apostel weder persönlich noch gemeinsam Eigenthum gehabt hätten, widersetzte sich dem ein Conventuale der Minoriten Namens Berengar Talon — Conventualen nannte man diejenigen Brüder, welche zum Ordens-General hielten. Die Sache kam vor die Curie und Papst Johann entschied für den Inquisitor und damit gegen seine unfehlbaren Vorgänger Nicolaus III. und Clemens V. Daß gerade Johann XXII., der seine Opferstöcke überall in der Christenheit aufstellen ließ und in den achtzehn Jahren seines Papstregiments, nämlich von seinem 72. bis zum 90. Lebensjahre, fünfundzwanzig Millionen Goldgulden gesammelt hat, sich mit so auffälliger Neuerung gegen die Armuth erklärte, dieses Zusammentreffen haben schon die Zeitgenossen mit Spott und Hohn zu verwerthen gewußt. Verreist hat er das Geld nicht, denn in den 18 Jahren seines Regiments hat der wegen seiner blaßgelben Gesichtsfarbe und gebückten Haltung anscheinend hinfällige, aber mit rastloser Thätigkeit arbeitende Greis — die Archive des Vaticans bewahren in 59 Bänden 60,000 päpstliche Actenstücke aus seiner Regierung — den Palast zu Avignon nur verlassen, um zu der naheliegenden Kathedrale zu gehen.

Johann machte als er inne wurde, daß er mit seinen Vorgängern in Widerspruch gerathen war, verschiedene theologische Interpretations-Kunststücke, um die Sache zu verdecken, wie das Nachfolgende zeigt, ohne Erfolg.

General des Ordens war seit 1316 Michael von Cesena, berühmter Magister in der Theologie. Vom Mai bis Juli 1322 tagte unter seinem Vorsitz zu Perugia eine Ordensversammlung, welche, im Einklange mit der alten, von Papst Johann durch die Bestrafung Talon's aber verworfenen Ansicht des Ordens die Behauptung, daß Christus und die Apostel kein gemeinsames Eigenthum gehabt hätten, für nicht häretisch erklärte. Um den Autoren dieses Beschlusses einen Schabernack zu spielen, erklärte nun Johann in der Bulle „Ad conditorem canonum" vom 8. December 1322, die Kirche gebe das Eigenthum der Ordensgüter, von denen die Minoriten bisher als bloße Nutznießer gezehrt, aus der Hand; das hieß auf gut Deutsch: ihr seid Narren; nur weil Nicolaus III. sich zu einer Finte herbeigelassen hat, war auch das Festhalten an eurer verrückten Idee, ihr hättet auch als Corporation kein Eigenthum, möglich; das hört jetzt auf. In dem Decret „Cum inter nonnullos" vom 12. November 1323 erklärte er dann unter Beirath der Cardinäle die Lehre: Christus und die Apostel hätten weder einzeln noch gemeinsam Eigenthum besessen, für ketzerisch; im Gegentheil: das und was sie besessen, hätten sie nach Belieben brauchen, verlaufen, verschenken und vertauschen können.

Gegen diese Entscheidungen des Papstes erhoben die Minoriten auf den Kanzeln und theologischen Lehrstühlen die heftigste Opposition. Mit gutem Grunde betonten sie, daß Johann XXII. mit den desbezüglichen Bullen seiner Vorgänger („Exiit qui seminat" Nicolaus' III. und „Exivi de paradiso" Clemens' V.) in offenen und unvereinbaren Widerspruch getreten sei: Johann konnte dies denn auch nicht bestreiten, aber er mußte sich doch zu helfen. In einem Decrete („Quia quorundam") vom 10. November 1324 bestätigte er seine ersten Erlasse und gab dabei die denkwürdige Erklärung ab, daß den Päpsten jederzeit das Recht zustehe, Entschei-

dungen, welche ihre Vorgänger in Angelegenheiten des Glaubens
und der Sitten „mit Hülfe der Wissenschaft" („per clavem scien-
tiae") getroffen hätten, zu widerrufen.

Für den Zweck unseres Buchs haben wir diesen Streit hiermit weit genug im Einzelnen verfolgt; was ihn so bitter machte
war auch nicht die Theorie an sich; diese schlug zwar die Wunden,
aber was diese Wunden brennend machte, das waren ganz andere
Dinge. Verhaßt war die frömmere und eifrigere Partei unter den
Franziscanern dem Papste allmälig dadurch geworden, daß sie über
das Verderben der päpstlichen Curie und die Nothwendigkeit einer
großen kirchlichen Reform Ansichten äußerte, welche die Päpste und
Cardinäle höchst ärgerlich berühren mußten. Hatten doch schon die
beiden Generale des Ordens, Johann von Parma und Johannes
Fidanza Bonaventura kein Bedenken getragen, die römische Kirchen-
verwaltung als den Sitz der Gaukelei und Bosheit, den römischen
Hof selbst als die große Buhldirne der Geheimen Offenbarung Johannis, wo die kirchlichen Würden gekauft und verkauft werden, zu
bezeichnen *). Gerade den Minoriten, so sehr sie sonst in der Erhebung der schrankenlosen Allmacht des Papstthums mit den Dominicanern wetteiferten, mußte die Verweltlichung der Curie und die
von ihr aus über die ganze Kirche verbreitete Simonie als ein un-
erträglicher, zum Himmel schreiender Gräuel vorkommen. Kein Wunder, daß sie den aus eben diesem Geiste prophetischer Rüge hervorgegangenen Schriften des Abtes Joachim eine große Bedeutung
beilegten. Joachim († 1202) war der Stifter einer Mönchs-Con-
gregation zu Fiore in Calabrien nach der Grundregel von Cisterz.
Die Kirche ist, sagt Joachim, hauptsächlich durch das verderbliche
Walten der Päpste ganz fleischlich, zu einem Hurenhause und einer
Räuberhöhle geworden, obgleich Gott noch einen Samen des Segens
und der Gnade in ihr zurückgelassen hat. Der Klerus ist seiner
Laster wegen verachtet; die Prälaten sind Ehebrecher und Miethlinge,
die Cardinäle und päpstlichen Legaten die habgierigen Plünderer und
Aussauger der Kirchen. So ist das christliche Volk durch seine Hirten
verführt und verdorben. Wer zur Betreibung irgend einer Angelegenheit nach Rom zieht, fällt sofort den räuberischen Cardinälen
und päpstlichen Notaren ꝛc. in die Finger, denn Rom, die Stadt
der Unzucht, ist der Ausgangspunkt für alle Gräuel in der Christenheit; an ihr muß auch das göttliche Gericht seinen Anfang nehmen.
Das Hauptwerkzeug der göttlichen Strafen sind neben den ungläubigen Saracenen die Deutschen, das römische Reich mit dem Kaiser.
Frankreich der Rohrstab, auf den das Papstthum sich stützt und der
ihm die Hand durchbohrt, wird von den Deutschen besiegt und seine

---

*) Commentar über die Apokalypse Opp. Supplem. II., 749.

Macht gebrochen werden, obgleich es die Nachbarländer rings herum sich unterwerfen wird. Auch für die schwersündigenden Italiener wird das deutsche Imperium die Zuchtruthe sein. In dem erbitterten Kampfe zwischen Kaiserthum und Papstthum werden beide zusammenstürzen. Der Papst wird die Schutzwehr des Reiches einzureißen suchen durch Herbeirufung barbarischer Nationen und durch willkürliches Eingreifen in die Besetzung der höchsten Würden. Der Kaiser aber wird den Papst aller weltlichen Herrschaft und alles Besitzes entkleiden. Dann aber kommt die Zeit der Belehrung und der Verherrlichung der wahren Kirche. Man erkennt nun, daß das verkehrte Streben nach einer der Kirche nicht zustehenden Herrschaft sie nur in stets wachsende Knechtschaft führen mußte *). Die Anhänglichkeit der eifrigen Franziscaner an die joachimitischen Schriften erhöhete zu Rom und Avignon, dem Sitz der Franzosen-Päpste, den Unwillen, und das Mißtrauen, die man gegen die Spiritualen empfand. Nun kamen gar noch die Schriften und Weissagungen des Minoriten Peter Johann von Oliva zu Béziers hinzu; dieser spann Bonaventura's Deutungen noch weiter aus und beschrieb den römischen Stuhl als das Haupt der fleischlich gewordenen Kirche und als das Weib der Unzucht, mit welchem die Könige der Erde buhlten. Diese und ähnliche aus dem Schooße der Spiritualen hervorgegangenen Schriften, wie die des Ubertino von Casale und Anderer verbreiteten sich im Volke. Dafür ließ Johannes XXII. die Angehörigen des Ordens die ganze Schwere seines mit der Inquisition bewaffneten Armes fühlen; die Handhabe bot sich von selbst in der Opposition der Minoriten gegen die neueren päpstlichen Entscheide in Sachen der Armuth Christi. Die Spiritualen lieferten nun den Fraticellen die Recruten ganz von selbst. Ueberzeugt, daß ein rechtmäßiger Papst unmöglich eine feierliche, für die ganze Kirche gegebene dogmatische Entscheidung eines seiner Vorgänger umstoßen könne, schlossen sie nun folgerichtig, daß Johann XXII. kein wahrer und legitimer Papst, sondern ein Usurpator sei. Die Inquisitoren, denen dieser sie überlieferte, waren zum Theil aus der laxeren Partei der Minoriten selbst, theils aus dem Dominicaner-Orden, also hier wie dort den geborenen Feinden ihrer so weit getriebenen Armuths-Ideale, genommen. Der General des Ordens, Michael von Cesena und der größte seiner Theologen, Wilhelm Occam, ein Engländer, retteten sich aus der sie bereits umgarnenden Verfolgung durch die Flucht zu dem kaiserlichen Gegner des Papstes, Ludwig dem Baier. Allein in der Zeit von 1316 bis 1352 wurden 114

---

*) Genaueres hierüber ist nachzulesen in: „Der Weissagungsglaube und das Prophetenthum in der christlichen Zeit" von J. v. Döllinger. („Historisches Taschenbuch" von W. H. Riehl, 41. Jahrgang. Leipzig 1871.)

Spiritualen und Fraticellen den Flammen geopfert, als Martyrer der evangelischen Armuth und — der päpstlichen Unfehlbarkeit. Diese letztere sollte sich aber noch herrlicher offenbaren als in den bisher erwähnten Stuhlsprüchen: die Schriften Johann's von Oliva, des Theologen und Propheten der Minoriten, die Johann verdammt hatte, die so lange vor den Inquisitions-Tribunalen für ketzerisch gegolten, die so manchen frommen Franziscaner auf die Folter und den Holzstoß gebracht hatten — diese Schriften wurden auf Befehl Sixtus' IV. (1471 bis 1484) neuerdings geprüft und für recht-gläubig erklärt.

Naturgemäß theilten sich die ketzerischen und papstfeindlichen Anschauungen der Fraticellen auch Denjenigen mit, welche, Geistliche und Laien, Männer und Frauen, nach der Regel des h. Franz in der Welt lebten, den Mitgliedern des sogenannten „dritten Ordens", den Tertiariern; von diesen aus fanden sie dann Boden auch in dem übrigen Theil der Gemeinden. Diese Leute suchten ihr Papst-Christenthum mit den Widersprüchen in den Papst-Decreten auf eigenthümliche Art zu versöhnen. Sie lehrten, nach Nicolaus III. sei die päpstliche Würde von einem Engel in den Himmel genommen worden; nur Cölestin V. habe sie noch einmal inne gehabt. Von da an gebe es weder Papst, noch wahre Prälaten, noch wahre Priester mehr, außer unter ihnen. Eine kleine Gemeinde dieser von den „Völkerhirten" confus gemachten Seelen — fünf Bighinen und dreizehn Weiber — hat, laut dem Berichte des Jordanus, in der Peterskirche sich sogar einmal einen eigenen Papst gewählt, den Minoritenbruder Matthäus de Bosicis aus der Provence. So blieben denn die Inquisitoren in Thätigkeit und die Scheiterhaufen am Brennen. War während der Zeit, daß die Päpste zu Avignon residirten (von 1305 bis 1378) ein nachhaltiges Einschreiten gegen die Ketzer in Italien minder thunlich gewesen, so wurde doch selbst ein zeitweiliger Besuch in Rom zu diesem Zwecke stets gut ausgenützt. Versäumt wurde übrigens zu keiner Zeit Etwas. Im Jahre 1335 beauftragte Benedict XII. den Inquisitor der Mark Ancona, seines Amtes hinsichtlich der dort besonders zahlreich ansässigen „Secte der Fraticellen oder Brüder des armen Lebens" zu walten. Desgleichen schrieb im Jahre 1354 Papst Innocenz VI. dem Erzbischof von Capua, er möge die „sogenannten Fraticelli" seiner Diöcese aufspüren und ausrotten lassen. Urban V. schickte im Jahre 1368, kaum nach Rom zurückgekehrt, Commissare und Inquisitoren gegen die „unter dem Namen Fraticelli verdammten Häretiker", was in Perugia und Spoleto Unruhen veranlaßte. Ein Chronist erzählt ganz trocken von Urban V. bei diesem zweijährigen Aufenthalte zu Rom: Er ließ die Häupter der Apostel Petrus und Paulus mit großem Gepränge nach dem Lateran übertragen, wo sie in zwei silbernen Behältnissen beigesetzt wurden; auch ließ er „einige Fraticelli, die vom katholischen Glauben abwichen, während er in Rom war, in der Stadt mit Feuer verbrennen". Im Jahre 1426 schrieb Martin V. bei der Gelegenheit, daß er auf's Neue zwei Inquisitoren gegen die Fraticellen aussandte, darunter den Johann von Capistran: er habe vernommen, wie in vielen Gegenden eine häretische Secte, fraticelli della opinione geheißen, unter dem Deckmantel der Heiligkeit ihr Unkraut ausstreue. Was das heißt, wissen wir: es war ja auch natürlich; daß die streng und ehrbar lebenden Fraticellen für ihre papstfeindlichen Ansichten Angesichts der Versumpfung der kirchlichen Hierarchie reichlich Boden fanden. Unter Nicolaus V. (1447 bis 1455) mußte die römische Curie wider ihre Gegner kein besseres Mittel, als daß sie die weltlichen Fürsten wieder einmal zu einem Kreuzzug aufbot. Das räumte allerdings besser auf als die vereinzelten Verbrennungen. Als kleine Compensation wurde im Jahre 1458 der Inquisitor Angelus, ein Camaldulenser, vom Volke erschlagen. Die Verfolgung erstreckte sich um diese Zeit weit über Italien hinaus, nach Deutschland, Belgien, Frankreich, England, Böhmen u. f. w., was die allgemeine Verbreitung auch dieser Secte beweist. Mosheim berichtet nach handschriftlichen Quellen, daß im Jahre 1454 in der Umgegend von Toulouse viele Fraticellen verbrannt worden seien.

Unter Paul II. wurde im Jahre 1466 vom 11. August ab ein großer Inquisitions-Proceß zu Rom gegen Fraticellen verhandelt, welche man ganz in der Nähe, zu Poli bei Tivoli, aufgehoben hatte. Die Acten darüber sind aus der Engelsburg, wo der Proceß geführt worden zu sein scheint, in die Vaticanische Bibliothek überbracht und 1843 von Albert Dressel in lateinischem Urtext zu Leipzig veröffentlicht worden; der Herausgeber irrt aber darin, daß er die Processirten für eine besondere Secte hält und die Benennung fraticelli de opinione wörtlich mit „Wahnbrüder" übersetzt. Durch den Zusatz: „de opinione" sollten sie von den übrigen Spiritualen unterschieden werden, deren Ketzerei sich auf das Festhalten an der strengsten Armuth Christi beschränkte. Diese letzteren hielten an der Hierarchie fest und halfen sich über die Widersprüche hinweg mit der Fiction, daß der Papst Johann XXII. noch vor seinem Tode Alles wieder zurückgenommen habe, was er im Gegensatz zu Nicolaus III. und Cölestin V. decretirt hatte, oder sie hielten im Glauben fest an den dogmatischen Entscheidungen Nicolaus III., aber mit beigefügter Versicherung ihres Gehorsams unter den Willen Johann's XXII. und seiner ihm gleich entscheidenden Nachfolger. Mit dem Beisatze „de opinione" oder „de opinione dampnata" bezeichnete man Diejenigen, welche „der verfluchten Meinung" waren, mit der Hierarchie sei es Nichts mehr. Der römische Stadtschreiber Stefano Infessura schreibt in seinem Diarium der Stadt Rom zum Jahre 1467 wie folgt:

„Am 8. Juli wurden von Poli acht Männer und sechs Frauen nach
Rom geführt, welche, wie man sagte, Ketzer und von der Opinion
seien, weil sie nicht an den Papst glaubten; sie wurden auf Aracöli
geführt und hier wurde ein Gerüste nach dem Platze auf dem Ca-
pitolium hin aufgeschlagen und auf dieses wurden sie mit der papiernen Mütze auf dem Kopfe hingestellt und der Vicarius des Papstes
mit fünf andern Bischöfen hielt ihnen eine Predigt, um sie zu bekehren." Das Urtheil über diese Ketzer, unter welchen sich neben
einem sechszehnjährigen Knaben und siebzigjährigen Frauen auch ein
Bischof der Secte befand, lautete für die Mehrzahl auf Verbannung;
ihr Haupt, Stefan Conti, wurde in der Engelsburg eingekerkert; das
Haus einer gewissen Maria Stallioni mußte demolirt, die Gebeine
des Bischofs Michael aus Florenz, der einem der jetzt Angeklagten
in diesem Hause die Priesterweihe ertheilt hatte, ausgegraben und
verbrannt werden, nachdem er zwei Jahre vorher gestorben war.
Bei Paul II. war die Grausamkeit ausnahmsweise nicht der Sinnlichkeit zugesellt. Die Irrthümer, welche den vierzehn Ketzern Schuld
gegeben und auf welche sie inquirirt worden sind, waren: 1. Papst
Johann XXII. sei wahrhaft und zweifellos ein Ketzer gewesen; er
habe, soweit dies in seiner Macht gelegen, alle evangelische Vollkommenheit aufgehoben, auch wie aus seinen Constitutionen erhelle, eine
Menge Ketzereien gestiftet. 2. Alle Päpste, welche nach Johann XXII.
zu dieser Würde erhoben worden, seien Ketzer gewesen, weil sie die
Constitutionen desselben nicht verdammt, sondern aufrecht erhalten
hätten. 3. Daß sie sich für verpflichtet hielten, sich von den Papst-
gläubigen, weil diese Ketzer seien, zu trennen. 4. Daß es ihnen
zukomme, über den Papst zu urtheilen und ihn zu richten. 5. Daß
sie behaupteten, der Papst treibe Simonie bei der Verleihung von
Beneficien. 6. Die Priester, welche sich für's Messelesen Geld geben
ließen, machten sich ebenfalls der Uebertretung von Christi Wort
schuldig: „Umsonst habt ihr's empfangen, umsonst gebet es." 7. Den
römischen Priestern brauche man nicht zu beichten, weil sie nicht von
den Sünden lossprechen könnten — im Herzen müsse man beichten.
8. Ein Priester, der in der Sünde lebe, habe keine geistliche Gewalt. 9. Nur sie wandelten auf dem wahren Wege der Armuth
Christi und der Apostel. 10. Der Gehorsam, den der Papst, die
Bischöfe u. s. w. verlangten, sei von Christus nicht auferlegt. 11.
Nur die Liebhaber der Armuth seien Christi wahre Jünger. 12. Die
Excommunicationen und geistlichen Strafen des Papstes seien nicht
zu fürchten. 13. Sie schätzten die Ablässe, welche von den Päpsten
verliehen würden, gering, und legten nur Werth auf den Portiun-
cula-Ablaß des h. Franz von Assisi.

Nun, auch diesen einfältigen frommen Seelen hat man bei dem
Processe arge sittliche Ausschweifungen Schuld gegeben. „Die Kritik

aber", bemerkt A. Dreſſel im Vorwort zu ſeinem Abdruck der Acten, „wird ſich dabei auf Plinius und ſeine einſeitige Charakteriſtik der alten Normal-Chriſten (Epp. 10, 97) beſinnen." Es iſt in der That bemerkenswerth, daß die Anklagen, welche in dieſer Beziehung gegen ſie geltend gemacht wurden, im großen Ganzen dieſelben waren, welche gegen die erſten Chriſten erhoben werden, nämlich die Beſchuldigung der Thyeſtes-Mahlzeiten und der Oedipodianiſchen Vermiſchung*). Die Zuſammenkünfte, in welchen dieſe Dinge vollführt worden ſein ſollen, werden in den Acten „Barilotto" = Fäßchen, Tönnchen genannt. Die meiſten Inquiſiten geſtanden ein, daß ſie den Lehren gehuldigt, die man ihnen, wie oben ſkizzirt, vorgehalten, und widerriefen, ſtellten aber alles Weitere in Abrede, ſelbſt wenn ſie ſich auf der Folter momentan dazu bekannt hatten.

Von Intereſſe iſt noch von den Ausſagen des zuerſt verhörten, in Poli zum Prieſter geweihten Minoriten Bernhard von Pergano, daß den Fraticellen zu Athen das Kloſter St. Maria gehörte, denn dort war er in den Orden eingetreten, zu Theben das Kloſter des h. Franz, zu Succamini das des h. Gregor, ein viertes zu Nalta in der Diöceſe von Athen. Zu dieſer Zeit langte Roms Arm ſchon weniger kräftig in den Orient, als noch anderthalb Jahrhundert früher, wo es nicht ganz ohne Erfolg verſuchte, ſeine neuen KetzerGeſetze auch gegen die getrennten Griechen in Anwendung zu bringen, ſo daß im Jahre 1225 auf der Inſel Cypern dreizehn Mönche der Anatoliſchen Kirche verbrannt wurden, weil ſie die Communion mit

---

*) Außer dieſen Andeutungen wollen wir doch zur Erheiterung eine kleine Probe des Blödſinns geben, welcher laut den von A. Dreſſel publicirten ProceßActen von den Inquiſitoren gegen die Fraticellen von Poli ausgeheckt worden iſt — leider müſſen wir's im Urtext laſſen. „Item, quod inquiſiti praedicti una cum aliis masculis et feminis dictae sectae in unum coadunati in aliqua eorum ecclesia seu syngoga et loco magnum ignem aliquando accenderunt, et in medio eorum circulum fecerunt, et unum puerum inter eos natum, in adulteriis praedictis genitum, ceperunt, et circum dictum ignem de uno ad alium duxerunt (d. h. ſie warfen ſich das Kind im Kreiſe herum gegenſeitig zu, wie ſpielende Kinder den Ball), usque quo mortuus et desecatus extitit. Et deinde ex illo pulveres fecerunt, et in uno flascone vini posuerunt, et, functa eorum perversa missa, omnibus in illa et in illi interessentibus de hujusmodi vino, loco sacratissimi Christi corporis et verae communionis, ad bibendum semet praebuerunt et dederunt, praebereque et dare consueverunt in verae fidei et observationum et consuetudinum laudabilium sanctae matris Ecclesiae vilipendium ac contemptum." Ein gewiſſes Kirchenlicht, Namens Prateolus, dem wir ein lateiniſches Regiſter der Ketzereien verdanken, erzählt daſſelbe Schauermärchen, fügt aber zur Krönung des Lügengebäudes noch bei, derjenige, in deſſen Hände das Kind endlich todt angekommen ſei, habe den Fraticellen als — Papſt gegolten. Man berufe ſich, um ſolchem Wahne einen ſcheinbar realen Boden zu geben, nicht auf das Geſtändniß dieſes oder jenes Gefolterten — was haben die Hexen auf der Drehbank nicht alles „eingeſtanden"!

ungesäuertem Brode zurückwiesen. Sie wurden selbstverständlich im ganzen Orient als Märtyrer gefeiert. Das ist eine der Thatsachen, die beweisen, daß Rom in seinem Größen-Wahnsinn damals Alles darauf anlegte, den Griechen jede Neigung zur Wiedervereinigung mit der römischen Kirche fern zu halten.

Es liegt in der Natur der Sache, daß die Inquisitoren in den ersten Zeiten ihrer Thätigkeit keine langathmigen Protocolle über ihre Processe abfaßten, und auch die kurzen Aufzeichnungen, welche sie machten, blieben bei den mittelalterlichen Zeitläuften nur selten lange erhalten; vielfach werden sie von den Dienern des h. Officiums selbst bei Seite geschafft worden sein, sei es, um sie dem prüfenden Blicke eines dem geistlichen Gerichte abgeneigten Stadt-Gouverneurs zu entziehen, oder sei es, um einer gegen die Ketzer-Jäger erhitzten Volksmenge nicht weiteren Zündstoff zu liefern. Wir müssen uns also für die ältere Zeit unserer Geschichte an den durch günstige Zufälle bewahrten einzelnen Notizen genügen lassen, so zusammenhanglos und bruchstückartig dieselben auch sein mögen.

Schon im 12. Jahrhundert spukte am Niederrhein eine Secte, deren Mitglieder sich die „Apostolischen" nannten. Es waren Bauern, Handwerker u. s. w. Sie wollten, wie ihr Name schon andeutet, die Lebensweise der Apostel nachahmen, arbeiteten und beteten gemeinschaftlich, hielten den Eid für unerlaubt, lebten im Cölibat, wobei sie jedoch Frauen als „Gefährtinnen" mit sich herumführten. Der Abt Everwinus von Steinfeld bei Köln hat dem h. Bernhard von Clairvaux Mittheilungen über diese Secte gemacht und ihm dabei erzählt, daß zwei ihrer Anführer in Köln vom Volke wider den Willen der Geistlichkeit verbrannt worden seien. Dieses Bestreben des Steinfelder Abts, die Geistlichkeit von dem Morde rein zu waschen, ist nun freilich lächerlich Angesichts der von der ganzen Weltgeschichte gepredigten Thatsache, daß das Volk nie und nirgendwo aus sich selbst fanatisch ist, sondern immer erst von seinen Seelenhirten fanatisch gemacht wurde; überall lassen sich die Unthaten, die, wie so manche Judenverfolgungen scheinbar aus der Initiative der Massen hervorgegangen sind, auf vorherige Aufstachelungen des Klerus und die Art, wie dieser das Evangelium deutelte und für seine Interessen ausnützte, zurückführen. Aber Eins wird durch die versuchte Mohrenwäsche des Everwinus doch in's Licht gestellt, das nämlich, daß die Verbrennung der zwei „Apostoliker" eine That gewesen ist, deren sich zu schämen man Ursache hatte; die „Apostolischen" waren eben weniger gottlos als der römischen Priesterschaft hinderlich.

Solche, die sich „Apostolische" nennen, begegnen uns im 13. Jahrhundert auch in Italien; hier standen aber diese Apostelbrüder offenbar im Zusammenhange mit dem Streite der Spiritualen gegen das Papstthum. So erschien ein gewisser Giraldi Segarelli, im Herzogthum Parma von Eltern niederen Standes geboren, um's Jahr 1270 in der Hauptstadt. Er hatte, wie ein unter den Papieren des Cardinals Sabelli, eines „General-Inquisitors der Christenheit", aufgefundener Bericht meldet, Alles verkauft, was er besaß, und vertheilte nun in Parma den Erlös davon unter die Armen. Darauf begann er ihnen zu predigen. Sein Anhang scheint schnell gewachsen zu sein, so daß seine Agitation für die öffentliche Ruhe gefährlich erschien; er wurde eine Zeit lang im bischöflichen Palaste gefangen gehalten und dann aus der Stadt verwiesen. Er kehrte aber heimlich zurück und begann sein „apostolisches" Werk auf's Neue. In den Inquisitions-Acten wird seine Lehre wie folgt zusammengefaßt:

Die römische Kirche hat die von Jesus Christus ihr verliehene Autorität wegen der Schlechtigkeit ihrer Prälaten vollständig eingebüßt. Die vom Papst, den Cardinälen, Priestern und Mönchen regierte Kirche ist nicht die Kirche Gottes, sondern ein verworfenes, unnützes Menschenwerk. Die ihr anfänglich verliehene Autorität ist auf die „Apostolischen" übergegangen, eine geistige Gemeinschaft, welche Gott in diesen Tagen erweckt hat, damit die christliche Kirche so ihren Fortbestand habe. Er, Giraldi Segarelli, habe vom Himmel den Auftrag empfangen, die Kirche zu ihrer ursprünglichen Reinheit zurückzuführen. Die Kirche der „Apostolischen" sei die einzige Kirche, welche die Kirche der Apostel darstelle; sie schuldeten weder dem Papste noch sonst Einem Gehorsam, denn sie hätten ihr Gesetz von Christus — das Gesetz der Freiheit und eines vollkommenen Lebens. Der Papst könne sie nicht zwingen, ihre Gemeinschaft zu verlassen, noch stehe es in seiner Gewalt, sie aus der christlichen Gemeinschaft auszuschließen. Der Eintritt in ihre Gemeinde stehe Jedem frei, dem Weibe ohne Einwilligung des Mannes und dem Manne ohne Einwilligung seines Weibes; nicht der Papst könne in einem solchen Falle die Ehe lösen, wohl aber sie, wenn dies der zu ihnen haltenden Hälfte derselben zum Heile sei. Wer ihrer Gemeinde zugehöre, der begehe eine Todsünde, wenn er sich von ihr trenne; außerhalb ihrer sei kein Heil. Wer ihre Gemeinde verfolge, der versetze sich dadurch in den Stand der Verdammniß. Und wäre der Papst so heilig wie Sanct Peter selber — die Gewalt zur Sündenvergebung habe er doch nicht. Sämmtliche Päpste und sonstige Kirchenvorsteher seit den Tagen Silvester's (314 bis 337) seien Betrüger gewesen und das ganze hierarchische Wesen sei ein Unwesen, das dem wahren Glauben an Christus nur Abbruch gethan habe. Die Laien sollten den Prälaten keine Zehnten bezahlen, bis sie wieder einmal so arm geworden wären wie die Apostel. Es mache den Menschen nicht vollkommener, wenn er die Mönchs-Gelübde ablege. Gott könne überall besser verehrt werden als in einer Kirche. Es solle Niemand schwören, auch wenn er von einem Inquisitor zu einem Eide aufgefordert werde.

Die üblichen Beschuldigungen der Immoralität in Theorie und
Praxis fehlten Seitens der Inquisition natürlich auch bei Giraldi
Segarelli nicht; im Grunde war aber doch das seine Hauptschuld,
daß er die Heiligkeit der römischen Kirche und die von ihr angemaßte
Gewalt über die Seelen bestritt und dafür wurde er am 18. Juli 1300
zu Parma lebendig verbrannt.

Sieben Jahre später ergab sich in Ober-Italien ein Anlaß die
„Apostolischen" im großen Stile zu bearbeiten, und ihnen den Gedanken an
einen zu erwartenden „Papa angelico", einen Papst, der einmal Friede
und Eintracht stiften, die Kirche reinigen und zur Jugendfrische zurückführen werde, gründlich auszutreiben. Diese Erwartung war das
italienische Seitenstück zu dem in Deutschland ersehnten und gehofften
Friedrich. Seit dem großen Interregnum, der Zeit nach dem Tode
Konrads IV. bis zur Wahl Rudolf's I. (1254 bis 1273), während
welcher Zeit kein eigentliches Oberhaupt an der Spitze des Reiches
stand, verdichteten sich die Hoffnungen, Wünsche und Bedürfnisse der
deutschen Stämme zu der Idee von einem starken, hochmächtigen
Kaiser, welcher das zerfallene Reich wieder aufrichten, das übermüthig
und despotisch gewordene Papstthum demüthigen und dem Klerus die
ebenso maßlosen, wie schlecht verwendeten Reichthümer abnehme.
Daß das geschehe, hielt man für so nothwendig, daß man gar
nicht zweifelte, es werde geschehen. Wie lange glaubte man noch
in Deutschland, daß Friedrich II. nicht gestorben sei! wie mancher
falsche Friedrich konnte, auf die Volksgunst bauend, Anspruch auf
die Kaiserkrone erheben! Als einer dieser falschen Friedriche im Jahre
1289 zu Wetzlar verbrannt wurde, hieß es im Volke: man habe
seine Gebeine in der Asche nicht gefunden; es komme von Gottes
Kraft her, daß Kaiser Friedrich lebe und die Pfaffen vertreiben solle.
Als die Hoffnung auf den noch fortlebenden Friedrich II. endlich
erloschen war, trat die Weissagung an ihre Stelle und verhieß das
Kommen eines dritten Kaisers Friedrich. Diese Prophezeiung lief
über ein Jahrhundert in den mancfaltigsten Gestalten um und wurde
auf den früher genannten Abt Joachim von Fiore zurückgeführt.
Der Name Friedrich wurde dadurch bedeutungsvoll, und wer als
Fürst ihn führte, erregte die Hoffnung, daß er bestimmt sei, das
Werkzeug einer großen und glückbringenden Veränderung zu werden.
Früher war es ein Friedrich aus dem „Morgenland", den man er-
wartete, wozu Friedrich's II. natürlicher Sohn, der „Friedrich von
Antiochien" genannt wurde und im Jahre 1258 starb, Anlaß gegeben
zu haben scheint. Später harrte man einfach eines „Friedrich" oder
Friedrich's des „Dritten" dieses Namens, als des „Adlers, der seine
Flügel ausdehnen werde von Meer zu Meer bis an die Grenzen der
Erde." Durch ihn, oder doch unter seiner Herrschaft sollten Papst
und Curie gefangen, zerstreut, beraubt, und, wenn sie Widerstand

leisteten, sogar getödtet werden. Selbst in den Bekenntnissen, welche südfranzösische Katharer im Jahre 1321 vor den dortigen Inquisitoren ablegten, wird die von ihnen gehegte Erwartung erwähnt, daß der dritte Friedrich aufstehen, ihre katharische Kirche erweitern und beschützen, dagegen den Klerus und die römische Kirche niederdrücken werde.

Ein solcher Prophet des dritten Friedrich erhob sich im Jahre 1307 zu Mailand. Er hieß Dolcino, sein Weib Margarita. Er hatte sich an die Spitze eines den Minoriten nachgebildeten Bettel-Ordens gestellt, mußte aber aus Mailand wegfliehen; an 6000 Anhänger zogen ihm nach in das Hügelland zwischen Novara und Vercelli. Von seinem dortigen Schlupfwinkel aus schickte er seine prophetischen Briefe durch's Land. Er verkündete, es sei ihm geoffenbart, daß Friedrich von Aragonien zur römischen Kaiserwürde berufen, sofort ein allgemeines Blutbad über den gesammten Klerus und alle geistlichen Körperschaften verhängen werde. Darauf werde ein heiliger Papst erhoben werden, in dessen Tagen die Apostelbrüder völlige Freiheit genießen und die ganze Erde zu dem neuen ewigen Evangelium der vollständigsten Armuth werde bekehrt werden. Dolcino hatte das Eintreffen dieser Ereignisse so nahe gesetzt, daß er sehr bald die thatsächliche Widerlegung seiner Weissagung erlebte. Das machte ihn jedoch in seinem guten Glauben nicht irre: in seiner nächsten Wander-Epistel rückte er den Termin um ein Jahr hinaus. Nun ließ der General-Inquisitor eine Meute von Kreuzfahrern auf ihn los. Jetzt setzte Dolcino sich, das Schwert in der Hand, zur Wehr; mit 1400 seiner Anhänger verschanzte er sich auf einem Berge im Gebiete von Vercelli. Es entspann sich ein mit aller Grausamkeit jener Zeit geführter Krieg, in welchem die Apostelbrüder schließlich unterlagen. Ihrem Haupte Dolcino und seinem Weibe Margarita wurde auf Befehl der Inquisitoren Glied vor Glied vom Leibe gerissen und die Stücke dann auf dem Scheiterhaufen verbrannt. Nun folgte die Nachlese durch's Land mittelst eines neuen Kreuzzugs auf Befehl Clemens' V., der jedem Theilnehmer vollkommenen Ablaß gewährte. Bischöfe und Dominicaner arbeiteten gemeinsam an der Ausrottung der „falschen Apostolischen" — so nannten diese Jäger vor dem Herrn ihr Wild — und die vereinten Kräfte wirkten. Die weithin zerstreuten Anhänger Dolcino's blieben freilich fest in den Glauben an den kommenden Kaiser, der das Gottesgericht über den weltkargen Klerus vollstrecke, und an den dann auf Petri Stuhl gelangenden heiligen Papst, aber es wurden ihrer doch weniger und weniger. Fünfzehn Jahre nach dem Tode des Propheten wurden noch auf einmal ungefähr 30 Dolcinisten auf dem Marktplatze zu Padua lebendig verbrannt.

Trotz Allem — es war als ob die Ketzer aus dem Boden

wüchſen. War die eine Gemeinſchaft von Böſewichtern, die dem Papſte Waſſer miſchten in ſeinen Wein, ſcheinbar unterdrückt, ſo hatte ſich daneben eine andere, umfaſſendere aufgethan. Je kräftiger man verfolgte, um ſo mehr wuchs die Zahl der Unzufriedenen. So gab es immer Solche, die den Häreſiarchen Gehör liehen, wie es immer welche gab, die vor Begierde brannten, der von dem läſterlichen Rom beanſpruchten geiſtigen Tyrannei Widerſtand entgegenzuſetzen. Eine Bulle des Papſtes Johann (d'Euſe aus Cahors) der XXI. oder XXII. dieſes Namens, je nach dem man den beſtrittenen XX. mitzählt oder nicht, richtete unterm 21. Auguſt 1326 eine Bulle an den Bruder Lambert aus dem Prediger-Orden, den zeitigen Inquiſitor in der Lombardei, in welcher er darauf hinweiſt, daß Alle, ſowohl Kleriker wie Laien revoltirten und ſich mit ausgeſprochenen und verurtheilten Ketzern in Genoſſenſchaften und Verbindungen, in Liguen und Intriguen einließen, ſie mit Rath und That unterſtützten und ſo ſelbſt ſchweren Verdacht der Häreſie auf ſich lüden. Der Papſt gebietet dem Lambert gegen Alle, die offenbar ſchuldig oder verdächtig ſeien, nach den canoniſchen Geſetzen vorzugehen und ſich, damit keiner der ihm gebührenden Strafe entgehe, aller Privilegien ſeines Amtes zu bedienen. Auch in Sicilien, wo in dem voraufgegangenen Jahrhundert ſo gut aufgeräumt worden war, ſcheinen die Schatten der damaligen Ketzer noch umgegangen zu ſein, denn Gregor IX. ſpendet in einem ſeiner Briefe vom Jahre 1375 der Stadt Palermo hohes Lob, daß ſie ihrem Inquiſitor, Simon Pureano, ein Jahres-Gehalt von 20 Unzen Gold ausgeſetzt habe. Derſelbe Papſt drängte den Biſchof von Turin, einer neuen Secte, die ſich in deſſen Diöceſen breit machte — Gregor nennt ſie „Bricaraxii" — ein raſches Ende zu bereiten. Ehe es dazu kam, wurde zuvor noch dem Turiner Inquiſitor, dem Bruder Antonio vom Dominicaner-Orden, einem in Stadt und Land, als Prediger wie als Glaubensprüfer hochberühmten Manne „ein raſches Ende bereitet." Als dieſer am Sonntage nach Oſtern des Jahres 1375, nachdem er gepredigt und Meſſe geleſen, aus der Kirche trat, umringte ihn eine Schaar von zwölf Männern, deren jeder ihm ſeinen Dolch in den Leib ſtieß. Er blieb todt auf dem Platze liegen. Kaum zwei Monate vorher war ein Inquiſitor zu Suſa, am Fuße des Mont-Cenis umgebracht worden. Die Folge derartiger Gewaltthaten war aber in der Regel ein verſtärkter Druck auf die betreffende Gegend, indem ſie dem Papſte und ſeinen Inquiſitions-Geſellen den Vorwand zur Anwendung ſtrengerer Mittel an die Hand gab. Reagirende Selbſthülfe gegen klericale Gewaltthat wurde ja immer als ſpontane Niedertracht gebrandmarkt.

Im Uebrigen war, wie J. Burckhardt in ſeiner „Cultur der Renaiſſance" es ausdrückt, die Machtübung, welche ſich fortwährend der Pater Inquiſitor eines Dominicaner-Kloſters über die betreffende Stadt erlaubte, im ſpätern 15. Jahrhundert gerade noch groß genug, um die Gebildeten zu geniren und zu empören, aber eine dauernde Furcht und Devotion ließ sich nicht mehr erzwingen. Bloße Gesinnungen zu strafen wie vor Zeiten war eben nicht mehr möglich und vor eigentlichen Irr-lehren konnte sich auch Derjenige leicht hüten, der sonst gegen den gesammten Klerus als solchen die loseste Zunge führte. Wenn nicht eine mächtige Partei mithalf, (wie bei Savonarola) oder böse Zauberei bestraft werden sollten, (wie öfter in den oberitalienischen Städten), so kam es am Ende des 15. und zu Anfang des 16. Jahrhunderts nur noch selten bis zum Scheiterhaufen. In mehrern Fällen be-gnügten sich die Inquisitoren, wie es scheint, mit höchst oberflächlichem Widerruf; andere Male kam es sogar vor, daß man ihnen den Delinquenten auf dem Gange zum Richtplatze einfach aus den Händen nahm.

Neuntes Kapitel.

Der hat's gewagt — so ging' es allenfalls!

Gegen Ende Juni des Jahres 1300 erschien der Dominicaner-Mönch Nicola d'Abbeville, der Inquisitor des Districts von Carcassonne, vor dem Kloster der Minoriten dieser Stadt und begehrte Einlaß. Zu diesem Verlangen war er berechtigt. Früher wurden die Inquisitoren vom Papste selbst ernannt; eine Bulle Innocenz' IV. vom Jahre 1245 aber hatte dem Dominicaner-General die Befugniß ertheilt, die Inquisitoren seines Ordens auf ihre Posten zu ernennen und von denselben abzuberufen. Als Verzichtleistung Seitens des Papstes auf ein ihm zustehendes Recht sollte das nicht gelten, sondern nur als die Uebertragung desselben; die von dem General der Prediger ernannten Inquisitoren galten nach wie vor als Abgesandte des Papstes: „a sede apostolica deputati". Wenn also Nicola d'Abbeville an Bernhard Raymond, den Guardian des Carcassonner Minoriten-Klosters, das Ansinnen stellte, ihn in das Haus einzulassen, so that er dies als päpstlicher Delegat. Nichtsdestoweniger blieb ihm die Pforte verschlossen.

Als Zwillinge waren der Dominicaner- und der Minoriten-Orden in's Leben getreten, einträchtig standen sie zusammen Hand in Hand wie die Zwillinge im Kalender, wenn es galt, die Diöcesan-Bischöfe um ihre ordnungsmäßigen Rechte zu Gunsten der Möncherei zu verkürzen, wo sie sich aber sonst miteinander zu schaffen machten, war's, um sich als neidische Concurrenten zu befehden. Sie zankten sich — und zwar aus reinem Corpsgeist — über den Aristoteles und zankten sich über die „unbefleckte Empfängniß". Der Minorit Johannes Duns, zubenamt „der Schotte", brachte es ja durch eine im Jahre 1304 zu Paris gegen die Dominicaner gehaltene Disputation dahin, daß die dortige „Universität" Jeden von den akademischen Würden ausschloß, der nicht eidlich versprechen wollte, die uranfängliche Makellosigkeit der h. Jungfrau von der Erbsünde zu vertheidigen.

Ein Dominicaner also, der in ein Minoriten-Kloster einbringen
wollte, konnte nichts Gutes im Schilde führen, das war unserem
Guardian Bernhard Raymond sofort klar. Nicola d'Abbeville aber
bestand auf seiner Forderung und berief sich auf seine Rechte als
„Apostolischer Commissar". Der Guardian wollte jedoch in diese
Rechte nicht die gehörige Einsicht haben, denn „das Kirchenrecht sei
nicht sein Fach." „So ruft den Bruder Syndic herbei, der wird's
verstehen," hieß ihn der Inquisitor. Der Bruder Syndic erschien
und fragte den Inquisitor nach der Veranlassung dieses auffälligen
Besuchs. Nicola d'Abbeville gibt freimüthigen Aufschluß: Auf einer
neulichen Reise nach Italien hat er auch mit dem Papst Bonifaz VIII.
verkehrt; dieser hat ihn beauftragt, Nachforschungen zu halten über
einen gewissen Castel Fabri, einen kürzlich verstorbenen sehr reichen
Einwohner von Carcassonne, der beschuldigt ist, gegen das Ende
seines Lebens mit Leuten verkehrt zu haben, welche im Geruche der
Ketzerei standen. Castel Fabri nun war mit den Minoriten von Carcassonne eng befreundet, er starb in ihren Armen und wurde auf
ihrem Friedhofe begraben. Er komme daher Diejenigen zu verhören,
welche bei dem Tode und der Bestattung anwesend waren; es müsse
sich dann ja herausstellen, ob das, was dem Papste von der Ketzerei
des Fabri zu Ohren gekommen sei, — zu Ohren gekommen natürlich durch den minoriten-feindlichen Dominicaner Nicola d'Abbeville
selbst, dessen ganze Reise nach Italien vielleicht keinen anderen Zweck
hatte — sich in Wirklichkeit so verhalte.

Der Bruder Syndic erkannte den Ernst der Sachlage sofort:
einen Ketzer begraben, hieß nach den päpstlichen Gesetzen sich selbst
der Ketzerei schuldig machen. War also Castel Fabri das, als
was der Inquisitor ihn dem Papste dargestellt hatte, so konnten die
sämmtlichen Minoriten von Carcassonne dem Banne verfallen. Vom
Bruder Syndic herbeibeordert, erschien nun auch der Bruder Lector
des Klosters, Bernhard Delicieux. „Lector" bedeutet so viel als
Professor; Bernhard Delicieux war also der theologische Gelehrte des
Hauses, der die Novizen zuschulte. Bernhard Delicieux war zu Lebzeiten Castel Fabri's dessen Vertrauter gewesen. Als er hört, von
was es sich handelt, ist er sofort mit ganzer glühender Seele bei der Sache.
„Und ob er den Castel Fabri gekannt hat! Gewiß! Das war ja
einer der besten, liebevollsten Menschen, ein Musterbild an Sitten-
reinheit und dabei ein sehr guter Katholik. Er, Bernhard Delicieux,
hat freilich auch schon gehört, wessen man Fabri beschuldigt; aber
deshalb ist er ja Ende des verflossenen Monats, als die Dominicaner zu Marseille ein General-Capitel ihres Ordens abhielten, dort
hingereist, um die Nichtigkeit der Gerüchte, die man von einigen
Kanzeln über den Verstorbenen ausgesprengt hat, darzuthun. Aber
man hat ihn nicht hören wollen. Hat man sich jetzt eines Bessern

besonnen — wohlan! er ist bereit, Aufschluß zu geben. Der Bruder Nicola vom Orden der Prediger mag nur Tag und Stunde bestimmen und er, Bernhard Delicieux, wird sich einfinden, um die Sache Castel Fabri's zu führen. Der Einlaß des Herrn Inquisitors in's Minoriten-Haus würde aber zu Nichts helfen; was er dort von Fabri's Leben und Sterben sonst noch hören könnte, das weiß ja alle Welt; weiterer Zeugenschaft bedarf's überhaupt gar nicht. Auf Grund dessen, was feststeht, will er, Bernhard Delicieux, als Vertheidiger Fabri's jedem Ankläger desselben gegenübertreten."

Nicola d'Abbeville fragt Bernhard Delicieux, in wessen Auftrag er so rede. Dieser antwortete: sein Provincial, Arnold de Roquefeuille, habe ihn angewiesen, überall, wo sie angegriffen werde, für die Rechtgläubigkeit Castel Fabri's einzutreten. Daraufhin beschied der Inquisitor den beredten Minoriten auf den 4. Juli in sein Amtslocal und zog sich zurück, ohne die Schwelle des Franziscaner-Klosters überschritten zu haben.

So abgefahren zu sein, wurmte den Diener des h. Officiums nachträglich aber doch. Als Bernhard Delicieux sich am 4. Juli mit einem Ordensbruder als Begleiter pünktlich zur Stunde im Audienz-Zimmer des Inquisitors einfand, ließ dieser sie eine Zeit lang unbeachtet stehen und erklärte dann, als Bernhard Delicieux sich endlich bemerkbar machte, in hochfahrendem verächtlichen Tone: er könne wieder gehen, man verzichte darauf, ihn zu hören. Der Minorit demonstrirt, aber der Dominicaner läßt ihn reden und begibt sich ohne ein weiteres Wort in ein anstoßendes Gemach. Am selben Abend kommt Bernhard noch einmal zurück, zu einem neuen Versuche, sein Zeugniß zur Geltung zu bringen, oder um wenigstens eine Bescheinigung zu erhalten, daß er auf die Vorladung pünktlich zur Stelle gewesen sei. Der Inquisitor aber bedeutet ihm, sich keine weitere Mühe zu machen; die verlangte Bescheinigung werde er nicht erhalten.

Bernhard Delicieux zog mehrere Rechtskundige zu Rathe, was er in dieser Lage füglich thun könne. Johann de Pena, ein hochangesehener Canonist, rieth ihm zu einem Protest wegen der Audienz-Verweigerung. Derselbe wird abgefaßt und Bernhard Delicieux begibt sich mit demselben unter dem Geleit mehrerer Freunde zum dritten Male auf's h. Amt. Der Inquisitor war durch seine Späher von diesem Kommen unterrichtet: Bernhard fand das Haus verriegelt. Das Pergament mit dem Proteste wurde an's Thor genagelt, nachdem es, nicht ohne Volks-Tumult und Bravorufen, auf offener Straße verlesen worden war.

Der erste Act eines Dramas, das 20 volle Jahre dauern sollte, war hiermit ausgespielt. Werfen wir einen kurzen Blick auf die Persönlichkeit seines Helden. Bernhard Delicieux mochte um diese

Zeit in der Mitte der dreißiger Jahre stehen, denn er war 1284 in den Orden eingetreten. Er hatte sich bereits in der Welt umgesehen gehabt und mehrere Reisen durch Frankreich und Italien gemacht. Ein Franziscaner war eben zu jener Zeit an feste Residenz in einem bestimmten Kloster nicht gebunden — mahnt doch auch Thomas a Kempis in seiner „Nachfolge" von zu häufigem Wechsel mit den Worten ab: „Die zu viel wandern, werden selten heilig." Das, was unser Bernhard Delicieux aber durch sein Wandern an der von Thomas a Kempis gemeinten mystischen Heiligkeit etwa weniger errang, das gewann er an einem freieren Blick in Welt, Wissenschaft und Leben, der zu jener Zeit auch Etwas werth war. Er hatte zu Mailand den Raymund Lullus, zu Montpellier den Arnold de Villeneuve kennen gelernt und blieb mit Beiden im brieflichen Verkehr, auch dann noch, als der Erstgenannte von der päpstlichen Excommunication getroffen wurde. Vor Allem besaß Bernhard Delicieux die Gabe der Rede. Wenn er vor einer Menge steht — er macht sie zittern oder er reißt sie mit sich fort, je nachdem es sein Wille ist. Selbst im Privatgespräche ist sein Wort von unwiderstehlicher Gewalt. Das haben die geschicktesten Räthe des Königs Philipp IV., des Schönen, und dieser selbst mehr als ein Mal erfahren; dem Letzteren wußte er öffentliche Kundgebungen sowohl wie Regierungsbefehle in die Feder zu geben, Angesichts deren später der König oft selbst nicht begriff, wie er sie habe unterzeichnen können. Ebenso groß wie sein Feuereifer war seine Ausdauer, sein Muth aber größer als beide. Er erkannte die Gefahr vollkommen, in die er sich begebe, wenn er der Inquisition den Fehdehandschuh hinwerfe, aber „er hat's gewagt"; er hat dem Hasse eines ganzen Ordens, des mächtigsten Ordens jener Zeit, getrotzt. Wird man ihm in dem verzweifelten Kampfe, den er unternimmt, von irgend einer Seite beistehen? — er weiß es nicht. Er weiß nur Eins und bedenkt nur Eins: schon allzu lange bedrängt man ohne Erbarmen diese arme Bevölkerung von Carcassonne, Albi und Toulouse, und das sind seine Landsleute, die Kinder seines Vaterlandes; für seine Volksgenossen zu leben, zu streiten und zu sterben ist aber die Pflicht jedes rechtschaffenen Mannes!

Um den zum Angriff geeigneten Zeitpunkt abzuwarten, begab Bernhard sich einstweilen aus Carcassonne weg. Die zwei von der Glaubenswuth der Inquisitoren am meisten mißhandelten Diöcesen, die von Carcassonne und Albi, gehörten zu einer und derselben Kirchen-Provinz; Narbonne war deren Metropole. Narbonne selbst war bis dahin noch wenig beunruhigt worden. Das hatte seinen Grund darin, daß der letzte Erzbischof, Peter de Montbrun, die Agenten des h. Officiums nicht leiden mochte; wie heftig immer sie in den Suffragan-Diöcesen Carcassonne und Albi hausen mochten: in seinem eigenen Sprengel ließ er sie nicht nach ihrem Gutdünken wirthschaften. Er würde, deß war man im Volke gewiß, wenn er länger gelebt hätte, der inquisitorischen Verfolgung in der ganzen Kirchen-Provinz ein Ziel gesetzt, wenigstens ihre unerträglichsten Uebergriffe beseitigt haben. In den ersten Monaten des Jahres 1301 finden wir Bernhard Delicieux in dem Hause seines Ordens zu Narbonne. Vielleicht war er von seinen Obern dorthin geschickt worden, um ihn seinen Verfolgern zu entziehen. Auch in der Folgezeit, während seiner heftigsten Fehde mit den Dominicaner-Inquisitoren, findet er in den Minoriten-Häusern stets brüderliche Aufnahme. In dieser Weise bethätigten wenigstens seine Ordens-Genossen ihre Sympathie mit seinem Vorgehen, wenn sie dieselbe auch nicht eingestehen. In dem Kloster zu Narbonne ist er nicht unthätig: er verkehrt frei mit Gesinnungsgenossen, hält Zusammenkünfte mit ihnen ab, schmiedet Pläne nach den Meldungen, welche sie ihm zutragen. Castel Fabri war unterdessen ohne langen Proceß verklagt und verurtheilt, seine Güter in Folge dessen confiscirt worden. Ein volles Menschenalter später, im Jahre 1328, wurden, um dies hier beizufügen, auch Er-hebungen angestellt über das Leben und die Ansichten von Fabri's verstorbener Gattin Rixende, ihre Gebeine ausgegraben und verbrannt. Allzulange duldet es Bernhard indeß nicht in Narbonne; er hat es sich einmal. zur Aufgabe gesetzt, dem' Nicola d'Abbeville das Hand-werk zu legen. Diese Aufgabe in Angriff zu nehmen, bietet sich denn auch bald Gelegenheit.

Im August des Jahres 1301 kamen Johann de Picquigny, der Vicedom von Amiens und Richard Leneveu, Archidiacon an der Kathedrale zu Lisieux in der Normandie in königlicher Sendung nach Toulouse. Das Languedoc erkannte erst seit dem Jahre 1271 die unmittelbare Herrschaft des Königs an, erwartete aber noch immer die. Vortheile, welche man der Provinz als Folge dieses „ruhmreichen Anschlusses" an das Kronland in Aussicht gestellt hatte. Zu klagen gab's viel. Die Jüngeren hofften, die Bejahrteren aber redeten be-reits unter verdächtigen Anspielungen von der guten „alten Zeit unter den Grafen." König Philipp der Schöne schickte darum die Ge-nannten als erfahrene und seiner Sache ergebene Männer in's Lan-guedoc, um den vorhandenen Mißständen abzuhelfen und wo dies nicht angehe wenigstens die Klagen zu prüfen und das Resultat dieser Prüfung ihm zur Kenntniß zu bringen.

Auf die Kunde hiervon gerieth das ganze Albigenserland in Aufregung. Kein Wunder bei dem hohen Culturstande, den die ehe-mals freien und mächtigen Städte Albi, Carcassonne, Cordes, Limoux, u. s. w. aus der Zeit der Römerherrschaft sich bewahrt hatten. Cordes, eine der kleinsten, die zur Zeit des Kaisers Augustus „Mor-dania" hieß, hatte eine vierfache befestigte Umwallung; von Castres, der „Gartenstadt", gingen drei Chausseen nach Rodez, Narbonne und

Toulouse. Bis zum Jahre 1229, das heißt, bis zum Ausgang der Kriege, welche man gegen diese Städte führte, um die Bewohner des Landes zur römischen „Rechtgläubigkeit" zurückzuzwingen, hatte der alte Glanz dieser Städte sich erhalten. Damals verarmten sie, die Inquisition that dann das Ihre, um sie noch weiter zu entvölkern — was war von den königlichen Reformatoren Gutes zu erwarten? Keine Reform war dringlicher als die Befreiung des Landes von den verwünschten Glaubenstyrannen — werden die königlichen Commissare das einsehen?

In dem Dominicaner-Kloster zu Albi war der zum Inquisitor von Toulouse beförderte Foulques de Saint-George Prior gewesen. Albi hatte keinen eigenen Inquisitor; es stand in dieser Beziehung unter Carcassonne, also unter Nicola d'Abbeville, dessen Bekanntschaft wir ja bereits zu Eingang dieses Kapitels gemacht haben. Der Mann hatte aber in Carcassonne die Hände voll zu thun und deshalb seinen Ordensbruder Foulques de Saint-George zu Albi zu seinem dortigen Stellvertreter ernannt. Foulques erwies sich brauchbar und der dann ja auch erfolgten Beförderung würdig; es verging keine Woche, ohne daß er einige aus den besten Gesellschaftsständen ausgewählte Bürger durch den Stadtvogt in's Gefängniß hätte abführen lassen. Er kenne seine Leute, sagte er; ganz Albi sei ungläubig oder ketzerisch, entweder Verführer oder Verführte.

Die Inquisitions-Acten jener Zeit sind uns erhalten. Diese Register enthalten die Namen und die Verhöre der Angeklagten, sowie die Aufzählung ihrer liegenden Habe. Zahlreich waren diese Ketzer, aber worin bestand ihr Verbrechen? Einige, vorzugsweise solche aus den niedern Ständen, hatten für immer verzichtet auf den Genuß von Fleisch, Eiern, Butter und Käse. Wenn sie aus Armuth diese Speisen hätten entbehren müssen — die Kirche hätte sich nie darum gekümmert. Aber wer gibt ihnen die Erlaubniß, aus moralischen Gründen freiwillig darauf zu verzichten? Die römische Kirche nicht. Die römische Kirche bezeichnet bestimmte Tage, an welchen gefastet oder das Fleisch gemieden werden muß; aber diese Abstinenz an allen Tagen hat sie nicht vorgeschrieben, sie duldet sie also auch nicht und bestraft Diejenigen, welche sich hierin nicht an ihre Vorschriften halten, als Ketzer. Andere hatten sich des ihnen vom Geschick zugefallenen Eigenthums entäußert und lebten, um der Armuth Christi zu folgen, von milden Gaben. Aber weil diese freiwillig Armen keinem vom Papste zum Bettel privilegirten Orden angehörten, so waren sie verdammlich, Kinder des Satans. Noch Andere, diese aus den mehr unterrichteten Gesellschafts-Klassen, zogen das Geheimniß der Consecration bei der Messe in den Bereich ihrer Discussion und machten kein Hehl aus ihren Zweifeln, ob das, was man die Transsubstantiation nenne, seine Begründung in dem Nachtmahle des Herrn habe. Das Schlimmste war aber, wenn irgend ein Jurist oder eine Magistrats-Person oder sonst einer dieser „hochfährtigen" Städter unehrerbietig, tadelnd vielleicht, vom h. Officium und seinen Inquisitoren, insonderheit von Bruder Foulques de Saint-George, gesprochen hatte.

Wenn Einer eines solchen Verbrechens bezüchtigt war, obschon nur vor einem einzelnen Zeugen, so wurde er eingekerkert und auf's Geständniß gefoltert. Der Verurtheilung entgingen nach der eigenthümlichen Inquisitions-Praxis nur Wenige, und diese Verurtheilung führte entweder zur Uebergabe an die weltliche Gewalt, welche den Delinquenten auf Befehl des h. Officiums henkte oder verbrannte, oder zu ewigem Gefängniß. Die Kerker lagen zwischen fünf Fuß dicken Mauern; somit war auch das Tageslicht, welches selbst die überirdischen durch die vergitterten Fensteröffnungen zuließen, spärlich genug. Zwei Thüren, um die besagte Mauerdicke von einander entfernt, bildeten doppelten Verschluß. In der inneren Thür war oben eine kleine Oeffnung angebracht, durch welche man mit dem Gefangenen verkehrte, d. h. ihm von Zeit zu Zeit ein frisches Hemd und die Nahrung hineinreichte. Und welche Nahrung! Für den Unterhalt selbst der Untersuchungs-Gefangenen wurden dem Wächter pro-Tag und Person nur acht Heller vergütet, und der Mann wollte doch auch Etwas daran profitiren! Die Pariser National-Bibliothek enthält unter den betreffenden Documenten noch eine Original-Rechnung, die als Beleg für unsere Angaben hier Platz finden mag:

„Ausgaben, welche der Magister Jacob de Poloniach, Custos des Gefängnisses von Carcassonne, auf Geheiß des Herrn Inquisitors für die untengenannten Personen bis zum Tage ihrer Verurtheilung gemacht hat.

„Für den Priester Raymund de Fromiger, welcher am Vorabend vom Feste des h. Evangelisten Markus anno 1321 in das Carcassonne'sche Gefängniß abgeliefert wurde und zwei Jahre darin blieb, d. h. bis zum Sonntag vor dem genannten Feste des Jahres 1323, wo er verurtheilt wurde, per Jahr 12 Francs . . . . 24 Francs.

„Item für den Peter Juliani de Narbona, welcher 305 Tage in besagtem Gefängniß war, bis zum genannten Sonntag, an welchem er verbrannt wurde, per Tag 8 Heller . . . . . 10 Frcs., 3 Sous, 4 Heller.

„Item für den Peter Truchal, zu Béziers wohnhaft, welcher 305 Tage im Gefängnisse war, bis zum genannten Sonntag, wo er mit der Buße, das Kreuz auf den Kleidern aufgenäht zu tragen, entlassen worden ist, per Tag 8 Heller . . . . 10 Frcs., 3 Sous, 4 Heller.

„Item für den Johann Conille, zu Béziers wohnhaft, welcher 305 Tage im Gefängnisse war, bis zum genannten Sonntag, an welchem er verbrannt worden ist, per Tag 8 Heller . . . . . 10 Frcs., 3 Sous, 4 Heller.

„Item für den Alioni Beyrero de Seccenone, welcher 60 Tage im Gefängniß war, bis zum genannten Sonntag, an welchem er eingemauert (d. h. in lebenswierige Haft abgeliefert) wurde, per Tag 8 Heller . . . . 40 Sous."

Das waren die Verbrechen und das waren die Strafen. Die Güter der Verurtheilten wurden zum gemeinsamen Besten der Kirche und des Staates confiscirt, und weder die Frauen noch die Kinder, mochten sie als noch so rechtgläubig anerkannt sein, durften jemals auch nur den bescheidensten Theil ihres Erbes zurückfordern. Daß das h. Officium zu Albi seine Fang-Arme meist nach den reicheren Einwohnern ausstreckte, wird hiernach erklärlich.

Der Bischof von Albi, Bernhard de Castenet, im Jahre 1276 zum Amte gelangt und schon seit dieser Zeit wegen seiner aussaugenden Habgier dem Volke ohnehin verhaßt, that Nichts, um den Inquisitions-Eifer Foulques' zu mäßigen, im Gegentheil lieh er ihm dazu noch seinen Einfluß und seinen Beistand. Stets war er in seiner Gesellschaft, so daß er den Beinamen „Interims-Foulques" mit Recht führte. Er hatte ein besonderes Privilegium auf die Güter der Ketzer seiner Diöcese. Alle Immobilien nämlich, die „gesetzlich" den Antheil des Königs an den Confiscationen bildeten, welche nicht in dem Jahre, in welchem sie beschlagnahmt waren, verkauft wurden, fielen dem Bischof von Albi zu. Dieses Privilegium stammte von Ludwig IX., dem Heiligen (1226 bis 1270), und wurde unter'm 17. August 1303 von Philipp dem Schönen erneut. Der Inquisitor von Carcassonne hatte also an Bernhard von Castenet den erwünschten Mitarbeiter und die arme Stadt Albi wurde so von zwei Teufeln geritten.

Die Stadt Carcassonne hatte wenigstens keinen so übereifrigen Bischof, aber ihr Inquisitor machte ihr genug zu schaffen. Und zu den alten, gewohnten Drangsalen kamen neue. Einige Jahre vor der Bernhard Delicieux'schen Affaire, 1295, waren zwei ihrer berühmten Lehrer des römischen Rechts: Wilhelm Garric und Wilhelm Brunet, als Ketzer verfolgt und verurtheilt worden. Damals hatte die ganze Stadt sich erhoben und vor ihrer drohenden Haltung die Inquisition ihre Krallen eine Zeit lang einziehen müssen. Aber diese scheinbare Mäßigung dauerte nicht lange; sogar die Entrüstung der Bevölkerung war unterdessen geschickt gegen letztere verwerthet worden. Das h. Officium hatte die Rebellen bei der römischen Curie und am Hofe von Frankreich denuncirt und war so in die Lage gesetzt worden, zu gelegener Zeit zwei harte Sentenzen gegen dieselben in Vollzug zu bringen. Viele traf Gefängnißstrafe, Alle aber per Kopf eine Geldbuße von 90 Francs Landesmünze, bestimmt zum Bau einer Kapelle im Kloster zu Carcassonne. Das Geld war bezahlt, die Kapelle erbaut und Ludwig dem Heiligen, dem Gründer des Klosters, geweiht worden, letzteres nicht ohne höhnische Demonstrationen gegen die gebemüthigten, aber deshalb nicht reuigen Bürger.

Als Bernhard Delicieux zu Narbonne erfuhr, die Einwohner von Albi seien daran, sich über die Abwerfung des drückenden Joches der geistlichen Blutsauger zu verständigen, ging er dorthin und nahm Wohnung in dem Kloster seines Ordens. Seine Zelle wurde bald zum Stelldichein der Leiter der Bewegung. Allgemein ist man der Ansicht, der erste Schritt müsse sein, daß man den zwei früher genannten, in Toulouse eingetroffenen königlichen Reformatoren die Beschwerden vortrage. Bernhard reiste mit einem der Gemeinderäthe von Albi nach Toulouse ab. Von dem Vicedom, Johann de Picquigny, und dem Archidiakon, Richard Leneveu, empfangen, machten Beide sich anheischig, sie vollständig über die Lage der Dinge aufzuklären, wenn ihnen Sicherheits-Briefe ausgestellt würden. Diese wurden ihnen gewährt. Nach Albi zurückgekehrt, hielten sie Versammlungen ab und regten es an, daß die unmittelbar durch die Inquisition Betroffenen ihre Klagen durch Deputationen bei den königlichen Commissaren zu Toulouse vorbringen sollten. So erschien denn vor den Letzteren eine große Anzahl Frauen aus Albi, denen die Männer durch den Bischof und den Inquisitor von der Seite gerissen und eingekerkert waren, um Gerechtigkeit zu heischen. Aus Carcassonne und den benachbarten Orten kamen angesehene Bürger, um die Commissare mit den Zuständen ihrer Stadt bekannt zu machen; es sei Zeit, daß der König sich in's Mittel lege, wenn ein neuer Aufstand vermieden werden sollte. Bernhard Delicieux hielt sich in der Nähe, um den Deputationen mit seinem Rathe und seinen Weisungen zur Hand zu sein, sowie nöthigenfalls mit seinem bekräftigenden Zeugniß für ihre Angaben eintreten zu können.

Bernhard Delicieux trug gegen Foulques de Saint-George und Nicola d'Abbeville, gegen deren Ueber- und Untergeordnete, gegen die ganze Dominicaner-Inquisition und ihre Agenten einen unauslöschlichen Haß in der Seele. Indessen vergaß er nicht, daß er Ordens-Geistlicher sei und als solcher vorab auf die Anwendung der canonischen Hülfsmittel hinweisen müsse. Die Inquisition hat ihre Vollmacht von Rom — nach Rom also muß man berichten, welch' abscheulichen und verderblichen Gebrauch sie davon macht. Man stelle Erhebungen an, sammele Zeugen-Beweise — das war sein Rath für jetzt und er leiht gerne seine Hand, ihn auszuführen. Die klagbaren Frauen von Albi erkannten in dem Minoriten-Mönch ihren natürlichen Anwalt. Er hört ihre Beschwerden im Einzelnen und läßt sie von seinem Amanuensis, Peter Conseil, niederschreiben. Diese Actenstücke, ein Gesammtbild der Gewaltthätigkeiten Foulques' de Saint-George, überreichte er dem Vicedom Picquigny. Die zwei Reformatoren hatten sich bald von den edeln Absichten Bernhard's überzeugt; sie stützten mit Vertrauen ihr Urtheil über die ihnen vorgebrachten Klagen auf dasjenige, welches er darüber fällte.

Mit der von Bernhard Delicieux vorgeschlagenen Appellation nach Rom waren aber Manche, besonders die Laien der Grafschaft

Toulouse, nicht einverstanden: „Ein von so weit herbeigerufener Arzt kommt erst, wenn der Kranke todt ist," sagten sie; ohne Zögern selbst Hand anlegen, die Dinge zu bessern, das schien ihnen das Richtigere. Die Dinge drängten in der That auf schnelle Abhülfe. Um diese Zeit war nämlich Foulques de Saint-George von Albi als Inquisitor nach Toulouse gekommen, und er schien durch besondern Pflichteifer diese Beförderung rechtfertigen zu wollen. Er schonte weder Stand, noch Geschlecht, noch Alter; aus den Städten und Dörfern, aus den Schlössern, Villen und Hütten ließ er seine Opfer zusammenschleppen. Verhaßt und gefürchtet war er, wo sein Name genannt wurde. Die Befürchtung, daß, wenn dieses Wüthen noch lange andauere, der öffentliche Friede durch einen plötzlichen Ausbruch des lang verhaltenen Rachegrimmes gestört werden könne, war also nicht ohne Grund, das Verlangen nach ungesäumter Abhülfe nicht ohne Berechtigung und die Ansicht, daß eine solche nicht durch die Appellation nach Rom erzielt werde, Allen einleuchtend.

Auch der Klerus murrte vielfach über die Diener des h. Officiums, und zwar sowohl Welt- wie Ordens-Geistliche. Die Voraussetzung, daß alle Kleriker im Mittelalter blinde Fanatiker gewesen seien, wie z. B. der Bischof von Albi, trifft nicht zu. Nun sahen sie ihre Rechte und Befugnisse vielfach mißachtet von den Mitgliedern eines jungen Ordens, für den eigentlich in der legitimen hierarchischen Gliederung des kirchlichen Organismus gar keine Stelle war. Darum waren denn Conflicte, Beschwerden, Mißhelligkeiten auch zwischen dem Klerus und den Inquisitions-Mönchen an der Tagesordnung. Die königlichen Reformatoren mußten von mehr als einem geistlichen Würdenträger die Klage hören: „Diese Fremdlinge reißen mir das Kirchenregiment aus der Hand. Mit ihren Verfolgungen schädigen sie die Sache des Glaubens eher, als daß sie ihr dienen; sie sind es, die dem Abfall von der Kirche den Boden bereiten."

Es ist hier vielleicht der Ort, auf die beachtenswerthe Thatsache hinzuweisen, daß in allen Reden, welche von Beschwerdeführern gegen die Inquisitoren vor den königlichen Commissaren gehalten wurden, Keiner an die Gewissensfreiheit appellirte. Das Gefühl, daß der Mensch das Recht habe, zu glauben oder nicht zu glauben, frei über religiöse Dinge zu reden, je nach seinem Verstand oder Unverstand, dieses Gefühl lag damals noch unentdeckt und verborgen in der Menschenseele. Alle Klagen, die dem Vicedom und dem Archidiakon zu Gehör gebracht wurden, galten vielmehr nur ungerechten Verurtheilungen und scandalösen Beraubungen. Weniger die Glaubens-Inquisitoren als solche — fast nur der Mißbrauch, den die Diener des h. Officiums damit treiben, bildet den Inhalt der Beschwerden.

Die königlichen Commissare sehen wohl ein, daß die Dinge nicht so weiter gehen können; sie wären auch bereit, zur Abhülfe ihre Hand zu bieten aber — die Kirche zu reformiren, darauf richtet sich ihr Auftrag nicht: sie sind Commissare des Königs zur Abstellung von Mißständen in der Staats-Verwaltung. Sie finden den Rath des Minoriten Bernhard zu einer Appellation nach Rom sehr beachtenswerth, aber diese Appellation kann doch nicht von ihnen in's Werk gesetzt werden: Beschwerde zu führen gegen das Treiben eines religiösen Ordens im Lande ist Sache des Königs. Und ob König Philipp sich leicht bewegen lassen wird, als Kläger gegen die Dominicaner aufzutreten, ist fraglich — er hat sogar den Bruder Nicola, einen Prediger-Mönch, zum Beichtvater. Die Reformatoren haben sich von der kläglichen Lage der Bevölkerung überzeugt; sie werden dieselbe dem Könige wahrheitsgetreu darstellen und hören, welche Weisungen dieser ihnen dann gibt.

Als die Nachricht von der demnächstigen Abreise der königlichen Commissare sich verbreitete, beschlossen die angesehensten Einwohner von Carcassonne und Albi, eine Deputation mit ihnen zum Könige reisen zu lassen. Sie erwählten hierzu die tüchtigsten und unterrichtetsten ihrer Mitbürger; Bernhard Delicieux sollte ihr Anführer sein. Abgesandte der Stadt Albi waren: Wilhelm Fransa, einer aus dem Rath; Peter de Castanet, aus einer alten Consular-Familie, Verwandter des früher erwähnten, zelotischen Bischofs dieses Namens und dessen entschlossenster Gegner, Meister Arnold Garcia und Meister Peter Pros aus Castres. Die beiden Letztgenannten waren Doctoren der Rechte, vielgesuchte Anwälte, Freunde des Albigensischen Volkes und der Inquisition verhaßt wie diese ihnen. Ein naher Angehöriger von Peter Pros, Johann Bauderie, befindet sich Lebenslang im Inquisitions-Kerker. Die Familie Garcia, eine der reichsten von Albi, bewohnt seit dem Jahre 1252 den alten Palast der Bicomtes und die Inquisition bedrohte damals schon den Bruder Arnold's: Raymund Garcia, dessen Güter sie später auch wirklich confiscirte. Die Stadt Carcassonne hatte zu ihrem Haupt-Sprecher den Elias Pacci gewählt, einen stattlichen Mann voller Muth, der in Stadt und Land das größte Ansehen genießt und den deshalb ein Chronik schreibender Dominicaner mehr aus Aerger als aus Spott — der übel angebracht gewesen wäre — „das Königlein von Carcassonne" genannt hat. Die Absendung der Deputation wurde allgemein gebilligt: so konnten doch die Commissare, wenn sie dem Könige Bericht erstatten über das, was sie Nachtheiliges von dem Treiben der Inquisitoren gehört und gesehen, sofort auch Zeugen dafür vorführen. Diesem ernsten Geleite der Commissare schloß sich aber eine weitere Persönlichkeit an, die ihm ein mehr komisches Element zugesellen sollte. Es war dies eine Frau Namens Ravenias, die gegen den ehrwürdigen Bruder-Inquisitor Foulques de Saint-George etwas ganz Besonderes auf dem Herzen hatte, oder um uns sofort deutlich auszusprechen: etwas ganz Besonderes von dem Dominicaner-Mönch unter dem Herzen gehabt hatte. Die Stadträthe von Albi hatten ihr zehn Francs Tourische Münze als Reisegeld und ein Reitpferd bewilligt, auf daß sie in Gesellschaft der andern Abgeordneten gen Paris ziehe und dem Könige sich vorweise als lebendiges Document von der sittlichen Reinheit des Mannes, der seine Mitmenschen wegen vorgeblich mangelnder Rechtgläubigkeit so unnachsichtig verfolge.

Unterdessen sind aber auch diejenigen nicht müssig, deren Vernichtung diese Königs-Fahrt gilt. Der König freilich hat ihnen die von ihnen ausgeübte Jurisdiction nicht verliehen: sie sind die streitbare Miliz des Papstes, trotzdem aber können sie sich nicht verhehlen, daß unter diesen schwierigen Zeitumständen der Reibung der beiden Gewalten, welche die Welt regieren, auch die ausdrückliche Gutheißung des Papstes sie gegen die Mißgunst des Königs nicht wirksam zu schützen vermöchte. Auch sie werden also eine Deputation nach Paris schicken und an deren Spitze den angefeindetsten der Inquisitoren, Foulques de Saint-George selbst. Im Uebrigen hoffen sie auf den wirksamen Beistand ihrer zahlreichen Freunde in der Umgebung des Königs; auch der Bischof von Toulouse, der sich eben, um in einer Klagesache gegen den Bischof von Pamiers, Bernhard Saisset, wegen Landesverraths Zeugenschaft abzulegen, zu Hofe begiebt, wird ihnen das Wort reden.

Das Hoflager war eben zu Senlis. Die Albigenser-Deputation blieb jedoch zu Paris, wo ihr Führer Bernhard Delicieux im Kloster seines Ordens an der Stadtmauer, dicht bei der Pfauen-Straße, Wohnung nahm. Von hier aus wurde das Terrain recognoscirt. Man kommt und geht, die Zelle wird nicht leer. Bernhard macht Besuche beim Könige, der Königin, den Hofleuten, den Reformatoren des Languedoc — kurz bei Allen, von denen er eine Förderung seiner Angelegenheit hoffen kann. Ruhe kennt er nicht; ist er nicht mit Anderen am Berathen, so arbeitet er an der Denkschrift, welche durch seine Landsleute dem König überreicht werden soll.

Ueber seine erste Unterredung, die er mit dem Könige im Schlosse zu Senlis hatte und zwar in Gegenwart des Vicedoms von Amiens, des Grafen de Saint-Pol und einiger anderer Herren, hat er selbst Aufzeichnungen gemacht, die uns erhalten sind. Bernhard legte dem Könige die Geschichte des Languedoc während der letzten Jahre dar und schilderte dessen Drangsalirung durch die Inquisitoren; er schloß mit dem Rathe: wenn Papst Bonifaz sich weigern solle, Abhülfe zu schaffen, so möge der König aus eigener Machtvollkommenheit die den Dominicaner-Mönchen für die Verwaltung des h. Officiums gewährten Privilegien suspendiren; er sei gewiß, daß dann die Inquisitoren zahm würden, die Aufregung sich lege und man schließlich inne werde, es seien kaum ketzerisch gesinnte Christen im Lande vorhanden.

Philipp der Schöne hörte der Darlegung Bernhard's gespannten Ohres zu, nickte oft beifällig, bewahrte aber jenes vorsichtige Schweigen, welches dem Gewalthabenden sich auflegt, wenn er seiner Verantwortlichkeit bewußt ist. Noch war Bernhard nicht zu Ende, da erschienen in der offenen Thüre des Audienz-Saales, geführt von Bruder Nicola, dem Beichtvater des Königs, die Inquisitoren von Toulouse, Carcassonne und Pamiers, im Geleite noch mehrerer anderer Würdenträger ihres Ordens. Philipp erhob die Hand, zum Zeichen daß sie zurückbleiben sollten; dann wandte er sich zu den Herren seines Gefolges: „Ich verstehe," sagte er, „dieser Bruder Lector hat mir die volle, reine Wahrheit gesagt; diese Jacobiner aber" — so nannte man die Dominicaner zu Paris, weil sie dort das Kloster zum h. Jacob inne hatten — „liegen mir unablässig in den Ohren und häufen Lügen auf Lügen, damit ihre verrätherischen Streiche verdeckt bleiben."

Der Zutritt zu den Gemächern des Königs wurde den Inquisitoren und ihrem Anhang in den nächsten Tagen beharrlich verweigert. Sie hatten aber zu einflußreiche Freunde, als daß ihnen des Königs Ohr allzu lange verschlossen geblieben wäre. Als sie vorgelassen wurden, übergingen sie den großen Haufen ihrer Ankläger mit verächtlichem Stillschweigen; es genügte ihnen, wie es schien, den beim Könige angesehensten zurückzuschlagen: den Vicedom von Amiens. Der König sagte ihnen, sie möchten vor dem Geheimen Rath ihre Sache vorbringen, der Vicedom werde dann gleichfalls dorthin beschieden werden. Am festgesetzten Tage stellten sich als Kämpen des h. Officiums Foulques de Saint-George und Bruder Nicola, der Beichtvater des Königs. Sie begannen sofort Anklagen, aber diese ermangelten der Beweise, während der Vicedom die von Bernhard zusammengestellten Zeugenschaften für sich in's Feld führen konnte. Der König überwies das von beiden Seiten Vorgebrachte zweien seiner Freunde, einem Kleriker und einem Laien, dem Erzbischof von Narbonne und dem Connétable von Frankreich zu unparteiischer Prüfung. Zwei Tage später erstatteten diese Bericht, der dahin ausfiel, daß das Verfahren der Albigenser-Inquisition nicht zu rechtfertigen sei. Nun hatte der König den Spruch zu fällen. Die Strafe, welche er über den Bischof von Albi verhängte, war mehr ein Wink für die Zukunft: er sollte mit 2000 Francs büßen. Gegen den früheren Helfershelfer des Nicola d'Abbeville, den gewaltthätigen Foulques de Saint-George, sollte wirksamer vorgegangen werden. Bernhard Delicieux hatte den Vorschlag gemacht, ihn vom Schauplatze seiner Unthaten zu verbannen. Hatte man aber bei dem gespannten Verhältnisse Philipp's des Schönen zu dem Papste Aussicht, daß Bonifaz diesem Verlangen nachgeben und nicht vielmehr als einen Eingriff in die Gerechtsame des Kirchen-

Oberhauptes zurückweisen werde? Der König, vorsichtig wie immer, verfiel auf einen Ausweg. Wie übel er auch gegenwärtig auf die Prediger-Mönche zu sprechen war: er wandte sich mit dem freundlichen Ersuchen an die Obern ihres Hauptklosters, desjenigen zu Paris — sie selbst möchten den Foulques, dessen Verhalten den Staat wie die Kirche und die eigene Ordens-Gemeinschaft schwer geschädigt hätte, abberufen. Gleichzeitig schrieb Philipp dem Erzbischof von Toulouse und bestimmte die Grenzen, innerhalb deren in Zukunft die Inquisitoren ihres Amtes sich halten müßten, während sie bisher mit unbeschränkter Freiheit hatten schalten und walten können. In diesem Briefe des Königs, datirt vom 8. December 1301 aus Fontainebleau, heißt es über Foulques be Saint-George: „Während es seine Aufgabe war, Irrthümer und Laster auszurotten, hat er ihnen nur weitere Ausdehnung verschafft; unter dem Vorgeben, gerechte Strafen über Uebelthäter zu verhängen, hat er selbst die größten Ungerechtigkeiten verübt; unter dem Deckmantel der Frömmigkeit hat er den gröbsten Lastern gefröhnt und Dinge begangen, die eines Menschen unwürdig sind; er hat sich zum Vertheidiger des katholischen Glaubens aufgeworfen und der Menschheit dabei mit wahrhaft ungeheuern Freveln ein böses Beispiel gegeben." Der König kommt dann auf die Maßregeln zu sprechen, welche der Bischof von Toulouse ergreifen solle, um der aufgeregten Provinz die Ruhe wieder zu geben. Es sollte keine vom Inquisitor verfügte Gefangennahme durch den königlichen Landvogt mehr ausgeführt werden, es habe denn der Diöcesan-Bischof seine Zustimmung dazu gegeben. Im Falle der Diöcesan-Bischof und der Inquisitor über die Zulässigkeit einer Verhaftung zu keinem Einverständnisse gelangen könnten, solle der Fall einer Commission von vier Personen zur Entscheidung übergeben werden und diese Commission solle aus dem Prior und dem Lector des Dominicaner-Klosters und dem Guardian und dem Lector des Minoriten-Klosters zusammengesetzt werden.

Der bekanntlich in Paris anwesende Bischof von Toulouse hatte diesen Brief kaum in Händen, als er dem Könige folgende Meldung machte: Die Dominicaner-Brüder zu Paris waren im Kloster vom h. Jacob zu einem General-Capitel zusammengetreten, um über die Abberufung des Foulques be Saint-George Raths zu pflegen; der gefaßte Beschluß gehe dahin: es sei gut, den genannten Inquisitor einstweilen an seiner Stelle zu belassen, und er, der Bischof von Toulouse, rathe dem Könige, diesem Beschluß seine Zustimmung zu geben.

Die Antwort Philipp's des Schönen ließ nicht lange auf sich warten. Er hatte von dem Orden Nichts weiter verlangt, als daß er ein schwer belastetes Mitglied durch dessen Abberufung besavouire; diese billige Genugthuung wurde ihm verweigert; der Orden in sei-

ner Gesammtheit machte sich dadurch zu Foulques' Mitschuldigen.
Und der Bischof von Toulouse konnte dem Könige rathen, diesen
ihm selbst angethanen Schimpf obendrein noch gutzuheißen! „Als
kluger umsichtiger Mann", so schloß Philipp seine Epistel an den
Bischof, „hätten Sie sich einen Rath sparen sollen, der nicht von
Ihnen begehrt worden war." Einige Tage später, am 16. December, schrieb Philipp — er befand sich damals zu Montargis — an
seinen Kaplan Wilhelm Peire de Godin, vom Prediger-Orden: „Was
die Berathung betrifft, welche jüngst im St. Jacobs-Kloster über die
Inquisition und die Person des Bruders Foulques Statt gehabt hat,
so scheint Uns der gefaßte Beschluß darauf berechnet zu sein, Uns zu
beschimpfen und mehr geeignet, eine Provinz zu verderben, als dem
Wohl der Kirche zu dienen und religiösen Vergehen zur gerechten
Strafe zu verhelfen. Der Bruder Foulques, dem man einen zweiten
Bruder desselben Ordens beigesellen will, soll also mindestens bis zur
nächsten Mittfasten auf seinem Posten bleiben, damit er die eingeleiteten Processe beende. So glorificiren sie ihren Ordens-Genossen,
auf Uns aber häufen sie eine Beleidigung nach der andern, ohne sich
darüber Gedanken zu machen, daß ein solches Vorgehen ernste Gefahren mit sich führt und nothwendig öffentliches Aergerniß zur Folge
hat. Hätte man es glauben sollen, Bruder Wilhelm, daß ein Or-
dens-Provincial Unseres Königreiches und seine Religiosen gerade jetzt
die Kühnheit haben, Uns und der Stimme eines ganzen Volkes zum
Trotz, eine so abscheuliche, so zahlreicher Infamien und Verbrechen
bezüchtigte Persönlichkeit zu stützen und zu schützen?! Doch kein Wort
weiter darüber! Ich bitte Euch in Kürze aber inständigst, thut was
Ihr vermögt, um den Provincial und seine Mitbrüder zu einer Aenderung ihres Beschlusses zu bestimmen, damit die Sachlage, die nicht
schlimmer sein kann, gebessert werde."

Einige Tage später ging der so tief gekränkte König in seiner
Rücksichtnahme auf den mächtigen Orden noch einen Schritt weiter:
er verspricht ausdrücklich, Alles zu vergeben und zu vergessen, wenn
man seiner gerechten Forderung nur halbwegs entgegenkomme. Die
Antwort hierauf war, daß die ganze Dominicaner-Orden sich zu
festem Widerstande verschwor. Dem Begehr des Königs nachkommen
und den Inquisitor von Toulouse sofort abberufen — das hieße
sich selbst aufgeben. Nein, wir dürfen keinen Zoll breit zurückweichen,
mag der König bitten oder drohen! Foulques wurde also aufrecht
gehalten. Da faßte den König doch der Zorn. Er schrieb an die
königlichen Vögte zu Toulouse, Carcassonne und Agen, die Inquisi-
tions-Gefangenen in königliche Obhut zu nehmen, dem Foulques jede
neue Ketzer-Verfolgung zu verbieten und ihm sein Einkommen zurück-
zubehalten. Das wirkte; die Inquisition war für den Augenblick
lahm gelegt und die Bevölkerungen athmeten wieder einmal auf.

Foulques de Saint-George behielt seinen Titel bis über Mittfasten, ja bis über Ostern des folgenden Jahres hinaus. Erst am
29. Juni 1302 bekam er durch Beschluß eines zu Paris abgehaltenen
General-Capitels in Wilhelm de Morières, Prior des Dominicaner-
Klosters zu Albi, einen Nachfolger. In den ersten Tagen des Juli
schrieb der König an die Vögte von Toulouse und Carcassonne einen
neuen Brief mit der Weisung, den Wilhelm de Morières anzuerkennen
und ihm die Verwaltung der Inquisitions-Gefängnisse sowie sein
Amts-Einkommen zurückzugeben.

Die Albigenser-Deputirten verweilten noch immer in Paris.
Nach der Absetzung Foulques' begaben sich Meister Arnold Garcia,
Peter de Castanet und Elias Pacci, das „Königlein" von Carcas-
sonne, zusammen ins Kloster der Minoriten zu Bernhard Delicieux.
Sie finden diesen gar nicht so siegesfreudig, wie sie gehofft: er kennt
den Wilhelm de Morières und versieht sich nichts Gutes von ihm.
Der König, meint er, sei zu rücksichtsvoll verfahren. Doch — für's
Erste ist wenigstens dieser Eine, wegen dessen man nach Paris ge-
kommen war, unschädlich gemacht. Auch Bernhard Delicieux begab
sich in sein Kloster zu Narbonne zurück.

Die Inquisition befleißigte sich eine Zeit lang ungewohnter Mäßigung. Nach den Niederlagen, welche sie im Geheimen Rathe des
Königs erlitten hatte, fürchtete sie die Ueberwachung des Vicedoms,
welcher seine reformatorische Thätigkeit zu Toulouse wieder aufgenommen hatte. Wenn aber auch der frühere Druck auf die Bevölkerung nachließ, so war damit doch von der letzteren das erlittene
Unrecht nicht so bald vergessen. Zudem hatte ja auch nur die Einleitung neuer Processe aufgehört, die Folgen der früheren dauerten
fort: die von den Dienern des h. Officiums gemachte Beute blieb
in den Händen der Räuber; die Kerker gaben Keinen, der, sei es
auf Zeit, sei es auf Lebensdauer, Eingesperrten zurück. Der König
wußte wohl, daß unter denselben mancher ungerecht Verurtheilte sich
befand, aber er meinte, die Sprüche eines Tribunals, das nicht von
der königlichen Gewalt abhing, zu Recht bestehen lassen zu müssen.
Der Grundsatz, daß alle Rechtspflege vom Könige ausgehe, der bezog
sich, so hatte man ihn gelehrt, nur auf die bürgerlichen Angelegenheiten.

Der verhaltene Ingrimm des Volkes machte sich auch Luft.
Zuerst zu Albi. Schon längst wurde der Gottesdienst in der Kirche
der Dominicaner-Mönche gemieden, zu Begleitern bei Beerdigungen
wollte man sie nicht; aber nun kamen offensive Beleidigungen hinzu.
Als zwei der bekanntesten am ersten Advents-Sonntage aus den
Kirchen von Saint-Salvi und Sainte-Martianne, wo sie ihren Cyklus
von Zeitpredigten begonnen hatten, zurückkehrten, wurden sie mit
Hohngelächter, aus dem der Ruf: „Schlagt die Hunde todt!" deut-

lich heraustönte, auf der Straße verfolgt. Mehr als durch das Alles fühlten sich die Söhne des h. Dominicus aber durch eine Maßnahme des Magistrats gekränkt. Ueber dem ihrem Kloster nahe liegenden Stadtthore hatten sie die Statue ihres Ordensgründers aufgestellt. Die Gemeinderäthe ließen diese nun wegnehmen und die Bildnisse der Befreier der Stadt: des Vicedoms, des Archidialons, des Arnold Garcia und des Peter Pros statt deren dort anbringen.

Nicola d'Abbeville in Carcassonne hatte in Gottfried d'Ablis einen Nachfolger erhalten, einen Dominicaner aus dem Kloster von Chartres. Vielleicht nicht gerade so übereifrig wie sein Vorgänger, war doch auch er darauf aus, sich um die Reinheit des Glaubens verdient zu machen. Gleich nach seiner Ernennung, zu unausgesetzter Ueberwachung der Ketzer, hatte er zwei ermahnende Briefe geschrieben, den einen an den Inquisitions-Official von Carcassonne, den andern an die Erzpriester in den Städten Carcassonne, Toulouse und Albi, und um mit gutem Beispiele voranzugehen, sofort in der Diöcese Albi einige Festnehmungen angeordnet. Wohlgemerkt: er hielt sich dabei streng an den uns bekannten königlichen Befehl; er verlangte die Festnehmungen nicht eher von dem Vogte, bis er sich mit dem Diöcesan-Bischof über deren Zulässigkeit verständigt hatte. Dieses „streng gesetzliche" Verfahren machte die Verhaftungen dem Volke freilich nicht angenehmer, und kaum ein Tag verging, an dem nicht Mütter, Frauen oder Söhne vor dem unheimlichen Tribunale erschienen, um die Verhaftung ihrer Ernährer zu beseufzen oder verdeckte Drohungen auszustoßen. Mit dem Einkerkern fuhr die Inquisition also munter fort — mit dem Hängen und Verbrennen jedoch war es einstweilen vorbei. Für die Dauer seines Commissariats war der Vicedom die höchste richterliche Autorität in der Provinz, und der ließ Keinen hinrichten, wie Viele ihm auch von dem h. Officium überwiesen wurden.

Gegen Ende April des Jahres 1303 kam Bernhard Delicieux von Narbonne, wo er unterdessen fleißig gepredigt hatte, nach Toulouse und hörte von dem Vicedom, daß dieser im Begriffe sei, wieder ein Mal zum Könige zu reisen, um diesem die Fruchtlosigkeit aller gegen die Mißgriffe der Inquisitoren angeordneten Maßregeln darzustellen. Bernhard weiß, welche Gewalt öffentliche Kundgebungen auf das Gemüth des Königs haben, bittet ihn, die Reise noch aufzuschieben, es werde sich vielleicht bald ein besonderer Anlaß dazu bieten. Zu Ende Mai sollten die Unzufriedenen in Carcassonne zusammenkommen, und da wollte er dabei sein. Beide begaben sich nach Carcassonne, wo der Vicedom bei dem Inquisitor und dem Bischofe wiederum vergebliche Versuche machte, diese zum Einlenken zu bewegen, und von da nach Cordes, wo eben neue Verhaftungen Statt gefunden hatten. Von hier ging der Vicedom nach Paris zum Könige, während Bernhard eine Rundreise durchs Land machte.

Er predigte zu Alet, Caunes, Grasse, Gaillac, Rabastens. Im Juli kehrte der Bicedom nach Carcassonne zurück; Bernhard eilte zu ihm: der König hat Nichts entschieden. „Man darf die Hoffnung nicht aufgeben," meinte der Bicedom.

Bernhard bleibt zu Carcassonne. Am 3. August läßt er durch den öffentlichen Ausrufer in der ganzen Stadt bekannt machen, daß er am folgenden Tage, einem Sonntage, in der Minoriten-Kirche predigen werde. Die Feinde Bernhard's haben die Rede aufgezeichnet; in den Acten des Processes gegen ihn ist sie uns zum Theil erhalten. Von der Kanzel herab sprach Bernhard von „falschen Brüdern, die in der Dominicaner-Kutte umherschleichen." Nachdem er die vieljährigen Leiden des Volkes und seine bis zur Stunde nicht alle gewordene Gebuld geschildert hatte, fuhr er fort: „Was sollen wir machen? Laßt euch ein Geschichtchen erzählen. Es war einmal eine Zeit, da redeten auch die Thiere. Eine große Heerde Böcke weidete zu dieser Zeit auf einer üppigen, reich von klaren Quellen bewässerten Aue. Aber alle Tage kamen aus der benachbarten Stadt zwei Henker und nahmen eines oder mehrere der Thiere. Als die Böcke gewahrten, daß ihrer mit jedem Tage weniger wurden, da sprachen sie untereinander: »Diese Henker schinden uns, verkaufen unser Fell und essen unser Fleisch. Wir haben keinen Herrn der uns beschütze, aber haben wir nicht Hörner auf unseren Stirnen? Wenden wir uns gegen unsere Henker zu gemeinsamer Abwehr!« Und sie thaten also und vertrieben die Würger von der Aue und retteten ihr und der Ihrigen Leben. Diese Aue ist unser Carcassonne, grünend und blühend im katholischen Glauben und vieler Quellen irdischen und geistigen Segens sich erfreuend. Wer aber sind die fetten Böcke, die der Henker Begier reizen? Das sind die reichen Bürger der Stadt. Ist das nicht ein fetter Bock, jener hochangesehne Mann, der Vater des Herrn Eymeric Castel, den die falschen Prediger-Mönche der Ketzerei beschuldigen? Und der Herr Wilhelm Garric — ist das nicht auch ein Ketzer, nur weil er ein fetter Bock ist? Und der Herr Wilhelm Brünet und der Herr Raymond de Cazilhac und so viele Andere — Alle, Alle wurden gefangen und bis auf ihre Haut geschoren, weil sie reich waren an Wolle und wir Niemand haben, der sich für uns wehrt gegen unsere Henker!" Nach der Predigt begaben sich die Zuhörer zu den Häusern einiger früheren Stadträthe, von denen man wußte, daß sie die Inquisition und deren Officianten begünstigten und zerstörte dieselben.

Das Andenken an diese Gewaltthat erhielt sich lange, denn der Anblick der ruinirten Wohnungen frischte dasselbe immer wieder auf. Blut war nicht vergossen worden, schon darum nicht, weil die betreffenden Herren: Bernhard Isarn, Bartholomäus Rey, Guy Sicredi, fich zeitig aus dem Wege gemacht hatten. Denn Bernhard's Rede war nur der Funke, der ins Pulverfaß fiel und die an ihren Wohnungen gestraften Stadträthe hatten allerdings zur Zeit ihrer Amtsverwaltung eine Schandthat begangen, die sie des Striches werth machte: sie hatten im Interesse der Inquisition ein öffentliches Actenstück fälschen helfen und damit jedes einzelne Gemeindeglied in die bedrohlichste Gefahr gebracht. Diese Fälschung unschädlich zu machen, stellte Bernhard Delicieux sich jetzt zur Aufgabe; die augenblicklich günstige Sachlage durfte nicht unbenutzt bleiben. Hören wir, um was es sich handelt!

Die Einwohner von Carcassonne hatten zur Zeit des Inquisitors Nicola d'Abbeville mit diesem einen schriftlichen Vergleich abgeschlossen. Dieser Vergleich war heimlich abgeändert worden, so daß er sich jetzt als eine Absolutions-Urkunde darstellte. Der jetzige Wortlaut besagte nämlich: Die Bürger von Carcassonne, durch Nicola d'Abbeville rechtmäßig excommunicirt hätten diesen gebeten, ihnen zu verzeihen, was besagter Inquisitor, auf inständiges Ansuchen der Stadträthe denn auch gnädigst gewährt habe. Hierdurch wurde die ganze rechtliche Stellung sämmtlicher Bürger von Carcassonne der Inquisition gegenüber vollständig umgeändert. Man bedenke: die reuigen Ketzer konnten, nachdem sie ihren Irrthümern abgeschworen hatten, mit der Kirche ausgesöhnt werden; die einmal versöhnten, dann aber r ü c k f ä l l i g gewordenen, sollten ohne weitere Proceß-Verhandlungen sofort der weltlichen Gewalt zur Bestrafung ausgeliefert werden, „saeculari judicio sunt, sine ulla penitus audientia, relinquendi" heißt es in der „Summa" des Raymundus. Wenn also die Bürger von Carcassonne, wie das gefälschte Schriftstück auswies, schon ein Mal als reuige Häretiker zu Gnaden in die Kirche wieder aufgenommen waren, so konnte jetzt vorkommenden Falles jeder derselben ohne weitere Umstände dem Scheiterhaufen überantwortet werden. Augenblicklich war keine Gefahr, aber wenn der Vicedom, was zu jeder Stunde möglich war, vom Könige strengere Weisungen empfing, wenn er abberufen wurde — was dann?

Die Todesgefahr schwebte jedem Bürger von Carcassonne über dem Haupte. Auf Antrieb Bernhard's hörten die neuen Stadtväter den Rath der angesehensten Rechtsgelehrten. Das Languedoc war mit Gesetzeskundigen reich gesegnet, und die meisten halten es, als wackere Patrioten, mit den Gegnern der Inquisition. Das übereinstimmende Urtheil der Gefragten geht dahin: „Das Schriftstück ist ein Friedens-Instrument. Die Einwohner von Carcassonne hatten sich den Ketzern im Allgemeinen gewogen gezeigt; sie versprachen, um unbehelligt zu bleiben, davon abzustehen; das ist Alles." So hatte man das Ding auch allgemein aufgefaßt und die Inquisition selbst hätte, da die Dinge einmal so lagen, es gerne aus der Welt gewünscht; sie hatte eine Waffe gegen Andere schmieden wollen; die Ruinen der gemeinderäthlichen Häuser zeigten aber, daß diese Waffe sich auch gegen ihre Urheber wenden könne. Es wurde Tag und Stunde anberaumt, um sich zu verständigen. Es war eine hochwichtige Sitzung: neben dem Inquisitor der Bischof und der Official; dann Sicard de Lavour, der oberste Landesrichter für Carcassonne und Béziers, sämmtliche Stadträthe. Letztere bringen die Gutachten der gehörten Rechtsverständigen vor, ihre Gründe werden für vollwichtig erkannt und Gottfried d'Ablis muß dies Namens des h. Officiums bescheinigen. Das war am 10. August des Jahres 1303.

Es war eine schmerzliche Niederlage für die Vertreter des h. Officiums und diese wußten, wer ihnen dieselbe bereitet hatte. Gottfried d'Ablis und der Bischof boten Alles auf, um Bernhard dem Volke verhaßt zu machen. Wie von jeher, bis zur Stunde, so hat es auch zu bamaliger Zeit an Solchen nicht gefehlt, die keine höhere Lebensregel kennen, als den vorgeblichen Inhabern der Himmels-Schlüssel Alles zu glauben und in Allem zu gehorchen. Bernhard ging nach Albi, dem Heerd der Unzufriedenheit, um seinen Rückhalt zu verstärken. Am 15. August predigte er dort in der Kirche seines Ordens. Mit einem zahlreichen, nöthigenfalls zur Selbsthülfe bereiten Gefolge kehrt er nach Carcassonne zurück. Gleichzeitig treffen aus verschiedenen andern Orten der Provinz zahlreiche Consular-Deputirten mit Protesten ganzer Gemeinden sowie Advocaten zur Geltendmachung der Beschwerden einzelner Verfolgter oder Verurtheilter dort ein. Der Vicedom ist noch abwesend. Auf Bernhard's Drängen kommt er endlich sammt seinem Collegen, dem Archidiakon Lenedeu. Schon bevor sie die Stadt erreichten, bekamen sie einen Begriff von den Zuständen, die sie dort antreffen würden: eine große Menge war ihnen entgegengezogen und schrie: „Messires, Messires! Um der Barmherzigkeit Gottes willen, verschafft uns Recht gegen diese Heimtücker!" Beim Eintritt in die Stadt gab's einen neuen Tumult und zwar einen ernsteren. An der Seite des Vicedoms ritt Meister Guirald Gahlard, Advocat und Richter, ein bekannter Freund der Inquisitions-Mönche. Man fällt seinem Pferd in die Zügel und rief: „Nieder mit ihm! Schlagt ihn todt!" Die Reformatoren mögen wollen oder nicht: sie müssen mit zum Kloster der Minoriten, wo die angesehensten Bürger von Carcassonne mit den Abgesandten von Albi, Cordes und andern Städten zu gemeinsamer Berathung versammelt sind. Das sind keine stürmenden Volksmassen wie draußen, sondern lauter vertrauengenießende, lebensgereifte Männer, aber auch diesen kocht es im Gemüthe. „Kein Zaudern und Zögern mehr; es muß gehandelt werden ohne Aufschub, ohne langes Gerede!" — das ist die Parole bei Allen. „Auf zu den Kerkern der Inquisition! Wir nehmen die Gefangenen aus ihren Erblöchern heraus und bringen sie auf die Citadelle! Frei laffen dürfen wir sie nicht, denn sie sind nach den leider im Lande zu Recht bestehenden Gesetzen ver- urtheilt, aber sie sollen menschenwürdige Gefängnisse haben!" Man weiß es, daß eine Appellation von den Urtheilen der Inquisition an die Commiffare des Königs unzuläffig ist, denn das Tribunal des h. Officiums ist in seinen Entscheiden von der königlichen Rechtspflege unabhängig. Das aber will man sich nicht nehmen laffen, daß man die im Dunkel Schmachtenden heraufführt an das rosige Tageslicht; man will wieder einmal mit ihnen reden, man will wiffen, durch welche leibliche und geistige Torturen sie dazu gebracht wurden, sich der ihnen zur Last gelegten religiösen Verbrechen schuldig zu bekennen, ohne was ihre Verurtheilung ja gar nicht statthaft gewesen wäre.

Aus dem Minoriten - Kloster begeben sich die zwei königlichen Commiffare in eine andere Versammlung, die zur selben Stunde in dem Hause des früheren Bischofs von Elne, Raymond Costa, abge- halten wurde. Dort dasselbe Drängen zu unverzüglichem Handeln. Das Volk, sagt man, ist des Wartens satt geworden; nur durch Er- füllung seines gerechten Begehrs ist es von Gewaltthaten zurückzu- halten. Die königlichen Commiffare sind in bedrängter Lage; bisher haben sie sich hinsichtlich der Inquisition darauf beschränkt, zur Be- schwerde-Erhebung aufzumuntern und die ihnen darauf eingereichten Klagen, nachdem sie dieselben den Augen des Königs unterbreitet hatten, mit der durch die eigene Anschauung gewonnenen Ueberzeu- gung zu unterstützen — jetzt sollten sie aus eigener Machtvollkom- menheit handeln, schnell handeln, schneller jedenfalls, als der König selbst in diesem Falle handeln würde.

Einige Tage später wurde der Vicedom von einer Schaar Frauen umringt, die sich ihm in den Weg werfen und Schreie der Verzweif- lung ausstoßen. Es sind die Frauen der Eingemauerten von Albi. Bernhard Delicieux ist bei ihnen. Er hält sie zurück, als sie den königlichen Commiffar thätlich bedrohen; Letzterem aber bemerkt er: das sei die Folge, wenn die Uebung der Gerechtigkeit über Gebühr hin- ausgeschoben werde. Der Vicedom zögerte noch immer, aber die Be- wegung, welche nun die ganze Stadt ergriff, wuchs ihm über den Kopf. Aus allen Häusern traten die Gegner der Inquisition heraus, um dem Kloster der Minoriten sich zuzuwenden zu einer allerletzten Berathung. Mit dieser Berathung war man bald zu Ende: „Wenn die königlichen Commiffare auch durch den Jammer der Weiber sich nicht bewegen laffen, wenn sie nicht noch heute am Tage in's In- quisitionshaus sich verfügen und die Doppelthüren der Kerker öffnen, so besorgen wir dies Geschäft, wir, die hier versammelten Bürger." Die Häupter des Unternehmens sind Peter de Castanet und Wilhelm Franja. Der in der Kirche versammelten Mitverschworenen waren es etwa achtzig, darunter Handwerksleute, die das Geräthe schon mitgebracht hatten, um jeden Widerstand, den Stein oder Eisen ihnen entgegenstellen könnte, zu brechen. Die Kirchenthüren waren verriegelt, still und entschlossen erwarteten sie von draußen die Nachricht von dem Ausgang des letzten Bitt-Versuchs. Da endlich kommt ihnen die Kunde zu, der Vicedom habe nachgegeben und sei auf dem Wege zu den Kerkern. Gewiß: er nimmt eine große Verantwortlichkeit auf sich; aber er gibt dem Drange der Umstände ja nur nach, um Schlimmeres, das sonst unausbleiblich ist, zu verhüten. Wenn der König oder der Papst ihn zur Rechenschaft ziehen wollen, so werden sie diese Entschuldigung gelten lassen müssen. Als der Vicedom sich dem Inquisitions-Gebäude näherte, erschien der Dominicaner-Mönch Gahlard de Blumac hinter dem eisernen Gitter des der Pforte nächstgelegenen Fensters und fordert den Rahenden auf, die Grenze der königlichen und kirchlichen Jurisdiction zu respectiren. Gleichzeitig langt er ihm ein Pergament durch die Treillien hindurch, welches diesen Protest auch schriftlich enthält. Der Vicedom aber heißt die Kerkermeister unverzüglich öffnen und bringt, von Bernhard, Arnold Garcia und Peter Pros gefolgt, in das Innere des Gebäudes. Die Menge drängt ihnen auf dem Fuße nach. Die Kerker werden geleert und die darin lebendig begraben Gewesenen dem Lichte wiedergegeben. Man führt sie in die Gefängnisse der Stadtthürme.

Der Bericht über diese Vorgänge ist von den Notaren des h. Officiums selbst abgefaßt. Selbstverständlich enthält er Nichts über die Scenen rührenden Wiedersehens zwischen den Gefangenen und ihren Angehörigen, Nichts über den Jubel in der Stadt, der diesen denkwürdigen Tag beschloß. Auch von der Verwirrung, welche dieser Einbruch unter den Prediger-Mönchen, vor Allem im Gemüthe des Inquisitors selbst, anrichtete, meldet derselbe Nichts. Aber das Alles läßt sich denken.

Die letzten Tage des August scheinen friedlich verlaufen zu sein. Die von Albi herübergekommen waren, kehrten an ihren häuslichen Heerd zurück und verkündeten den Anverwandten der aus ihren finstern Mauerlöchern Befreiten: sie hätten Den gesehen und Den, und Den, und Alle säßen jetzt in geräumigen und gesunden Gefängnissen. Zu Carcassonne selbst folgte dem Rausche des Erfolgs eine gewisse brütende Stimmung; aber wie der Himmel oft noch lange wetterleuchtet, nachdem das Gewitter sich schon entladen, so brachen hier und da Aeußerungen hervor, welche zeigten, daß es nur reizender Anlässe bedürfe, um neue Wuthausbrüche hervorzurufen. In den ersten September-Tagen predigte Bernhard zu Carcassonne, und nach dieser Predigt gab es bedrohliche Zusammenrottungen vor dem Kloster der Dominicaner; das Portal der Kirche wurde demolirt und sämmtliche Glasfenster entzwei geworfen. Die Inquisition zu Carcassonne war sichtlich vogelfrei und dem Minoriten Bernhard Delicieux auf Gnade und Ungnade in die Hand gegeben. Er hätte sie ganz vom Erdboden wegfegen können, wenn nicht zu fürchten gewesen wäre, der Papst oder der König würden ihn später einmal dafür zur Rechenschaft ziehen. Aber auch die Gemäßigtesten waren der Meinung, König und Papst handelten weise, wenn sie sich in's Mittel legten und ihren Untergebenen am h. Officium solche Dinge ein für alle Mal unmöglich machten, welche früher oder später neue Gewaltthätigkeiten nothwendig nach sich ziehen müßten. Blieben die Officianten ohne neue Instructionen, so würden sie jedenfalls in den hergebrachten Geleisen fortfahren.

Die Inquisition nahm denn ihrerseits bald den Kampf wieder auf. Nachdem Gottfried b'Ablis sich mit seinen Amtsbrüdern der Nachbarschaft darüber in's Einvernehmen gesetzt hatte, verhängte er über den Vicedom die Excommunication. Nach dem Ausdrucke dieser Bann-Sentenz hatte Johann de Picquigny, Commissar des Königs, sich zweier großen Vergehen gegen die Kirche schuldig gemacht. Erstens hatte er zu wiederholten Malen dem h. Officium die Beihülfe des weltlichen Armes zur Bestrafung von Ketzern geweigert; zweitens hatte er an einer rebellischen Zusammenrottung Theil genommen, war in die Kerker der Kirche eingebrochen und hatte ihr die Gefangenen entzogen. In Folge dessen wird er ausgeschieden aus der Gemeinschaft der Gläubigen und allen Strafen überantwortet, welche eine solche Ausschließung nach sich zieht.

Es war das Recht der Kirche, derlei Decrete an allen öffentlichen Orten, die ihr dazu passend erschienen, feierlich bekannt machen zu lassen; dem Excommunicirten dagegen stand es frei, nach Rom zu appelliren und eine Prüfung des Processes zu verlangen. Für den Vicedom nahm Bernhard die zu dieser Appellation nöthigen einleitenden Schritte in die Hand. Er machte den Stadträthen von Albi u. s. w. Mittheilung davon, und da es eine bis zur Sprüchwörtlichkeit bekannte Sache war, daß das Ansuchen um Gerechtigkeit in Rom nicht nur Sporteln koste, sondern man der geistlichen Justitia durch Geschenke ein freundliches Lächeln abgewinnen müsse, so erklärten sich sämmtliche Städte zu angemessenen Geldbeiträgen bereit. Daß man das für den Vicedom thue, sei nur schuldiger Dank, und zudem solle ja, um auf die Bestrafung des Vicedom das rechte Licht zu werfen, gleichzeitig beim päpstlichen Stuhl eine Beschwerde der verfolgten Städte und Landschaften betrieben werden.

Mit der Excommunication des Vicedom ließ sich's die Inquisition aber nicht genug sein: sie verklagte ihn auch beim Könige und der Königin. Der Zwiespalt zwischen Dominicanern und Minoriten machte sich geltend bis auf den Thron: die Königin, welche den Franziscaner-Pater Durand zum Beichtvater hatte, ließ sich durch die inquisitoriale Denunciation nicht beirren und gewährte noch nach

derselben einer Schaar von Albigensern, welche mit Klagen vor ihr
erschienen, Gehör und sympathische Aufnahme. Auch der Vicedom
und Bernhard machten sich bald darauf nach Paris auf die Reise,
gefolgt von einer Menge von Männern und Frauen aus Carcassonne,
Castres, Albi und Cordes. Auch Wilhelm Fransa, Peter de Castanet, Arnold Garcia und Elias Pacci sind wieder mit von der
Partie. Es sind ja die treuen Paladine Bernhard's: er geht nicht
ohne sie, sie nicht ohne ihn. Er ordnet an, sie fügen sich diesen
Anordnungen in Allem. Bei Bernhard finden sich aber auch zwei
Männer, die wir bis jetzt als seine Mitstreiter noch nicht kennen gelernt haben: Bertrand de Villardel und Johann Hector, beide Minoriten-Brüder. Bernhard hatte also in seinem Orden nicht bloß
solche Genossen, die im Stillen mit seinem Wirken einverstanden
waren, sondern auch solche, die ihm öffentlich dabei zur Seite standen.

Es ist ein Brief des Vicedoms an die Schöffen von Toulouse
erhalten, datirt aus Paris von Dinstag vor Allerheiligen, in welchem
Johann de Picquigny die Gemeinderäthe von Carcassonne, Albi,
Pamiers, Béziers u. s. w. u. s. w. um ihr Zeugniß bittet. Er
werde angeschuldigt, sich überall als der „erbittertste Feind" der Kirche
und ihrer Diener, als der eifrigste Beschützer der Häretiker erwiesen
zu haben. Sein Gewissen spreche ihn von solchen Vorwürfen frei.
Was er zu Carcassonne gethan habe, das habe er nicht gegen die
Religion, nicht für die Häresie gethan. Auf das drängendste
Fordern ehrenwerther Bürger sei er, wie er es für seine Pflicht gehalten habe, eingeschritten und habe ebenso unmenschlichen wie un-
nützen Quälereien ein Ziel gesetzt. Das möchten sie ihm als die
thatsächliche Wahrheit beglaubigen.

Während der Vicedom und Bernhard den Erfolg dieses Gesuches
zu Paris abwarteten, suchten sie den König für ihre Sache zu gewinnen; es war aber dies Mal Nichts von ihm zu erreichen; Seitens der Freunde der Inquisition wurde eifrig gegen sie geschürt.
Der König hörte beide Parteien an, gab aber durch Nichts kund,
nach welcher Seite er sich neige. Er hat sich früher gegen die
Inquisitoren erklärt, und man hatte ihm Hoffnung gemacht, daß die
durch die Glaubens-Processe aufgeregte Probinz beruhigt werde. Jetzt
wirft man ihm vor, er habe die Ketzerei dadurch ermuthigt und
strenges Einschreiten gegen dieselbe nothwendig gemacht. Soviel liegt
am Tage: die Bevölkerung ist unbefriedigter als je. So calculirt
der König; daß seine halben Maßregeln gegen die Inquisition
nicht geeignet waren, den Frieden herzustellen — der Gedanke scheint
ihm nicht gekommen zu sein.

Der Geschichtskundige weiß, welche empörende Scene sich am
8. September 1303 zu Anagni, der Vaterstadt Bonifaz' VIII,
zwischen diesem und den Parteimännern Philippp's des Schönen in

den päpstlichen Gemächern abspielte. Der lange Zwiespalt zwischen dem Papste und dem Könige war zu dem Grade gediehen, daß Bonifaz an dem genannten Tage die Excommunication und Thron-Entsetzung Philipp's im Dome zu Anagni aussprechen wollte. Bonifaz sollte stumm gemacht werden, bevor er diesen neuen Act der Ueberhebung der geistlichen Gewalt vollführt hätte. Im Morgengrauen rückte die Schaar, die das für Philipp zu besorgen in Italien geworben war, unter des französischen Hofmanns Nogaret Führung mit dem Rufe: „Tod dem Papste! Es lebe König Philipp!" in die Papststadt ein. Im Volke hatte Bonifaz keinen Schutz. Gemordet wurde er darum doch nicht, aber persönlich mißhandelt in einer Weise, die einem wehrlosen Greise gegenüber unter allen Umständen als Frevel erscheint. Erst am dritten Tage wurde dem Bedrängten, der bis dahin aus Schmerz und Argwohn jede Nahrung zurückwies, Hülfe aus der Campagna und Rom, ohne daß er sich Nogaret's Forderungen gefügt hätte. Nogaret entwich.

Gleichsam ein Nachhall dieser Tragödie war es, was sich gegen Ende October zu Castres begab. Die Excommunications - Sentenz gegen den Vicedom war hier in der üblichen Weise von der Kanzel verlesen worden und zwar durch den Priester Johann de Recoles von der Kirche Sainte-Marie de la Place. Diesen forderte kurz darauf der stellvertretende Landvogt von Albi, Peter Nicolai, vor sich und erklärte es für eine Unverschämtheit,' daß er sich zum Mitvollstrecker eines Urtheils hergegeben habe gegen einen Mann wie der Vicedom, der doch die Person des Königs repräsentire. Der Priester entschuldigte sich damit, daß er nur den Befehl des Erzpriesters von Castres pflichtmäßig ausgeführt habe. Der Landvogtei-Verweser ließ ihn jedoch als Gefangenen in das Minoriten-Kloster abführen. Auf dem Wege dorthin wird der Priester vom Volke verhöhnt und geschlagen. Man verlangt, er solle die Excommunications - Sentenz widerrufen. Auch die Minoriten reden ihm zu, diesem Verlangen zu entsprechen. Anstatt seinen Gefangenen gegen die tobende Menge zu schützen, gefiel sich Peter Nicolai darin, ihn erst recht zu verunglimpfen. So war jede Rechtsregel dem Hasse gewichen. Der Haß gegen die Inquisitoren und ihre Helfershelfer war allerdings ein gerechtfertigter Haß, aber die Gesetze, innerhalb deren Johann de Recoles gehandelt hatte, waren, wenn auch vom Papste gegeben, so doch vom Könige beschworen; ein königlicher Beamter durfte ihnen also nicht entgegenarbeiten. Einzig der König konnte der Provinz ihre Freiheit von den geistlichen Drängern zurückgeben.

Philipp schien in der That einen logischen Zusammenhang zwischen dem Ereigniß von Castres und der That von Anagni herauszufinden, denn er wurde dem Vicedom und Bernhard gegenüber noch zurückhaltender. Die Inquisition mochte er ebenso wenig in Schutz nehmen. Da versprach er ihnen endlich, zu Weihnachten selbst nach Toulouse zu kommen; er hoffe jedoch, fügte er bei, bis dahin Nichts von neuen Tumulten hören zu müssen. Bernhard eilte, um das Nöthige hierfür vorzukehren, zurück nach Albi, nach Castres, nach Toulouse, wo der König wirklich zum genannten Feste eintraf, begleitet von der Königin, Johanna von Navarra, und seinen drei Söhnen Ludwig, Philipp und Karl. Eine große Zahl weltlicher und geistlicher Würdenträger bildeten das Gefolge. Als der König an der Spitze desselben die Straßen durchritt, warf sich ihm eine unzählige Schaar von Männern und Weibern in den Weg und schrie: „Gerechtigkeit! Gerechtigkeit!" So hatte Bernhard es angeordnet. Während er aber hiervon für den religiösen Frieden seiner Landsleute sich die besten Früchte versprach, zog sich über seinem eigenen Haupte ein Gewitter zusammen. Die Inquisitoren Wilhelm de Morières und Gottfried d'Ablis fürchteten den Einfluß des beredten Minoriten Bernhard auf den König zu sehr, um nicht Alles aufzubieten, daß er ihm ferne gehalten werde. Sie denuncirten ihn also bei dem aus Anlaß des königlichen Besuchs in Toulouse gleichfalls anwesenden Minoriten-Provincial von Aquitanien als einen Volksaufwiegler, gegen welchen sie demnächst würden vorgehen müssen, weil er sie in der Ausübung ihres Amtes behindere und der wohl am besten unter Clausur gehalten werde. Diese Mühe erwies sich jedoch vergeblich. Der Provincial von Aquitanien nahm Bernhard gleich nach der Frühmette des folgenden Tages vor, scheint aber keine Schuld an ihm gefunden zu haben. Bernhard blieb im Genusse freier Bewegung.

Philipp zögerte nicht allzulange, den Abgesandten von Carcassonne und Albi Audienz zu geben. Sie erschienen in großer Zahl. Die des Wortes Mächtigen sprachen der Reihe nach. Als Arnold Garcia zu Worte kam, bat er den König, sich nicht täuschen zu lassen von Denjenigen, die, um die Henker der Inquisition zu rechtfertigen, deren Opfer verleumdeten. Bernhard, der hinter ihm stand, unterbrach ihn mit lauter Stimme: „Nennt den Verleumber doch, Meister Arnold, nennt ihn gerade heraus! Sagt dem König: ›es ist Bruder Nicola, Euer Beichtvater.‹ Sagt ihm noch dazu: ›Sire, wie könnt Ihr auf einen Mann hören, der hinter Euerm Rücken den Flamändern Alles verräth, was gegen sie im Geheimen Rath beschlossen wird?!‹" Diese Worte waren von den Nächststehenden deutlich vernommen worden und Wilhelm Garcia wiederholte sie wirklich dem Könige. „Habt Ihr Beweise dafür?" fragte einer der Hofleute, Wilhelm de Plasian. „Ich weiß es von Magister Johann Lemoine, der mir's neulich in der Kirche Sainte - Geneviève erzählt hat." Es war der Cardinal Johann Lemoine gemeint, ein Mann von großem Ansehen und wohl bewandert in den Angelegenheiten der verschiedenen Staaten, auch den geheimsten. Die Sache muß nicht ohne Grund gewesen sein, denn bald darauf war Bruder Nicola seines Amtes als Beichtvater des Königs enthoben. Die drei Redner schlossen mit der gemeinsamen Bitte, der König möge es den Urhebern der Verwirrung unmöglich machen, weiteres Unheil anzurichten. Die Provinz habe keinen andern Wunsch, als die innere Ruhe ungestört erhalten zu sehen.

Einige Tage später erschien Bernhard wieder vor dem Könige, dies Mal aber nicht als Ankläger, sondern als Verklagter, als Urheber der Volksaufstände. Dem königlichen Rath waren für diese feierliche Sitzung noch einige außerordentliche Mitglieder beigesellt: der Erzbischof von Narbonne, der gelehrte Bischof von Béziers und der Minoriten = Provincial von Anquitanien. Bernhard gesteht ohne Umschweife: ja, er ist ein geschworener Feind der Inquisition; nicht bloß unablässig „geschrien" hat er seit Jahren gegen dieselbe: heiser hat er sich geschrien. Ja, wenn die Stadt Toulouse gegenwärtig voller Leute ist, die von allen Seiten herbeigekommen sind, um zu klagen, so ist das sein Werk; er hat den Leuten im Auftrag des Königs dessen Hierherkunft angezeigt und sie geheißen, Gerechtigkeit von ihm zu fordern. Bernhard ging aus dem Rathe weg wie er gekommen war; eine gründliche Aenderung der Inquisitions= Angelegenheiten wurde aber auch nicht beschlossen. Der König meinte zur Abhülfe der Beschwerden alles seinerseits Mögliche gethan zu haben, wenn er die Machtbefugnisse der Inquisitoren dadurch einschränkte, daß er sie der Controle der Diöcesan = Bischöfe unterstellte. Die Kirche, sagte er, hat ihre besonderen Tribunale; deren Competenz ist vom Staate anerkannt. Die von denselben wegen Häresie Verurtheilten müssen an den Papst appelliren, nicht an den König. Wenn er, Philipp, auch über mancherlei Eingriffe des Papstes in seine königlichen Rechte zu klagen habe, so werde er sich nicht durch Eingriffe in die kirchliche Freiheit entschädigen. In einer Ordonnanz vom 13. Januar 1304 erneuerte Philipp also alle Vorschriften, welche er in seinen Briefen vom 8. December 1301 gegeben hatte. Er will die Inquisition „zum Besten des Glaubens" erhalten; es ist Sache des Papstes sie aufzuheben nach eigenem Gutbefinden. Gleichzeitig betont der König aber auch in den strafendsten Ausdrücken, daß das Verfahren der Diener des h. Officiums lange genug ein Scandal für alle rechtlichen Leute gewesen ist, das müsse aufhören. Um indessen den kirchlichen Gefangenen in der Stadt Toulouse einen Beweis seines königlichen Mitgefühls zu geben, verlangt er eine bessere Behandlung für dieselben. Die Kerker, sagt er, sind da, um die Schuldigen einzusperren, nicht um sie zu quälen — „ad custodiam non ad poenam".

Zu Anfang Februar begab sich Philipp von Toulouse über Carcassonne nach Béziers. Carcassonne hatte sich festlich geschmückt.

Elias Pacci, das „Königlein von Carcaſſonne", geleitete den König bis auf's Schloß. Als ſie auf deſſen Freitreppe angekommen, einen Ueberblick über die Stadt hatten, ſagte Pacci mit ſtarker Betonung: „König von Frankreich, wendet Euch um und gönnt dieſer armen Stadt einen Blick; ſie gehört zu Euerm Reiche und wird ſehr gedrückt." Der König gab Befehl, den Mann, der ſo frei zu ihm geſprochen, ihm fürder fern zu halten. Als Elias Pacci durch die Stadt zurückritt, gab er ſeinen Mitbürgern zu verſtehen, vom Könige ſei Nichts mehr zu erhoffen. Bernhard und ſein gewohnter Stab begleiteten den König nach Béziers. Dort, wo der Hof im biſchöflichen Palaſte Wohnung nahm, bat Bernhard in Gegenwart Pacci's, Peter d'Arnold's und einiger Anderen den traurigen Helden von Anagni, Wilhelm de Nogaret, dieſen mächtigen Günſtling des Königs, er möge doch Sorge tragen, daß die Appellationen der Albigenſer ſchleunigſt nach Rom gelangten. „Gewiß", war die Antwort, „man wird dafür ſorgen — ſpäter. Einſtweilen hat der König viel angelegentlichere und wichtigere Dinge mit dem römiſchen Hofe zu ordnen; die dürfen wir mit ſolchen Querelen nicht vermengen und hindern. Im Uebrigen wird's nicht einmal viel nußen: der neue Papſt (am 22. October 1303 war Benedict IX. auf Bonifaz VIII. gefolgt) iſt ein Dominicaner — der wird ſeinen Inquiſitions-Mönchen nicht an die Privilegien rühren." Pacci war ſich jeßt klar, wie die Dinge lagen. Seine Rede war jeßt: „Der König läßt uns im Stich und der Papſt wird uns opfern."

Wie wenig Sympathie der König noch mit den klagenden Gemeinden des Languedoc hatte, ſollte Carcaſſonne in den nächſten Tagen erfahren. Die Stadt hatte dem Königs-Paare je einen kunſtreichen, mit Gold gefüllten Pocal überreichen laſſen. Der König wies den ihm zugedachten ſofort von der Hand; die Königin hatte ſich den ihrigen gefallen laſſen, aber auch dieſer wurde von Montpellier aus durch den König ohne ein Wort der Erklärung zurückgeſchickt. Die Reiſe des Königs ging von da über Nîmes in die Auvergne. Am 15. März predigte Bernhard zu Albi. Vom Könige und den auf ihn gebaut geweſenen Hoffnungen kein Wort, deſto mehr vom Vicedom, ſeiner Appellation in Rom und den von dort gekommenen günſtigen Nachrichten. Drang dieſe Appellation durch, ſo war die Inquiſition verurtheilt. Acht Tage ſpäter, am Palmſonntage, hielt Bernhard ſeine Predigt zu Carcaſſonne. Er hat noch keine weiteren Nachrichten. Aber, um's Himmels willen, jeßt keine Conflicte, keine Ausſchreitungen! Bis man weiß, wie die Entſcheidung der vom Papſte in's Albigenſer-Land zu ſendenden Unterſuchungs-Commiſſare gefallen iſt, muß Alles ertragen werden. Wenn dann auf die unabläſſigen Klagen nicht Gerechtigkeit geübt wird, ſo wird die Zeit gekommen ſein, neue Beſchlüſſe zu faſſen. Machen dieſe neuen Be-

schlüsse das Martyrium nöthig, so werden auch die Martyrer nicht
fehlen. Am Sonntage „Quasimodo", dem ersten nach Ostern, läßt
Bernhard in der Predigt das Wort fallen, daß der König durch
übergroße Nachsicht gegen die Inquisition seine Herrscherpflichten ver-
letze. Am 3. Mai finden wir Bernhard auf der Kanzel der Kirche
Saint-Sernin zu Toulouse. Das war keine den Franziscanern ge-
hörende Kanzel; auch sind die Gemeinderäthe von Toulouse nicht
von derselben inquisitions-feindlichen Stimmung beseelt wie die von
Carcassonne und Albi; ebenso war jene Sorte Leute, welche noch
heute für die frommen Bruderschaften die Elemente liefert, zahlreich
in Toulouse und den für die „Reinheit des Hauses Gottes" eifern-
den Prediger-Mönchen zugethan. Bernhard hatte Viel auf dem Herzen,
als er zum Predigtstuhl hinaufstieg; oben angekommen merkte er
jedoch, gleich nach den ersten Worten über die Angelegenheit, die ihn
interessirte, daß Spione aufgestellt waren, ihn zu überwachen und
im vorgesehenen Falle Tumult zu erregen. Die bürgerlichen Gewalthaber würden sich dann dazu hergegeben haben, ihn „auf frischer
That" zu verhaften und der Inquisition auszuliefern. Bei dieser
Wahrnehmung bricht er ab und steigt wieder hinunter. Seine
Pfingst-Predigt hielt Bernhard zu Albi. Er hatte nie heftiger gesprochen als dies Mal. Die Inquisitoren hatten nicht mit Unrecht
geschlossen: nach der gezwungenen Zurückhaltung zu Toulouse werde
er sich jetzt an sicheren Orten um so freimüthiger gehen lassen.
Seit langer Zeit hatten sie dem Papste angelegen, ihn zum Schweigen zu bringen. Der Dominicaner-Mönch auf dem päpstlichen Stuhl,
Benedict XI., hatte in seiner, nur von dem einen zum andern Jahre
dauernden Regierung Zeit genug, ihnen diesen Dienst zu leisten;
unterm 16. April gab er dem Minoriten-Provincial von Aquitanien
Befehl, den Bruder Bernhard Delicieux, den hartnäckigen Widersacher
des h. Officiums festnehmen und wohlbewacht nach Rom führen zu
lassen. Von einer Predigt-Reise nach Limoux, welche Stadt den
Minoriten zu hören begehrt hatte, weil sie der Inquisition schon
mehr als Ein Opfer hatte liefern müssen und man jetzt neue von
ihr forderte, nach Carcassonne zurückgekehrt, erfuhr Bernhard von
dem päpstlichen Haftbefehl. Er konnte fliehen — er wollte nicht.
Am Sonntage nach Dreifaltigkeit theilte er seinen Zuhörern von der
Kanzel mit, seine Stunde sei gekommen und dies das letzte Mal,
daß er zu ihnen rede. Bernhard erfuhr, daß man ihn ohne Zeugen
und Geräusch außerhalb der Stadtmauern aufheben wolle; er blieb
daher zu Hause. Anfangs Juli erschien aber Johann Rigaud, der
stellvertretende Provincial seines eigenen Ordens für Aquitanien in
der Zelle Bernhard's, nahm diesen bei der Hand und forderte ihn
auf, sofort die Reise nach Rom anzutreten. Bernhard stieß die Hand
seines Angreifers zurück und weigerte sich entschieden, Folge zu leisten.

Johann Rigaud erließ nun ein Excommunications-Decret gegen ihn. Das verfehlte sowohl bei Bernhard wie bei seinen Anhängern jeden Eindruck. Der Mißbrauch, den man schon zu dieser Zeit mit jener geistlichen Waffe zu sehr irdischen Zwecken getrieben hatte, hatte dieselbe bereits stumpf gemacht. Es war sogar schon schwer geworden, den Excommunicirten den Zutritt zum Gottesdienste und den Sacramenten zu verwehren. Die Sentenz Johann Rigaud's wurde, als der Minoriten-Provincial von Aquitanien die Amtsführung aus denen Rigaud's wieder in die eigenen Hände genommen hatte, auf einem gleich darauf abgehaltenen Ordens-Capitel zu Albi sogar ausdrücklich für nichtig und wirkungslos erklärt. So hatte der päpstliche Haftbefehl nur eine scheinbare Ausführung erhalten, Bernhard blieb frei, erschien sogar wieder auf der Kanzel. Benedict XI. starb auf der Suche nach einem Orte in Ober-Italien, wo er den zu Rom angefeindeten Papststuhl förderlich hinversetzen könne, zu Perugia, 64 Jahre alt, nachdem er sich den Magen an frischen Feigen überladen hatte. „Die Prediger-Mönche haben ihren Papst gehabt, wenn's Glück will, bekommen wir jetzt einen von unserem Habit" — triumphirte Bernhard. Deshalb wurde ihm später von seinen Gegnern vorgehalten: er habe vom Tode Benedict's mit Spott — „cum derisionibus publice praedicando" — geredet. Das war aber doch so üblich auch noch im 14. Jahrhundert unter den geistlichen Confratres. Lesen wir ja im „Chronicon" des Minoriten-Bruders Salimbene zum Jahre 1286 dessen Ausruf bei der Kunde von dem Tode Honorius' IV.: „dieser gichtbrüchige, geizige Römer, den die Cardinäle zum Papste für gut genug hielten, eine ganz mittelmäßige Persönlichkeit." „Der Papst ist todt — hoffen wir also!" das ist der Eingang, „Hilf dir selbst, so hilft dir Gott!" der Ausgang von Bernhard's Predigten zu dieser Zeit. Was er zwischen diesem Anfang und Ende sagte, war etwa Folgendes: „Ihr habt schon viel gethan, doch nicht so viel, daß euch Nichts mehr zu thun übrig bliebe. Vor einigen Jahren noch war jeder Albigenser ehrlos; man durfte sich, wenn man als solcher erkannt wurde, kaum außerhalb der Provinz sehen lassen; in so schlimmen Geruch hatten uns die Glaubenswächter bei anderen Leuten gebracht. Heute weiß man: die einzigen Ehrlosen im Lande sind ein paar Inquisitoren und ein ihnen dienstbarer Bischof. Es heißt, diese jetzt entlarvten Schurken sind nach Rom gegangen. Immerhin! sie werden dort einen neuen Papst und den Vicedom finden, der sie kennt und nicht schonen wird. Die römische Justiz ist etwas langsamer Natur; indessen: einmal muß das so oft aufgeschobene Werk doch zu Ende gebracht werden. Habt also Vertrauen in euern alten Vorkämpfer, der, wie ihr, excommunicirt ist und zwar um euretwillen. Bedenket aber, daß wer in Rom eine Sache gewinnen will, dieselbe

mit Geld fördern muß. Verkauft also Alles was ihr habt: euere
Wingerte, euere Häuser, euere Gärten und schickt den Erlös nach
Rom; denn wenn euer Bischof als Sieger aus Rom zurückkehren
sollte, so seid ihr doch drum — er wird euch euere Habseligkeiten
confisciren, eine nach der andern."

Inzwischen verbreitete sich das Gerücht, der Vicedom sei, gleichwie der Papst, und zwar am 29. September gestorben; die Einen
sagten zu Perugia, die Andern in den Abruzzen; sein Prozeß sei
aber noch nicht zu Ende geführt. Die Prediger-Mönche wußten auch
gewisse Einzelheiten von dem Tode des Verhaßten zu erzählen: wie
alle Excommunicirten sei er hinübergefahren gleich einem Hund
„sine crux sine lux". Ob ihnen geglaubt wurde? . . . Die Minoriten von Albi thaten einstweilen das ihnen Mögliche, um seiner
armen Seele zur ewigen Ruhe zu verhelfen. Excommunicirt oder
nicht: sie hielten ein feierliches Todtenamt und nach demselben Bernhard die Leichenrede. Er sprach, als feiere er einen Märtyr: „Der
Vicedom ist in unser Land gekommen, ohne es zu kennen; aber er
sah, daß es schön war und seine Bewohner ehrbar und gut, jedoch
schwer bedrückt. Da eilte er zum König, um Zeugniß abzulegen für
die Verfolgten gegen ihre Dränger. Und als der König dem Uebel
nicht abzuhelfen vermochte, trat unser Freund klagend vor dem Papste
auf. Als er aber auch hier die geforderte Abhülfe nicht fand, da
ging er vor den Richterstuhl Gottes, um den Papst zu verklagen."

Bernhard blieb, wie wir sehen, als Handelnder auf der Bühne,
die meisten seiner einstmaligen Mitstreiter und Freunde jedoch hatten,
entmuthigt, die Hände in den Schooß sinken lassen. Ohnmächtig,
den widrigen Gang der Dinge aufzuhalten, wollten sie bessere Zeiten
abwarten; es mußten doch bald gute Nachrichten kommen von da
oder dort. Es kamen aber nur schlimme. So hörte man unter
Anderm, der König habe den Vögten von Toulouse und Carcassonne
in folgendem Sinne geschrieben: er entsetze hiermit alle wegen Häresie Verurtheilten der von ihnen verwalteten öffentlichen Aemter,
und nicht allein sie selbst, sondern auch ihre Söhne und Vettern.
Weiterhin verbiete er alle Geld-Sammlungen zu Gunsten der Gegner
des h. Officiums. Diese Schreiben datiren aus dem Juni 1305.
Es seien das, fügte der König bei, alte Bestimmungen. Dem war
allerdings so: sie rührten von König Ludwig dem Heiligen her, und
Philipp der Schöne erneuerte sie nur aus Gefälligkeit für die Inquisitoren.

Einige Zeit darauf kam noch ernstere Kunde nach Carcassonne.
Der Beichtvater der Königin, Bruder Durand, wie man sich erinnern
wird, ein Ordens-Genosse Bernhard's, sowie der Sohn des Vicedoms,
Wilhelm von Picquigny, meldeten gleichzeitig: der König von Majorca habe Philipp dem Schönen Enthüllungen gemacht über gewisse

landesverrätherische Verhandlungen zwischen einigen Notabeln des Languedoc und seinem Sohne, dem Prinzen Ferdinand. Diese Anklage entbehrte allerdings nicht einer gewissen thatsächlichen Begründung.

Jacob II. aus dem Hause Aragon, König von Majorca, war seit dem Jahre 1292 als Herr von Montpellier gleichzeitig unmittelbarer Kron-Vasall von Frankreich. Als Philipp der Schöne bei seiner Fahrt durch's Languedoc, im Winter 1303, nach Montpellier gekommen war, erschien dort auch Jacob II. sammt dem genannten, etwa vierundzwanzigjährigen Prinzen, zur geziemenden Huldigung. Sie folgten dem Könige dann bis nach Nimes. Dort, im Palaste des Hoflagers selbst, hatte der Prinz den Minoriten Bernhard, in offener Gesellschaft, angeredet und als er das Gespräch auf die Inquisition gelenkt hatte, bemerkt: es würde ihm zur Genugthuung gereichen, das in dieser Angelegenheit zu thun, was der König von Frankreich nicht thue. In Folge dieser Bemerkung hatte sich dann ein Verkehr zwischen den Mißvergnügten des Languedoc und dem Prinzen entwickelt, der einige Zeit fortdauerte, von dem Bernhard sich jedoch sofort zurückgezogen hatte, sobald er sich zu einem Complot zu verfestigen schien. Diese Zurückhaltung Bernhard's war der Hauptgrund, weshalb dessen thatendurstigeren Freunde, wie Elias Pacci u. A., mehr und mehr ihre eigenen Wege gingen. Jacob II. hatte aber einen starken Beweis für Bernhard's Schuld in der Thatsache, daß Letzterer bald nach der Unterredung zu Nimes mit dem Prinzen auf dem Schlosse zu Saint-Jean Pla-de-Cors in den Pyrenäen eine Zusammenkunft gehabt hatte, die sofort vom Könige Jacob entdeckt und gestört worden war.

Bernhard wurde also von seinen Freunden zu Paris gemahnt, wenn er sich rechtfertigen könne, dies bald zu thun, da der König sehr erzürnt sei und nur davon spreche, prompte Justiz zu üben. Er theilte die erhaltenen Nachrichten allen Denjenigen mit, von denen er wußte, daß es sie mit angehe. Der Vogt von Carcassonne, Johann d'Aunay, der auch bald von der Sache unterrichtet war, verbot Bernhard den Eintritt in die Stadt, schien aber noch keine Weisung zu haben zur Einleitung der strafrechtlichen Verfolgung. Diesen, meinte Bernhard, müsse man durch die Absendung einer Deputation zum Könige zuvorkommen. Bernhard trat, wie gewohnt, an die Spitze derselben. Der König aber wollte von keiner Erklärung, von keiner Verzeihung hören. Er schrieb an den neuen Papst Clemens V. — der hauptsächlich ihm seine Wahl verdankte und ja auch der erste der sieben Päpste war, die von da an ihren Sitz zu Avignon nahmen — er solle den Minoriten Bernhard, der als solcher seiner Jurisdiction unterstehe, unverzüglich festnehmen lassen. Zugleich schrieb er an den Vogt Johann d'Aunay von Carcassonne, sich des Elias Pacci und seiner bürgerlichen Mitschuldigen zu bemächtigen und ohne viele Weitschweifigkeiten abzuurtheilen. Auf die Weisung des Papstes kündigte der Guardian des Minoriten-Klosters zu Paris Bernhard an, daß er in seiner Zelle Gefangener sei, und übergab ihn mehreren Ordensbrüdern zur Bewachung. Gleichzeitig, am 24. August, wurden die übrigen von dem Könige namhaft gemachten Mitverschworenen zu Carcassonne in den Kerker abgeführt. Der Vogt urtheilte sie ab bereits gegen Mitte September vor einem Tribunal, zu dem er den Vicomte Amalrich von Narbonne und zwölf weitere Barone der Umgegend als Beisitzer zugezogen hatte. Sechszehn der Angeklagten, an erster Stelle das „Königlein von Carcassonne", wurden zum Tode verdammt und dieses Urtheil am 28. September vor den Thoren der Stadt vollstreckt. Hören wir, welchen wohlthätigen Eindruck diese Execution auf einen der eifrigsten zeitgenössischen Inquisitoren, den Dominicaner Bernhard Gui, gemacht hat. „Nachdem die verrätherischen Verhandlungen an's Licht gebracht und den Urhebern gerichtlich nachgewiesen waren, wurden die am Vorabende des Festes des sel. Apostels Bartholomäus gefangen genommenen Verräther, der Elias Pacci sowie vierzehn Andere am Vorabende von St. Michel a. D. 1305 hintereinander durch die Stadt geschleift und längs der Heerstraße an neuen, feierlich errichteten Galgen öffentlich gehenkt. Und Diejenigen, welche einstmals wie unsinnig mit ihren Rabenstimmen gegen die Prediger-Mönche gekrächzt hatten, die mußten nun das Gekrächze der Raben, denen sie zum Fraße dienten, in ihren eigenen Ohren hören, denn es wurden Raben gesehen, die ihnen unter großem Gekrächze das Gehirn auspickten; das weiß ich von Augenzeugen." Der in seinem Rachegefühl sichtlich befriedigte Dominicaner-Mönch spricht nur von fünfzehn Gehenkten, weil einer der Verurtheilten, Eymeric Castel, Reißaus genommen hatte. Später wurde er im Limousin, zu Pierre-Buffière, ergriffen und in's königliche Gefängniß abgeführt. Er besaß aber nicht nur viele Freunde, sondern auch viel Geld. Das bewirkte seine Freilassung. Am 29. November wurden dann noch 40 Einwohner von Limoux an den Galgen gebracht. Die Stadt Albi hatte kein einziges Opfer zu dieser Sühne geliefert. Da der König in Erfahrung brachte, daß die dortigen Gemeinde-Räthe sofort jedes Eingehen auf die verrätherischen Pläne geweigert hatten, so war der Stadt Albi in den königlichen Weisungen an den Vogt gar nicht gedacht. Aber weit gefehlt, daß das Schweigen des Königs sie vor jeder Behelligung bewahrt hätte: der Vogt Johann d'Aunay ließ, nachdem er den Proceß zu Carcassonne beendigt hatte, die Gemeinde-Räthe von Albi wissen, nun komme ihre Stadt an die Reihe. In der Eile wurden 500 Francs Courant zusammengebracht und dem Vogt durch eine Deputation überreicht, mit dem Versprechen, binnen Kurzem werde eine gleiche Summe nachfolgen. Johann d'Aunay aber erklärte, daß der Gang der Gerechtigkeit durch vage Versprechungen sich nicht aufhalten lasse. Fünf Tage wollte er ihnen Zeit lassen, die 1000 Francs voll zu machen. So wurde Albi gerettet.

Bernhard Delicieux konnte nicht so schnell zur Verantwortung gezogen werden wie Elias Pacci. Im Monat November ließ der neue Papst sich zu Lyon krönen. Bernhard wurde dorthin gebracht. Es gab aber einstweilen Anderes zu thun, als einen in Anklagestand versetzten Minoriten = Mönch zu verhören, so gern Clemens V. dem Könige auch in Allem gefällig war. Der Papst wie die Cardinäle liebten die Pracht, und zudem mußte gerade bei dieser Krönung ge= zeigt werden, daß das Papstthum an seinem Glanze Nichts einbüße, wenn es auch nicht in Rom seinen Sitz habe. Als die Krönungs= feier vorbei war, bedurften die alten Cardinäle der Ruhe, die jün= geren waren noch unerfahren, und dazu ganz neue Verhältnisse! Im Februar 1306 trat der Papst eine Rundreise an nach Mâcon, Ne= vers, Bourges, Limoges, Périgueux, Bordeaux. Bernhard wurde überall mitgeführt. In der letztgenannten Stadt währte der Auf= enthalt bis zum April 1307. Als der Papst dann nach Poitiers ging, wo er mit dem Könige zusammentreffen sollte, wurde Bern= hard in's Kloster von Saint = Junien in der Diöcese von Limoges gebracht. Vom Verhör war kaum mehr die Rede, wohl weil man die Verurtheilung für bedenklich hielt. Endlich verlangte ein Brief des Papstes vom 25. November, die Minoriten von Saint = Junien sollten Bernhard nach Poitiers schicken. Der Papst wollte jetzt, nach= dem die Sache einmal so alt geworden war, nicht weiter darin vor= gehen, bis der Ankläger und der Angeklagte sich wieder einmal ein= ander gegenüber gestanden hätten. Bernhard erschien zu Poitiers aber nicht früher als in. der ersten Fastenwoche des Jahres 1308. Der Papst wurde von seiner Ankunft unterrichtet, nahm aber keine Notiz von ihm. Bernhard wohnte im Hause seines Ordens und be= theiligte sich täglich am Gottesdienste. Als der König zu Poitiers eintraf, begab Bernhard sich zu ihm, nicht, um sich zu entschuldigen, sondern um über den Vogt d'Aunay Beschwerde zu führen und das Andenken der zu Carcassonne, wie er sagte, schuldlos, Bestraften zu reinigen. Philipp der Schöne hörte ihn an, doch ohne Theil= nahme; er wünscht offenbar, möglichst wenig mehr von der Angele= genheit zu hören. Die Hauptschuldigen, sagte der König, hätten ihre Strafe und ihm, Bernhard, als einem ihrer Mitwisser, stehe es am wenigsten zu, darüber zu klagen. Ob vor der Abreise des Königs von Poitiers zwischen diesem und dem Papste ein Einverständniß darüber zu Stande kam, die Schuldfrage Bernhard's auf sich be= ruhen zu lassen, wer weiß das? genug, als Bernhard mit der päpst= lichen Curie nach Avignon zurückgekehrt war, stellte ihm auf sein Verlangen der ihm immer wohlgeneigt gewesene Cardinal = Bischof

von Tusculum einen Erlaubnißschein aus, sich eine Zeit lang zu entfernen. Bernhard begab sich nach Toulouse, dann nach Carcassonne,
um Beweismittel zusammenzutreiben gegen den Vogt Johann d'Aunay
zur Rechtfertigung der von diesem dem Tode geopferten Freunde.
Zu Carcassonne wurde ihm jedoch der Eintritt in die Stadt verwehrt. Der Vogt selbst trat ihm auf der über die Aube führenden
Holzbrücke mit den Worten entgegen: „Wie, Du Verräther, wagst es
noch herzukommen?! Du hast in der Stadt Nichts mehr zu suchen."
Bernhard blieb eine Zeit lang in der Vorstadt, von wo man ihn
nicht vertreiben konnte und ließ sich dahin Zeugnisse über den Stand
der Dinge zutragen.

Während seiner Abwesenheit hatten die Verhältnisse in den
Districten von Carcassonne und Albi mehrere Mal gewechselt. Die
Inquisition hatte bei seinem Weggange ihr Haupt wieder drohend
erhoben. Die Entrüstung des Königs über die Verschwörer gaben
ihr die volle Freiheit der Bewegung zurück, so daß es bei dem bloßen
Drohen nicht lange geblieben war. Aus dem Jahre 1305 datiren
mehrere Briefe des Gottfried d'Ablis, die von grauenhafter Strenge
eingegeben sind. Eine Anzahl Häretiker hatte sich in Höhlen geflüchtet; der Inquisitor schreibt nun: Diese „hündischen Bestien" seien
unverzüglich aufzuspüren und „auszurotten". Als der König und
der Papst von diesem Wüthen erfuhren, mißbilligten sie dasselbe.
Clemens V. erhielt nämlich einen Brief der Domherren von Albi,
der Domherren von Saint-Salvi, dem Abt und den Mönchen von
Gaillac, welche sämmtlich sich dahin aussprachen, die Albigensischen
Wirren fielen einzig auf die mit Recht verabscheueten Officianten der
Inquisition zurück. Der Papst schickte am 13. März 1306 eine Commission nach Carcassonne und Albi mit dem Auftrage, die dortigen
Gefängnisse zu untersuchen und sowohl in diesen Städten wie unterwegs die Beschwerden zu prüfen und Mißbräuche nach Kräften ab-
zustellen. Mitglieder dieser Commission waren: Berengar de Frédol,
Cardinal-Priester von S.S. Nereus und Achilleus, Peter de la Cha-
pelle, Cardinal von St. Vitale, und der berühmte Abt Arnold de
Novelli von Fonfroide. Am 15. April langten diese drei Cardinäle
zu Carcassonne an und begannen sofort persönlich die Durchsuchung
der Gefängnisse. Vierzig Personen wurden nach Prüfung der gegen
sie erhobenen Beschuldigungen und über sie verhängten Urtheile in
Freiheit gesetzt. Die Wächter der unterirdischen Gefängnisse wurden
entlassen, denen, die an ihre Stellen kamen, neue Verhaltungs-Vor-
schriften gegeben. Freilich: das zum Besten des Königs und des
Bischofs confiscirte Eigenthum war und blieb auch für die Freige-
lassenen verloren. Und die Habe wenigstens Einzelner derselben
scheint beträchtlich gewesen zu sein. So zog z. B. allein der König
aus den Liegenschaften eines gewissen Wilhelm Fenasse im Jahre

1305 nach den noch erhaltenen Berechnungen 606 Francs, 13 Sous, 2 Heller; in den folgenden vier Jahren 1197 Francs. Unter den Eingekerkerten, deren Lage die Cardinal = Commiffion milderte, ohne ihnen die Freiheit wiederzugeben, befanden sich Wilhelm Garric und Raymond Lemaistre. Dieser Letztere blieb noch gefangen bis zum Jahre 1322, dann wurde er verbrannt. Er hatte an seinem Todes= tage drei Schicksals = Genossen, und die Unkosten für dieses vierfache Brandopfer stellten sich nach der in der „Collection Doat" zu Paris vorliegenden Rechnung des königlichen Procurators Arnold Assaillit wie folgt:

„Ausgaben bei der Verbrennung des Raymond Lemaistre von Villa Mon=
stantione, des Bernhard de Bosco aus Béziers, des Peter Johann von Narbonne
und des Johann Conilli, vordem allesammt zu Béziers wohnhaft, welche am näm=
lichen Tage im Burggraben von Carcassonne lebendig verbrannt wurden:

Für Scheitholz	— Francs,	55 Sous,	6 Heller.	
Item für Reiserholz	— "	21 "	3 "	
Item für Stroh	— "	2 "	6 "	
Für vier Pfähle	— "	10 "	9 "	
Für die Stricke, womit sie gebunden wurden	— "	4 "	7 "	
Item für die Teufels=Maskerade für jede der				
vier Personen 20 Sous	— "	80 "	— "	

Im Ganzen . . 8 Francs, 14 Sous, 7 Heller."

Einige Tage später untersuchte die Cardinal = Commiffion die Gefängnisse des Bischofs von Albi, wo sie in engen Mauer = Zellen ohne Luft und ohne Licht Unglückliche angekettet fanden, welche schon seit fünf Jahren und länger auf ihr Urtheil warteten. Die Ketten wurden gelöst, die unterirdischen Kerker=Höhlen geschlossen, das ganze Gefängniß=System geändert. Bernhard konnte sich also bei seiner Rückkehr nach Carcassonne sagen, daß seine Hoffnungen doch nicht bloße Hirngespinnste eines Träumers gewesen seien: was er unter Benedict XI. vergebens erstrebt hatte, war durch Clemens V. That= sache geworden. Die Inquisition besteht zwar noch zu Recht; sie hat immer noch ihr schreckliches Mandat, aber es sind ihr doch Zügel angelegt. Bernhard's Befriedigung wie die aller rechtschaffenen Män= ner würde vollkommen sein, wenn nicht die stürmischen Naturen unter seinen ehemaligen Mitstreitern sich zu dem Verkehr mit dem fremden Fürsten hätten verleiten lassen. Aber mit den halb Schul= digen sind ganz Unschuldige gestraft worden — die Ehre dieser wiederherzustellen, das unternimmt Bernhard mit heißem Bemühen. Als er in der Vorstadt von Carcassonne das zu diesem Zwecke Er= reichbare zusammen hatte, erbat er sich vom Papst die Erlaubniß zu einer Reise in's nördliche Frankreich, welche ihm auch gewährt wurde.

Der König befand sich in Chartres. Bernhard wurde zwar vor ihn gelassen, merkte aber bald, daß Philipp seine Angelegenheit

als eine Sache betrachte, die abgethan sei. Danach durfte er sich
ja als freigegeben betrachten? Er wandte sich nach Avignon zurück
und fand hier beim Papste zwar keine bessere Aufnahme, aber auch
keinen Widerspruch dagegen, daß er hingehe, wohin er wolle. Der
frühern Abwehr des Vogtes d'Aunay zum Trotze, begab er sich in
sein Ordenshaus zu Carcassonne. Dort kam ihm bald eine hocher-
freuliche Nachricht zu: unterm 13. Juli 1308 hatten die Cardinäle
über die Appellation des Vicedoms von Amiens, Johann de Picquigny, endlich Beschluß gefaßt, den ganzen Proceß umgestoßen und
der betreffenden Inquisitions-Sentenz jede Wirkung abgesprochen.
Die Inquisition schien in ihren, mit Bernhard in feindliche Berührung gekommenen Vertretern: Foulques de Saint-George, Gottfried
d'Ablis und Wilhelm de Morières endgültig besiegt. Während aber
Bernhard seine alten Freunde wiedersieht und sich mit ihnen, nun,
da ihre Sache gewonnen scheint, mit freudiger Genugthuung von den
vergangenen opferreichen Tagen des Kampfes unterhält — da mit
einem Male hat sich das Angesicht der Erde wieder verändert.

Clemens V., der sich in seiner unredlichen Politik immer nur
von dem augenblicklichen Nutzen für seine Handlungen bestimmen
ließ, erwies sich auch in seinem Verhalten dem h. Officium gegenüber als Mann ohne Charakter. Sein Einschreiten gegen die Albigensischen Inquisitoren entsprang nur einer augenblicklichen Regung;
er wollte volksthümlich erscheinen und einmal Ruhe haben vor den
ewigen Klagen von beiden Seiten. Jetzt hatten ihm die lombardischen Inquisitoren den verlangten Dienst geleistet und die ihm
furchtbaren Banden des Häretikers Dolcino in den Alpen vernichtet
— dafür mußte er sich dankbar erweisen. Zu Carcassonne erfuhr
man bald von einer unterm 27. Juli ergangenen Bulle, welche die
Weichherzigkeit der Cardinäle tadelt, den Bischof von Albi betreffs
der begangenen Grausamkeiten rechtfertigt und die Prediger-Mönche,
diese um die Kirche so hoch verdienten, dennoch aber so arg verleumdeten Männern seines Schutzes versichert.

So gut hatte die Sache der Inquisitoren im Languedoc noch
nie gestanden: wer in Frieden leben wollte, mußte sich ihr Wohlwollen durch öffentliche Bußwerke sichern. Alle vormaligen Mitstreiter
Bernhard's, soweit sie nicht schon gehenkt oder noch eingekerkert
waren, unterwarfen sich, einer nach dem andern. Wilhelm de Pe-
sencs und Gahlard Etienne, ihrer Gemeinde-Aemter zu Albi entsetzt,
wollten die Stadt verlassen, aber der zeitige Stellvertreter des königlichen Vogts hieß sie einstweilen noch bleiben: man wisse nicht, ob
er sie nicht noch zur Zeugniß-Abgabe heranziehen müsse. Pierre
Pros hatte sich anfänglich in die Gascogne geflüchtet, dann nach
Lyon begeben, wo er Peter de Castanet, Arnold Garcia, Wilhelm
Fransa, Wilhelm Borel, Raymond Bauderie, Johann de Caraman

und andere hervorragende Bürger aus Carcassonne, Albi und Limoux traf, welche alle am Hofe des neuen Papstes für ihre Sache
zu wirken gedachten. Um aber zum Papste zu gelangen, muß man
die Cardinäle passiren. Die Cardinäle haben aber ihre Taxe für
die guten Dienste, die man von ihnen verlangt und diese Taxe steigt
mit der Bedeutung der Person und der Wichtigkeit der Sache, um
die es sich eben handelt. Unsere Bittsteller hatten zu bezahlen: dem
Cardinal de Saint-Croix 2000 Francs; dem Neffen des Papstes,
Raymond de Goth, 2000 Francs; dem Peter de Colonna 500
Francs; nach jetzigem Geldwerth also wohl das Vierzigfache! So
hoch der Kaufpreis für das Ohr des Papstes aber auch war — das
Resultat waren leere Worte. So trieben die Inquisitoren die Schafe
den Scheer-Meistern in die Hände, und wenn dieselben dann geschoren zurückkehrten, wurden sie abgeschlachtet; alle die Genannten
— bis auf Einen — fügten sich später zu Hause, dieser heute,
jener morgen, allen Bußen und Peinen, welche die Inquisitoren
ihnen aufzuerlegen für gut fanden. Alle bis auf Einen — der
starb unter diesem moralischen Martyrthum unbußfertig; deshalb
wurden im Jahre 1322 seine ketzerischen Gebeine wieder ausgegraben
und den Flammen übergeben. Auch die Kostenrechnung dieser
geistlichen Schandthat liegt in den Notizen des königlichen Procurators Arnold Assaillit noch vor:

„Ausgaben für die Ausgrabung der Gebeine des Wilhelm Andreae, des
Wilhelm Borel und des Peter Borel, welche bei den Minoriten im Kloster zu
Carcassonne begraben waren.

Vier Tagelöhner, jedem 15 Heller . . . . 5 Sous.

Item zwei Steinarbeiter, welche die gemauerte Gruft öffneten, in der die
besagten: Wilhelm Andreae, Wilhelm Borel und Peter Borel eingesargt waren,
jedem 2 Sous . . . . 4 Sous.

Item für einen Sack und die Stricke, um die besagten Gebeine durch Carcassonne zu schleifen bis zu dem Burggraben, wo sie verbrannt wurden 4 Sous 6 Heller.

Item für die zwei Zugthiere, welche den Sack mit den Gebeinen vom Minoriten-Kloster durch die Stadt bis zu der besagten Grube hinschleiften 4 Sous 5 Heller.

Item den städtischen Beamten, welche bei der vorbesagten Ausgrabung und
Verbrennung zugegen waren, für ihre eigenen Auslagen, nämlich dem Litard
Conditor, Johann de S. Flore, Ada de Roveraye, Johann de Croque, Johann
Gaucher, Johann de Agunesse, Johann Baudet, Raynold de Gonesse, Bernhard Im-
baud, Rayner de Aussurre, Joquet de Gonesse, Peter Belier, Wilhelm de Morlane,
Bernhard Perrin, Gottfried Retondor und Johann Pauler 31 Sous 6 Heller.

Item die Teufels-Maskerade, jede Person 20 Sous . . . . 60 Sous.

Bernhard kann sich zu einer Demüthigung wie die, der seine
Freunde sich unterzogen, nicht verstehen; lieber will er auf alle öffentliche Wirksamkeit verzichten und als einfacher Zuschauer dem Trauer-
spiel beiwohnen, in dem alle Mannhaftigkeit schmachvoll zusammen-
bricht. Aber dem Lande selbst will er trotzdem doch nicht den Rücken

kehren, in welchem er, das sagt ihm sein Gewissen, nur Gutes erstrebt hat, und wo er, wenigstens unter seinen Ordensgenossen, noch
Freunde zählt. Bald weilt er zu Carcassonne, bald zu Albi. Rund
um ihn her fährt die Inquisition fort, zu verklagen und einzukerkern,
zu hängen und zu verbrennen. Sie hat freie Hand. Die Geister
des Widerstandes sind erlahmt, oder vom Schrecken gebannt. Die
festesten Männer unterliegen dem Zwange. Voll Mißtrauen der
Eine gegen den Andern, glaubt Jeder gute Gründe zu haben, seinen
Nachbar zu meiden. Jeder schließt sich ab für sich, erst in den einzelnen Fällen, dann aus Grundsatz. Im Jahre 1315, Clemens V.
und Philipp der Schöne, beide waren todt, finden wir Bernhard
Delicieux als einfachen Klosterbruder, ohne Lehramt und Würde, im
Hause seines Ordens zu Béziers. Sein Alter gibt ihm Anspruch
auf Ruhe nach so heißem Tagewerk und seine Seele sucht Frieden
in der Stille und dem Vergessensein.

Es gibt aber Menschen, die sich erst Ruhe gönnen im Tode.
Und wäre ihnen jedes Unternehmen mißlungen, hätten sie noch so
oft sich verschworen, nun Hand abzulegen von Allem — so oft sie
zu gewahren glauben, daß ihre Erfahrung, ihr Rath, ihre Mitwirkung Anderen förderlich sein könnten, sind sie mit ganzer Seele wieder bei der Sache, um neuen Mühen, neuen Gefahren, neuen Ent-
täuschungen zu trotzen.

Wie man sich erinnert, war es um diese Zeit, als die Verfolgungen der Päpste und Ordens-Obern gegen die an der strengen
Auffassung der gelobten Armuth festhaltende Partei unter den Minoriten, die sogenannten „Spiritualen", mit Heftigkeit begannen. Die
Spiritualen von Béziers und Narbonne einigten sich, zum Papste zu
ziehen und diesen für ihre Auffassung zu gewinnen. Bernhard sollte
sie führen. Nachdem dieser seine Bücher, Alles, was er an persönlichem Eigenthum besaß, in einige Kisten verpackt und bei dem Notar
Johann de la Couture zu Béziers deponirt hatte, reiste er von dort
am 16. Mai 1318 in Gesellschaft von 64 Ordensgenossen nach
Avignon ab. Am 22. Abends langten sie nach dem sechsten heißen
Tagesmarsche vor der Pforte der Papstburg an und begehrten Einlaß. Dieser wurde ihnen, als zu so später Stunde unstatthaft, verweigert. Sie möchten in's Kloster der Minoriten schlafen gehen und
am andern Tage zur gewöhnlichen Audienzstunde wiederkommen. Sie
verbrachten die Nacht auf der Schwelle des Palastes. Schon dadurch
kennzeichneten sie sich in den Augen der „päpstlichen Familie" als
Rebellen. Als sie endlich vor dem Papste erscheinen durften, führte
Bernhard das Wort, aber man unterbricht ihn bald. „Das ist ja
der Bruder Bernhard, jener Fanatiker, der das Albigenser-Land so
viele Jahre hindurch in Verwirrung hielt." Es waren Mönche seines
eigenen Ordens, die so sprachen, aber solche von der gegnerischen

Fraction. Johann XXII. fah den vielgenannten Mönch zum erften Male. Er ließ ihn fofort feftnehmen und einige Tage fpäter beauftragte er den Bifchof Wilhelm Méchin von Troyes, und den Abt Peter Leteffier, die Vorunterfuchung gegen ihn einzuleiten.

Die Unterfuchung begann gegen Ende Juni. Bernhard follte Auskunft geben über 60 Punkte, welche das Detail der durch Wort und That begangenen Verbrechen bildeten, die man ihm zur Laft legte. Diefer Verbrechen waren drei: 1) Bernhard hat mehrere Jahre hindurch die Inquifition bekämpft, Städte und Dörfer gegen fie aufgebracht und fo die Diener des h. Officiums in der Ausübung ihres Amtes behindert; 2) hat er gegen den König von Frankreich mit dem Prinzen von Majorca confpirirt; 3) hat er den Papft Benedict XI. vergiften laffen.

Da wir durch diefen dritten Punkt unfern Helden von einer ganz neuen Seite, als Giftmifcher, kennen lernen, müffen wir etwas genauer auf die besfallfige Anlage eingehen. Sie ift formulirt in fieben Artikeln; die vier erften find bloße Wortmacherei, die drei übrigen, welche den Kern der Sache enthalten, lauten:

„Bernhard hat einen Boten an den römifchen Hof gefchickt und mit diefem Boten ein kleines, in gewächftes Leinen gehülltes Kiftchen, zu deffen Schloß der Schlüffel angeknüpft war. In dem befagten Kiftchen waren gewiffe zubereitete Subftanzen, Mixturen, Tränkchen und Pulver enthalten neben einem von feiner Hand gefchriebenen Briefe; mittels der erwähnten Sachen hat Bernhard das Leben des genannten Herrn Benedict verkürzen laffen.

„Item, der befagte Bruder Bernhard hat vor einigen Perfonen aus Albi den Tag, an welchem Papft Benedict fterben werde, voraus verkündigt.

„Item, das, was er fo prophezeite, das hatte er gelernt aus einem Buche, in welchem fich allerhand Zeichen und viele Kreife, mit verfchiedenen Scripturen befinden.

„Item, er fchickte die obenerwähnten Mixturen an den Meifter Arnold de Villeneuve und einige Andere zum Zwecke der Lebensvernichtung des genannten Herrn Benedict."

Kurz: Bernhard hat Gift gemifcht und zu deffen verbrecherifchem Gebrauch gegen das Leben Benedict's Anleitung gegeben. Der Arzt des Papftes, der gelehrte und berühmte Arnold de Villeneuve, follte die Ausführung beforgen. Als Bernhard, über gewiffe Puncte befragt, die Antwort verweigerte, wurde er excommunicirt. Danach gab er wohl über Einiges Auskunft, aber mit geringfchätziger Zurückhaltung. Er beklagte fich, daß man ihn Leuten überantwortet habe, die an fich fchon von mittelmäßiger Autorität, vollftändig Neulinge in den betreffenden Angelegenheiten feien, während doch am Hofe von Avignon vier oder fünf Cardinäle fich befänden, die beffer als alle Anderen um die Dinge wüßten, über die er fich zu verantworten habe.

Als Zeugen wurden gehört die jetzt mit der Inquisition ausgesöhnten früheren Mitstreiter Bernhard's, Wilhelm Fransa, Peter de Castanet und Bernhard Bet. Was sie hinsichtlich der zwei ersten Anklagepunkten aussagen konnten, das wissen wir; lassen wir uns von ihnen aufklären bezüglich des dritten! Eines Tages, es mag so gegen die Zeit hin gewesen sein, wo Benedict XI. gestorben ist, da befand sich Wilhelm Fransa bei Bernhard; letzterer ließ von Fransa und Bet Leinwand und Wachs herbeiholen und hieß sie dann die Leinwand wächsen und mit der gewächsten Leinwand ein kleines Kistchen, das er ihnen gab, überziehen. Dieses Kistchen ließ er hierauf durch einen seiner Diener jenseits der Berge an den römischen Hof tragen, und dem Meister Arnold de Villeneuve übergeben. Sie fanden damals gar nichts Auffälliges hierin, so daß sie Bernhard gar nicht einmal fragten. Ungefragt sagte er ihnen: „Es ist ein Brief darin; wir werden bald Etwas von der Curie hören; etwas Erfreuliches, hoff' ich." Daß solche Leute, als sie nun nachher den Tod des Papstes als „etwas Erfreuliches" von Bernhard bejubeln hörten, zwischen dem schnellen Tode Benedict's und der Sendung des Lederkofferchens einen mysteriösen Zusammenhang witterten, ist begreiflich; daß aber die gelehrten Ankläger in dieser Leichtgläubigkeit Material genug fanden, um ein erwiesenes Verbrechen daraus zu formuliren, das beweist, daß wir es in ihnen mit schamlosen bewußten Lügnern zu thun haben. Johannes XXII. kannte die Todesursache Benedict's XI. sehr wohl, gab sich aber doch den Anschein, als halte auch er Bernhard für einen Giftmischer. In einem von seiner Hand unterzeichneten Actenstücke, durch welches er nach der Voruntersuchung das Tribunal zur Aburtheilung Bernhard's ernennt, ist von seiner Hand beigefügt: „Er war darauf aus, daß ihm ein Gifttrank gereicht werde" — „Operam dedit ut veneni poculo necaretur". Es war eben auf die endliche Vernichtung Bernhard's abgesehen.

Die Voruntersuchung dauerte lange genug: erst im Juni des Jahres 1319 war man damit zu Ende und am 16. Juli beauftragte Johann XXII. den Erzbischof von Toulouse, den Bischof von Pamiers und den Bischof von Saint-Papoul, die Procedur zu beginnen. Bernhard wurde also unter der Escorte des Vogts von Toulouse, Guyard Gui, seinen Richtern in's Languedoc zugeführt. Nicht von seiner eigenen Angelegenheit, von seinen eigenen Hoffnungen oder Befürchtungen spricht er unterwegs mit seinen Begleitern — dem Vogt, dem königlichen Richter von Rivière, Meister Raymond Lecourt, dem Notar Arnold de Rougarède, dem päpstlichen Serganten Peter de Pradelles — sondern von dem Mißgeschick, welches vier jener Ordensgenossen ereilte, welche er im Mai des Vorjahres von Béziers an den Papsthof nach Avignon geführt hatte. Diese vier waren festgehalten, als Häretiker verdammt und verbrannt worden. Bernhard nennt sie „Martyrer"; er hat sie gekannt und weiß also, daß sie unschuldig waren; aber sie waren unbequem und deshalb mußten sie unter dem Vorwande der Ketzerei beseitigt werden. Man führte Bernhard zuerst nach Toulouse, von da nach Castelnaudary. Hier eröffneten die Richter die Sitzungen am 3. September 1319 in der Wohnung des Erzbischofs. Der Inquisitor Johann de Beaune erklärte, daß, wenn die bereits vorgebrachten Beweisstücke zur Erhärtung der zwei ersten Anklagepunkte betreffs der Feindseligkeiten Bernhard's gegen das Officium nicht genügend erkannt werden sollten, er weitere beizubringen in der Lage und bereit sei. Am folgenden Tage beurlaubte sich der Erzbischof von Toulouse von seiner weiteren Theilnahme an den Verhandlungen: zahlreiche Geschäfte riefen ihn nach seiner Metropole zurück. Von Castelnaudary wurde nun das Tribunal nach Carcassonne verlegt und die Procedur am 12. September im dortigen bischöflichen Palaste mit der Vernehmung zahlreicher Zeugen wieder aufgenommen. Am 2. October begann das Inquisitorium Bernhard's. Daß er Alles aufgeboten habe, das h. Officium zu ruiniren, das räumt er ohne Weiteres ein, das rechnet er sich zum Verdienst; daß es ihm so schlecht gelungen ist, thut ihm von Herzen leid. Von den übrigen zwei Anklagepunkten will er aber nicht viel wissen. Die Richter lassen den alten Official von Limoux, Meister Hugo de Badafeuille, rufen, damit er Bernhard zum Geständniß bringe. Er soll die Folter anwenden, aber das Alter des Inquirenden schonen, ihn nicht verstümmeln oder tödten: „ut bene caveret quod ex hujusmodi quaestionibus frater Bernardus mortem, aut membri amissionem, seu perpetuam debilitatem incurrere quomodo posset." Man führt den Angeklagten also in die Marter-Kammer; zwei Notare, Wilhelm Peter Barthe und Wilhelm de Rosières werden mitbeordert, um die Geständnisse aufzunehmen. Bernhard war eine jener Naturen, denen schon der Aerger über die Zweifel an ihrer durch Schmerzen nicht zu beugenden Standhaftigkeit über alle menschliche Schwächen hinweghelfen. Am anderen Tage aber gesteht er aus freien Stücken, inwieweit er an der Verschwörung mit dem Prinzen Ferdinand von Majorca betheiligt war. Er hat dieselbe weder angeregt, noch gebilligt; seine Mitschuld jedoch gesteht er ein; doch er hat ja am königlichen Hofe wie vor dem Papste zu Avignon hierüber bereits Rede gestanden und ist stillschweigend von der Strafe entbunden worden.

Auch betreffs der dritten Anklage: der Vergiftung Benedict's XI. bringen alle Künste der Tortur kein Wort des Geständnisses über Bernhard's Lippen. Hierin räumt er auch nachher nicht die geringste Schuld ein. Schon daß man es wagt, ihm eine solche That zuzutrauen, erfüllt ihn mit Entrüstung. In dem am 8. December gefällten Urtheile wird dieses Punktes denn auch gar nicht mehr erwähnt. Wegen der übrigen zwei wurde er verdammt, nach erfolgter Degradation von seiner priesterlichen Würde, in einem Kerker an eiserne Ketten gelegt zu werden auf Lebensdauer, unter Beschränkung der ihm zu reichenden Nahrung auf Brod und Wasser. Bernhard wurde in die Kerker der Inquisition außerhalb der Mauern von Carcassonne am Ufer der Aude abgeführt und der Gewalt des Inquisitors Johann de Beaune unterstellt. Zu Ostern 1320 war Bernhard seinen Leiden bereits erlegen.

> Er hat's gewagt — so ging es allenfalls . . .
> Er hat's gewagt — jedoch er brach den Hals.

Zehntes Kapitel.

Die Maffen-Morde in den Alpen und die Schlächtereien in Calabrien.

Bei dem Befuche, welchen um die Mitte des October 1875 der Deutsche Kaiser Wilhelm, der Achtzigjährige, dem Könige Victor Emmanuel zu Mailand machte, traten dort auch die Abgesandten einer evangelischen Gemeinschaft vor den hohen Gast, um ihm zu danken für die Theilnahme und Unterstützung, welchen die Hohenzollern seit dem Großen Kurfürsten ihnen stets gewährten und zwar besonders noch der Vater des Kaisers. Diesen selbst begrüßten sie als den Hort der christlich-evangelischen Freiheit. Der Kaiser nahm die Deputation besonders huldvoll auf. Er habe, sagte er, die Standhaftigkeit der Waldeser in den mannchfaltigen Verfolgungen stets bewundert und sei hocherfreut, daß auch in Italien jetzt die Gewissensfreiheit Wurzel geschlagen habe. Auch im Ausdruck dieser Gefühle war der ehrwürdige Kaiser der treue Dolmetsch des nicht-päpstlichen Deutschlands: — wer sollte nicht mit Bewunderung hinblicken auf eine christliche Genossenschaft, deren Geschichte, wenn eine, zusammengekittet ist aus Blut und Thränen, und die von Seiten der römischen Hierarchie, ihrer gekrönten Handlanger und ihrer geistlichen Inquisitoren mehr Verfolgung erlitten hat, als die ganze Christenheit von allen heidnischen Imperatoren zusammengenommen bis auf Constantin?!

Als im Laufe der sechsziger Jahre der politische Umschwung in Italien sich bewerkstelligte, knüpfte sich bei Vielen die Hoffnung auch auf eine allgemeine kirchliche Reformation an diese Thatsache. Dem mit den Verhältnissen Italiens minder Vertrauten mochte es allerdings so erscheinen, als bedürfe es nur der Wegräumung der Hindernisse, die man einer religiösen Wiederbelebung absichtlich in den Weg gelegt hatte, um eine solche nun thatsächlich und in weitem Umfange herbeizuführen. Man erkannte aber bald, daß diese Träume

— Schäume waren; das Interesse an freierer geistiger Regung, welches rings im Lande erwacht schien, erwies sich als ein nur negatives; man forderte wohl die Beseitigung der Priesterherrschaft und ihrer drückenden Lasten, ging darin aber nur so weit, als das Kirchliche mit dem Politischen verknüpft war. Als ausreichenden Beweis dafür erachten wir die Thatsache, daß das Land im großen Ganzen — einige rühmliche Ausnahmen in den größeren Städten abgerechnet — nicht einmal die Hand rührte, um seine Kinder dem unbeschränkten Einflusse der Priester zu entziehen. Wie überall und ja noch heute auch in Belgien, Frankreich und Deutschland: — dieselben Väter, welche am Abend unter den Gesinnungsgenossen bei Kanne und Kelchglas hochtönende Reden halten gegen das Geistlichen-Regiment, lassen am nächsten Morgen ihre Kinder in die klericalen Schulen ziehen, weil das einmal so hergebracht ist und weil die Errichtung von liberalen Schulen zu viel Mühe und Opfer kosten würde. Dazu kam für Italien noch Eins. Die Italiener, welche das Jahrhunderte lang auf ihnen lastende Joch der Fremdherrschaft mißtrauisch gemacht hat, sperren sich gegen Einfluß von Außen mehr als vielleicht irgend eine andere Nation. Wer sollte nun da das religiöse Leben nach dem Verständniß der apostolischen Lehre in weiteren Kreisen anfachen? In Italien selbst war nur ein kleiner Kern des dem nationalen Boden eigenthümlichen apostolischen Christenthums vorhanden: jene paar Tausend fleißiger Landbauern, welche in den Thälern Piemonts die alte Lehre und das alte Kirchenwesen bewahrt hatten, die Waldesier. Und doch hat, trotz allen Mangels an materiellen und geistigen Kräften dieses kleine Häuflein sich unverzagt an's Werk gemacht und kann jetzt auf eine Reihe von Erfolgen hinweisen, die es unter der Beihülfe treuer Freunde der Sache von nah und fern erzielt hat: was man noch vor 25 Jahren für unmöglich hielt, das haben die Waldesier geleistet: in alle Theile Italiens, von den See-Alpen bis zum adriatischen Meer, und von der Ebene des Po bis zum Golf von Neapel, ja bis nach Sicilien hinab, haben sie ein Netz von kleinen evangelischen Gemeinden gespannt, und was noch schwieriger war: sie mit Geistlichen besetzt, welche von ihnen selbst erzogen und herangebildet worden sind. In fünf Districten: Piemont-Ligurien, Lombardei-Venetien-Emilia, Toscana, Rom-Neapel und Sicilien zählt das Arbeitsfeld der Waldesischen Mission, unter Abrechnung der „Thäler" selbst, 33 constituirte Gemeinden, zu denen noch 13 Missionär-Stationen kommen, sowie 30 Stationen, welche mehr oder weniger regelmäßig besucht werden. In diesen Gemeinden und Stationen arbeiteten nach dem 1874 zu Torre-Pellice auf der Jahres-Synode der „Thäler" erstatteten Berichte des Evangelisations-Comités 97 Personen, und zwar 23 Pastoren, 9 Evangelisten, 10 junge Geistliche, welche zugleich Schule halten, 49 Elementarlehrer und 6 Colporteure. Die theologische Schule ist seit einigen Jahren aus den „Thälern" nach Florenz verlegt.

Wir haben das Charakteristische der kirchlichen Anschauungen der Waldesier in den „Thälern" Piemonts in einem früheren Kapitel dargestellt; in dem gegenwärtigen soll in Kürze angedeutet werden, was sie seit dem 12. Jahrhundert erduldet haben, sei es direct durch päpstliche Inquisitoren, sei es in Folge römischen Einflusses auf die Herren, deren Regiment die „Thäler" unterstanden. Eine vollständige Geschichte dieser Verfolgungen liegt vor in dem vierbändigen, zur Hälfte aus historischen Documenten bestehenden Werke von Dr. theol. Alexis Muston: „L'Israël des Alpes", Paris 1851, und in dem von Dr. J. Fr. Schröder bearbeiteten gleichbetitelten deutschen Auszuge hieraus, der 1857 zu Duisburg bei Joh. Ewich erschienen ist. Auf diese Schriften müssen wir Diejenigen verweisen, welchen mit den nachfolgenden wenigen aus hundert ähnlichen ausgewählten Schicksals-Bildern nicht Genüge geschieht.

Die Waldesier bewohnten die westlichen wie die östlichen Alpenthäler, also nicht nur savoyisches oder piemontesisches Gebiet, sondern auch französisches. So fanden sich Gemeinden derselben seit undenklichen Zeiten in den rauhen Berggegenden von Briançonnais an der obersten Durance. Die ältesten Wohnsitze in Frankreich scheinen die in Freyssinières, Val-Louise und Barcelonette, in Piemont die von Po, Lucerne (im oberen Clusone-Gebiet) und Angrogna, Pragelas und Saint-Martin gewesen zu sein.

Zu Anfang des 14. Jahrhunderts waren die in das Thal Angrogna gesendeten römischen Inquisitoren mit bewaffneter Hand von den Waldesiern zurückgewiesen worden; damit hatten diese sich eine Zeit lang Ruhe verschafft. In seinem letzten Regierungsjahre erneuerte Calixtus III. († 1458) dann eine Bulle Innocenz' IV., wodurch er die Inquisitoren der Lombardei auf's Neue ermächtigte, Kreuzfahrer gegen die Ketzer aufzurufen und anzuführen. Von da ab blieb die Sache während der folgenden Pontificate wieder hübsch im Gange. Aber auch in dieser Periode zeigte es sich wieder, daß man mit Denjenigen, die sich sofort und ganz außerhalb der Kirche stellten, gnädig verfuhr, während man keine Strafe hart genug fand für Solche, die zur katholischen Kirche gehören wollten, und von den anmaßlichen Häuptern dieser Kirche verlangten, daß dieselben ihnen ein christliches Leben nach eigenem Verständniß des Evangeliums zu führen gestatteten. Einen Beleg dazu geben die Fahrnisse des Galeotto Marnio aus Narni am Tiber. Dieser Mann war hochberühmt wegen seiner Gelehrsamkeit, voll Witz, ein rechter Maulfechter und von stattlichem Körperbau. Mehr aber als Alles dies half ihm, als er mit den Inquisitoren in Conflict gerieth, daß Sixtus IV. (1471 bis 1484) sich seiner mit Gunst erinnerte; dieser Papst hatte nämlich in jungen

Jahren Galeotto Marnio's Vorlesungen an der Universität zu Padua besucht. Galeotto Marnio gehörte zu der schon damals recht ansehnlichen Zahl von Gelehrten, die gar Nichts glaubten. Er schrieb ein Buch über religiöse und philosophische Moral und stellte in demselben die Behauptung auf, daß wer unter Gebrauch seiner Vernunft nach den Gesetzen der Natur lebe, des Himmels nicht fehlen könne. Die Mönche zu Benedig machten ihm den Proceß wegen Häresie. Seine Schrift war Beweis genug dafür, daß er dem römischen Kirchenglauben allerdings nicht zugethan war. Der Groß-Inquisitor der Republik Benedig benachrichtigte also die Signoria, daß ein gewisser Galeotto Marnio, zu Montagnana bei Padua sich aufhaltend, ein Häretiker sei, und Ihre Herrlichkeiten dem h. Officium den Beistand des weltlichen Arms leihen möchten, um diesen Mann unschädlich zu machen. Die Signoria, d. h. der hohe Rath der Republik, willfahrte dem geistlichen Verlangen und ließ den Mann festsetzen. Der Inquisitor wies nach, daß Galeotto Marnio ein verdammliches Buch geschrieben und dasselbe nach Ungarn und Böhmen, wo viele Anhänger seiner Ansichten lebten, verbreitet habe. Galeotto Marnio wurde zu folgender Strafe verurtheilt: er sollte an einem öffentlichen Platz auf einem Schaffot an den Pranger gestellt werden, den Kopf bedeckt mit dem üblichen papiernen Ketzerhut, während dessen das Verdammungs-Urtheil über sein Buch verlesen und dieses letztere von Henkershand verbrannt werde; darauf solle er eine sechsmonatliche Kerkerhaft bei Brod und Wasser verbüßen. So wurde es ausgeführt. Das Gerüste war auf der Piazzetta aufgeschlagen; der Inquisitor mit seinen Gerichts-Beisitzern hatte auf den für sie bereiteten Sitzen in vollem Ornat Platz genommen. Der Delinquent wurde, die mit Teufelsfratzen bemalte hohe Mütze auf dem Kopfe, aus dem nahen Gefängniß des Dogenpalastes quer über den Platz herbeigeführt und vor seine Richter hingestellt. „Watt 'ne fette Kähl!" — tönte da plötzlich aus der Menge eine Stimme, die wir mit Verlaub der Leser in dem Dialect der Rabauen aus unserer lieben Seestadt Köln wiedergegeben, denn mit einer Uebertragung in's Herren-Deutsch wär's hier nicht gethan. Galeotto Marnio hatte seinen Humor auch unter der beteufelten Mitra nicht verloren: unwillkürlich den Kopf mit dem schwabbelnden Kinn nach dem Rufer hinwendend, sagte er laut und mit dem gleichmüthigsten Gesicht von der Welt: „Besser eine fette Sau als eine magere Geis!" Als die, wie man sieht, für Marnio nur lächerliche Komödie zu Ende war, wurde er in das Gefängniß zurückgeführt und brachte dort einige Tage bei der gerade ihm vielleicht sehr förderlichen schmalen Kost zu. Unterdessen hatte Sixtus IV. von dem Schicksale seines ehemaligen spaßigen Professors gehört und Befehl gegeben, ihn freizulassen, damit er zu ihm nach Rom komme. Er empfing ihn mit aller Huld, sprach ihn des Verbrechens der Häresie ledig und überhäufte ihn mit Ehren. Das begab sich im Jahre 1477. Mit den christgläubigen Waldesiern verfuhren die „heiligen Väter", wie das Folgende zeigen wird, nicht so gnädig.

Bald nachdem Yolande — oder wie sie später meist genannt wird Violante — die Schwester Ludwig's XI. von Frankreich, welche den milden Herzog Amadeus IX. von Savoyen geheirathet hatte, Wittwe geworden war, im Jahre 1476, befahl sie den Herren von Pinerola (Pignerol) und Cavour, die Waldesier ihres Gebiets um jeden Preis in den Schooß der römischen Kirche „zurückzuführen". Die Waldesier gaben die gute Antwort: man solle die römische Kirche zum Evangelium zurückführen, bei dem auszuharren sie entschlossen seien; damit bewerkstellige man die Wiedervereinigung auf besserem und gottgefälligerem Wege. Durch äußere Umstände blieben die Befehle Violante's ohne weitere Folge. Erst im Jahre 1486 ordnete Karl I., Violante's zweiter Sohn, eine Untersuchung über das Kirchenwesen der Waldesier an und theilte deren Resultat, welches allerdings eine tiefe Spaltung zwischen diesem und den Forderungen Roms vor Augen stellte, dem Papste mit. Statthalter Gottes war zu dieser Zeit (1484 bis 1492) Innocenz VIII. Derselbe forderte im Jahre 1487 in einer Bulle alle weltlichen Machthaber auf, die Waldesier mit Waffengewalt zu vernichten. Der sonstige Inhalt dieser Bulle war folgender: vorab wurde jedmögliche Kirchenstrafe nachgelassen Allen, welche an dem Kreuzzuge gegen die Ketzer Theil nehmen würden; alle, selbst schriftlichen Zusagen und Verpflichtungen zu Gunsten der Ketzer wurden für ungültig erklärt; verboten wurde, den Ketzern irgendwelche Hülfe oder den kleinsten Dienst zu leisten, dagegen Jedem erlaubt, sich ihrer liegenden oder fahrenden Habe zu bemächtigen.

Alsbald strömten aus allen Ecken des Landes Tausende von Landstreichern, Gaunern, Mördern und sonstigen Habenichtsen zusammen, um den Ablaß und einiges Andere zu gewinnen bei der Beraubung und Vertilgung von Leuten, denen selbst der verlogene Inhaber des heiligen apostolischen Stuhls kein anderes Verbrechen anzusinnen wagte, als daß sie „durch einen großen Schein von Heiligkeit Andere zu verführen trachteten". Dem eigentlichen Kreuzheer gesellten der König von Frankreich und der Herzog von Savoyen mehrere Tausend Soldknechte zu, und so zogen diese Banden den „Thälern" zu. Der päpstliche Legat, welcher die Ausführung des blutigen Bekehrungswerkes zu überwachen hatte, war ein Erzdiakon aus Cremona, Albert Cattaneo, gewöhnlich de Capitaneis genannt. Er nahm seine Residenz zu Pignerol im Kloster des h. Laurentius und schickte zuerst Mönche aus, welche vor Anwendung der Waffengewalt versuchen sollten, die Ketzer durch die Gewalt des Wortes zu bekehren.

Das war vergebens. Vergebens erwies sich jedoch auch die Gewalt der Waffen. Die auf die höchsten Bergspitzen geflüchteten Thalbewohner ließen die Piken und Schwerter ihrer Verfolger gar nicht an sich herankommen, die Pfeile blieben in ihren aus Thierhäuten gefertigten und mit Rinden von Kastanienbäumen überzogenen Schilden und Cuirassen stecken, ohne zu verwunden; die Waldesier aber trafen mit ihren Pfeilen wie mit den herabgestürzten Felsblöcken fast jedesmal mit Sicherheit. Nach mehrtägigen Kämpfen und nachdem der Führer des Kreuzzugs, der „schwarze Mondopi", wie er wegen seiner braunen Gesichtsfarbe hieß, durch einen ihn beim Oeffnen des Visirs zwischen beide Augen treffenden Pfeil gleich Anfangs todt hingestreckt worden war, erkannten die Verfolger ihre resultatlose Niederlage. Nur in dem Thal Pragelas wurden nach dem Berichte des Cattaneo einige Ketzer gefangen genommen und mußten vor den Inquisitoren ihren Glauben abschwören. Nach dieser für seine Schaaren so unrühmlich verlaufenen Expedition schickte der Herzog von Savoyen den päpstlichen Legaten heim und schloß Frieden mit den Waldesiern.

„A tout seigneur tout honneur" — bevor wir im Nachfolgenden das Schicksal der Waldesier nach den Gruppen ihrer Gemeinden etwas genauer in's Auge fassen, wollen wir im Allgemeinen bemerken, welchen Antheil an demselben die Jesuiten sich zuschreiben dürfen. Als um's Jahr 1560 Herzog Philibert Emmanuel dem Papste eröffnete, wie es sein Wunsch sei, die Ketzer in seinem Lande durch eine friedliche Uebereinkunft zur Kirche zurückgeführt zu sehen, erklärte dieser, seines Gedenkens sei noch niemals durch Mäßigung bei Häretikern Etwas ausgerichtet worden, vielmehr habe die Erfahrung gelehrt, das beste Mittel zur Bekehrung sei, wenn die Gerechtigkeit nicht fruchte — die Gewalt. Aber erst durch den Einfluß des Jesuiten Possevin, welchen Lainez, einer der ersten und Haupt-Genossen des Ignatius von Loyola, an den Herzog abgeschickt hatte, geschah es, daß dieser, welcher früher sogar der evangelischen Auffassung des Christenthums zugeneigt hatte, zu gewaltthätigen Maßregeln gegen die Ketzerei sich entschloß. In einem zur Verherrlichung des Paters Possevin geschriebenen Buche: „La vie du Père Antoin Possevin" (Paris 1712) ist nachzulesen, wie derselbe die gegen die Waldesier ausgeschickten Truppen für die Aufrechterhaltung der Interessen der wahren Religion zu begeistern suchte. Nach Andeutungen, welche Possevin selbst über diese ihm übertragene Mission und zwar zu seiner Rechtfertigung gegenüber den Angriffen des Geschichtschreibers de Thou gemacht hat, scheint er als Inquisitor dabei thätig gewesen zu sein. Er erzählt nämlich, daß der Herzog Philibert Emmanuel eine Mahnung an die Bischöfe habe ergehen lassen, worin er sie auffordert, nicht bloß auf dem Wege der Beleh-

rung, fondern Hand in Hand mit den Inquifitoren nach den For
derungen des Rechts mit den Ketzern zu verfahren, insbesondere aber
die Geistlichen derselben zu bestrafen. „Ein solches Verfahren," be=
merkt dann Possevin, „wurde von der Zeit der Apostel an gemäß
den Edicten der Kirche und der Kaiser und nach ältester Gewohnheit
niemals unterlassen." Auch in der zu derselben Zeit im äußersten
Süden von Italien, in Calabrien stattgehabten Verfolgung von
Waldesiern fungirten die Jesuiten. Ein Geschichtschreiber ihres Or=
dens („Historia Societatis Jesu", Coloniae 1621) erzählt mit
Ruhmredigkeit: „Von den Vielen, welche man hinrichtete, wurden
an Einem Tage achtundachtzig vergeblich zusammengehauen, aber
Diejenigen, an welche P. Xaverius nach der Beichte gemeinsam eine
scharfe Ermahnung richtete, erlitten alle mit rechtem Muthe und in
der rechten Gesinnung den Tod, wobei unsere Patres sie wieder zur
Hinrichtung begleiteten. Und über nichts Anderes trugen sie Leid und
beklagten sie sich, als daß erst so spät so gute Lehrer gekommen seien;
wären sie zwei Monate früher da gewesen, so würden sie keineswegs
in solchen Wahnsinn und solches Elend gefallen sein." Trotz dieser
reumüthigen Gesinnung wurden aber doch allein am 11. Juni 1561
hundert alte Frauen zur Tortur und Aburtheilung gebracht. Ueber=
haupt hat man in elf Tagen an 2000 Menschen förmlich hinge=
richtet und 1600 zum Gefängniß verurtheilt, abgesehen von Hunder=
ten, die auf dem Lande mehr formlos massacrirt wurden.

Der Ausrottungs-Krieg im Val-Louise.

Val-Louise ist ein tiefes kaltes Thal, welches von der Höhe des
Berges Pelvoux bis an die Durance sich herabzieht. Hier begannen
die Verfolgungen um 1238. Hundert Jahre später (1335) findet
sich in den Amts-Rechnungen zu Embrun unter den laufenden Aus=
gaben auch diese aufgeführt: „Item für Verfolgung der Waldesier
verausgabt 38 Sous und 30 Heller." Die Ausgabe war also eine
regelmäßig wiederkehrende.

Einer der Waldesierbrüder aus dem Thale Lucerne hatte vom
Grafen der Dauphiné Johann II. ein Haus im Val-Louise gekauft
und es der dortigen Gemeinde zur Abhaltung ihrer religiösen Ver=
sammlungen geschenkt. Dieses Haus ließ der Erzbischof von Embrun
im Jahre 1348 abreißen und verhängte im Voraus über Jeden, der
wagen sollte, es wieder aufzubauen, den Bann. Wir erinnern bei
diesem Anlasse an früher Gesagtes: die Waldesier wohnten, wo sie
keinen eigenen hatten, dem Gottesdienste der Römischen bei; sie
nahmen, wo es ihnen nicht gewehrt wurde, die Communion auch
von der Hand römischer Priester; sie rechneten sich eben zur allge=
meinen, katholischen Kirche, deren römischer Theil ihnen eben verderbt

schien, sie waren in ihrem Bewußtsein keine Secte, schlossen sich nicht principiell ab, wo man sie nicht feindlich ausschloß. Ihr Geschichtschreiber Herzog hat sie treffend in einem Bilde charakterisirt, indem er sie mit einem Januskopfe mit zwei Gesichtern verglichen, deren eines in das apostolische Zeitalter, das andere in das Zeitalter der reformirten Kirche der Zukunft schaut. Zwölf Waldesier wurden bei Versuchen, das zerstörte Bethaus wieder herzustellen, ergriffen. Nach Embrun vor die Kathedrale geführt, wurden sie unter Zusammenlauf des fanatisirten Volkes von Inquisitions-Mönchen mit einem gelben Gewande bekleidet, auf welchem in symbolischer Vorbedeutung des höllischen Feuers rothe Flammen gemalt waren. Man schor ihnen das Haar. Barfuß, mit einem Strick um den Hals, unter dem Geläute der Todtenglocke und den Verwünschungen der römischen Priesterschaft bestiegen sie den Scheiterhaufen.

Gregor XI., der ja auch noch in der Nähe, zu Avignon, hauste, setzte das Verfolgungsgeschäft mit ungeschwächten Kräften fort. Auf seinen Antrieb verschaffte der junge thatenmuthige Inquisitor Franz Borelli sich die Unterstützung des Königs von Frankreichs, des savoyischen Herzogs und der Statthalter in der Dauphiné. Fünfzehn lange Jahre hindurch durchsuchte er die „Thäler" ohne Rast nach Opfern des „wahren Christenthums". Seine Häscher ergriffen den Einen auf der Reise, den Andern bei der Arbeit auf dem Felde, den Dritten in seiner Wohnung; Keiner wußte, wenn er am Morgen von den Seinen schied, ob er sie am Abend wiedersehen werde. Am 22. Mai 1393 wurden 24 Bewohner der Thäler Freyssinières und Argentiere zu Embrun auf ein Mal lebendig verbrannt, daneben 150 Bewohner des Val-Louise — die Hälfte Aller! — namentlich aufgerufen und als der Ketzerei verdächtig auf die Jagd-Liste gesetzt.

Die Kriege Frankreichs mit England verschafften den Bedrängten zeitweilige Ruhe. Unterdessen trieb freilich die Ketzerei neue Schößlinge. Erzbischof Johann von Embrun mußte diese Erfahrung machen und auch die andere, daß bloßes Zureden nicht helfe. Dieser Mann war maßvoll, aber ausdauernd. Im Jahre 1461 begann er sein Bekehrungswerk, ein „mit Apostolischer Autorität" ihm zugereister Minoriten-Bruder half dabei, und doch hatte der Erzbischof trotz aller seiner „Ermahnungen, Belehrungen und Drohungen", trotz seiner neunzig offenkundigen und gewiß eben so vielen im Geheim dienenden „Familiaren" nach fast 25 Jahren hören müssen: in dem Thale von Freyssinières seien sämmtliche, in den andern Thälern sehr viele Bewohner der „besagten Ketzerei" der Waldesier „dringend verdächtig". Da erließ der Erzbischof-Inquisitor im Jahre 1486 ein sogenanntes Glaubens-Edict, d. h. eine Aufforderung an Alle, welche sich der Ketzerei bewußt seien, an dem und dem Tage zu frei-

williger Bekenntniß vor ihm zu erscheinen. Aber „sie unterließen
es, zu gehorchen", heißt es in dem später gefolgten Excommunica-
tions-Documente, welches Dr. Alliz in seinen „Remarks upon the
Ecclesiastical History of the Ancient Churches of Piedmont"
wörtlich mittheilt. Die erste Aufforderung war unter dem 18. Juni
ergangen. Am 29. desselben Monats wurde sie wiederholt, dann
noch einmal am 9. Juli. Es fühlte sich aber immer noch Keiner
zu „freiwilligem Bekenntniß" bewogen. Im Monat August „befahl
der vorgenannte hochwürdigste Herr Erzbischof allen Verdächtigen —
indem sie namentlich aufgeführt wurden — sich persönlich wegen
ihres Glaubens vor ihm zu verantworten, indem er ihnen, wenn sie
in den Schooß der Kirche zurückkehren wollten, Verzeihung verhieß;
aber sie verharrten in ihrer Verstocktheit." Am 15. September erließ der Erzbischof das Bann-Decret. Die öffentliche Verkündigung
desselben nahm, da es seine Sentenzen über die verschiedenen Personen zu begründen suchte, zwei Tage in Anspruch. Die hartnäckigen
Ketzer vertrugen aber auch die Excommunication, selbst über den
6. Februar 1487 hinaus, welcher ihnen als letzte Gnadenfrist gesetzt war.

Nachdem der päpstliche Legat Albert Cattaneo, wie oben erzählt
worden, vergeblich versucht hatte, die „Thäler" Piemonts zu bezwin-
gen, kam er im Jahre 1488 in die des französischen Gebiets und
ließ hier sofort achtzehn wegen ihres Glaubens in Haft befindliche
Waldesier hinrichten. Er dehnte seine Spionir-Fahrten aus bis nach
Burgund, weil ihm die Stadt Besançon als vorzugsweise von der
Häresie angesteckt bezeichnet worden war. Als er in das Thal von
Freyssinières kam, flüchteten sich die spärlichen Bewohner in eine
Kirche hoch im Gebirge. Dort wurden sie von Cattaneo's Söldnern
umringt und gefangen genommen. Durch diesen ersten Erfolg ermuthigt, warfen die Verfolger sich nun in's Val-Louise. Die Bevölkerung desselben, ohne Hoffnung, dem zwanzigfach stärkeren Feinde
widerstehen zu können, verließen ihre ärmlichen Behausungen, zogen
mit ihren Greisen und Kindern, ihr Vieh vor sich forttreibend, hinauf auf die kaum zugänglichen Höhen des Pelvour, welcher 6000
Fuß über das Thal emporragt. Auf dem Drittheil dieser Höhe
öffnet sich eine geräumige Höhle, Aigur-Fraide genannt, von dem in
derselben entspringenden Quell, der von dem schmelzenden Schnee ge-
nährt wird. Vor der Höhle breitet sich eine ansehnliche Terrasse aus,
zu welcher nur sehr Pfadkundige auf verborgenen Schluchtenwegen
zu gelangen wissen. Diese Höhle mit ihren Seitengängen hatten die
Flüchtlinge sich zum Asyl ersehen. Nachdem sie ihre Frauen, Greise
und Kinder sowie ihr Vieh darin untergebracht hatten, verschlossen
sie den Eingang mit Felsstücken und wälzten solche auch auf die
Zugänge zu ihrem Versteck. Cattaneo berichtet, nach seinem spätern

Befunde, sie hätten Lebensmittel für wohl zwei Jahre gehabt. Als der Anführer der Schaaren des Cattaneo, La Palud, die Unmöglichkeit erkannt hatte, den Eingang der Höhle von der Seite zu gewinnen, von wo die Waldesier in dieselbe gezogen waren, schaffte er aus dem Thale Alles, was er an Leitern und Stricken bekommen kommte, zusammen und stieg nun mit seinen Söldnern höher hinauf, um den Verfolgten von Oben her beizukommen. Hierdurch verblüfft, dachten die armen Ketzer nicht daran, die nur paarweise an den Seilen an ihren Zufluchtsort herabgelassenen Söldner durch Zerschneiden der Stricke unschädlich zu machen — es stürzten sich Viele selbst in ihrer Angst von den Felsen: Diejenigen, welche Widerstand zu leisten versuchten, wurden von den Söldnern niedergemacht, in dem Eingang der Höhle aber alles auftreibbare Gehölz zusammengebracht, in Brand gesteckt und so die Insassen zu Tode geräuchert; wer entrinnen wollte, kam in den Flammen um oder wurde von den Söldnern gespießt. Nachdem das Feuer erloschen war, fand man in der Höhle allein an 400 Kinderleichen. Die Bewohner von Val-Louise — es waren ihrer über 3000 — waren vernichtet.

Die Bewohner von Barcelonette, Queyras und Freyssinières.

Das Thal von Barcelonette ist von allen Seiten durch fast unersteigliche Berge eingeschlossen. Einstmals gehörte es zu Piemont, von 1538 bis 1559 zu Frankreich, dann fiel es wieder an Piemont zurück, bis es 1713 endgültig von Frankreich gegen ein paar andere Thalgebiete erworben wurde.

Wann die Waldesier sich hier festgesetzt haben, weiß man nicht. Im Jahre 1519 predigte der schweizer Reformator Farel unter denselben und die Bewohner erkannten mit freudigem Erstaunen, daß die „neue" Lehre mit der von ihren Vätern ererbten in allen Hauptpunkten übereinstimmte. Diese Verbindung mit der Reformation führte aber bald die Inquisition in das friedliche Thal. Im Jahre 1560 begann die Verfolgung. Diejenigen, welche man ergriff, wurden, wenn sie ihrem Glauben nicht abschwören wollten, auf die Galeeren geschickt. Im Jahre 1566 kam der Befehl, die Waldesier müßten entweder zu der römischen Kirche sich bekennen oder das savoyische Land binnen Monatsfrist verlassen. Diejenigen, die sich zu keinem dieser Auswege bequemten, seien durch Güter-Confiscation, ja an Leib und Leben zu strafen. Die Mehrzahl wanderte nach dem zu Frankreich gehörenden Thale von Freyssinières aus. Aber es war im December; mit den Frauen und Kindern ließen sich nur kleine Tagemärsche machen; die meisten sanken unterwegs, ermattet und vor Frost erstarrt in den Schnee, um nicht mehr aufzustehen.

Als der Gouverneur von Barcelonette die hinterlassenen Grundstücke der Vertriebenen unter die wenigen katholischen Thalbewohner vertheilen wollte, nahmen diese sie nicht an. Da drohten die „Thäler" zur Wüste zu werden, und so drückte man denn ein Auge zu und ließ die Vertriebenen zurückkehren; nur den Gottesdienst gestattete man ihnen nicht. Wer dieses Trostes bedurfte, mußte nach Var in Frankreich, wandern. Und Viele machten die Reise mehrere Male im Jahre.

Im Jahre 1623 begannen die Verfolgungen auf's Neue. Ein Dominicaner brachte vom Herzog von Savoyen einen neuen Befehl an die Waldesier in Barcelonette, das damals wieder zu Savoyen gehörte, entweder ihrem Glauben abzuschwören oder das Land zu verlassen. Der Gouverneur führte den Befehl mit großer Strenge aus und so verließen die Waldesier denn wiederum ihre Thäler. Die Einen wanderten nach Queiras, Andere in's Gebiet von Gapançois, noch Andere nach Orange oder Lyon; auch nach Genf wandten sich Manche.

Die Bewohner von Freyssinières leisteten den Verfolgern zum öftern energischen Widerstand. Gerade gegen sie waren allein im Jahre 1290 von verschiedenen Päpsten bereits fünf Bullen ergangen, welche ihre Ausrottung befahlen, wie gegen sie denn überhaupt kaum die Verfolgung aufhörte vom 13. bis zum Ende des 18. Jahrhunderts. Im Jahre 1344 flohen die meisten Bewohner von Freyssinières bei einer Verfolgung nach Piemont, kehrten aber bald mit ihren Barbas zurück und erwehrten sich der Inquisitoren noch kräftiger als bisher. Aber auch unter ihnen wüthete im Jahre 1490 der mehrfach genannte päpstliche Legat Cattaneo. Erst nach dem Tode des schwachen Karl VIII. wurde ihnen längere Ruhe.

Als zu der Salbung seines Nachfolgers Ludwig's XII. (1498) aus allen Theilen des Reiches Abgesandte erschienen, schickten auch die Bewohner von Freyssinières einen solchen, um ihre Klagen vor dem Thron des neuen Herrschers niederzulegen. Ludwig überwies dieselben seinem Geheimen Rath. Es wurden weltliche und geistliche Commissare ernannt, um die Sache an Ort und Stelle zu untersuchen. Diese ließen sich zu Embrun, einer der Hauptstädte des Obern Dauphiné, alle das Verfahren gegen die Waldesier betreffenden Acten vorlegen, gaben dem Bischof einen herben Verweis und annullirten alle Verdammungs-Urtheile. Ludwig bestätigte die Decrete der Commissare und äußerte nach Einsicht derselben: „Diese wackeren Waldesier sind bessere Christen als wir." Auch Papst Alexander VI., Borgia, befahl in einem Breve den Geistlichen, sich den königlichen Bestimmungen zu fügen, aber an der Forderung, daß die Waldesier „zur Kirche zurückkehren" müßten, hielt auch er fest; doch bewilligte er den Waldesiern für diesen Fall gnädig Absolution für Alles, was fie etwa durch Betrug, Wucher, Raub, Simonie, Ehebruch, Mord, Vergiftungen u. f. w. verschuldet. Dieser alte Sünder, der sich mit 66 Jahren noch einmal Vaterfreuden schuf, meinte wohl, es würde mit diesen Dingen überall so gemüthlich gehalten wie bei ihm daheim, im Vatican und seinen Dependentien.

Ein halbes Jahrhundert später zog wieder einmal eine Kriegsschaar von 1200 Mann gegen die Waldesier von Queiras und Freyssinières, allein der 24jährige Herr des Herzogthums Lesdiguières eilte herbei, um seine Glaubensbrüder zu schützen und vernichtete die Verfolger. Lesdiguières eroberte später selbst Embrun, dessen Einwohner sich namentlich an jenem Zuge gegen Freyssinières betheiligt hatten; der Bischof mit seiner ganzen Klerisei floh und die Kathedrale wurde zu evangelischem Gottesdienste in Gebrauch genommen. Ueberhaupt blieben, wo die Waldesier die Macht dazu in Händen hatten, die Gewaltthätigkeiten ihrer Verfolger naturgemäß nicht ohne Repressalien. Das wurde ihnen freilich zur Schuld gerechnet — aber krümmt sich nicht auch der Wurm gegen den Fuß Dessen, der ihn tritt?

Lesdiguières blieb die bewehrte Hand der französischen Waldesier bis zum Edicte von Nantes, welches ihnen für die kurze Zeit seiner Geltung freie Religionsübung sicherte. Während des 17. Jahrhunderts hatten sie Prediger zu Ristolas, Abriès, Chateau-Queiras, Arvieux, Molines und Saint-Veran. Diese Geistlichen wurden von der Synode der „Thäler" in Piemont gesendet. In Folge der Widerrufung des Edictes von Nantes war den Gemeinden der Waldesier die Existenzberechtigung wieder entzogen und die Armen wanderten wieder in's Exil. Die im Thale Queiras gingen nach Piemont. Unter der Regierung Ludwig's XV. blieb der evangelische Cultus verboten; nur im Geheimen wurde er geübt. Wenn hier oder da eine gottesdienstliche Versammlung gehalten werden sollte, so gingen die Thalbewohner einzeln, das Grabscheit auf der Schulter, als wenn sie zur Feldarbeit sich begäben, auf verschiedenen Pfaden nach dem in der Einöde verborgen liegenden Betplatze, wo sie ihre Psalmenbücher hervorzogen. Man zog des Abends aus und wanderte die Nacht hindurch. In der Nähe eines fremden Dorfes gingen die Männer barfuß, damit das Klappern der eisenbeschlagenen Schuhe sie nicht verrathe; die Füße der Saumthiere, welche die Weiber und Kinder trugen, waren mit Leinwand umwickelt. Trotz aller Vorsicht erschienen dennoch mitunter plötzlich die Landgensdarmen inmitten der betenden Gemeinde und nahmen den Prediger gefangen. Daraus entstanden oft blutige Auftritte und — stets die Wahl eines neuen Versammlungs-Ortes. Da die Bibeln durch die häufige Beschlagnahme derselben selten wurden, so thaten sich junge Leute zusammen, welche, Dieser diese, Jener jene Kapitel des Neuen Testaments aus-

wendig lernten, um sie beim Gottesdienste aus dem Kopfe vorsagen
zu können. So hat in Wahrheit das herrschsüchtige Papstthum
die Christen bis zu den letzten Jahrhunderten in die Katakomben
zurückgetrieben!

Die Metzeleien in der Provence: zu Merindol und Cabrières.

In der Provence hatten die Waldesier sich gegen Ende des 13.
Jahrhunderts unter Karl II. niedergelassen, der wegen seines Besitzes
auf beiden Seiten der Alpen den Titel eines „Grafen von Piemont
und der Provence" führte. Zu Anfang des folgenden Jahrhunderts
zogen noch viele andere Waldesier aus dem Dauphiné wegen der dort
sich erhebenden Verfolgungen zu ihren Glaubensgenossen an der untern
Durance. Während eines zehnjährigen Krieges zwischen Ludwig II.,
Grafen von der Provence und Raimund von Toulouse war das
ganze Land fast zur Einöde geworden. Um die Kriegskosten zu
decken, mußte Ludwig mehrere Landstrecken verkaufen, darunter auch
das Gebiet von Aix. Die neuen Herren derselben, Boulier-Cental
und Rocca-Sparviera, hatten schon in dem Marquisat Saluzzo auf
der italienischen Seite der Alpen Besitzungen, auf welchen Waldesier
lebten. Da sie somit wußten, was sie an diesen braven Menschen
hatten, so gaben sie ihnen das Land ihrer neuen provençalischen Er-
werbungen in Erbpacht.

Auch die Waldesier der Provence, als eben nicht sehr zahlreiche
und völlig auf sich beschränkte Genossenschaft, seit dem Ende des
15. Jahrhunderts nur wenig beunruhigt, traten mit dem Beginn
der Reformation in Deutschland aus ihrer Absonderung heraus,
knüpften mit den Lutherischen Deutschlands und den Calvinisten der
Schweiz Verbindungen an, zogen Lehrer von dort herbei und ließen
auch auf ihre Kosten eine französische Uebersetzung der Bibel verbreiten. Hierdurch lenkten sie die Aufmerksamkeit der Römischen auf
sich. Sofort wurden Inquisitoren gegen sie ausgesendet. Einer von
ihnen, Johann de Rome, verübte während mehr als zehn Jahren,
die er in dem Lande zubrachte, eine Unzahl von Räubereien. Endlich ließ ihn der König festnehmen und die gegen ihn eingeleitete
Untersuchung, über welche die umfangreichen Acten bis auf unsere
Zeiten sich erhalten haben, erwies alle ihm zugeschriebenen Verbrechen.
Die von dem geistlichen Schurken begonnene Verfolgung nahm jedoch
ihren Fortgang und viele Waldesier wurden von den Diöcesan-Bischöfen eingesperrt. Da man bei dieser Gelegenheit daran erinnert
wurde, daß das eigentliche Brutnest dieser Ketzerei in Piemont zu
suchen sei, wurde an den Erzbischof von Turin geschrieben, welcher
durch einen zur Prüfung der Angelegenheit bestellten Commissär zu-

rückmelden ließ: man möge mit der Verfolgung einstweilen innehalten, bis man größere Klarheit in der Sache gewonnen habe. Der Bischof von Cavaillon antwortete indeß am 29. März 1539, daß 13 Personen bereits endgültig verurtheilt seien. Diese wurden lebendig verbrannt. Andere starben im Gefängnisse.

So hatte die Vermittelung des vom Erzbischofe ernannten Commissars, der selbst aus Rocheplate in der Provence stammte, Nichts geholfen; der Bischof war ein Zelot und fand seinerseits in den Mitgliedern des Parlaments der Provence dienstwillige Creaturen. Der Papst beschwerte sich zudem beim Könige darüber, daß die Ketzer verstockt seien: er habe ihnen für die Rückkehr volle Verzeihung in Aussicht gestellt, aber Keiner Gebrauch davon gemacht. Der König überwies daraufhin die Sache dem Parlamente zu Aix zu gesetzlicher Erledigung. Drei Mal von diesem zur Rechtfertigung vorgeladen, erschien auf Anrathen ihrer Freunde keiner der angeklagten Waldesier. Und so wurden am 18. November 1540 in contumaciam alle Familienväter zum Feuertode, ihr Vermögen zur Confiscation, Weiber, Kinder, Knechte und Mägde zur Leibeigenschaft, Merindol, ihr Haupt-Wohnort, zur gänzlichen Zerstörung verurtheilt. Der erste Präsident des Parlaments, von der Verfolgungssucht der übrigen Mitglieder desselben frei, beschloß die Vollstreckung dieses entsetzlichen Urtheils hinauszuschieben, bis die Sache dem Könige vorgelegen habe. Dieser beauftragte den Statthalter von Piemont, Wilhelm du Bellay, ihm über die Waldesier ausführlich zu berichten. Abgesehen davon, daß dieser Bericht der Wahrheit gemäß die abweichenden Religionsbegriffe der Waldesier gegenüber denen des römischen Kirchenregiments hervorhob, lautete er betreffs ihres Wandels höchst günstig. Hierauf schrieb der König am 8. Februar 1541 an das Parlament von Aix: das über die Waldesier gefällte Urtheil sei vorläufig null und nichtig; doch sei von den Mitgliedern dieser religiösen Genossenschaft zu verlangen, daß sie binnen drei Monaten ihren Irrthümern öffentlich entsagten, widrigenfalls sie als Ungehorsame zur Rechenschaft zu ziehen wären. Das Parlament solle die Absendung gewisser Personen aus den Stadt- und Landgemeinden veranlassen, welche im Namen Aller die verlangte Abschwörung leisteten. Der edle Präsident Chassané verschaffte, anstatt dies sofort auszuführen, den Einwohnern der Städte Merindol und Cabrières Gelegenheit, sich unmittelbar vor dem Könige zu vertheidigen und ihm ihr Glaubens-Bekenntniß schriftlich einzuhändigen. Franz I. übergab dasselbe dem Bischof Chatellain von Maçon, Groß-Almosenier von Frankreich, zur Ausarbeitung eines erläuternden Gutachtens. Auf Grund dieses Gutachtens, seiner eigenen Durchsicht des Bekenntnisses und der Bitten, welche die deutschen protestantischen Fürsten im Mai 1541 an ihn richteten, er möge aufhören mit den Verfol-

gungen der Protestanten und Waldesier und die Gemüther nicht
durch erzwungene Abschwörungen verletzen, untersagte er jedes weitere
Vorgehen gegen die Waldesier. Dabei blieb es, trotzdem der Cardinal von Tournon, durch den päpstlichen Legaten angetrieben, den
König benachrichtigte, daß der Klerus das Glaubens-Bekenntniß der
Waldesier als ketzerisch verwerfe. Es folgten zwar noch mancherlei
Bekehrungsversuche, vorzüglich auf Betreiben der Bischöfe von Cavaillon, Aix und Arles, als der Inquisitoren ihrer Diöcesen, doch
verhinderte Chassané bis zu seinem 1544 erfolgten, plötzlichen und
in seiner Ursache nicht ganz aufgeklärten Tode jegliche Gewaltthätigkeit.

Johann Meynier, Baron von Oppede, ein Günstling des fanatischen Cardinals von Tournon, folgte ihm im Amte als Erster
Parlaments-Präsident. Das war für die Waldesier ein unheilvoller
Wechsel, denn Meynier wurde von zwei Gelüsten beherrscht, die ihn
jenen zum natürlichen Feinde machten: von der Gier nach Reichthum
und der Sucht, sich die Gunst der Römischen zu erwerben. In der
Nähe von Cabrières hatte sein Vater Güter besessen, war ihrer aber
verlustig gegangen, in Folge gemeiner Verbrechen, wie man im
Volke sagte. Wie dem auch sei: Meynier beanspruchte unter aller lei
juristischen Vorgeben die Mühle von Plan d'Apt. Der Besitzer,
Pellenc, weigerte sich, sie ihm abzutreten und vermied dabei nicht,
Anspielungen zu machen. Meynier denuncirte Pellenc als Ketzer,
Letzterer wurde verbrannt und Ersterer erhielt als Angeber-Gebühr
die Mühle. In einer der folgenden Nächte ging die Mühle in
Brand auf. Dieser Rachestreich kam Meynier, der im Einverständniß mit dem Cardinal von Tournon und etlichen Bischöfen schon
ohnehin nach einer Gelegenheit zu gründlicher Säuberung des Landes von der Ketzerei ausschaute, gerade zu Statten. Auch sonst
lagen die Zeitumstände günstig für seinen Plan: Graf Ludwig von
Grignan, der Gouverneur der Provence, war abwesend, er also zeitweilig das Haupt der Landesverwaltung und somit Herr über alle
Mittel, den geplanten Schlag ungehindert auszuführen.

Hinweisend auf das Rachestück an der Mühle und gewisse, bei
der herrschenden Erbitterung ganz natürliche Drohungen und Zusammenrottungen berichtete Meynier an den Cardinal von Tournon
von einer Verschwörung der Waldesier, die mit 16,000 Bewaffneten
die Stadt Marseille zu überfallen und an den deutschen Kaiser
Karl V. auszuliefern gedächten. Gleichzeitig bat er um Verhaltungs-
befehle. Der Cardinal wußte den König auf diese Kunde hin so zu
bearbeiten, daß Letzterer unterm 14. Januar 1545 dem Parlamente
zu Aix die Weisung ertheilte, „nach der Strenge der Gesetze gegen
die Aufrührer zu verfahren". Der Cardinal von Tournon ließ
dieser königlichen Ordre ein zweites Schreiben folgen, worin er ver-

felben die Deutung gab, als verlange der König jetzt die seiner Zeit durch Chaffané verhinderte Ausführung jenes grausamen Parlaments-Beschlusses vom 18. November 1540. Beide Ermächtigungen hielt Meynier einstweilen geheim; er wollte seine Vorbereitungen im Stillen treffen. Die Werbungen, welche damals in der Provence für den Krieg mit England im Gange waren, hielten bei den Waldesiern den Argwohn fern, man könne, (wie Tournon es befohlen hatte) diese Truppen wohl auch gegen sie verwenden. Als nun aber zu Aix, Arles, Marseille und in anderen Städten das Aufgebot an alle Lehen-Inhaber erging, bestimmte Contingente zu stellen, schöpften sie doch Verdacht. Sie theilten in ihren Briefen an die deutschen und schweizerischen Reformirten diesen ihre Befürchtungen mit und baten um Vermittelung beim Könige. Franz I., noch ohne Kenntniß von dem eigentlichen Vorhaben Meynier's, und ärgerlich über die fort-während Einmischung fremder Protestanten, gab zur Antwort: da er sich nicht in ihre Angelegenheiten mische, möchten sie ihn auch in den seinigen gewähren lassen.

Nachdem Meynier Alles in Bereitschaft hatte, legte er am 12. April dem Parlamente die beiden Schreiben vor und schlug zur Durchführung des scheinbar vom Könige neuerdings bestätigten Er-kenntnisses vom 18. November 1540 die Ernennung einer Commis-sion vor. Diese wurde gebildet aus dem Präsidenten de la Fond, den Räthen Honorius de Tributiis, Bernhard de Badet und dem General-Advocaten Nicola Guérin, welcher als öffentlicher Ankläger die furchtbare Strafe beantragt hatte.

Am drittfolgenden Tage traf Meynier bereits mit 6000 Mann in Cadenet ein. Von hier aus, dem allgemeinen Sammelplatz, er-folgte sofort der erste Angriff; er galt dem Flecken Pertuis an der Durance. Am selben Tage wurden noch, nach vorhergegangener Plünderung, in Brand gesteckt die Dörfer Pupin, de la Motte und Saint-Martin. Am folgenden Tage erduldeten Villelaure, Lourmarin, Genson, Trezemines und Laroque dasselbe Schicksal. Das Vieh zu-rücklassend, waren die Einwohner aus allen diesen Orten bereits geflohen.

Erst als die feurige Lohe der Nachbardörfer in der Runde sich am Himmel malte, flohen auch die von Merindol. Die Flammen leuchteten ihnen, als die Nacht kam, bis gen Sonfalaise. Dessen Bewohner rüsteten sich eben zum Aufbruch: der Bischof von Cavaillon hatte Leute gedungen, sie zu überfallen und zur Hölle zu schicken. Auf Waldwegen zogen andern Tags mit den Sonfalaisern auch die Merindoler weiter. In dem Flecken Mus wollten sie wieder rasten; auf dem Wege dahin ereilte sie aber die Botschaft, Meynier sei ihnen auf den Fersen. Die Meisten, Weiber, Kinder und Altersschwache, konnten nicht mehr weiter; es war eine todesbange Lage; kein anderer Rath, als für die Hülflosen, die Frauen, Greise und Kinder bei den Verfolgern Barmherzigkeit vorauszusetzen, sich selber aber nach Mus zu retten. Mittlerweile hatte Meynier seine Schaar in zwei Haufen getheilt und war an der Spitze des einen zur Einnahme von Merindol abgerückt. Bevor jedoch die Männer zu Mus diese ihnen zu Ohren gekommene Minderung ihrer Verfolger benutzen und Etwas für ihre zurückgebliebenen Angehörigen thun konnten, waren letztere dem zweiten Haufen bereits in die Hände gefallen. „Haut sie! Würgt sie! Schändet sie! Reißt ihnen die Frucht aus dem Leibe!" — schrie es aus der Rotte. Aber einer der Feldhauptleute ließ es nicht geschehen, daß eine von den Frauen, deren an 500 gewesen sein sollen, gekränkt, oder von den Greisen und Kindern Jemand geschädigt wurde; die Horden mußten sich an dem vorfindlichen baaren Gelde und dem Vieh genug sein lassen.

In der Stadt Merindol fand der von Meynier selbst geführte Haufe nur ein einziges männliches Wesen, einen Knaben Namens Moriz Leblanc. Ihn banden die Unmenschen an einen Oelbaum und nahmen ihn zum Ziel ihrer Geschosse. Darauf — am 20. April, wurden die Gebäude angezündet. Einige Frauen hatten sich in die Kirche geflüchtet; man riß ihnen die Kleider vom Leibe, zwang sie, sich wie zum Tanze bei den Händen zu fassen, trieb sie mit Pikenstichen um das Schloß herum und stürzte sie dann, eine nach der anderen, von einem Felsen hinab. Doch wozu der einzelnen Gräuel weitere aufzählen?!

Die Bevölkerung der auf dem päpstlichen Gebiet von Avignon-Venaissin gelegenen Stadt Cabrières bestand noch aus sechszig wehrhaften Männern, vielen Frauen, jungen Leuten und Kindern. Sie verrammelten die Thore. Der Baron de la Garde, Commandant der gegen England bestimmten Truppen, sowie ihr eigener Lehnsherr gaben ihnen das Ehrenwort, daß ihnen kein Ungemach widerfahre, sofern sie sich freiwillig ergäben. Sie trauten dem. Kaum war geöffnet, ging das Würgen los. Alle wurden aus ihren Verstecken: der Kirche, den Kellern u. s. w. hervorgezogen und mit raffinirter Lust gemordet. Meynier ließ vierzig Frauen zusammen in eine Scheune sperren und diese dann anzünden. An 700 Menschen wurden in der Stadt und nächsten Umgebung umgebracht.

Von hier wandten sich die Mordbrenner vor die Stadt La Coste. Die Bürger wurden auf dieselbe Art überlistet und zur Auslieferung der Waffen u. s. w. bewogen wie die von Cabrières; darauf ereilte sie auch das weitere Schicksal derselben. Auch von den nach Mus Geflüchteten entgingen nur Wenige dem qualvollsten Ende. Im Ganzen starben auf diesen Executions-Zügen über 3000 Menschen, ungerechnet die, welche in Wäldern und Gebirgen elendiglich umkamen. Wenigen glückte die Flucht nach der Schweiz. Von den

Gefangenen schickte man die kräftigsten auf die Galeeren. Mehrere
erkauften ihre Freiheit mit Geld, Andere durch die Abschwörung ihres
Glaubens. Einige Kinder wurden den Müttern zurückgestellt unter
der Bedingung nochmaliger Taufe durch römische Priester. Zwei-
undzwanzig Städte und Dörfer waren eingeäschert.

Der König erfuhr die Sache und gerieth außer sich. Der Präsident de la Fond, der zu ihm reiste, sowie der Cardinal von Tournon, mußten ihn jedoch zu begütigen; ja sie erreichten noch mehr:
eine förmliche Billigung des Verfahrens gegen die „schuldigen" Waldesier. Sie wiesen ihm haarscharf nach, daß die Unterdrückung der
Ketzerei und die Ruhe des Landes gleichbedeutend sei.

Diejenigen der Waldesier, welche dem Blutbade entronnen waren,
sammelten sich auf den wilden Berghöhen des Ceberon und zogen
von da in die „Thäler" Piemonts, kamen aber später, als wieder
Ruhe eingetreten war, in die Provence zurück. Die Aufhebung des
Edicts von Nantes jedoch zerstörte auf's Neue die Gemeinden, welche
sich an den Ufern der Durance gebildet hatten. Unter der Regierung Ludwig's XV. hatten die Verfolgungen der Waldesier gar
kein Ende.

Kain und Abel in Calabrien.

Auch für die Waldesier in Calabrien begann die Verfolgung
damit, daß sie mit ihrem eigenthümlichen Gottesdienst freier an's
Licht traten. Die Colonien auf diesem südlichsten Theil der italienischen Halbinsel hatten um die Mitte des 14. Jahrhunderts ihren
Anfang genommen; dortige Grundbesitzer, welche die Waldesier in
Turin kennen lernten, hatten deren dort hingezogen. Auch in Apu-
lien gründeten spätere Auswanderer aus den „Thälern" Niederlas-
sungen; die Namen, die sie ihnen gaben, entlehnten sie denen, aus
welchen sie stammten: La Cellaie, Faët, La Motte. Im Jahre 1500
ließen sich ferner Waldesier aus Freyssinières und Pragelas an den
Ufern des Volturno nieder und späterhin breiteten sie sich noch weiter
in dem Königreiche von Neapel aus, ja sie suchten sich selbst Wohnplätze drüben in Sicilien. Sie bekamen ihre Geistlichen aus den
heimathlichen „Thälern"; dieselben wechselten alle zwei Jahre mit
ihren Stellen, so daß der Verkehr zwischen allen Gemeinden lebendig
blieb. Es gab nach und nach Waldesier in fast allen Städten Italiens, von Genua bis Venedig, von Mailand bis Florenz und Rom.
Als sie es ihren heimischen Glaubensgenossen nachthaten, wie diese
es den Reformatoren der Schweiz und Deutschlands nachgethan hatten: anstatt wie bis dahin in Privathäusern ihren Gottesdienst zu
halten, das Evangelium öffentlich predigten, da erhob sich das Geschrei: es seien Lutheraner gekommen und diese verführten durch ihre
Lehren das Volk. Der Marquis von Spinello ließ zwei dieser „Send-

linge des Satans" festnehmen. Der eine wurde in dem Gefängnisse von Cosenza gefoltert und starb dort, wie es scheint. Sein Amts- und Schicksals-Genosse, Namens Pascale, wurde nebst 22. Andern, die zur Galeere verurtheilt waren, nach Neapel geschafft und von dort in die Gefängnisse der römischen Inquisition abgeliefert. Hier kam er an am 16. Mai 1560, Hände und Füße in eiserne Fesseln geschlagen. Da alle Versuche, ihn zur Verleugnung seines Glaubens zu überreden, sich als vergeblich erwiesen, wurde er am 8. September des genannten Jahres aus dem Torre di Nona, welchen Stadt- mauer-Thurm die Päpste seit 1410 als Gefängniß benutzten, in das Dominicaner-Kloster sopra Minerva geführt, um hier sein Verdam- mungs-Urtheil zu hören. Am folgenden Morgen führte man ihn vor die Engelsburg, wo in der Nähe der Tiberbrücke der Scheiter- haufen errichtet war. Der Papst, Pius IV., wohnte der Hinrichtung bei. „Aber", bemerkt Perrin bei Erzählung dieser Vorgänge, „nach- träglich hätte er gewünscht, daß die Execution im Stillen vorgenom- men worden oder daß entweder das Volk taub gewesen oder Pascale stumm geblieben wäre, denn es bekam aus des Letzteren Munde bit- tere Dinge zu hören, welche die Anwesenden sehr ergriffen." Die Ketzerrichter ließen ihm alsbald die Kehle zuschnüren, damit er Nichts mehr sagen könne.

Der Marquis von Spinello, welcher sich bis dahin den Walde- siern stets als Beschützer erwiesen hatte, weil ihm ihr Fleiß und ihre Zucht einträglich waren, fürchtete, als er von der Strenge des päpst- lichen Hofes gegen diese Ketzer vernahm, daß er an seinen Lehns- gütern Schaden erleiden möchte; er wollte der Anklage, daß er die Häresie auf denselben hege, zuvorkommen, und klagte nun selbst die Waldesier bei dem h. Officium an. Da man in Rom durch den Proceß gegen Pascale die Bedeutung der evangelischen Gemeinden in Calabrien kennen gelernt hatte, so wurde der Cardinal-Groß-In- quisitor dahin abgeschickt. Von zwei Dominicaner-Mönchen begleitet, langte er in der Waldesier-Colonie St. Xist an, forderte die Ein- wohner vor sich mit der Ankündigung: er werde weiter Nichts von ihnen fordern, als daß sie die Geistlichen und Schullehrer, welche ihnen Irrthum predigten, entlassen möchten. Um die Zahl der Ketzer kennen zu lernen, ließ er zum Gottesdienste läuten. Keiner kam; Alle flüchteten in ein nahes Gehölz, nur die Greise und Kinder blie- ben zurück. Die Mönche begaben sich von da nach der Waldesier- Stadt La Guardia, deren Thore sie hinter sich zu schließen befahlen. Auf das Läuten der Glocken versammelte sich das Volk. „Theuere Brüder", sprachen die Mönche, „euere Glaubensgenossen zu St. Xist haben ihre Irrthümer abgeschworen und sämmtlich der Messe beige- wohnt. Folget auch ihr diesem Beispiel, damit wir nicht genöthigt sind, euch als Frevler am Heiligthume Gottes zum Tode zu verdam-

men. Durch diese Lüge getäuscht, begab sich das Volk zur Kirche.
Nach der Messe wurden die Thore wieder geöffnet und der Mönchs-
Trug kam zu Tage. Sogleich versammelte sich die Einwohner-
schaft auf dem Marktplatze; Alle waren empört darüber, daß man
sie so gröblich hintergangen und sie selbst sich so schwach gezeigt
hatten. Von allen Seiten schimpfte man auf die „römischen Lügner".
Vergebens suchten die Mönche, den Tumult zu beschwichtigen. Die
Leute beschlossen, aus der Stadt zu ziehen und sich mit den Nach-
barn von St. Xist zusammenzuthun. Mit Mühe gelang es dem
Marquis von Spinello, sie hiervon zurückzuhalten.

Der Groß-Inquisitor forderte nun, kraft seiner Vollmacht, die
Unterstützung der weltlichen Gewalt zur Ausführung seines Auftrags.
Zwei Rotten Soldaten wurden ihm zur Verfügung gestellt: Er sandte
sie sofort in das Gehölze von St. Xist, um die Flüchtlinge zurückzuführen. Diese verlangten die Zusage, daß man ihnen gestatte, bei
ihrem Glauben zu bleiben oder in ihre alte Heimath zurückzukehren.
Das wurde ihnen abgeschlagen. Da setzten sie sich zur Wehr. Erst
als der Vicekönig einen Aufruf erließ und allen Vagabunden und
Verbrechern Nachlaß der verwirkten Strafen in Aussicht stellte, wenn
sie ihm helfen wollten, die Ketzer zu vernichten, erst da wurde man,
da dieses Räubergesindel alle Hinterhalte und Schlupfwinkel der
Apenninen kannte, der unterdeß durch Zuzüge von allen Seiten
gleichfalls zu einer großen Masse angewachsenen Gegner Herr. Auch
Cattaneo hatte sich ja dieser Jagd-Methode immer mit Erfolg bedient. Wer nicht erwürgt oder erschlagen wurde, der erlag dem
Hunger und Elend. Nur Wenige entkamen.

In La Guardia war aber noch ein Theil seiner Bewohner zurückgeblieben. Diese wurden von den Mönchen überredet, sich ihnen
unbewaffnet zu stellen, dann sollten sie ihres Lebens sicher sein. In
dieser Schlinge wurden 70 bis 80 waldesische Männer von versteckt
gehaltenen Söldnern gefangen und darauf gefesselt in die Kerker von
Montalto abgeliefert. Von den Qualen, die man den Einzelnen hier
bereitete, um sie zu Aussagen und Einräumungen zu zwingen, die
sie nicht machen konnten, wollen wir schweigen. So zu sagen unter
den Augen des Gouverneurs, Marquis Buccianici, wurden sie schließlich zu Montalto sämmtlich im wahrsten Sinne des Wortes abgeschlachtet. In einem niedrigen Raume waren 88 Gefangene zusammen eingesperrt. Der Henker tritt ein, zieht dem ersten Besten
eine rothe wollene Mütze über den Kopf, zerrt ihn hinaus, läßt ihn
niederknien und schneidet ihm die Kehle mit einem Messer durch.
Er nimmt, Kleider und Arme von Blut überspritzt, die Kopfhülle
ab, um sie drinnen einem weiteren Opfer überzuziehen. Und das
wiederholt sich bis zum Letzten! Weg mit dem Bild, das die stärkste
Zuversicht auf eine Vorsehung wankend machen kann!

Gegen 1600 Waldesier wurden in Calabrien gefangen genom=
men und dem Tode überliefert. Einer aus dem Gefolge des Cardinal=
Groß-Inquisitors bemerkte, nachdem er erzählt, daß achtzig rückfällige
Ketzer lebendig geschunden, dann ihre halbirten Leiber längs der
Heerstraße, 36 Miglien weit, aufgespießt worden seien, im römischen
Sinne sehr richtig: „Das diente sehr, um den katholischen Glauben
zu befestigen und die Ketzerei gewaltig zu erschüttern."
Zwei Jahre lang loderten in Calabrien die Scheiterhaufen.
Auch die Stadt St. Agatha bei Neapel zahlte Rom ihren Tribut an
Todesopfern. Einigen wenigen Waldesiern glückte es, sich unter den
größten Mühseligkeiten und Entbehrungen in die „Thäler" Piemonts
zurückzuretten. Denn überall lauerten Wachen und jeder Reisende
mußte einen von einem römischen Pfarrer ausgestellten Schein haben,
wenn man ihn ungehindert weiter lassen sollte. Gleichwohl scheint
es, als wenn nicht alle Waldesier damals vertilgt worden wären,
indem Pius IV. später den Marquis von Butiana aussandte, um
das Ausrottungsgeschäft zu völligem Ende zu bringen.

Wenn das massenhafte Morden der waldesischen Ketzer, wie
es auf den vorstehenden Blättern erzählt ist, in der späteren Ge=
schichte sich auch nicht mehr wiederholt — die Verfolgungen und
Drangsalirungen, die Vertreibungen derselben von ihrem häuslichen
Heerde dauerten, wie Eingangs des Kapitels schon bemerkt, fort bis
weit in unser Jahrhundert. Wie ein Treiber mit dem Stachelstock
hinter seinem säumigen Lastthier, so war der jeweilige Papst immer
hinter den weltlichen Fürsten her, um die von der Hierarchie ver=
langte Bütteldienste von ihnen zu erzwingen. Gedenken wir nur
eines einzigen dieser zahllosen Fälle.
Durch ein Edict des Herzogs von Saboyen vom 23. Mai 1694
waren den Waldesiern der „Thäler" alle ihre früheren Rechte zurück=
gegeben. Die zu ihrem alten Glauben Zurückgekehrten sollten nicht
als Abtrünnige bestraft werden, fremde Religionsgenossen in den
„Thälern" sich niederlassen dürfen. Sämmtliche 424 Familien, welche
acht Jahre zuvor gezwungen worden waren, sich zur römischen Kirche
zu bekennen, bis auf drei, traten wieder aus derselben zurück. Das
war „empörend" für die anmaßlichen Inhaber des Monopols christ=
licher Wahrheit zu Rom, allerdings. Der Papst erhob Protest, der
piemontesische Gesandte beim Apostolischen Stuhl wurde heimgeschickt.
Das mit dem Herzog im Kriege liegende Frankreich hatte die Er=
bitterung der Curie gesteigert; der Hauptketzer war der Cardinal
von Bourbon. Am 9. August wurde vom Inquisitions=Tribunal
unter dem Vorsitze Innocenz' XII. ein feierlicher Protest gegen das
Edict erhoben und dasselbe für „null und nichtig" erklärt. Ganz
Europa war gespannt, was Herzog Victor Amadeus thun werde.

Der Senat von Turin erhielt von ihm den Befehl, den Protest des h. Officiums auf seine Haltbarkeit zu prüfen. Der General-Procurator Rocca vertheidigte das herzogliche Edict als einen Act der Gerechtigkeit, mehr noch als einen Act der Gnade. Auch der General-Advocat Frechignone trat dieser Ansicht bei, und so wies der Senat seinerseits den päpstlichen Protest zurück und verbot es bei Lebensstrafe, ihn in den herzoglichen Staaten zu publiciren. Der Abt von Pinerolo war der Einzige, welcher diesem Beschlusse zuwider handelte, ohne daß er, so viel man weiß, dafür zur Rechenschaft gezogen worden wäre. Victor Amadeus theilte dem päpstlichen Hofe die gepflogenen Verhandlungen mit und erklärte, daß kein Fürst in Europa sich solche Anmaßungen gefallen lassen könne. Da Spanien und Oesterreich — wohl mehr bestimmt durch die Politik des Augenblicks als aus Rechtsgefühl und Selbstachtung — in ähnlichem Sinne sprachen, so gab der Papst dem Nuncius in Turin Befehl, den Protest in Piemont nicht zu publiciren. Nach einigen Erklärungen von beiden Seiten ließ man die Sache auf sich beruhen, ohne daß der Papst mit seinem Protest, noch der Herzog mit seinem Verlangen auf Aufhebung des ganzen Inquisitions-Gerichtes, welches sich so weit vergessen habe, durchgedrungen wäre.

Die Verfolgungen in Italien hatten schließlich die Waldesier so weit über Europa verstreut, daß sie mit Recht sagen konnten, auf einer Reise zwischen Antwerpen und Rom fänden sie Obdach für jede Nacht bei einem ihrer Glaubensbrüder. In der Schweiz, in Baden, Würtemberg, Brandenburg, Rhein-Hessen gründeten sie, von den Gewalthabern in diesen Staaten geduldet, oder, wie vom Großen Kurfürsten, selbst unterstützt, vollständige Colonien. Aus andern, besonders süddeutschen, Ländern wissen wir von ihnen nur durch ihre Verfolger. So hat sich eine handschriftliche Abhandlung des 1272 gestorbenen Minoriten David von Augsburg erhalten, worin Anweisungen gegeben werden gegen die „povre de Leun", die „Armen von Lyon"; David stützt seine Rathschläge auf Erfahrungen, die er selbst gemacht habe, denn wie in den fünfziger Jahren des 13. Jahrhunderts in Oesterreich, so war in dem folgenden Jahrzehnt die Inquisition in Bayern thätig. In einer Urkunde aus dem Bisthum Regensburg heißt es im Jahre 1265: „in Ritnaw wurden Ketzer von der Secte der Armen von Lyon gefunden und gefaßt." Ein auf der Münchener Staats-Bibliothek aufbewahrter handschriftlicher Tractat aus dem Jahre 1395 berichtet von Ergebnissen der Inquisition in Thüringen, in der Mark, in Böhmen und Mähren. Er erwähnt auch der Inquisition, welche „gegenwärtig" in Oesterreich und Ungarn wirksam sei.

Die „Armen" in Oesterreich, Böhmen und Polen.

Im fünften Kapitel haben wir eines Sendschreibens der „italischen Armen" an ihre Glaubensgenossen diesseits der Alpen Erwähnung gethan und nach Wilhelm Preger's Mittheilungen aus demselben die religiösen Lehrbegriffe der Waldesianischen Glaubensverwandten zusammengestellt. Der genannte Gelehrte hat dieses Document in einem handschriftlichen Werke gefunden, das, von einem Unbekannten im Jahre 1260 verfaßt, in der Staatsbibliothek zu München aufbewahrt wird. Dasselbe handelt von den Juden, Heiden und Ketzern. Der Verfasser, sagt Preger, unterscheidet wie die meisten römisch-klericalen Urkunden nicht zwischen den Waldesiern und den „italischen Armen"; er umfaßt beide gemeinsam bald unter dem Namen der Leonisten, d. h. der Armen von Lyon, bald unter dem der Waldesier. Die Lehren aber, die er von ihnen mittheilt, zeigen, daß es ein Missions-Gebiet der „italischen Armen" ist, aus dem er seine Kenntniß über die Leonisten schöpft. Denn seine Leonisten glauben nicht, daß ein unwürdiger Priester die Eucharistie wirksam verwalten könne. Sie weisen auf das keusche eheliche Leben ihrer Priester hin. Diese beschäftigen sich mit Handarbeit. Auch wird von den Inquisitoren an die Verhafteten die Frage gestellt, ob sie jemals eine Collecte an ihre Brüder in der Lombardei gesendet hätten. Der Verfasser sagt, er wisse das Meiste, was er berichte, durch die Inquisition, welcher er häufig beigewohnt habe, und er bezeichnet das Gebiet, über welches diese Inquisition sich erstreckte, als die Diöcese Passau. Diese umfaßte vornehmlich das Herzogthum Oesterreich. Somit haben wir in der Schrift dieses Passauer Ungekannten eine hochschätzbare Quelle über die österreichischen Waldesier aus der Mitte des 13. Jahrhunderts. Die darin gegebenen Aufschlüsse sind um so interessanter, als der geistliche Verfasser ihnen zum Untergrunde eine Schilderung des gleichzeitigen römisch-katholischen Kirchenwesens gegeben hat, die so drastisch ist, daß der Jesuit Gretser, als er die Schrift des Passauer Unbekannten gegen die Waldesier verwerthete, diese Stellen doch lieber nicht mit abdruckte. Es sind 42 Gemeinden in der Diöcese Passau, in denen die Inquisition mit der Secte sich zu schaffen mache. Von diesen Gemeinden liegen mehrere, wie St. Peter, St. Oswald, Weitra, Drosendorf in der Nähe der böhmischen und mährischen Grenze. Von den Orten an oder nahe der Donau sind u. a. Ems, Ardagger, Ips, Weissenkirchen genannt, unter den südlich von der Donau, nach Steiermark zu, aufgezählten befinden sich Hag, Grieskirchen, Kematen, Wels, Steier, Böheimkirchen. Daß die Secte in Oesterreich um die in Rede stehende Zeit eine eigene Organisation hatte, erhellte daraus, daß ein Bischof derselben erwähnt wird, welcher in Einzinsbach wohnte.

Der Passauer Ungenannte, ein offenbar der römischen Kirche rückhaltlos zugethaner Priester, stellt in einem besonderen Abschnitt die Ursachen zusammen, welche seiner Ueberzeugung nach den Widerwillen so Vieler gegen die römische Hierarchie bewirkten. Sie liegen ihm zumeist in der sittlichen Verkommenheit des Klerus und in den zahlreichen Mißbräuchen der Kirche. Es erinnert stellenweise an den Baticanismus unserer Tage, wenn er u. A. schreibt: Das Leben der Kleriker ist ein zügelloses. Einfache Hurerei gilt ihnen nicht als Sünde. Sie handeln nach dem Grundsatz: „Si non caste tamen caute!" Der Beichtstuhl wird mißbraucht; man stellt da Fragen, die geeignet sind, die Arglosen in fleischlichen Dingen geradezu erst zu unterrichten. Das Sacrament der Eucharistie wird in ganz frivoler Weise verwaltet. Die kirchlichen Heilsmittel werden zur Befriedigung der Geldgier mißbraucht. Und bei solcher Versunkenheit sucht man gleichwohl dem Volke die übertriebensten Vorstellungen von der priesterlichen Würde beizubringen. So sagt man, daß ein sündiger Geistlicher, sobald er nur die Altargewänder anhabe, rein dastehe wie ein Engel. Der Messen ist eine übermäßige Zahl. Bei der Taufe stellen die Priester an die Pathen lateinische Fragen, die sie meist selbst nicht verstehen. Man betrügt das Volk mit angeblichen Wundern. Man läßt von Bildern Blut, Thränen, Oel u. s. w. fließen, Kerzen vom Himmel her sich entzünden; man läßt Leute Krankheiten vorgeben, um sie dann in der Kirche zu heilen. Man betrügt das Volk mit falschen Reliquien, zeigt Reliquien von Engeln oder Schweiß Christi oder Milch der Maria und läßt Ochsenknochen als Reste von Heiligen verehren. Der menschlichen Satzungen sind in der Kirche mehr als der göttlichen. Der Papst wird in übermäßiger Weise erhoben; man sagt: er sei ein Gott auf Erden, mehr als ein Mensch, den Engeln gleich; sündigen könne er nicht; wer nicht schon heilig sei, wenn er zur Papstwürde gelange, der werde es dadurch; der römische Stuhl sei unfehlbar (quod sedes romana non possit errare).

Wilhelm Preger erinnert daran, wie der höhere Klerus, insbesondere zu dieser Zeit auch die beiden Päpste Gregor IX. und Innocenz IV. durch die Leidenschaftlichkeit und Herrschsucht, welche sie im Kampf mit Kaiser Friedrich II. offenbarten, mit dem niederen Klerus mithalf, das Ansehen der Kirche bei Vielen zu erschüttern. In der Diöcese Passau war der Bischof Rüdiger von Radeck (1235 bis 1250) der ergebene Bundesgenosse des Kaisers, auch als dieser im Banne war; ebenso der weltliche Herr des Gebiets, Friedrich der Streitbare, Herzog von Oesterreich in den letzten sieben Jahren seines 1246 zu Ende gegangenen Lebens. So lange diese beiden

Männer regierten, war seitens der Inquisition an eine ernstliche Verfolgung der Ketzer nicht zu denken. Mit dem Bischof von Passau
wurden auch die übrigen Bischöfe Süddeutschlands auf des Kaisers
Seite geführt, als der päpstliche Legat Albert Beham, welcher gekommen war, dem zum zweiten Male gebannten Kaiser Feinde im
Reiche zu erwecken, sich die übermüthigsten Eingriffe in die bischöflichen Rechte herausnahm. Als er den Bischof Rüdiger an der Abhaltung des Gottesdienstes eigenhändig verhindern wollte, gab dieser
ihm am Altare mit der Faust einen Rippenstoß, daß er taumelnd
zurückwankte. Auch die übrigen Verhältnisse in Süddeutschland waren der Ausbreitung der Secten günstig: bei fortdauernder Fehde
eine beständige Aenderung in der Parteibildung. Das Volk verwilderte. „Dies müssen wir berücksichtigen," sagt Preger, „wenn wir
bald auch unreine Elemente in die Opposition der österreichischen
Armen gegen die Kirche sich einmischen sehen."

Im Wesen der Secte lag Nichts, was zu gewaltsamem Vorgehen gegen den Klerus aufgefordert hätte; die Prediger thaten ebensowenig Etwas in dieser Richtung. Der Passauer Ungenannte, also
doch ein klericaler Gegner der Genossenschaft der „Armen", bezeugt
ihren sittlichen Ernst u. A. mit folgenden Worten: „Die Häretiker
erkennt man an ihren Sitten. Sie zeigen keinen Stolz in der Kleidung, da sie weder das Auffallende des Reichthums noch das der
Armuth haben. Was man eigentlich Handel nennt, das treiben sie
nicht, um der Versuchung zum Lügen, Schwören und Betrügen auszuweichen. Sie arbeiten nur, um leben zu können. Ihre Lehrer
sind Weber und Schuhmacher. Sie leben keusch, sind mäßig im
Essen und Trinken. Zur Schänke, zum Tanz und andern Eitelkeiten
gehen sie nicht. Sie meiden den Zorn. Allezeit arbeiten, lehren oder lernen sie und deshalb beten sie wenig."

Der Passauer Ungenannte zeigt uns dann, auf welche Art die
fremden Lehrer sich Bahn machten. Vorab suchten sie Einflußreichere
für ihre Sache zu gewinnen. Als Tabulet-Krämer kommen sie auf
die Burgen des Adels. Sie bieten Gewandstoffe, Ringe und andern
Schmuck an. Werden sie gefragt, ob sie noch Anderes zu verkaufen
hätten, so antworten sie etwa: „Ja, noch größere Kostbarkeiten als
jene sind, und ich würde sie euch überlassen, wenn ihr mich den
Priestern nicht verrathen wolltet. Ich habe einen Edelstein, durch
den man Gott schauen kann; einen andern, der die Liebe zu Gott
im Herzen entzündet." Als solche Edelsteine bringen sie dann Worte
der h. Schrift vor, in welchen ein wahrhaft frommes Leben vorgehalten wird; dann solche, mit welchen der Herr das Leben der Pharisäer und Schriftgelehrten kennzeichnete. Diesen Bibelworten fügen
sie wohl die Bemerkung bei: selten sei unter den Klerikern Einer,
der auch nur drei Kapitel des Neuen Testamentes auswendig lenne,

selten unter ihnen Einer, Mann oder Weib, der den Schrifttext nicht in der Volkssprache anzuführen wisse. „Und weil wir nun," so läßt der Passauer Ungenannte sie weiter sagen, „den wahren Christenglauben haben, deshalb verfolgen uns jene Pharisäer. Sie dringen vornehmlich auf Fasten, auf die Beobachtung des Unterschieds der Speisen und Tage, Kirchenbesuch und dergleichen Menschensatzungen." Auf diese Weise, sagt der Passauer Ungenannte, führen sie sich ein, und ihre Gönner behalten sie Monate lang bei sich und lassen sich von ihnen unterweisen.

Und an solchen mächtigen Gönnern scheint es ihnen in Oesterreich nicht gefehlt zu haben. Die Strafe des Interdicts, mit welcher die Päpste die Anhänger des Kaisers verfolgten, führte sie ihnen auch hier zu. „Wenn das Interdict ausgesprochen wird," so heißt es in der Schrift des Passauers, „dann jubeln die Häretiker, weil sie die Christen in ihr verderbliches Netz ziehen können."

Gebrach es so eine Zeit lang den „Armen" in Oesterreich nicht an Schutz, so konnte es nicht ausbleiben, daß sich ihnen von der Menge der mit der Kirche Zerfallenen Viele anschlossen, denen nur der Krieg gegen die herrschende Kirche zusagte. die aber dem sittlichen Ernste der „Armen" innerlich sehr ferne standen. Wenn daher der Passauer Ungenannte auch von solchen Waldesiern in Oesterreich zu erzählen weiß, welche damit drohten, daß bald der Klerus vernichtet, er durch Entziehung des Zehnten und Wegnahme der Kirchengüter zur Handarbeit werde gezwungen werden, oder wenn er sagt, daß der Pfarrer von Kematen von ihnen getödtet worden sei, so haben wir hier Erscheinungen, welche auf Rechnung jener beigemischten Elemente zu setzen sind. „Mit solchen belastet zu sein," sagt Preger, „ist ein Geschick, dem keine noch so edle Richtung entgehen kann, wenn sie die bessernde Hand an die verdorbenen Zustände der Kirche legt."

Wie groß der Missionseifer der „Armen" in Oesterreich gewesen sei, das deutet der Passauer Ungenannte an, wenn er berichtet, daß ein Häretiker, den er selbst gekannt, sogar im Winter zur Nachtzeit durch die Ips zu schwimmen pflegte, um einen jenseits Wohnenden zu unterrichten und für die Secte zu gewinnen. „Mögen", so ruft er dabei aus, „die gläubigen Doctoren über ihre Nachlässigkeit erröthen, welche nicht ebenso eifern für die Wahrheit des katholischen Glaubens, wie die falschen Leonisten eifern für den Irrthum des Unglaubens."

Um dieselbe Zeit, da die vom Passauer Ungenannten erwähnte Inquisition gegen die „Armen" in Oesterreich thätig ist, also im Jahre 1257, bat König Ottokar von Böhmen den Papst um Inquisitoren zur Ausrottung der Ketzer in seinem Lande. Weiter wird aus dem zweiten Jahrzehnt des 14. Jahrhunderts von einer Inquisition unter Leitung des Dominicaners Peregrin von Oppeln berichtet. Wie zahlreich eben damals die Ketzer dort waren, erhellt aus der Chronik des Peter von Königssaal. Sie fanden an dem Bischof Johann von Drazik einen mächtigen Beschützer; derselbe ließ sogar die Gefangenen der Inquisition gewaltsam befreien und hob das h. Officium auf. Aus Inquisitions-Acten vom Jahr 1330 geht hervor, daß die in dem genannten Jahre in Böhmen sowie auch in Polen verfolgten Waldesier dort keine neue Erscheinung waren. Jene Mittheilungen zeigen zugleich, daß die Verfolgten mit den „italischen Armen" zusammenhingen, da bemerkt wird, daß sie ihre Collecten in die Lombardei schickten und dort ihre Lehrer ausbilden ließen. Aus späteren Inquisitions-Acten erfährt man, daß um 1391 in der Mark und in Pommern über 400 namentlich aufgeführte Waldesier verhört wurden; nach den von ihnen gemachten Aussagen waren ihre Lehrer aus Böhmen zu ihnen gekommen.

Der gleichfalls unbekannte Verfasser des am Schlusse des vorigen Abschnitts erwähnten Tractats von 1395 sagt, daß während der beiden letzten Jahre in Thüringen, der Mark, Böhmen und Mähren durch die Inquisition gegen 1000 Waldesier zu dem katholischen Glauben „bekehrt" worden seien. Dann ist aber mit Sicherheit anzunehmen, daß ungleich mehr nicht „bekehrt" worden sind, die der Inquisition gegenüber entweder bei ihrem Bekenntnisse beharrten und starben, oder sich ihr zu entziehen wußten.

W. Preger macht noch Mittheilungen aus den abschriftlich auf der Münchener Staats-Bibliothek aufbewahrten Actenstücken des Inquisitors Petrus, des Provincial der Cölestiner-Congregation, welcher die Inquisition während der Jahre 1395 bis 1398 in der Diöcese Passau leitete. Er hatte zu Steier sein Schreckens-Tribunal aufgeschlagen. Von Albrecht III. von Oesterreich und nach dessen Tode von seinen Söhnen Wilhelm und Albrecht IV. waren ihm die nöthigen Beamten zur Verfügung gestellt worden. Er ließ zahlreiche Opfer den Flammen überliefern. Allein im Jahre 1397 wurden an 100 Menschen beiderlei Geschlechts in Steier verbrannt. Die in amtlicher Form ausgefertigten Urkunden zeigen, wie selbstbewußt auch das niederste Volk in religiösen Dingen der römischen Kirche gegenüber war.

Els Kumpfner, eine sechszigjährige Wittwe, in der Secte geboren, früher schon ein Mal von dem Inquisitor Heinrich von Olmütz absolvirt, behauptet, es gebe kein Fegfeuer nach diesem Leben, das Fegfeuer habe man diesseits in den Leiden und Versuchungen. Von dem Pfarrer gefragt, ob sie am Vorabend von Allerheiligen allein zu Ehren Gottes und nicht auch der Heiligen gefastet habe, antwortete sie mit der Gegenfrage: ob der Herr nicht mächtiger sei als die Knechte? Mit ihr zusammen wurden drei Andere, welche ihre Ueberzeugung nicht verleugnen wollten, dem Arm der weltlichen Obrigkeit übergeben. „Wir urtheilen," so heißt es da, „du Gundelinus seiest ein Ketzer, du Els eine Ketzerin, in die vor Gericht schon einmal abgeschworene Ketzerei zurückgefallen, du Kunigund rückfällig unbußfertig und verstockt, du Diemut desgleichen: — da die Kirche nun nichts mehr mit euch thun kann, so überlassen wir euch dem Arm des weltlichen Gerichts und bitten dieses nachdrucksvoll, wie die canonischen Bestimmungen es uns vorschreiben, daß es euch Leben und Glieder, ausgenommen in der Todesstunde, unverletzt lasse, wobei euch gewährt wird, daß ihr im Falle ernstlicher Reue noch die Sacramente der Buße und der Eucharistie erhaltet." Hier sagt es uns also ein Inquisitor selbst mit dürren Worten heraus, was es zu bedeuten hatte, wenn das h. Officium bei der Uebergabe seiner Opfer an die weltliche Gewalt dieser den Vorbehalt machte, sie nicht an Leib und Leben zu schädigen; die ganze Gnade bestand darin, daß, was wohl ohnehin nicht geschehen wäre, sie vor der Hinrichtung nicht noch weiter tormentirt werden sollten.

Auch auf Kinder erstreckten sich die Strafen. Ein zehnjähriger Knabe, in der Secte geboren, wurde verurtheilt, zwei Jahre lang ein aufgenähtes Kreuz auf dem Kleide zu tragen.

Da geschahen denn auch Dinge, die bei solchen Gewaltthätigkeiten nicht ausbleiben konnten. Man brauchte nicht selbst Einer von den „Armen" zu sein, um sich zur Rache für das ihnen zugefügte Unrecht aufgelegt zu fühlen. „Neulich", so verkündet der österreichische Inquisitor, „haben die Ketzer die Scheune des Pfarrers zu Steier in Brand gesteckt, weil er die Inquisitoren in seinem Hause beherbergt hatte, und am Stadtthor zu Steier haben sie drohend ein verkohltes Stück Holz und ein blutiges Messer befestigt."

„Mögen Acht haben alle katholischen Fürsten", so ruft der geängstigte Inquisitor aus, „mögen sie sich anstrengen, daß alle nichtswürdigen Häretiker, die mit Brand und Mord drohen, gefangen, peinlich verhört und zur Einheit des katholischen Glaubens zurückgebracht werden." Da haben wir's: als der Sturm dräuete, den sie selbst gesäet, da rufen sie erschreckt die Fürsten an, damit diese ihnen hülfen — noch mehr Sturm zu säen!

———

Elftes Kapitel.

Die Geschäfts-Practiken des h. Officiums.

Die Pflege und sorgfältige Weiterbildung, welche die Päpste von Innocenz IV. bis Bonifaz VIII. dem Institut der Glaubensgerichte angedeihen ließen, führte zu einer sehr umfassenden und in's Kleinste eingehenden Gesetzgebung. Zudem bildete sich bei diesen Tribunalen selbst wieder ein feststehendes Gewohnheitsrecht aus, welchem zu folgen in allen Fällen, die nicht durch klare päpstliche Bestimmungen entschieden waren, für Recht und Pflicht der Inquisitoren galt. Gleichwohl blieb noch ein weiter Spielraum für die Willkür derselben. Alexander IV. (1254 bis 1261) hatte ihnen schon eingeräumt, die kirchlichen — d. h. päpstlichen! — Verordnungen über die Inquisition nach Gutdünken zu interpretiren. Seit der Mitte des 13. Jahrhunderts wurde dann angenommen: an den Strafen selbst könne der Inquisitor Nichts ändern, weil sie schon durch das Recht vorgesehen seien; es stehe ihm daher nicht frei, einen widerrufenden oder rückfälligen Ketzer an den weltlichen Arm zur Hinrichtung auszuliefern oder nicht; er dürfe darum einer etwaigen Regung des Erbarmens keine Folge geben, da weder ihm noch irgend Jemandem ein Recht der Begnadigung zukomme. Nur bei Kerkerstrafen traten öfters Abkürzungen oder theilweise Begnadigungen ein, da diese als noch zur kirchlichen Bußdisciplin gehörig betrachtet wurden und mit Rücksicht auf die Gesinnungs-Aenderung des Verurtheilten ermäßigt werden konnten. Im Ganzen war die Gewalt der Inquisitoren unwiderstehlich, denn es stand ihnen der ganze Apparat der kirchlichen Zwangsmittel zu Gebote; sie konnten Bann und Interdict nach Gutdünken handhaben, und wenn sie auch dem Wortlaut der Gesetze nach in einigen Punkten an die Zustimmung der Bischöfe gebunden waren, so traf dieser Zwang doch nur die Außenseite. Denn die Gewalt des Inquisitors, weil er stets im Namen und aus der Vollmacht des Papstes handelte, war immer höher als die des Bischofs, und dieser unterlag im Falle eines Conflicts um so leichter, als hinter dem Inquisitions-Mönch dessen großer und mächtiger Orden stand, und ihm den Rücken deckte. Die Bischöfe pflegten daher den ihnen an dem Glaubens-Reinigungs-Geschäft zustehenden Antheil einem untergeordneten Vicar zu überlassen, der selten anderer Meinung zu sein wagte als der Inquisitor. Nur wenn der Bischof oder ein anderer einflußreicher und vermöglicher Mann die Angelegenheit unter irgend einem juridischen Vorwand vor die römische Curie zu bringen verstand, nur dann mochte der Inquisitor, trotz seiner Eigenschaft als päpstlicher Delegirter, unterliegen und darum gibt Eymerich seinen Ordens- und Amts-Genossen den „aus vieljähriger Erfahrung" geschöpften Rath, eine Verwicklung mit der römischen Curie zu vermeiden, es sei denn, daß ihnen ein wohlgefüllter Geldbeutel und die besondere Gunst einflußreicher Curialisten zu Diensten stände.

Diese Appellationen nach Rom, welche Eymerich — wir werden diesen Mann gleich näher kennen lernen — noch so weit wegweist, sind mit der Zeit in guten Schwung gekommen, besonders von Spanien her. Die römische Curie nahm die in Folge der unmenschlichen Grausamkeiten der spanischen Inquisitoren zahlreich eingehenden Berufungen, Unterwerfungs-Anerbieten und Lossprechungs-Gesuche auch an und beschied die Bittsteller meist nach Wunsch. Officiell wurde nur die Ausfertigung und Expedition der Breven bezahlt, wenn auch reichlich. Die größten Summen wechselten hierbei ihren Besitzer unter der Hand. Wenn dann, was selten ausblieb, die Inquisitoren und der ebenfalls um die der Staats-Kasse sonst zufallenden beträchtlichen Sporteln verkürzte König sich beschwerten, so erklärte dann derselbe Papst mit einem einzigen Federzuge Hunderte dieser freisprechenden Appellations-Entscheide für null und nichtig. Die Appellanten freilich waren dann wieder so weit wie vorher, aber von den übrigen Interessenten kam doch Jeder „zu seiner Sache". Antonio Llorente führt eine große Anzahl solcher päpstlichen Gesammt-Entscheide nach Tag und Datum an. Er bringt auch Belege bei für eine nebenher laufende perfide Taktik des allezeit hungrigen päpstlichen Kanzlei-Volkes. Diesen Leuten waren die Spenden der zur Betreibung ihrer Inquisitions-Angelegenheiten nach Rom kommenden Spanier zu einem labenden Gold-Regen geworden; sie konnten also doch nicht wohl selbst das fruchtbare Gewölk von ihrem Horizonte verjagen. Mußten sie also mitunter in Schriftstücken, welche für die Oeffentlichkeit bestimmt waren, einen leisen Tadel über das Verfahren der Inquisitoren als ein allzu hartes einfließen lassen, so wußten sie im Stillen doch aus derselben „Apostolischen Quelle" Ermunterungen: „mit demselben löblichen Eifer wie bisher fortfahren zu wollen", den Betreffenden zuzufertigen.

Aber nun zu Eymerich und seinen Verdiensten! Er ist unzweifelhaft einer der berühmtesten Inquisitoren — dieser spanische Dominicaner-Mönch Nicolaus Eymerich. Schon seine thatsächliche Amtsverwaltung war eine ebenso ausgedehnte als lang andauernde — er diente in einem Zeitraume von über 40 Jahren den Päpsten Innocenz VI., Urban V., Gregor XI., Clemens VII. und Bonifaz IX. — aber durch die von ihm verfaßte und stets im Gebrauch gebliebene „Anleitung für Inquisitoren" fungirte er gewissermaßen so lange, wie das h. Officium selbst überhaupt bestand. Der an erster Stelle genannte Papst machte ihn im Jahre 1356 zum General-Inquisitor von Castilien; von Aragonien wurde er es im folgenden. Unter Gregor IX. kam er nach Avignon, wo er zum päpstlichen Kaplan und zum judex de summis rebus ernannt wurde. Im Streite zwischen Clemens VII. und dem Gegenpapste Urban VI. stand er auf der Seite des Ersteren. Später kehrte er in seine Heimath Catalonien zurück und starb, fast ein Achtziger, in seiner Vaterstadt Gerona im Jahre 1399. Sein genanntes „Directorium inquisitorum" wurde, nachdem es schon vielfache handschriftliche Verbreitung gefunden hatte, gedruckt zuerst im Jahre 1503 zu Barcelona; später, in den Jahren 1578 und 1587, erschien es zu Rom mit „Verbesserungen und Erläuterungen" des spanischen Canonisten Francesco Pegna, Decans der Rota (des höchsten päpstlichen Gerichtshofs für auswärtige Angelegenheiten) und zuletzt mit einem vollständigen Commentar des eben genannten Curialisten zu Venedig im Jahre 1595. Die seit 1578 erschienenen Ausgaben sind mit der Approbation des Papstes Gregor XIII. versehen. Dieses Werk bildet den Fundamental-Codex der Inquisition wenigstens von dem Zeitpunkte seiner Veröffentlichung ab. Es enthält die Theorie ihres Verfahrens und illustrirt diese durch zahlreiche, meist der Praxis Eymerich's entnommene Beispiele. Der erste seiner drei Theile handelt von den Lehren des Glaubens; in dem zweiten ist die Rede von den Strafen, welche die Häretiker nach dem canonischen Rechte und den päpstlichen Decretalen verdienen, weiter von dem Wesen der Ketzerei und des bloßen Irrthums, von den verschiedenen Häresien im Einzelnen*), von denjenigen Personen, welche der Jurisdiction der Inquisition unterworfen sind, sowie von den einzelnen, zur Competenz dieser Letzteren gehörigen Verbrechen; der dritte Theil setzt auseinander, in welcher Weise die Processe von den Inquisitoren zu führen sind, welche Vollmachten und Vorrechte den Beamten des h. Officiums zur Seite stehen, was von den Zeugen gefordert oder denselben gewährt werden muß, endlich wie es

*) Das alphabetische Verzeichniß derselben umfaßt in der Venetianer Ausgabe von 1595 zwölf enggedruckte Folio-Seiten. Allein unter dem Buchstaben A finden sich auf dem ersten Blatte 54 Ketzereien verzeichnet, so daß die Totalsumme der in Eymerich's Praxis vorgekommenen sich wohl auf 450 tagiren läßt. Das correcte „Leben im Glauben" war also zu jener Zeit so eine Art Eiertanz.

mit den Schuldigen bei der Vollstreckung des über sie gefällten Urtheils zu halten ist. An der Hand dieses dritten Theiles ist es uns
leicht, in den Geist des ganzen Instituts einzubringen. Die erste
Anweisung, welche den Glaubenswächtern gegeben wird, betrifft

Die Einleitung des Processes.

Wenn der Inquisitor irgendwo glaubt einschreiten zu müssen, soll
er still zu Werke gehen und ohne viel Förmlichkeit. Er soll aber auch
jeden Aufschub und jede Unterbrechung vermeiden und so wenig Zeugen heranziehen wie möglich. Das ist ja grade das besondere und
hochwichtige Vorrecht des Inquisitions-Tribunals, daß seine Richter
nicht an die Förmlichkeiten des gewöhnlichen Justiz-Verfahrens gebunden sind. Ein Mangel oder eine Unterlassung, die dort nach
dem gemeinen Recht den Proceß nichtig machen würden, kommen hier
gar nicht in Betracht, wenn nur das Wesentliche des Schuldbeweises
nicht dadurch zerstört wird.

Der Wege, auf denen gegen der Häresie Verdächtige vorgegangen
werden kann, sind drei: 1) durch Anklage beim h. Officium, 2)
durch Berichterstattung bei demselben und 3) durch Nachforschung.

Den ersten dieser drei Wege soll man nicht leicht einschlagen
und der Inquisitor Denjenigen, die bess' Willens sind, geradezu davon
abrathen. Ein Privat-Ankläger hat von seiner rühmlichen That nur
Fährlichkeiten und Ungemach. Mag, wer Etwas weiß, dies dem
h. Officium anzeigen und daraufhin dann ein Advocat oder Fiscal
desselben die Anklage erheben; ein solcher thut es kraft seines Amtes
und darum ohne Gefahr, den Strafen zu verfallen, womit der Urheber einer Anklage bedroht ist, die sich später als falsch erweist.
Der Inquisitor soll also Privat-Ankläger nur in den seltensten Fällen
zulassen und den hartnäckig sich Herandrängenden höchstens die Concession machen, daß er den von Amts wegen zu instruirenden Proceß
mit einer an das h. Officium gestellten Forderung eines Dritten
begründet.

Der zweite Weg: die Berichterstattung an das h. Officium ist
der gewöhnlichste. Der Eine gibt von dem Verhalten des Andern
Nachricht, nicht um sich selbst in die Sache hineinzumischen, sondern
entweder um der Excommunication zu entgehen, womit Derjenige
bedroht ist, der eine solche Denunciation angezeigten Falles unterläßt,
oder aber aus brennendem Eifer für die Reinerhaltung des Glaubens.
Eine solche Anzeige muß schriftlich aufgenommen und mit einem auf
die Evangelienbücher abzulegenden Eide bekräftigt werden. Im Uebrigen kann der Inquisitor sie privatim, nur in Gegenwart seines Secretärs, entgegennehmen. Die Verpflichtung zu solcher Berichterstattung bei dem h. Officium gilt für Jeden ohne Einschränkung, auch

für Solche, welche sich durch ein Versprechen oder gar einen Schwur Andern verbindlich gemacht hatten, sie zu unterlassen. Daß der Angeber einer zu denuncirenden Person dieser eine vorherige Warnung zur Besserung zugehen lasse und den Erfolg hiervon einmal abwarte, ist ihr nicht verwehrt, aber auch nicht nothwendig. Auf den ersten Blick mögen oft die Aussagen eines Anträgers grundlos erscheinen, aber der Inquisitor soll sie deshalb nicht in den Wind schlagen. Was uns heute noch haltlos erscheint, kann morgen greifbare Gestalt gewinnen.

Werden dem Inquisitor keine Nachrichten über die Vergehen gegen den Glauben zugebracht, so muß er sich dieselben verschaffen durch Nachforschung, und das ist der dritte Weg. Entweder ordnet man solche Ermittelungen im Allgemeinen an, indem man, den Vorschriften des Concils von Toulouse Folge gebend, das gläubige Volk anweist, auf Häretiker zu fahnden, wo immer es sie finde*), oder

---

*) Ein drastisches Bild von einer solchen „Treibjagd" entwirft Lic. J. Buchmann in seiner geistreichen, leider nur für Leser, die mit Sprachkenntnissen ausgestattet sind, ganz genießbaren Schrift: „Die unfreie und die freie Kirche" (Breslau, 1873). Der Inquisitor hatte sich zu dem Könige, Fürsten oder wie sonst des Landes Herr genannt wurde, zu begeben und unter Vorzeigung seiner Bestallung die Ausfertigung von Befehlen zu beantragen, mittels deren die Beamten angewiesen wurden, dem Inquisitor bei Einfangung der Ketzer, ihrer heimlichen Beherberger und Gönner starke Hand zu leisten. Dem folgte ein Anstandsbesuch beim Bischof oder E. bischof. Die fürstlichen Beamten, Amtsleute, Schulzen u. s. w. wurden dann von dem Inquisitor zur Ableistung eines Eides citirt, in welchem sie versprechen und geloben mußten, den Befehlen des Mönches zur Ausrottung der ketzerischen Schlechtigkeit unbedingt gehorsam zu sein. Nicht immer ging die Sache glatt ab. Es gab unter diesen Laien Ehrenmänner, welche diesen Eid verweigerten. Indessen hatte der Inquisitor sich für solche Widerspenstigkeit vorgesehen: in seinem Felleisen befanden sich die Formulare für die weiteren Proceduren. Diese bestanden darin, daß solche Rebellen gegen „den heiligsten Herrn, den Papst, und die heilige Kirche Gottes" excommunicirt, ihrer Aemter und der bürgerlichen Ehre verlustig erklärt und erst dann wieder zu Gnaden aufgenommen wurden, wenn sie sich nun nicht bloß zu dem Eide, sondern auch noch zu einer „harten" Buße obendrein verstanden. Zeigte sich ein ganzer Amtsbezirk widerhaarig, so wurde das ganze betreffende Gebiet mit dem Interdict belegt, also der Gottesdienst eingestellt, die Spendung der Sacramente suspendirt u. s. w.

Nachdem so die Schützen in Eid und Pflicht genommen, die Treiber-Rotten gebildet, im Quartier des h. Officiums die Stellen bis zu den Boten und Gefängnißwärtern herab besetzt waren, erfolgte die Eröffnung der Hauptaction mit großer Feierlichkeit. Die Pfarrer wurden angewiesen, „mit lauter Stimme und verständlichen Worten" zu verkünden, daß der neu angekommene Inquisitor am nächsten Sonntag über die Angelegenheit, welche ihn hergeführt, und über den Glauben eine Predigt halten und am Schlusse derselben jedem seiner Zuhörer einen Ablaß von 40 Tagen ertheilen wird.

Die Predigt wird gehalten und der Ablaß gespendet, aber erst dann kommt das, worauf die ganze Kirchenfeier abzielte. An Stelle und im Auftrage des Inquisitors verliest ein Notar ein Schriftstück, in welchem es heißt: „Sowohl vom

der Inquisitor spürt für seine Person allein den Gerüchten nach, welche ihm davon melden, daß Der oder Jener, hier oder dort, Etwas gegen den h. Glauben gesagt oder gethan habe. Er mag auch nach dem Rufe des Einen oder Andern direct sich erkundigen; so wird er von Manchem Manches hören, was ihn berechtigt, diese Leute fest= nehmen zu lassen. Selbst bloß ihm allein Verdächtige kann er einsperren lassen, doch ist, ehe er sich hierzu entschließt, doppelte Vor= sicht nöthig. Um seinen Verdacht zu begründen, bedarf es zweier Zeugen; es ist aber nicht nöthig, daß sie die dem Verdächtigen zu= geschriebene unkatholische Aeußerung mit eigenen Ohren gehört haben; es genügt, wenn sie ihnen von Andern hinterbracht worden ist. Ihr Zeugniß braucht auch nicht in der wörtlichen Wiedergabe der betref= fenden häretischen Aeußerung zu bestehen; es reicht die Erklärung hin, daß solche Aeußerungen aus dem Munde der fraglichen Person in dem Volke umliefen. Im gemeingültigen Recht wird von keinem

Hörensagen, wie auch aus eigener Erfahrung weiß ich, daß es in hiesiger Gegend, für welche ich vom heil. Apostolischen Stuhle zum Glaubensrichter bestellt bin, einige Personen gibt, welche von dem ketzerischen Gifte der alten Schlange ange= steckt, der Kirche im Glauben feindlich gesinnt sind und, wie Füchse im Wein= berge des Herrn umherschleichend, denselben verheeren. Ich schaudere und die Ein= geweide drehen sich mir im Leibe um bei dem Gedanken, daß dieses Gift schon so manches Herz könnte angesteckt haben . . . Aber nun richte ich, kraft meiner Gehorsam fordernden Autorität, zum ersten, zweiten und dritten Male an alle Kloster= und Weltgeistlichen, an alle Laien, weß' Standes immer, die Mahnung und den Befehl, daß sie mir binnen sechs Tagen jedwede Person anzeigen, von der sie wissen oder gehört haben, daß sie der Ketzerei schuldig oder anrüchig sei, mit dem Bedeuten, daß wenn Jemand seines Heiles und des mir schuldigen Ge= horsams uneingedenk, diesem Befehle nicht nachkommen sollte, er dem Banne ver= fallen ist, von welchem, außer mir, nur der Papst ihn wieder befreien könnte.“

Aber die römische Kirche erweist sich allezeit als grundgütige Mutter, selbst in so feierlichernsten Momenten der äußersten Strafandrohung: ein zweites Schrift= stück, welches der Mönch vorlesen ließ, lautete also: „Kraft päpstlicher Autorität sichere ich einen Ablaß von drei Jahren allen Denjenigen zu, welche mir bei der Bekehrung der Ketzer gutwillig mit Rath und That beistehen; drei weitere Jahre Ablaß gewähre ich Solchen, welche mir einen Ketzer oder der Ketzerei Verdächtigen anzeigen und in dieser Angelegenheit des h. Glaubens gewissenhaftes Zeugniß vor mir ablegen. Seid daher nicht träge, wo eine so hohe Belohnung euch in Aus= sicht steht!“

Wie hoch würdigt die Kirche aber erst die freiwillige Rückkehr ihrer irre gegangenen Kinder! — es wurde noch ein drittes Document verlesen: „Allen Ketzern und der Ketzerei Verdächtigen sowie Allen, welche sie begünstigt, beherbergt und vertheidigt haben, verspreche ich aus besonderer Nachsicht kraft apostolischer Autorität einen ganzen Monat als Gnadenfrist, so daß sie, wenn sie während dieser Gnadenzeit vor mir erscheinen und der Denunciation durch Andere zuvorkommend, aus freien Stücken ihre Schuld mir offenbaren, großer Milde begegnen werden, während andernfalls die ganze Strenge der kirchlichen Gesetze sie treffen wird.“

Damit waren denn alle schlimmen Geister: Zweifel, Gewissensnoth, Rach= sucht und Heuchelei losgelassen, die Treibjagd eröffnet.

Hoffmann, Geschichte der Inquisition. I.   15

Angeklagten gefordert, daß er gegen sich selbst Zeugniß ablege; anders verhält es sich bei Processen gegen Häresie; hier ist der Angeklagte verpflichtet, Alles zu sagen, alle einzelnen Umstände zu erzählen, welche, mögen sie ihn selbst auch noch so sehr belasten, dazu dienen können, dem Inquisitions-Fiscal das Urtheil über die Schuldfrage zu erleichtern. Die Frage, ob diese Verpflichtung bestehe, wird von allen Doctoren des kirchlichen Rechts einstimmig bejaht.

Von den Zeugen.

In Ketzer-Processen soll Jeder als Zeuge zugelassen werden, sei er auch ein Excommunicirter, ein Ehrloser, ein Mitschuldiger, ein Verbrecher welcher Art immer. Auch Häretiker mögen ihr Zeugniß abgeben; dasselbe ist aber nur gültig, wenn es gegen den Angeschuldigten spricht, nicht wenn es zu seinen Gunsten lautet. Diese Vorsicht ist nicht bloß in der Klugheit, sondern auch in der Gerechtigkeit begründet; denn da der Häretiker die Treue gegen Gott gebrochen hat, so ist auf seine Aussage kein Verlaß, ausgenommen in dem Falle, wo der ihn sonst immer leitende Haß gegen die Kirche und der ihm natürliche Wunsch, daß Verbrechen gegen den Glauben ungestraft bleiben möchten, nicht mit in's Spiel kommt. Ebensowenig ist, und zwar aus demselben Grunde, das Zeugniß von Ungläubigen und Juden zurückzuweisen, auch wo es sich um reine Glaubenslehren handelt. Richtet sich die Aussage Eines, der falschen Zeugnisses verdächtig ist, gegen den Angeklagten, so ist auch dieses zu beachten, selbst wenn dadurch ein vorher zu seinen Gunsten abgegebenes Zeugniß annullirt wird. Der Inquisitor beachte dagegen wohl: wenn die erste Aussage zu Ungunsten des Angeschuldigten ging und die zweite ihn entlastete, so ist nur der ersten Werth beizulegen, nicht der zweiten. Anders verfahren, hieße die Ketzerei straflos machen. Zeugnisse aus dem Kreise der Angehörigen eines der Ketzerei Bezüchtigten — also seines Weibes, seiner Kinder, seiner Verwandten oder Dienstleute — mögen gegen ihn gehört werden, und dann sind solche Aussagen überaus gewichtig; als Schutzzeugen aber sind die bezeichneten Personen, als durch die Stimme des Bluts, der Anhänglichkeit oder des Interesses beeinflußt, nicht zuzulassen. Alle Moralisten stimmen darin überein, daß in einem Proceß wegen Ketzerei, der Bruder gegen den Bruder und der Sohn gegen seinen Vater als Zeugen auftreten könne. Der ehrwürdige Vater Simancas (Don Diego de Simancas war einer der namhaftesten Amtsbrüder Eymerich's) wollte die Eltern und Kinder von diesem canonischen Gesetze ausgenommen wissen, aber diese Meinung ist nicht zulässig; denn wenn ein Sohn den eigenen Erzeuger tödten darf, weil dieser ein Feind des Vaterlandes ist, um wie viel mehr kann von ihm verlangt werden, daß er bei Verbrechen gegen den Glauben Zeugniß gegen ihn ablegt! Der Sohn eines ketzerischen Vaters, welcher als Zeuge gegen Letzteren auftritt, schützt sich dadurch gegen das Anathem, das sonst die Kinder der Häretiker trifft, und das ist ein gerechter Lohn für Solche, welche die Stimme der sinnlichen Natur durch die Liebe zur Wahrheit besiegen. Solcher Zeugen kann man zudem kaum entrathen, weil gerade die Hausgenossen eines Ketzers über dessen Thun und Treiben am besten unterrichtet sind.

Jeder Zeuge, welcher gegen einen Häretiker auftritt, muß in Gegenwart eines Secretärs oder Schreibers durch den Inquisitor geprüft und vereidigt werden. Nachdem ihm die üblichen Fragen gestellt worden sind, muß der Instructionsrichter ihn zur Geheimhaltung des Verhandelten verpflichten. Es mögen immerhin ein paar ernste und vorsichtige Männer dem Zeugenverhör beiwohnen; wo es aber vermieden werden kann, soll es unterbleiben. Der Angeschuldigte soll mit den Zeugen nicht confrontirt werden, ja nicht einmal erfahren, wer es ist, der gegen ihn auftritt. Nach der constanten Praxis und der gemeinsamen Ansicht der Canonisten können die Inquisitoren auf die Aussagen zweier ihnen glaubwürdig erscheinender Zeugen hin das Urtheil fällen: Der Angeschuldigte muß sich mit der gründlichen Untersuchung seines Falles zufrieden geben; wenn ihm dargethan wird, daß diese erfolgt ist, so kann er weitere Ansprüche nicht erheben.

Bisher haben wir den Inquisitions-Meister Eymerich und seinen Ausleger Pegna in ihren Anleitungen nicht unterbrochen; hier dürfen wir aber wohl mit den Worten J. Buchmann's in seinem vorhin genannten Werke ausdrücklich darauf hinweisen, wie teuflisch geschickt die Netze betreffs der Zeugen gelegt waren. Wie wir oben gesehen haben, wurde der Denunciant vereidet; das geschah, um ihn als Zeugen verwerthen zu können; man brauchte dann nur noch einen zur formellen Ueberführung, und dieser zweite konnte dann schon ein Meineidiger, Ehrloser oder sonstiger Uebelthäter sein, wie sie von den Criminal-Ordnungen aller gesitteten Völker aus moralischen Gründen unfähig erklärt werden, Zeugniß abzulegen. Und da, wie wir sehen, an diesen zweiten Zeugen gar keine besonders hohe Anforderungen gestellt wurden, so war er wohl leicht aufzutreiben. Jeder Mensch hat doch wohl Einen, der ihm gerne etwas am Zeuge flicken möchte. Im Nothfalle mußte sich das Wort der Schrift bewähren: „Des Menschen Feinde sind seine Hausgenossen." Der Christ aus dem Volke hielt es mit der Wahrheit, wenn er deren Bekenntniß eidlich gelobt hatte, dann wohl meist gewissenhafter, als diese Richter ein Recht hatten, zu fordern. Im häuslichen Kreise aber läßt der Mensch sich bisweilen gehen, und für Stoff zu beißenden Bemerkungen über religiöse oder bloß kirchliche Dinge war damals doch so gut wie heutzutage reichlich gesorgt. Riskirt wurde für das dem Gerichte

wünschenswerthe Verdammungsurtheil durch die Vorladung der Hausgenossen des betreffenden Angeschuldigten ja Nichts; denn ihre Aussagen zu Gunsten des Letzteren hatten, wie wir gesehen, gesetzlich
keine Geltung. Aber wie, wenn sie den Muth hatten, im Termine
sich ablehnend zu verhalten, und den Fallstricken, welche der inqui-
rirende Mönch ihnen legte, auszuweichen? Reden mußten sie —
wofür war denn die Folter da! Sprachen sie sich nun entlastend
aus, so brachte das dem Angeklagten nicht den geringsten Nutzen, der
Zeuge aber redete sich sein Unglück auf den Hals; seine Aussagen
wurden als Begünstigung der Ketzerei aufgefaßt und er selbst als
„dringend verdächtig" in das Register der zu Ueberwachenden einge-
tragen, wenn nicht sofort verhaftet. Waren seine Aussagen dagegen
belastend, so war der erstrebte formelle Schuldbeweis erbracht, der
Inculpat der Ketzerei überführt, damit aber auch der Zeuge selbst
der Unterlassung der Anzeige und der Geringschätzung des für diese
als Lohn in Aussicht gestellten Ablasses von drei Jahren geständig,
mithin wiederum dem stärksten Verdachte der Häresie und damit der
Untersuchungshaft verfallen. Wenn es nun so sicher war, daß ein
Zeuge gegen einen Hausgenossen sich mit höchster Wahrscheinlichkeit
selbst in's Netz lieferte — warum sollte er sich nicht lieber zeitig zum
Denunciauten hergeben? Und was weiter zu beachten war: wurde
einem Familienvater die Ketzerei dargethan, so waren nicht bloß
Kinder und Enkel ehrlos, sondern es wurde auch alle Habe zu
Gunsten der Kirche confiscirt, einschließlich der Mitgift der Frau,
wegen unterlassener Anzeige. Nur als Denunciant, nicht als
Zeuge rettete der Sohn sein Erbrecht und seine „Ehre".

Doch hören wir jetzt Eymerich weiter.

Wenn der Angeklagte mit dem Gegenstande seiner Belastung
bekannt gemacht wird, soll man die Namen Derer, die ihn der betreffenden Vergehen bezüchtigen, nicht nennen. Enthalten aber die
gegen ihn abgelegten Zeugnisse gewisse Einzelheiten, welche ihn auf
deren Urheber schließen lassen könnten, so suche man ihn davon ab-
zuführen dadurch, daß man, wie beiläufig und unbedacht, die Zeugnisse an die Namen Solcher knüpft, die Nichts damit zu thun haben.
Das Beste bleibt jedoch immer, wenn man das Nennen von Namen
möglichst unterläßt; man bringt dann weder die Angeber in's Gerede
noch die christliche Gemeinschaft in Unruhe.

Wenn ein Zeuge sich nicht dazu verstehen will, Alles herauszu-
sagen, was er nach der Ueberzeugung der Verhörrichter wissen muß,
oder diese sonst sein Zeugniß nicht in Ordnung finden, so können
sie die Folter anwenden, um das rechte und volle Zeugniß zu erzwingen. Zeugen, auf deren falsche Aussagen hin ein Unschuldiger
hingerichtet worden ist, sollen eine härtere Strafe nicht erfahren als
lebenslängliche Einsperrung. Andere waren anderer Ansicht; so Papst

Leo X. (1513 bis 1521). Dieser ordnete an, dergleichen Uebelthäter sollten dem weltlichen Arm überliefert und mit dem Tode bestraft werden. Die Concile von Toulouse und Narbonne (1229 und 1235), auf welchen ja hauptsächlich den Dominicanern die Instruction für das Inquisitions-Verfahren ertheilt wurde, stellten eine solche Strafe n i ch t auf. Das vierzig Jahre später zu Bourges abgehaltene ver- urtheilte sie zum Tragen des bekreuzten Bußkleides. Trotz Leo's eben erwähnter Autorisation ist kein Fall bekannt, daß Jemand, der durch sein falsches Zeugniß die Hinrichtung eines, nachträglich selbst vom Standpunkte der Inquisition aus als unschuldig Erkannten herbei- geführt hatte, zu Rom oder anderswo mit dem Tode bestraft worden wäre. Eymerich's „Anleitung" gibt den Richtern den Rath, derartige Fälle lieber von dem General - Inquisitor entscheiden zu lassen. Um sie zu vermeiden, sollen die Zeugen, die falscher Aussagen verdächtig sind, der Tortur unterworfen werden. „Ich selbst", erzählt Eyme- rich, „war im Jahre 1342 zu Toulouse bei einem solchen Fall gegenwärtig. Ein Vater hatte gegen seinen Sohn gezeugt; auf die Folter gelegt, erklärte er seine Aussage für falsch."

Vom Verhör des Verhafteten.

Der Inquisitor muß den Angeschuldigten vorab schwören lassen, daß er aufrichtig auf jede Frage Antwort geben werde, selbst wenn diese zu seinem eigenen Verderben sei. Dann stelle er ihm folgende Fragen: Wie er heiße? wo er geboren sei? wo er jetzt wohne? u. s. w. Ob er gehört habe, daß Jemand über diese oder jene Glaubenslehre Ketzerisches gesprochen? ob er vielleicht selbst solche Aeußerungen gethan? Die hierauf entfallenden Antworten sollen niedergeschrieben und von dem Angeschuldigten unterzeichnet werden. Der Inquisitor soll den Inculpaten weiter fragen, ob er den Grund seiner Verhaftung kenne? ob er vermuthe, wer dieselbe ver- anlaßt habe? wer sein Beichtvater ist? wann er zuletzt gebeichtet habe? u. s. w. Die sonstigen Fragen halten sich am besten im All- gemeinen und Unbestimmten, damit das h. Amt nicht selbst dem Beschuldigten Auswege eröffnet, durch welche er dem Arme der Ge- rechtigkeit zu entrinnen vermag. „Ein Inquisitor" — sagt der Com- mentator der Eymerich'schen „Anleitung", der schon genannte Fran- cesco Pegna — „kann bei solchen Verhören nicht vorsichtig und fest g e n u g sein. Die Ketzer haben ein eigenes Geschick in der Bemänte- lung ihrer Irrthümer. Sie tragen eine solche Frömmigkeit zur Schau und vergießen so heiße Thränen, daß es dem ernstesten Rich- ter oft weich um's Herz wird. Gegen die Wirkung dieser Schliche muß man sich wappnen mit dem Gedanken, daß man es nur mit Betrügern zu thun hat."

Die Kniffe der Häretiker sind gar mannchfacher Art. Sie reden zweideutig, machen bei ihren Antworten geistige Vorbehalte, weichen dem Kern der Frage aus, stellen sich durch die ihnen gemachten Vorhaltungen überrascht, spielen die Sache auf ein fremdes Gebiet, erheucheln Unterwürfigkeit und Demuth, fallen in Ohnmacht oder fingiren Irrsinn. Alledem hat der Inquisitor Widerstand zu leisten; er thut am besten, den Komödianten ihre Künste mit derselben Münze heimzuzahlen nach dem Worte des Apostels: „Da ich schlau war, fing ich euch in euren eigenen Listen" — „Cum essem astutus, dolo vos cepi."

Man gehe auf folgende Art zu Werk: Vor Allem verlangt klare und bestimmte Antworten auf eure Fragen. Ergeben diese, trotzdem daß ihr euch des Kerkermeisters oder geheimer Spione bedient habt, nicht das gewünschte Resultat, so redet dem Gefangenen freundlich zu. Gebt ihm mit milden Worten zu verstehen, daß ihr ja Alles wisset und ihr nur ein freimüthiges vertrauensvolles Geständniß haben wollet, um die Sache zum Guten lenken zu können. Etwa so: „Verlass' dich darauf, mein Sohn, daß ich für dein Schicksal ängstlich besorgt bin. Böse Menschen haben deine Einfalt mißbraucht und dich in's Verderben gestürzt. Du bist in die Irre gegangen, ohne Zweifel; aber deine Verführer sind strafbarer als du. Das kommt aber davon, wenn man sich herausnimmt, die Kirche meistern zu wollen, statt ihr demüthig zu Füßen sitzen zu bleiben. Mach' dich doch nicht zum Theilhaber an fremder Schuld! Bekenne die Wahrheit! Du kannst doch leicht merken, daß ich über den ganzen Sachverhalt auf's Genaueste unterrichtet bin; es geht mir aber nahe, einen Leugner in dir zu sehen, und möchte gern, daß du mich in die Möglichkeit versetzest, dich so bald als möglich frei zu geben und in Frieden nach Hause ziehen zu lassen. Wer war's doch, der dich zuerst verführte?" Auf diese Weise sei der Inquisitor mild in der Rede, bleibe aber in der Sache fest, indem er die Thatsache der Häresie als unzweifelhaft vorliegend annimmt. Es gibt Fälle, in welchen ein genügender Zeugenbeweis nicht zu erbringen ist und der Angeklagte, hierauf vertrauend, bei der Betheuerung seiner Unschuld verharrt. Dann mag wohl folgender Weg zum Ziele führen. Der Richter stelle allgemein gehaltene Fragen; dabei wird dann die eine oder andere Belastung zur Sprache kommen, über die in früheren Verhören schon verhandelt worden ist. Bei einer dieser Belastungen, die dem Inquisitor am meisten stichhaltig zu sein scheint und doch wieder frisch abgeleugnet wird, blättere er in den Proceß-Acten und sehe dann mit der Miene der Verwunderung zu dem Angeklagten auf: „Es ist ja offenbar, daß du lügst und daß es sich so verhält, wie ich sage; gesteh' doch die Wahrheit!" Dies muß so geschehen, damit Jener nicht anders glauben kann, als seine Schuld gehe aus

der Proceß-Verhandlung mit aller Klarheit hervor. Oder der Inquisitor nehme ein Actenbündel zur Hand, gebe sich den Anschein,
als lese er darin und stelle dann den Ketzer barsch zur Rede: „Wie
kannst du aber das leugnen?! Sehe ich es denn nicht hier klar
und deutlich nachgewiesen?" Dann soll er die Acten wieder zusam-
menfalten und vor sich hinlegen mit folgenden oder ähnlichen Worten:
„Wie ich eben sagte, so verhält sich's; bestreite doch nicht, was ich
schwarz auf weiß vor mir habe!" Der Inquisitor möge sich aber
klüglich hüten, bei solchen Behauptungen zu viel auf Einzelheiten einzugehen, damit er sich vor dem Angeklagten nicht doch als einen
Nichtwissenden verrathe. Bei Orts- und Zeitbezeichnungen bediene
er sich unbestimmter Redensarten, wie etwa: „Man weiß ganz genau,
wo du gewesen bist und zu welcher Zeit, und auch was du dort gesagt hast." Wenn der Richter zufällig von einem kleinen Nebenum-
stande sichere Kenntniß hat, so muß er diesen hierbei geschickt an-
zubringen und zu verwerthen suchen.

Bleibt der Angeschuldigte hartnäckig beim Leugnen, so führt
mitunter — wenn nämlich die Umstände danach angethan sind —
auch folgendes Verfahren zum erwünschten Ziele. Sprich so zu ihm:
„Du dauerst mich; du bist von schwächlicher Leibesbeschaffenheit und
kannst dir durch längere Haft leicht eine Krankheit zuziehen; um so
mehr hätte ich gewünscht, daß du mit der Wahrheit herausgerückt
wärest, da ich nächsthin verreisen und dir von jetzt an wegen deiner
bösartigen Verstocktheit Ketten anlegen muß. Wann ich zurückkehre,
weiß ich nicht," u. s. w. Oder du kannst die Fragepunkte häufen
und das Verhör in längeren Fristen wiederholen, so daß der Angeklagte sich fast mit Nothwendigkeit in Widersprüche verwickelt, weil
er sich dessen, was er früher über Nebenumstände ausgesagt hat, nicht
mehr erinnert. Dann halte ihm die Veränderlichkeiten seiner Angaben vor und erkläre ihm, daß dieses Anzeichen der Schuld von
allen Canonisten als hinreichender Grund erkannt werde, die ganze
und volle Wahrheit durch die Folter zu erpressen. Dieses Vorgehen
bleibt selten ohne Erfolg; der Angeklagte müßte ein sehr geriebener
Bursche sein, wenn er diesmal nicht in die Schlinge fiele.

In andern Fällen kömmt man dagegen bei Hartnäckigen besser
zurecht, wenn man sich den Anschein gibt, als lasse man in der
Strenge nach. Gib ihm eine bessere Kost. Gestatte, daß ihm Besuche gemacht werden. Ermuntere ihn, zu bekennen. Stelle ihm
dafür Verzeihung in Aussicht. Du betrügst ihn damit nicht, denn
Verzeihung wird ihm ja wirklich zu Theil, wenn er auch gestraft
wird: bei der Bekehrung eines Ketzers wird ja Alles verziehen —
die Strafen sind nur Wohlthaten für die Seele. Sage ihm also,
wenn er seine Schuld eingestehe, so werde ihm mehr Gnade wieder-
fahren, als er selbst zu beanspruchen wage. Und so verhält sich's

in der That, denn es wird ihm die denkbar größte Gnade: die Rettung der Seele zu Theil. Diese Täuschung wird nicht von allen
Canonisten gebilligt, wie sie denn auch bei weltlichen Gerichtshöfen
nicht statthaft ist. „Ich aber", sagt Eymerich's Erklärer, „bin der
Meinung, daß man sich in den Inquisitions-Processen ihrer wohl bedienen mag; denn der Glaubensrichter ist mit viel größeren Befugnissen ausgestattet, als andere Richter, da ihm ja auch die kirchlichen Zuchtmittel zu Gebote stehen und er dieselben ganz nach Gutdünken in Wirkung treten lassen oder von ihnen absehen kann. Wenn
er dem Angeklagten Verzeihung verheißen hat, so hat er ihm damit
ja noch nicht völlige Straflosigkeit zugesichert; er mag seine Zusage
als erfüllt ansehen, wenn er die kirchlichen Bußen nachläßt." Von
einigen Canonisten wurde diese Rechts-Anschauung nicht getheilt, von
den Meisten aber wurde sie in der Praxis nicht verschmäht, denn sie
erwies sich förderlich. Sie ließ sich vom Inquisitions-Standpunkte
aus ja auch begründen: wenn es recht ist, die Aussagen durch qual-
volle körperliche Torturen zu erpressen, so muß es auch gestattet sein,
sie durch weniger schmerzliche Mittel, durch eine kleine Täuschung,
hervor zu locken. Doch wird, um das Gewissen ängstlicher Richter
nicht unnöthig zu beschweren, der Rath gegeben, sich lieber unbestimmter Redensarten, die verschiedener Ausdeutung fähig sind, zu
bedienen, als mit nackten Worten Verzeihung zuzusagen.

Vielleicht läßt sich auch eine dem Glaubensgerichte ergebene
Person auftreiben, die das Vertrauen des Gefangenen besitzt. Einer
solchen gestatte man, häufig mit dem letzteren ohne Zeugen allein
zu sein, damit er ihm das Geständniß entlocke; wenn's nöthig
ist, kannst du ihm ausdrücklich die Erlaubniß geben, daß er sich
dem Gefangenen als einen religiösen Gesinnungs-Genossen offenbare, um jenen mittheilsam zu machen. Laß diese Besuche, wenn's
nöthig, so lange dauern, daß der Fremde nicht mehr wohl nach
Hause kann und bei dem Freunde über Nacht im Gefängniß bleiben muß. Sorge in einem solchen Falle dafür, daß Zeugen und
womöglich ein schreibkundiger Mann ungesehen die Unterhaltung be-
lauschen können. Der von dir benutzte Spion darf seine vorgebliche
Mitschuld an der Ketzerei dem Gefangenen gegenüber aber nur andeuten, nicht in zu vielen Worten und gar zu nachdrücklich bekräftigen, denn das wäre eine Lüge. Man soll aber nicht lügen und
wär's zu dem besten Endzweck. Zu welchen Mitteln also du greifst
— hüte dich, eine ausdrückliche Unwahrheit zu sanctioniren. Es wird
aber auf dem vorgezeichneten Wege auch gehen ohne das und ohne
daß du zur Anwendung der Folter genöthigt wärest. Alles hängt
von der weisen Umsicht und dem Geschick des Inquisitors ab; denn
es ist zu beachten, was der Dichter sagt:

„Sed quoniam variant animi, variabimus artes;
Mille mali species mille salutis erunt" *).

Sei uns hier eine kleine Einschaltung gestattet über das Peinliche, was schon die Untersuchungshaft für hochgebildete, vielleicht dabei auch noch bejahrte Männer haben mußte. Und sie dauerte oft
viele Jahre. Der berühmte spanische Dichter Ponce de Leon —
meist nach seinem Kloster-Namen Luis de Leon genannt — saß
z. B. von 1572 ab beinahe fünf Jahre gefangen, um dann als
schuldlos freigelassen und in sein Lehramt als Professor der Theologie zu Salamanca wieder eingesetzt zu werden. Bei der Anklage
handelte es sich um des Augustiner-Mönchs Ansichten über die Vul-
gata und um eine private Ueberzetzung des Hohenlieds in die Volkssprache. Wer sich näher über den ganzen Proceß und Luis' Person
und theologisch-wissenschaftliche Bedeutung unterrichten will, findet
Zuverlässiges in der quellenmäßig gearbeiteten und die Forschungen
abschließenden Schrift des Prof. Dr. Fr. H. Reusch: „Luis de Leon
und die spanische Inquisition" (Bonn 1873). Ein Bild von den
jahrelang dauernden kleinlichen Quälereien, die solche Männer erdulden mußten, gibt u. A. folgende Stelle: „Wenige Tage nach
seiner Verhaftung, am 31. März, verzeichnete Luis die Dinge, von
denen er wünschte, daß man sie aus seinem Kloster für ihn holen
lasse: ein Bild der h. Jungfrau oder ein Crucifix, einige Schriften
von Augustinus, Bernhardus und Luis de Granada, eine Geißel,
eine Schachtel mit Pulvern, die ihm eine Nonne für seine »Melan-
cholie und Herzleiden« bereitete, einen messingenen Leuchter und eine
Lichtscheere. Dann fährt er fort: »Auch bitte ich, mir ein Messer
geben zu lassen, um das, was ich esse, zerschneiden zu können. Man
kann es mir ohne Gefahr geben.« Unter der Bittschrift steht die
Verfügung der Richter: »Man gebe ihm das, was er verlangt, und
in Anbetracht, daß er krank und schwächlich ist, soll ihm der Kerkermeister ein Messer ohne Spitze geben.« Nach der Gefangenhaus-
Ordnung durfte nämlich der Inhaftirte keine Waffen und keine Dinge
haben, »die in seinen Händen gefährlich sein könnten«. Daß Luis
ungefähr fünfzig Mal vor dem Gerichtshofe gestanden hat, ist richtig.
In manchen dieser sogenannten „Audiencias" wurde aber Luis einfach auf seinen, durch den Kerkermeister übermittelten Wunsch vorgeführt, nur um sich Papier zu erbitten. Der Vorschrift gemäß wurde
ihm nur Papier gegeben, dessen einzelne Bogen von einem Inquisitor
oder Gerichts-Secretär vorher numerirt waren und die Zahl dann
im Protokoll vermerkt." Auch was über die Geheimhaltung der Be-

---

*) Für unseren speciellen Fall recht frei übersetzt, etwa:

„Du wärst kein rechter Mann, wenn nicht die tausend Mucken
Des Ketzers müßten sich vor deiner Weisheit ducken."

laftungs-Zeugen in Reusch's Buch erzählt wird, ist interessant nachzulesen und möge als Beleg dienen zu dem, was in diesem Kapitel
über denselben Punkt gesagt ist.

Die Vertheidigung.

Einem Geständniß gegenüber — und ein solches ist ja möglichst
zu erzwingen — ist dem Schuldigen das Recht der Vertheidigung
eigentlich nutzlos. Denn bei dem Inquisitionsgerichte verhält sich's
auch in dieser Beziehung anders als bei andern Justizhöfen; wenn
bei diesen zu dem Geständniß des Angeklagten auch noch der Beweis
erforderlich ist, um ein verdammendes Urtheil zu ermöglichen, so ist
dies in Glaubenssachen nicht der Fall. Die Ketzerei ist eine Sünde
der Seele und deshalb ist das Geständniß der vollkommenste Schuldbeweis. Nichtsdestoweniger magst du dem Geständigen gestatten, von
vorneherein einen Advocaten zu Rathe zu ziehen, sowie Einspruch zu
erheben gegen die Zeugen, gegen den einen oder anderen Richter,
endlich zu appelliren.

Was den Advocaten betrifft, so hat der Inquisitor denselben zu
wählen, und zwar von dem Gesichtspunkte aus, daß er neben den
übrigen erforderlichen Eigenschaften auch Eifer für die Reinhaltung
des Glaubens besitzt. Nimm ihm einen Eid darauf ab, daß er Stillschweigen beachten und den Angeklagten zum Geständniß ermuntern
wolle. Mit dem Gefangenen darf der Advocat nur in Gegenwart
des Inquisitors verkehren. Wohl zu beachten ist die Vorschrift der
Decretalen („Si adversus." lib. V. tit. 7. „De haeret."), durch
welche den Rechtsbeiständen untersagt ist, zur Vertheidigung von
Ketzern aufzutreten. Einem offenkundigen Häretiker darf also kein
Advocat zugestanden werden, sondern nur solchen Angeklagten, deren
Schuld noch nicht erwiesen ist. Sobald dieses letztere der Fall ist, muß
sogar der Advocat von der übernommenen Vertheidigung zurücktreten.

Einer Zurückweisung von Zeugen Seitens des Angeklagten ist
nur in einzelnen seltenen Fällen Statt zu geben. Wen sollte er
auch zurückweisen dürfen, da ehrliche Leute so gut wie Schurken zur
Zeugnißabgabe berechtigt waren, Excommunicirte und Ketzer so gut
wie Verbrecher, Ehrlose und Meineidige?! Die einzige Bedingung
war: der Belastungs-Zeuge durfte nicht von der Todfeindschaft gleich-
kommendem Haß gegen den Angeklagten eingenommen oder durch
Bestechung gewonnen sein — aber wie hätte der Inculpat ihnen
diesen Haß und diese Bestechung nachweisen können?

Hinsichtlich der Appellation an den Papst, welche, wie wir oben
gesehen haben, dem Verurtheilten von seinen Richtern in der Theorie widerwillig eingeräumt wurde, bemerkt Eymerich, daß sie recht-
lich eigentlich gar keine Grundlage habe. Er beruft sich dabei auf

die Gesetze, welche Kaiser Friedrich II. gegen die Ketzer erlassen hat. Die entgegenstehenden Ansichten einiger Canonisten sind, bemerkt Eymerich, leicht zu widerlegen. Wenn also, fährt er fort, Einer von deinem Richterstuhl an irgend einen andern appellirt, so appellire du auch. Die Berechtigung des Appells läßt sich übrigens, abgesehen von den eben angeführten allgemeinen Gründen, meist noch mit speciellen, dem besonderen Fall entnommenen Gründen bestreiten. Niemals aber soll der Inquisitor sich bewegen lassen, für ein von ihm gefälltes Urtheil persönlich zu Rom Rede zu stehen; wird von Jemand dorthin appellirt, so lasse er sich durch den römischen General-Inquisitor vertreten.

Die Tortur.

Wenn der Inquisitor einen Gefangenen auf die Folter bringen läßt, um ihn zum Geständniß zu zwingen, so beobachte er folgende Regeln.

Die Tortur wird angewendet bei Solchen, betreffs welcher die Hauptschuld feststeht; wo es sich also um das Bekenntniß der näheren Umstände handelt. Einen solchen Fall bietet ein Angeklagter, der als Häretiker bekannt ist, gegen den man aber nur einen einzigen Zeugen aufführen kann. Die öffentliche Bezüchtigung eines Solchen und der eine directe Zeuge bilden zusammen nur den halben Beweis. Ihn zu vervollständigen bedient man sich dann nöthigenfalls der Tortur. Ebenso wenn gar kein directer Zeuge vorhanden ist, sondern nur starker Verdacht; oder umgekehrt: man spricht öffentlich von Einem noch nicht als von einem Häretiker, aber man hat einen Zeugen, der das eine oder andere Glaubenswidrige an ihm gesehen oder von ihm gehört hat. Die Ueberweisung eines Angeklagten zur Tortur ist in der bestimmten Form schriftlich auszufertigen.

Zur Tortur schreite man erst, nachdem alle andern Versuche, dem Angeklagten ein Geständniß zu entlocken, sich vergeblich erwiesen haben; denn ein untrügliches Hülfsmittel zur Erforschung der Wahrheit ist sie durchaus nicht. Schwachherzige Naturen, die schon beim ersten Schmerz meinen, es gehe ihnen an's Leben, werden Dinge bekennen, welche sie nie begangen haben, und im selben Athemzuge auch noch andere ebenso unschuldige Leute damit belasten; muthige und kräftige Naturen dagegen werden auch bei den herbsten Qualen verstockt bleiben. Auch Solche, welche schon ein Mal auf der Folterbank gelegen haben, sind schon widerstandsfähiger: sie haben bereits Erfahrung darin gemacht, wie man die Glieder legen und halten muß, um weniger angegriffen zu werden.

Man merke, daß es auch Solche gibt, welche, mittels Zauberei, völlig gefühllos erscheinen und lieber sterben als bekennen würden.

Diese Unglücklichen bedienen sich zu Zaubermitteln gewisser Verse der Psalmen David's und anderer Theile der heiligen Schrift, welche sie in außergewöhnlicher Weise auf Jungferpergament schreiben; dann malen sie Namen unbekannter Engel, wirre Kreise und fremdländische Schriftzeichen dazwischen und tragen das Ganze irgendwo auf dem Leibe verborgen. „Ich weiß", bemerkt Pegna zu dieser Stelle Eymerich's, „keinen andern Rath gegen solche Hexerei, als daß man den Angeklagten, bevor man ihn auf die Folter legt, nackt auszieht und genau untersucht." Während der Folterknecht sich dann bereit macht, mögen der Inquisitor und andere würdige Männer auf's Neue sich bemühen, den Angeklagten zum Bekenntniß der Wahrheit zu bewegen. Der Folterknecht soll sie mit seinen Schreckmitteln hierin nach Kräften unterstützen. Wenn der Angeklagte entkleidet ist, soll der Inquisitor ihn auf Seite nehmen zur letzten Ermahnung. Fruchtet auch diese nicht, so wird mit dem peinlichen Verhör begonnen. Mit Fragen über die Nebenumstände macht man den Anfang und schreitet dann fort zu den wichtigeren. Uebersteht er die Pein ohne Bekenntniß, so zeige man ihm anderes Martergeräthe mit dem Bedeuten, daß ihm dieses auch noch werde applicirt werden. Eine Wiederholung der Folterung ist nicht zulässig; macht man also am zweiten und dritten Tage weitere Versuche mit derselben, so ist das als „Fortsetzung" der ersten zu bezeichnen. Bleibt der Angeklagte nach Alledem verschlossen, so soll er in Freiheit gesetzt werden, da es dann einstweilen kein Mittel gibt, den nur halb erbrachten Schuldbeweis zu vervollständigen.

Der niederländische Remonstranten-Theologe Limborch hat, wie schon früher gesagt, seiner im Jahre 1692 zu Amsterdam erschienenen „Historia Inquisitionis" einen fast 400 Seiten füllenden „Liber sententiarum Inquisitionis Tolosanae" beigefügt, aus welchem im Einzelnen zu ersehen ist, wie es in den französischen Folterwerkstätten in der Zeit von 1307 bis 1323 zuging. Limborch citirt in seinem Werke einen gewissen Julius Clarus, wo dieser von den verschiedenen Graden der eigentlichen Tortur spricht, und dort heißt es: „So wisse denn, daß es deren fünf gibt: 1. die Androhung der Folter; 2. die Einführung in die Marterkammer; 3. die Entkleidung und Anlegung des Gestränges; 4. die Auflegung auf die Bank; 5. der Folterruck (quassatio) selbst." Diese „quassatio" begann mit der Ausreckung einzelner Extremitäten und stieg zu der aller Glieder zusammen. Es war ausdrückliche Vorschrift, daß die Folterung nicht getrieben werden dürfe bis zur „Zerstörung eines Gliedes oder zur Gefährdung des Lebens." Denn zu dem, was nach dem Willen der heiligen Mutter Kirche dem Priester nothwendig eigen sein muß, gehört auch die „lenitas", die Sanftheit und Milde. Die Verletzung dieser macht ihn „irregulär", d. h. unfähig, die Weihen zu empfan-

gen oder priesterliche Functionen auszuüben. Irregulär ist oder
wird also kraft canonischer Vorschrift, „wer in Ausübung des Kriegs-
dienstes oder wer sonst, mit Ausnahme des Zufalls oder der Noth-
wehr, die nächste Veranlassung zur Tödtung oder Verstümmelung
eines Menschen geworden, so namentlich die Richter, Procuratoren,
Denuncianten, Schreiber von Urtheilen, welche auf Tod oder Verstümmelung gehen und vollstreckt worden sind, endlich auch der Kleriker,
der dem Verbote des IV. Lateranensischen (XII. allgemeinen) Concils
(1215) zuwider die chirurgische Praxis, soweit diese in Brennen oder
Schneiden besteht, ausübt; nicht aber der Kleriker, der unter Ein-
legung der vorgeschriebenen Fürbitte einen Verbrecher dem weltlichen
Arm überliefert." Diese „Fürbitte" an die weltliche Gewalt bei
Ueberantwortung eines „Uebelthäters", mit welchem die Kirche
„Nichts" mehr zu schaffen haben" wollte, ging dahin: „seines Blutes
und Lebens zu schonen". Wie ernst diese „Fürbitte" gemeint war,
zeigt auch J. Buchmann in seiner genannten Schrift. Berühmte
Rechtsgelehrte hatten behauptet, bevor zur Urtheilsvollstreckung ge-
schritten werden könne, müßten die Acten dem weltlichen Gericht ein-
geliefert werden und diesem zustehen, die Sentenz, je nach Befund,
aufzuheben, zu ändern oder zu bestätigen; aber schon durch ein von
Bonifaz VIII. (1294 bis 1303) erlassenes Edict wurden die betreffenden obrigkeitlichen Personen belehrt, daß die Actenauslieferung
unstatthaft sei und eine Aenderung des Urtheils nicht vorgenommen
werden dürfe, daß sie dagegen die ihnen angewiesene Urtheilsvollstreckung unverzüglich auszuführen hätten, widrigenfalls sie von der
Excommunication getroffen und nach der Frist eines ohne Sinnesänderung abgelaufenen Jahres als Ketzer würden verurtheilt werden. Der Canonist Bernardus aus Como beruft sich in seiner
„Leuchte für Inquisitoren" auf ein von Innocenz IV. (1243 bis
1254) den Inquisitoren gewährtes „Vorrecht", mit kirchlichen Strafen gegen solche Beamten einzuschreiten, welche zögern, die ihnen von
den Glaubensgerichten aufgetragenen Geschäfte auszuführen. Eine
von dem eben genannten Papste im Jahre 1252 erlassene, dem
Werke Eymerich's angehängte Verordnung schreibt vor, daß der Verurtheilte sofort, spätestens aber binnen fünf Tagen abgethan werden
müsse. Ebendaselbst findet sich ein im Jahre 1260 ergangenes Edict
Alexander's IV., worin dieser seine eigenen Beamten mit Absetzung
bedroht, wenn sie, wie das stellenweise vorkomme, sich „widerwillig
und nachlässig" zeigten in der Vollstreckung der Inquisitions-Urtheile.
    Bei Vorhandensein oder Eintritt einer Irregularität bedarf es
nun regelmäßig einer Dispensation, welche im Allgemeinen päpstlichen Rechtes ist, und nur in einigen, genau bestimmten, minder
schweren Fällen dem Bischofe zusteht. Den Inquisitoren aber wurde
durch Erlaß Urban's IV. vom Jahre 1261 das Vorrecht ertheilt,

sich gegenseitig von der Irregularität, die sie sich bei Ausübung ihres Amtes in „menschlicher Schwachheit" zugezogen hatten, zu dispensiren, damit, wie J. Buchmann bemerkt, „das heilige Geschäft der Ketzerverfolgung keine Störung erleide." Wenn also einem auf der Folter liegenden Ketzer durch Zerreißung der Sehne ein Arm gelähmt oder gar durch die Verletzung einer Hauptader der Tod desselben an Verblutung herbeigeführt war, so konnte ein Bruder Inquisitor den andern sofort von Irregularität erlösen. „Und dieses Rechts bedienen wir uns" — sagt Pegna ganz trocken in seinem Commentar, ein Beweis, daß die Fälle nicht gar so selten gewesen sein werden, in welchen die „menschliche Schwachheit" der Inquisitoren sich größer erwies als die Widerstandsfähigkeit des Körpers, den sie auf ihrer Streckbank vor sich liegen hatten.

In verschiedenen Königreichen, in Aragonien z. B., wurde die Tortur von weltlichen Gerichtshöfen nicht angewandt; in Deutschland lernte man diese Eigenthümlichkeit des römischen Kaiserrechts — ein „Stück Heidenthum" also — durch das Gesetzbuch Karl's V., die „Carolina", kennen; die Glaubensrichter waren autorisirt, sie überall und auf Alle anzuwenden, ohne Unterschied der Person. Nur Greise und Hochschwangere sollten ganz verschont, Welt- und Ordens-Geistliche „milder" und zwar nur von Standesgenossen gefoltert werden.

Freisprechung.

Es mag manches Mal der Fall gewesen sein, daß die der Ketzerei angeklagte Person so gut katholisch war wie die Inquisitoren selbst, und die Zeugen ihm nichts Verdächtiges in Wort oder That oder Miene darthun konnten. Alle Kunstgriffe, den Inculpaten zu überführen, schließlich auch die Tortur, waren angewendet und Nichts damit erreicht worden, als daß seine Unschuld nur um so heller an's Licht trat. Was dann? In einem solchen Falle, so belehrt uns Eymerich, hat der Inquisitor der betreffenden Person einen Entlassungsschein auszustellen, in welchem gesagt ist, daß nach gründlicher Untersuchung ꝛc. ꝛc. kein zur Verurtheilung genügender Schuldbeweis vorhanden gewesen sei und das Gericht ihn deshalb „für jetzt aus der Anklage und dem Verhör ohne Urtheil entlasse." So war der Inquisitor angewiesen, auch das geringste Wort zu vermeiden, was dem Angeklagtgewesenen die Schuldlosigkeit zuerkannt hätte. Es durfte eben nicht eingeräumt werden, daß das h. Officium auch Unschuldige inhaftiren könne. Auch sollte das Damokles-Schwert gewissermaßen zu Häupten Dessen, der einmal verdächtig geworden war, in der Schwebe bleiben. Damit war die Einleitung zu seiner künftigen Vernichtung, sobald dieselbe später wünschenswerth und besser möglich erschien, getroffen.

Die „canonifche Reinigung."

Wenn böswillige Menfchen, im trunkenen oder nüchternen Zu-
ftande, ohne die mindefte Veranlaffung diefen oder jenen ihrer Nachbarn laut oder leife als Ketzer bezeichneten, fo war die Inquifition
befugt, dem Verläumdeten daraufhin einen Proceß an den Hals zu
hängen. Nun ftellte fich aber heraus, daß auch das geringfte Beweismittel fehlte, daß dem Angeklagten nicht einmal ein unbedachtes
Wort — wie z. B. Mohamed fei doch ein großer Mann gewefen;
durch feine Lehre feien doch viele Völker von der Vielgötterei zum
Bekenntniß des Einen Gottes geführt worden u. dgl. — vorgehalten
werden konnte. Da galt es alfo, dem Proceß fo bald als möglich
ein glimpfliches Ende zu geben. Dem Inculpaten ließ fich Nichts an-
haben, die Denuncianten durfte man nicht vor den Kopf ftoßen, indem
man ihre Verläumbung als folche nachwies, denn damit hätte man
das dem h. Officium fo nützliche Gefchlecht der dienftwilligen An-
träger für die Folgezeit entmuthigt. Gefchehen aber mußte in den
meiften diefer Fälle doch Etwas, was den Schein retten konnte.
Man half fich alfo gewöhnlich auf folgende Art. Dem durch Verläumbung vor das Glaubensgericht Gebrachten wurde aufgegeben, fo
und fo viele „Eibeshelfer" von der und der Qualität beizubringen.
So wurde am 20. März 1566 von dem römifchen h. Officium ein
Urtheil gefällt, welches dem Marchefe von Vico, Don Nicolao Antonio Caracciolo die Beibringung von vier „Eibeshelfern" aus dem
Prälatenftande auflegte. Der Fall des Genannten war folgender.
Er ftammte aus einer Familie, welche mit den Caraffa, alfo auch
mit dem fieben Jahre früher verftorbenen Papfte Paul IV. ver-
fchwägert war. Sein Vater, Galeazzo Caracciolo, durch Pietro M.
Vermigli, worüber wir fpäter noch zu reden haben werden, zu proteftantifchen Ueberzeugungen gekommen, hatte fein Vaterland verlaffen,
um in Genf unbehelligt feinem religiöfen Glauben leben zu können.
In dem Urtheile nun wurde es dem Sohne als fchwere Schuld zur
Laft gelegt, daß er „Briefe von feinem Vater entgegengenommen
und die Ueberbringer nicht feftgehalten, ja fogar erklärt habe, er
fei gerne bereit, feinem Vater Geld zukommen zu laffen, wenn er
nur wiffe, auf welchem Wege dies gefchehen könne." Wenn diefe
Ausfage nun auch nicht hinreiche, ihn perfönlich der Ketzerei zu
überführen, fo blieb doch der Verdacht derfelben auf ihm fitzen und
fo verurtheilte man ihn denn zum „Reinigungseid" und zu einer
Geldbuße von 500 Scudi in Gold. Zwei Cardinäle — wohl Ver-
wandte oder Solche, die damit den Dank für ihre Ernennung durch
Paul IV. abtrugen — und zwei andere Prälaten fungirten dabei
als „Eibeshelfer".

Die Ceremonie der „canonischen Reinigung" wurde meist vor einem größeren Publikum in einer Kirche oder auf einem öffentlichen Platze vorgenommen. Nachdem der Inculpat geschworen hatte, daß er sich der ihm zur Last gelegten Ketzerei nie schuldig gemacht habe, mußte einer der „Eideshelfer" nach dem andern vortreten und ebenfalls mit einem Schwure bekräftigen, daß sie gleichfalls „aus verlässiger Wissenschaft" Jenen für unschuldig hielten. Von diesem Zeitpunkte an waren die Personen, welche als „Eideshelfer" fungirt hatten, für das gutkirchliche Verhalten ihres Schützlings gewissermaßen verantwortlich; sie wurden als Mitschuldige angesehen und behandelt, wenn derselbe später von den Inquisitoren fester gefaßt werden konnte. Wer dies erwog, der ließ sich so leicht nicht herbei, einem Anderen als „Eideshelfer" beizustehen. So wurde es einem nur durch verleumberische Denunciation vor Gericht gebrachten Inculpaten oft unmöglich, die geforderte Anzahl von Mitschwörenden in der verlangten Qualität beizubringen und dann mußte er sich's gefallen lassen, so behandelt zu werden, als sei seine Ketzerei minbestens zur Hälfte erwiesen.

Die Abschwörung.

Es wurde übrigens nicht einmal oft zugegeben, daß ein der Häresie Verdächtiger sich möglicherweise durch die beigebrachte Zahl annehmbarer „Eideshelfer" reinige und damit dem h. Officium entrinne. Das letztere calculirte so: Wer sich soll reinigen können, der muß schuldlos sein; wer aber Verdacht erweckt hat, der ist sicher nicht ganz unschuldig; mit Grund verdächtig ist also Jeder, mit dem sich das h. Officium einmal hat beschäftigen müssen, wenn auch in verschiedenem Grade: ob „leicht", ob „schwer", ob „dringend".

„Leicht verdächtig war man schon, wenn man eine nicht ganz landläufige oder eine dem herrschenden Kirchenregimente nicht zusagende Meinung hegte. Wem z. B. der Gedanke kam: da unser Heiland und seine Jünger, wie dies doch deutlich aus gewissen Stellen der h. Schrift erhellt, keine Güter besaßen — warum ist die Kirche so reich? der war sofort „leicht verdächtig". „Leicht verdächtig" war, wer einem „dringend" Verdächtigen „Guten Tag" sagte. Bei den „leicht" Verdächtigen begnügte man sich mit einer „leichten" Abschwörung. Diese konnte, wenn man besonders gnädig verfahren wollte, im Hause des Bischofs oder des Inquisitors stattfinden; in den meisten Fällen jedoch diente die Kirche als Schauplatz. Die betreffende Person mußte ein zwischen dem Altar und den Kirchenstühlen errichtetes Gerüst besteigen, damit sie allen Anwesenden sichtbar war. War der Inculpat bis dahin gefangen gehalten worden, so standen die Häscher unten herum. Von dem Gerüste herab mußte er die

für jeden Grad des Verdächtigseins genau vorgeschriebene Abschwörungsformel verlesen und dann die Verkündigung der ihm auferlegten
Geldbuße anhören. Mit der nachdrücklichen Drohung, wenn er sich
nochmals in Verdacht bringe, werde es ihm schlimmer ergehen,
wurde er dann entlassen.

Mit der Abschwörung vom „schweren" Verdacht, die im Uebrigen in gleicher Weise vor sich ging, waren nicht nur größere Geldstrafen, sondern auch öffentliche Kirchenbußen verknüpft, so z. B. mit
einem Armsünderrocke Sonntags an der Kirchenthüre zu stehen,
oder in derselben Maskerade gewisse „Heiligthümer" zu besuchen
u. s. w. „Schwer verdächtig" wurde man schon, wenn man einen
Verdächtigen küßte — doch wir haben ja oben in dem Falle des
Marchese von Vico gesehen, daß schon die Erfüllung der allereinfach-
sten kindlichen Pietäts-Pflichten gegen einen durch die päpstliche Ge-
wissens-Tyrannei vom heimischen Herd vertriebenen Vater „schweren"
Verdacht auf das Haupt des Sohnes wälzt.

Vom „leichten" in „schweren", vom „schweren" in „dringenden"
Verdacht — wie oft verhalf dazu dem Inculpaten nicht schon die
durch irgend ein Wort des Widerspruchs gereizte Laune des Inqui-
sitions-Mönches! „Dringend" verdächtig wurde ja schon, wer, auf
sein gutes Recht vertrauend, bei der Behauptung verharrte, stets ein
rechtgläubiger Christ gewesen zu sein, zu einer Abschwörung also
auch keine Veranlassung zu haben. Einem „theuern Sohne" dieser
Art kündigte der väterliche Inquisitions-Mönch an, daß er das Sambenito zu tragen habe und zum Heile seiner Seele einstweilen bei
Wasser und Brod werde eingesperrt werden. Aber wie er, der Herr
Inquisitor, die Hoffnung nicht aufgebe, daß die beharrlich angeflehte
Gnade Gottes den heute noch Widerspenstigen zur Sinnesänderung
und geziemenden kindlichen Ergebenheit gegen die Mutter Kirche
führen werde, so möge auch der Gefangene nicht verzweifeln; er habe
es ja in der Hand, seine einstweilen auf unbestimmte Zeit verhängte
Haft dadurch abzukürzen, daß er sich der Freiheit werth mache. Freilich: hinzukommen dürfe zu seiner Schuld nun Nichts mehr,
wenn er, der Herr Inquisitor, sich nicht in die traurige Nothwendigkeit versetzt sehen solle, des Ketzers Leib der weltlichen Macht zum
Verbrennen zu überantworten, um dadurch, möglicherweise, wenigstens
die Seele vor dem niederlöschenden Feuer der Hölle zu bewahren.

Die Proceßkosten, Geldbußen und die Vermögens-Confiscation.

Wir stehen vor einer schwierigen Frage. Sie bildet den hun-
dertundvierten der Knoten, welche Eymerich in seiner „Anleitung"
zu lösen unternommen hat und der dann von seinem Erklärer Pegna

und andern Canonisten weiter entwickelt wurde. Die Frage stellt sich so: „Darf der Inquisitor die Erstattung der Kosten eines Processes von Demjenigen, gegen welchen dieser geführt wurde, zurückverlangen und das Urtheil auf diese Rückerstattung ausdehnen?" ... „Respondemus quod sic — Ja, das darf er, denn das Einkommen des h. Officiums ist meist spärlich und zum anständigen Unterhalt seiner Beamten nicht hinreichend; wer aber in den Krieg geschickt wird, kann den Anspruch erheben, gehörig ausgerüstet und zukömmlich verpflegt zu werden." Gibt es aber einen heiligeren und gemeinnützigeren Krieg als den, welchen die Väter des h. Officiums führen, der Krieg gegen die Glaubensverderbniß? Also: mag auch das h. Officium, wie dies einigerorts der Fall ist, eine feste Revenue von der weltlichen Obrigkeit beziehen, oder auf andere Weise für dasselbe gesorgt sein — es ist billig und recht, daß man von den Delinquenten die durch sie verursachten Kosten wieder einzieht.

Vom Angeklagten Geschenke anzunehmen widerräth Eymerich. Pegna billigt es auch nicht, daß man sich freiwillig angebotene Gaben von den Anverwandten und Freunden des Inculpaten gefallen lasse, aber er constatirt gleichzeitig, daß sie vielfach nicht zurückgewiesen wurden. Es bildete sich hieraus sogar in manchen Gegenden die Gepflogenheit aus, daß Wohlhabende den Districts-Inquisitoren regelmäßig wiederkehrende Geldzuwendungen machten, mit dem Bedeuten: die würdigen Väter möchten die Reinheit des Glaubens der betreffenden Spender nicht in Zweifel ziehen. Eymerich erklärt ausdrücklich, daß, wie es Almosen gebe zur Förderung anderer frommen Zwecke, solche ja sogar, gleich wie Wallfahrten, Gebete und Fasten als Buße auferlegt würden, so auch Almosen zur Erhaltung und Förderung des Inquisitions-Institutes sehr begreiflich seien.

Daß Geldstrafen den Verdächtigen auferlegt wurden, und zwar höhere oder geringere je nach dem Grade dieser Verdächtigkeit, haben wir oben gesehen. Man wandte sie besonders gern bei solchen Verdächtigen an, die man wegen ihrer körperlichen Beschaffenheit nicht foltern durfte, oder die man durch hohe Geldstrafen empfindlicher zu treffen hoffte, als durch die Tortur. Bei Schuldig-Erkannten konnte von Geldstrafen nicht mehr die Rede sein, da das Vermögen verurtheilter Ketzer, so wie es stand und lag, und zwar schon vor dem Urtheilsspruch und ohne Weiteres, der „Kirche" verfallen war von dem Tage an, an welchem der Besitzer ein Ketzer geworden. Nur ein Dritttheil desselben wurde Anfangs und da, wo die Inquisition sich als „wohlthätiges" Institut erst noch zu insinuiren hatte, dem Landesfürsten oder der Ortsgemeinde zugestanden. An der Berechtigung der „Kirche" zu dieser Vermögensberaubung der Ketzer ist gar nicht zu mäkeln. „Wir sehen und wissen" — so belehrt Pegna Jeden, der sie bezweifeln möchte — „wir sehen und wissen, daß der Papst den Königen ihre Reiche nehmen kann, er kann also auch ihre Güter nehmen und sie zuwenden, wem er will." Was aber bei königlichen Gebieten recht ist, ist bei irgend einem lumpigen Ritter- oder Bauerngut gewiß nicht mehr als billig!

Wie schon beiläufig angedeutet: die Güter der Häretiker wurden nicht erst bei der Verurtheilung confiscirt — sie waren confiscirt vom Tage des Fehls an; das Urtheil erklärte nur das an diesem Tage des Fehls für den Besitzer erloschene Eigenthums- und Verfügungsrecht als an jenem Tage auf die Kirche übergegangen. Die Tragweite dieser canonischen Rechtspraxis ist kaum von der ausschweifendsten Phantasie zu ermessen. Welcher Besitz war unter solchen Umständen noch sicher außer dem der Kirche? Die Vertreter des bürgerlichen Rechts meinten, diesem Zurückgreifen müsse doch irgend eine Verjährungsgrenze gesetzt werden; sie schlugen vor, diejenigen Erben oder Anläufer einer Liegenschaft als berechtigten Besitzer anzuerkennen, der sie schon fünf Jahre inne habe. Die Kirche dehnte jedoch diese Präclusivfrist auf's Achtfache aus. Bonifaz VIII. verordnete nämlich im Jahre 1298, daß erst vierzig Jahre nach dem Tage, an welchem der damalige Eigenthümer eines Gutes sich mit Ketzerei befleckt, der jetzige Besitzer ein unantastbares Recht auf dasselbe haben solle, wenn — das kommt noch dazu — der letztere niemals einen Scrupel an der unbefleckten kirchlichen Gläubigkeit eines der Vorbesitzer ernstlich gehabt habe. „Wenn Männer, die einst die prächtigsten Fuhrwerke und die edelsten Gespanne zur Verfügung hatten, sich bequemen mußten, an irgend einem Chaussee-Graben Steine zu klopfen, wenn zartgebaute Frauen und Mädchen, einst reichlich mit Brabanter Schleiern versehen, jetzt baarfüßig im Schnee, ein Stück Schwarzbrot erbettelnd, von Thür zu Thür schritten und froh sein mußten, in einem Stalle ein Plätzchen zur Nachtruhe zu finden, so kam das," sagt J. Buchmann, „daher, daß das Districts-Glaubensgericht herausgefunden hatte, der zweite oder dritte Vorbesitzer der Güter jener Armen sei als geheimer Ketzer aus der Welt geschieden." Aber wenn das h. Officium den directen Nachkommen eines Verurtheilten Nichts als Erbtheil zugestand als die „Ehrlosigkeit" — es sorgte doch für sie. Die Gattin eines zum Feuertode oder lebenslänglicher Einschließung Verdammten hatte freilich nichts Besseres verdient, als leer auszugehen, es sei denn, daß sie sich durch ganz besondere Ergebenheit gegen das h. Officium der Nachsicht desselben werth gemacht habe; aber die Kinder wurden auf die Kosten des letzteren untergebracht; die halbwüchsigen Knaben als Lehrlinge bei Handwerkern, die Mädchen als Dienstboten. Sogar für die unbehülflichen Kleinen und Kränklichen wurden Kosthäuser bestellt, freilich solche, wo Schmalhans Küchenmeister war; es konnte ja dem Seelenheil dieser Pfleglinge nur förderlich sein, wenn sie mit ihrem eigenen Leibe Zeugniß, dafür ablegten, daß Gott der Kirche sich bediene, um die Sünden der Väter heimzusuchen an den Kindern.

Die Gotteslästerung als Ketzerei.

„Vor dem Tribunal der h. Inquisition," sagt Francesco Bordone in seinen im Jahre 1703 zu Parma gedruckten „Beigaben" zu dem „Handbuch für Räthe des h. Officiums," sind die Fälle der verschiedenartigsten und ausgeprägtesten Gotteslästerung häufiger als alle anderen; man sollte meinen, böswillige Menschen gäben sich damit ab, täglich neue zu ersinnen." Wie eine freche oder höhnisch-witzige Redensart in Verbindung mit dem Namen Gottes oder göttlichen Dingen, also eine bloße moralische Unart als Häresie im eigentlichen Sinne bestraft werden kann, darüber, so scheint's, sind die Canonisten des h. Officiums selbst nicht recht in's Klare gekommen. Die Ansicht, daß man wohl in Rücksicht auf die leicht einzuziehenden kleinen Geldstrafen das Geschäft auf diese Bagatellen ausgedehnt habe, wird wohl die richtige sein. Die Sache wäre also in der Art zu betrachten, als wenn etwa eine Ofen-Handlung en gros nebenbei den Verlauf von Schuhnägeln en détail betreibt — die Menge muß es machen. Nebenbei liefen dann, damit auch die ideale Seite nicht vermißt werde, andere kirchliche Bußleistungen. So mußte der Gotteslästerer, wenn er ein Laie war, an sieben aufeinander folgenden Sonntagen während der Pfarrmesse vor der Kirchenthür stehen, am letzten barfuß, eine Art Joch am Halse. An einem bestimmten Tage in jeder dieser sieben Wochen hatte er selbst Abstinenz zu beobachten, dagegen zwei oder drei Arme zu speisen. Bei Beamten durfte man's mit der Geldbuße bewenden lassen; ebenso bei Geistlichen. Betreffs der Letzteren war für Fälle, in denen über einen Abzug von ihrem Pfründe-Einkommen hinausgegangen wurde, ausdrücklich vorgeschrieben, die von ihnen verlangten Bußleistungen dürften nicht öffentlich vorgenommen werden, um den Gläubigen keinen Anstoß zu geben. Erwies sich ein Kleriker als unverbesserlich, so konnte ihm sein Einkommen gänzlich entzogen werden. Pius V., ein gar gestrenger Herr, drängte auf empfindlichere Strafen: ein Plebejer, der Nichts bezahlen konnte, sollte beim Rückfall in die Gotteslästerung um die Stadt gepeitscht, beim dritten Male aber, nachdem ihm die Zunge durchbohrt war, auf die Galeere geschickt werden. In Rom selbst freilich konnte man's so streng nicht halten, denn dort gab's von jeher bis zur Stunde allzu Viele, denen die gotteslästerlichen Reden zur Gewohnheit geworden waren. Auch wenn man ihnen die Galeere gnädig nachgesehen und es beim Durchbohren der Zunge ge-

laſſen hätte — woher hätte man die Sänger noch nehmen wollen
für die päpſtliche Kapelle?

Die Stäupung.

„Mitunter," ſo ſchreibt Prosper Farinacius, ein römiſcher
Rechtsgelehrter, in ſeiner „Abhandlung über die Ketzerei" vom Jahre
1616, „mitunter kann man die Ketzer auch mit Ruthenſtreichen
ſtrafen, doch iſt dabei zu beachten, daß man dieſe Stäupung nicht
bis zum Blutvergießen fortſetzt." Nähere Angaben: wann, für
welche Vergehen, in welchem Maße dieſe Strafe eintreten ſoll, ſagt
unſer römiſcher juris consultus nicht; das Alles blieb der väterlichen
Einſicht der Inquiſitions-Mönche überlaſſen, nur — Blut ſollten ſie
nicht vergießen. Dieſer Widerwille der Inquiſitions-Officianten vor dem
warmen arteriellen Blute ihrer Opfer iſt eine Eigenſchaft, welche ſie
vor anderen Kannibalen vortheilhaft unterſcheidet. Sie werfen ihre
Gefangenen in dunkele Löcher und in die Schatten des Todes; ſie
häufen Verzweiflung und Ketten auf ſie; das Schmerzensgeſtöhne
derſelben bringt ſie nicht aus ihrer Gemüthsruhe; des Sünders ſoll
in keiner Weiſe ſonſt geſchont, ſein Blut aber nicht vergoſſen werden.
Wie das Blut in Wirklichkeit von den Verfechtern der römiſchen
Orthodoxie geſchont wurde, das haben wir bereits geſehen; wie das
„mitunter" unſeres römiſchen Rechtstheoretikers von den Practikern
verſtanden wurde, das werden uns ſpäter Solche berichten, denen in
den Inquiſitionshäuſern zu Goa das Geheul der Geſtäupten zu Ohren
drang „bei Tag wie bei Nacht."

Die Aberkennung von Amt, Ehre und Autorität.

Jeder Mann, weß' Standes immer, verliert durch eine Verurtheilung vor dem h. Officium jedes Amt und Beneficium, jedes
Recht, jede Autorität und Würde. Sein Gedächtniß ſoll verflucht,
ſeine Nachkommenſchaft ehrlos ſein. Und die Canoniſten der Inquiſition waren ſich wohl bewußt, was ſie hiermit in der menſchlichen
Geſellſchaft anrichteten. Pegna ſagt in ſeinen Zuſätzen zu der „Anleitung" des Eymerich: „Der väterlichen Gewalt beraubt werden, iſt
keine geringe Strafe, wie Jeder einſehen wird, welcher genauer die
Rechte und Privilegien betrachtet, die von der elterlichen Autorität
einbegriffen werden. Iſt die väterliche Gewalt erloſchen, ſo verlieren
die Eltern auch die Jurisdiction über ihre Kinder; dieſe ſtehen ihnen
wie Fremde gegenüber und brauchen ihnen in Nichts mehr zu gehorchen."

Es war die Frage aufgeworfen worden, ob auch die Kinder,
deren Zeugung vor die Zeit der häretiſchen Verſchuldung des Vaters

falle, als ehrlos zu behandeln seien. Die Canonisten stimmten in folgender Antwort überein: da der Zweck der Strafe die Abschreckung von weiteren Verbrechen sei, so werde die dem natürlichen Gefühle entspringende Furcht davor: seine sämmtlichen Kinder durch Häresie der Schande zu überantworten, manchen Vater von Fehltritten auf dem Wege des Glaubens abhalten. Darum: wenn ein Mann häretisch wird, so sind alle seine Kinder und Enkel, wenn eine Frau, so sind nur ihre Kinder der Ehrlosigkeit verfallen. Man ging bei dieser Entscheidung von der weiteren Erwägung aus, daß es bei den Männern schon festerer Banden bedürfe, um sie zu ihrem Heile an die alleinseligmachende Kirche zu fesseln, als bei den Frauen. Auch die Ehefrau, nicht bloß die Kinder des von einem Inquisitions-Urtheil getroffenen Mannes war diesem gegenüber aller und jeder Verpflichtung ledig. Nach dem Maße, als sie von dieser Freiheit gegen ihren Mann Gebrauch machte, wurde Seitens des h. Officiums betreffs einer allenfallsigen theilweisen Rückerstattung des von ihr in die Ehe beigebrachten Vermögens gnädig verfahren.

Immerwährende Einsperrung.

Immerwährende Einsperrung ist eine heilsame Strafe, welche solchen, ihrer Schuld überführten Häretikern als Gnadenerweis zugestanden wird, welche genügende Reue kund geben und nicht rückfällige Verbrecher sind. Rückfällige sind eben einfach zu verbrennen. Die immerwährende Einsperrung konnte in verschiedenen Localitäten erfolgen: in einem einsamen Kerker, in einem zu diesem Zwecke gemietheten Privathause oder in einem Kloster. Für den Unterhalt solcher Gefangenen sorgte manchmal der betreffende Bischof, manchmal das h. Officium selbst, in den meisten Fällen wurde das absolut Nöthige aus dem beschlagnahmten Vermögen des Eingesperrten zu diesem Zwecke angewiesen. Wurde dem Gefangenen gestattet, seine gewohnte Hanthirung weiter zu betreiben, so mußte dies meist in völliger Abgeschlossenheit von menschlichem Umgange geschehen, so daß er nur mit seinem Hüter verkehrte. In Gegenden, welche im Ganzen als frei erachtet wurden von der Befleckung der Ketzerei und wo das h. Officium sich in seiner vollen Macht fühlte, wurde einem auf Lebenszeit Eingesperrten wohl der zeitweilige Besuch eines Freundes gestattet. Für Kleriker galten die Klöster als die billigsten und geeignetsten Einsperrungsbehälter.

Bevor ein Ketzer unter Absehen von einer strengeren Strafe zu lebenswieriger Haft „begnadigt" wurde, mußte er bei irgend einer öffentlichen „Glaubenspredigt" — der spanische Name Auto-de-Fé, „Glaubensact", ist für diese Sache mit Fug landläufig geworden — seine Häresie abschwören. In den Tagen ihrer Blüthe — das Un-

kraut blüht bekanntlich auch — ließ die Inquisition, was sie in
einer Stadt an Eingesperrten auf Lebenszeit zusammen hatte, bei
Kirchenfesten in Parade aufmarschiren; so machten's ja auch die alt-
heidnischen Römer in ihren Triumphzügen mit ihren Gefangenen.
Die zu verlesende Abschwörungsformel war fast wörtlich dieselbe, wie
diejenige, welche wir früher aus dem „Sentenzenbuch" der Toulouser
Inquisition angeführt haben.

Hier wäre nun Einiges über die Gefängnisse im Allgemeinen
einzufügen.

Die bürgerliche Rechtspflege hat die Untersuchungshaft immer
nur als Mittel angesehen, um der Person eines Angeschuldigten versichert zu sein; das h. Officium hat dieselbe von vorneherein pein-
licher gemacht als die bürgerliche Strafhaft. Clemens IV. (1265
bis 1269), Willens, die Ketzerei mit Stumpf und Stiel auszurotten,
befahl „allen irdischen Gewalten, allen weltlichen Regierungen der
Provinzen, Länder, Städte und aller anderen Wohnplätze", sowie den
Diöcesan-Bischöfen und den zur Vertilgung der häretischen Verderbtheit dorthin beorderten oder vom Apostolischen Stuhl noch dorthin
zu beordernden Inquisitoren, Nachsuche zu halten nach diesen Kindern
der Bosheit, sie zu verfolgen, festzunehmen und in enger vorsorglicher
Haft zu halten, trotz allem Flehen und Bitten um Erbarmen. So
ist es im „Liber sextus" der Decretalen nachzulesen. Das unter
Clemens V., einem Franzosen, im Jahre 1311 zu Vienne an der
Rhone abgehaltene fünfzehnte Allgemeine Concil bestimmte, daß, „zur
Ehre Gottes, zur Ausbreitung Seines h. Glaubens und zu mehr er-
folgreicher Wirksamkeit des h. Officiums die Bischöfe und Inquisitoren, abthuend alle fleischliche Liebe, allen Haß, alle Furcht und alle
sonstige menschliche Schwachheit, aus eigener Machtvollkommenheit die
Ketzer vorladen, festnehmen und gefangen halten, ihnen eiserne Handschellen und eiserne Fußschellen anlegen sollen. Die Haft soll eine
strenge sein und die Gefangenen, wenn dies sich nothwendig erweise,
mittels der Folter zum Geständniß gebracht werden".

Die verschiedenen Grade der Verschuldung machten es nothwendig, daß man darauf eingerichtet war, die Delinquenten nach Maß-
gabe der Schwere ihrer Verbrechen in der Haft mehr oder weniger
hart zu behandeln. Der Inquisitions-Palast oder das „Heilige Haus"
umschloß deshalb Räumlichkeiten für alle Klassen von Gefangenen.
Da gab's luftige und lichte Gemächer, deren Fenster nur durch Eisen-
gitter versperrt waren; sie boten den Inhaftirten die Möglichkeit, sich
ungehindert einige Schritte darin zu bewegen und waren mit einem
Bette, einem Stuhl, einem Kamin und einigen anderen derartigen
Möbeln versehen. Da gab's aber auch enge, dunkle Zellen, in welche
weder Sonne noch Mond drang; neben dem Strohbund, der zum
Lager diente, hatte der Gefangene kaum Platz, sich herumzudrehen;

von Geräthen fand sich kaum das Allernothwendigste; für die Erwärmung des Raumes war keine Vorrichtung vorhanden. Die Behälter für die schlimmsten Uebelthäter befanden sich unter der Erde, wahre Löcher, in welchen man kaum aufrecht stehen konnte; war in den übrigen die Beköstigung noch genügend zum Leben, so reichte sie hier gerade noch hin, um den Eintritt völligen Hungertodes aufzuhalten. Zu dieser mehr oder minder erträglichen Einsperrung kamen dann die mehr oder minder schweren Fesseln an Händen und Füßen, sowie die mehr oder minder langen Ketten, welche diese Fesseln mit einem in die Mauer eingebleieten Ring verbanden. Aber auch damit war es noch nicht genug: der Gefängnißwärter war darauf vereidet, daß er mit dem seiner Wacht anvertrauten „Kind der Bosheit" nicht rede, auf keine Frage, selbst nicht mit einem stummen Winke, Antwort gebe. Kein Freundeswort und keine Klage, kein Seufzer und keine Frage durfte mehr zwischen dem Gefangenen und der Außenwelt vermitteln. Nur der Inquisitor kam von Zeit zu Zeit oder ein Sendling desselben, um sich über einen bestimmten Punkt zu informiren, mit einem Versprechen zu locken oder durch eine Drohung einzuschüchtern.

Diese verzweiflungsvolle Vereinsamung der Gefangenen war ja nöthig, um jede heimliche Verständigung zwischen den Einzelnen hintanzuhalten, um die Wächter vor der Ansteckung zu bewahren, um jedes störende Eingreifen in die Justizpflege zu vermeiden! Die Haft und Behandlung der anfänglich besser Einquartirten verschärfte sich stufenweise, je nachdem sie dem Inquisitor weiteren Grund zur Unzufriedenheit gaben, entweder durch hartnäckiges Beharren in ihrer Schuld oder durch verstocktes Leugnen derselben, oder auch nur durch Verheimlichung der vorgeblichen Mitschuldigen. Wie Mancher hat den ganzen Leidensweg gemacht aus der leichteren Haft durch · die unterirdischen Löcher bis auf die Folterbank und an den Brandpfahl!

Die Fälle waren nicht selten, daß die ganze zuchthäuslerische Disciplin durchprobirt wurde, ohne daß einerseits dem Gefangenen eine Ketzerei hätte nachgewiesen werden können, oder andererseits die Glaubensrichter ihren Verdacht als ungegründet aufgeben mochten. Unter so bewandten Umständen oder wenn dem Gefangenen ein genügend erscheinender Widerruf abgequält worden war, ließen die Inquisitoren Gnade für Recht ergehen und erkannten für ihr Opfer auf dauernde Einsperrung. Im besten Falle wurde der Betreffende dann nach jahrelanger Haft und Drangsalirung freigelassen unter Bedingungen, wie sie für unter Polizei-Aufsicht gehaltene Verbrecher bestehen.

Flüchtige und Rebellen.

Wer sich in Gefahr wußte, den Inquisitoren in die Hände zu fallen, blieb natürlich, wenn ihm irgend ein Ausweg offen stand, nicht ruhig zu Hause sitzen, bis es den Herren Glaubensrichtern gefallen würde, zuzugreifen; ebensowenig reizte es den außerhalb ihrer Machtsphäre sich Befindenden, nach Hause heimzukehren, wenn ihm die Nachricht zukam, daß man es auf ihn abgesehen habe. Erhielt also ein Inquisitor schlimme Kunde betreffs des Glaubenszustandes dieser oder jener abwesenden Persönlichkeit oder stieg in ihm selber Verdacht in dieser Hinsicht auf, so sagte ihm die „Anleitung" Eymerich's ganz genau, wie er vorzugehen habe. In Geduld solle er die Rückkehr des Verdächtigen abwarten, ein, selbst zwei Jahre; unzeitige Schritte könnten den sonst vielleicht arglos in's Garn Laufenden hiervon zurückhalten. Sei diese Frist aber ohne Erfolg verstrichen, so solle eine Vorladung zu einem bestimmten Termin ergehen. Bleibe auch dies fruchtlos — wie dies naturgemäß meist der Fall war — so solle der Inquisitor die Excommunication über den Ungehorsamen verhängen und Denjenigen, der auch durch diesen letzten Schlag nicht aus seinem sündhaften Gleichmuth aufgestört werde, nach Ablauf eines Jahres als Rebellen erklären.

Hatte aber Einer, nachdem bereits, sei es durch Eingeständniß oder Zeugen, seine Schuld festgestellt worden, oder nachdem er wegen eigener Ketzerei oder wegen Begünstigung von Ketzern denuncirt und vorgeladen war, seine Person in Sicherheit gebracht, so soll er unverweilt unter Androhung der Excommunication aufgefordert werden, sich vor dem Tribunal des h. Officiums einzufinden. War der Kirchenbann dann wirklich über ihn verhängt und ein Jahr um, so wurde der Flüchtling endgültig als Häretiker verurtheilt. Handelte es sich um einen Kleriker, so erließ der Bischof daraufhin die Degradations-Sentenz; jedenfalls aber — Priester oder Laie — wurde er durch ein vom Bischof und Inquisitor gemeinsam aufgestelltes Mandat dem „weltlichen Arm" zur Bestrafung überwiesen.

In diesem Schriftstück las man dann etwa Folgendes: Dem Bischof und Inquisitor seien üble Gerüchte über diesen Menschen zu Ohren gekommen. In schuldigem Pflichteifer hätten sie „darum untersucht, ob den Gerüchten Glauben beizumessen sei, und ob er wirklich in der Finsterniß wandele oder im Lichte." Die vernommenen Zeugen hätten ihn belastet, sein Eingeständniß den Schuld-Beweis verstärkt; er habe sich auch zur Bußleistung bereit erklärt. Verführt aber von einem bösen Geiste, habe er Wein und Oel, welche sie, als gute Samaritane, ihm hätten in die Wunden seiner Seele gießen wollen, verschmäht und die Haft gebrochen; der böse Geist habe ihn von dannen getrieben und halte ihn fern, sie wüßten nicht wo. Zur Rückkehr aufgefordert, habe er diese halsstarrig unterlassen, und die betreffende Aufforderung sei doch regelrecht an so und so vielen Kirchenthüren angeheftet gewesen; verblendet durch böse Rathgeber verharre er im Unrecht. Sie ihrerseits hätten, der Forderung der Gerechtigkeit Folge gebend, den Kirchenbann über ihn verhängt. Er seinerseits habe auch diese heilsame Arznei mißachtet und sei wiederum ein ganzes Jahr lang unter dem Einflusse jenes bösen Geistes verblieben, der ihn umhertreibe von Ort zu Ort, so daß sie nicht wüßten, wo er sich jetzt aufhalte. Die Kirche Gottes habe in ihrer Langmüthigkeit ihn allezeit erwartet, mit ausgebreiteten Armen, um ihn wieder an ihren Busen zu nehmen und ihn zu nähren mit der Milch ihrer unverfälschten Lehre. Alles umsonst! Sein verstocktes Herz habe sich gesträubt, den gerechten Spruch für so langanhaltendes Widerstreben gegen die Wahrheit zu hören und der Milde der Mutter getrotzt. Jetzt sei deren Langmuth erschöpft; an Stelle der Milde müsse sie jetzt Strenge walten lassen, wie es die Ehre des katholischen Glaubens verlange und zur Ausrottung der Ketzerei erforderlich sei. Sie hätten deshalb an dem und dem Tage, zu der und der Stunde an dem und dem Orte in vorschriftsmäßiger Weise das Urtheil gesprochen und ihn dem weltlichen Arm überantwortet, ohne die übliche Bitte zur Schonung seines Lebens und seiner gesunden Glieder beizufügen. Alle geistlichen und weltlichen Autoritäten seien nunmehr angewiesen, sich seiner Person zu bemächtigen, wo sie derselben habhaft würden.

Der „Rebell" wurde dann einstweilen wenigstens bildlich verbrannt. Wer aber zur Ehrenrettung der römischen Kirche nach ihm fahndete und ihn „zufällig" dabei erschlug, der war im Voraus völliger Straflosigkeit gewiß; seine gute Absicht wusch den Todtschläger rein von aller Schuld; er hatte ja gehandelt im Dienste des h. Officiums und diesem gegenüber war das Leben des Gefallenen doch ohnehin verwirkt.

Die weltliche Gewalt als Henkersknecht der geistlichen.

„Der weltliche Arm" vollzog auf Befehl der Hierarchie die Blutgeschäfte des h. Officiums. „Reuige Ketzer," welche nachträglich inne wurden, daß sie aus der natürlichen Furcht vor dem leiblichen Tode durch ihr Nachgeben vor dem Inquisitions-Tribunal gegen das Gewissen gehandelt hätten und deshalb ihre bessere Ueberzeugung wieder laut bekannten; Solche, die zum zweiten Male unter Anklage gestellt wurden; der Ketzerei Verdächtige, welche wegen ihrer unentwegten Unschuldsbetheuerungen „negative Ketzer" genannt wurden, weil der Inquisitor meinte, ja doch den vollen Schuldbeweis in Händen zu haben — alle diese wurden dem „weltlichen Arm" überantwortet. Das aber ging in genau vorgeschriebener Form vor sich. „Gottesfürchtige Männer" wurden von den Inquisitoren zu dem verurtheilten Uebelthäter in's Gefängniß beordert, um ihm die Nichtigkeit alles Irdischen, das Elend des Lebens und die Herrlichkeiten des

Himmels zu Gemüthe zu führen. Sie stellten ihm vor, wie er gut daran thue, zur Vermeidung des ewigen Todes die Versöhnung mit Gott zu suchen, da ihm ja doch keine Hoffnung geblieben sei, dem leiblichen Tode zu entgehen. Aber auch sein leibliches Ende vermöge er sich noch weniger schmerzlich zu gestalten, indem er sich zu aufrichtiger Buße wende. Wenn er sein Ohr ihren Ermahnungen hartnäckig verschließe, werde er die Pein des Feuertodes fühlen müssen; wenn er aber sich dazu verstehe, zu beichten, um die Vergebung seiner Sünden anzuhalten und die Eucharistie zu empfangen, sei die Kirche bereit, ihn in ihren Schooß wieder aufzunehmen. Sterben freilich müsse er so wie so, denn so verlange es das Heil seiner Seele; aber der „weltliche Arm" werde auf die Fürbitte der heiligen Mutter Kirche ein Uebriges thun und ihm den Tod möglichst leicht machen, indem er ihn rasch strangulire und dann erst verbrenne. So entgehe er wenigstens der Feuerqual, da dann ja nur ein bereits todter Körper den Flammen übergeben würde. Hatten unsere „gottesfürchtigen Männer" ihren Auftraggebern über den Erfolg oder Mißerfolg des Gnadenangebots Bericht erstattet, so ließen die Inquisitoren unter Beifügung der betreffenden Winke über's Stranguliren oder Nichtstranguliren die Meldung an den Magistrat gelangen: der Delinquent sei zum Abholen „bereit"; die Kirche habe Nichts mehr mit ihm zu schaffen.

Wenn zu der bestimmten Zeit auf dem für die Hinrichtungen anberaumten Platze die nöthigen Vorbereitungen getroffen waren, wurde der Verurtheilte allein oder mit anderen Schicksalsgenossen dorthin gebracht. War er ein Geistlicher, so begann die Execution mit der Degradation im vorgeschriebenen Ceremoniell. Nachdem die Inquisitoren und übrigen Amtspersonen ihre Sitze eingenommen hatten, wurde ein Schriftstück verlesen, welches den Proceß recapitulirte und etwa folgendermaßen schloß: „Nachdem wir in Erfahrung gebracht haben, daß du in dieselben Irrthümer rückfällig geworden seiest, sind wir der Sache auf den Grund gegangen und haben zu unserem Leidwesen gefunden, daß es sich so verhalte. Weil du aber dich zur Kirche zurückgewandt und der Ketzerei abgeschworen hast, gewährten wir dir die Sacramente der Buße und des Altars, worum du demüthiglich nachsuchtest. Mehr kann die Kirche zu deinen Gunsten nicht thun, da du schon ein Mal des Mißbrauchs ihrer Gnade dich schuldig machtest. Wir erklären dich also für einen Rückfälligen und thuen dich weg aus dem Rechtsgebiete der Kirche, dich überlassend den weltlichen Richtern, welche wir inständigst bitten, (efficaciter deprecantes) ihren Spruch so zu fällen, daß Blutvergießen und Todesgefahr fern gehalten werde."

Die Frage, welche sich hier dem Leser aufdrängt, haben wir in dem laufenden Kapitel schon kurz berührt: Wie konnten die Inqui-

sitoren dieses Gesuch an die bürgerlichen Behörden stellen in demselben Augenblicke, als sie ihnen einen Gefangenen überantworteten,
damit er getödtet werde, sie, die sich doch nachdrücklichst bevollmächtigt wußten, einen in der Vollziehung der Hinrichtung schwach-
müthig zögernden Magistrat mit der Excommunication zu strafen?
Die Antwort ist einfach — man muß sich nur auf den correct kirchlichen Standpunkt stellen. Erstens: sie haben den Gefangenen dem
weltlichen Arm ja nicht übergeben, sondern nur überlassen.
Zweitens: Die weltliche Gewalt war hinreichend von der geistlichen
belehrt, daß sich selbst der Ketzerei schuldig mache, wer eine Fürbitte
für einen Ketzer einlege; sie wußten also, daß die Fürbitte der Inquisitoren nicht ernst gemeint sein konnte; sie wußten ebenso durch
die Belehrung der Kirche, daß ein Ketzer des Todes schuldig sei, und
daß man diejenigen, die man in der Gewalt habe, demselben zuführen müsse. Drittens: die weltliche Gewalt konnte den Grundsatz der
Kirche: Blutvergießen mache einen Kleriker „irregulär"; sie deuteten
die Fürbitte für das Leben eines zum Tode Bestimmten also richtig
als eines der kleinen Mittelchen, womit der Inquisitions-Mönch sich
vor der „Irregularität" bewahre. Im Uebrigen that dann die
weltliche Gewalt, was die geistliche ihr als Pflicht zugewiesen hatte,
des Segens der Kirche sicher. So war Alles in schönster Ordnung.

Auf die mancherlei Arten von Urtheilen, die gefällt wurden,
sowie auf das vielgestaltige Ceremoniell, unter dem ihre Vollstreckung
stattfand, wollen wir nicht eingehen; nur eines eigenthümlichen
Falles, wie er sich mitunter ereignete, sei hier gedacht. Ein verstockter Häretiker steht vor dem Tode, aber nun wird ihm die Sache
leid. Was hat mit einem Solchen, der sich im letzten Augenblicke
bekehren will, zu geschehen? Eymerich läßt sich in seiner „Anleitung"
mit gewohnter Ruhe darüber vernehmen wie folgt: „Während nun
die bürgerliche Obrigkeit ihre Zurüstungen trifft, mögen sich einige
rechtschaffene, glaubenseifrige Männer zu dem Verbrecher hinbegeben
und ihn ermahnen, zur Kirche zurückzukehren und seine Irrthümer
abzuschwören. Wenn, nachdem das Urtheil gefällt und der weltliche
Arm in seine Function eingetreten ist, der Verurtheilte, sei es schon
beim Abführen zum Scheiterhaufen, sei es, während er an den Pfahl
gekettet wird, sei es erst, wenn er die Flamme schon spürt, erklärt,
er sei bereit zur Umkehr und zur Buße, so scheint es mir, man solle
ihn aus Erbarmen als Reuigen betrachten und ihn zu lebenslänglicher Einschließung begnadigen, gemäß der folgenden Bestimmungen
der päpstlichen Decretalen" (diese werden dann aufgezählt), „obgleich
ich nach meinen persönlichen Erfahrungen einer Bekehrung Solcher
Art keinen rechten Glauben schenke und deshalb eine Begnadigung
mir nicht so ganz gerechtfertigt erscheint. In Barcelona hat sich ein
solcher Fall ereignet. Drei unbußfertige, aber nicht rückfällige Häre-

tiler waren dem weltlichen Arm überlassen; als nun bei einem derselben, einem Priester, das um seine Beine aufgeschichtete Holz angezündet und er auf der einen Seite schon angebrannt war, flehte
er, man möge ihn aus dem Feuer herausnehmen, er wolle abschwören
und Buße thun. Er wurde losgemacht und verschwor seine Irrthümer wirklich. Ob wir aber wohl daran thaten, ihm das Leben
zu schenken, ist mir zweifelhaft. So viel weiß ich: vierzehn Jahre
später wurde er wiederum angeklagt; da stellte sich denn heraus, daß
er die ganze Zeit über nicht nur selbst in seiner Ketzerei verharrt,
sondern auch Viele mit dieser Pest angesteckt hatte. Jetzt verweigerte
er jede Umkehr und wurde, als unbußfertiger rückfälliger Häretiker
dem weltlichen Arm übergeben, diesmal zu Asche verbrannt" *). Man
sieht: die heilige römische Kirche hält sich, wo es ihr paßt, streng
an die Schrift. Bei Johannes XV, 6 heißt es ja wörtlich: „Wenn
Jemand nicht in mir bleibt, der wird wie eine Rebe hinausgeworfen
und verdorrt; man sammelt sie ein, wirft sie in's Feuer, und sie
brennt." Die Kirche konnte sich nicht besser in Respect setzen, als
durch ein solches Vorspiel der Hölle. Es geschah darum auch das
Mögliche, um recht Viele dazu heranzulocken. Am Schlusse eines
solchen Brandfestes, bei dem — wie jetzt bei den Frohnleichnams-
Processionen — die Abwesenheit der bürgerlichen Autoritäten von
den Glaubenseiferern übel vermerkt worden wäre, ertheilten nämlich
der Inquisitor oder der Bischof einen vollkommenen Ablaß. Es wäre
eine Mißachtung der kirchlichen Heilmittel, also schon halberwiesene
Ketzerei gewesen, wenn Einer sich nicht beeilt hätte, dem von den
Mönchen des h. Officiums der betreffenden Bevölkerung dargebotenen
gnadenreichen Feste beizuwohnen.

Das Jurisdictions-Gebiet der Inquisitoren.

Halten wir einen kurzen Ueberblick auf die Kategorien, welche
nach Eymerich's „Anleitung" dem Richterspruch des h. Officiums unter-

---

*) Der Name dieses Priesters soll nicht in Vergessenheit gerathen. Es war
Fray Bononato. Unter dem Pontificate Benedict's XII. (1334 bis 1342)
that sich eine Secte in Catalonien auf, deren Anhänger Eymerich „Begharden"
nennt. Nachrichten über dieselben finden sich bloß in inquisitionsfreundlichen, also
gegnerischen Aufzeichnungen. Der Führer dieser spanischen Dissidenten war
eben dieser Priester, dessen tragisches Geschick Eymerich uns in seinem „Directorium Inquisitorum" pag. 266 erzählt. Nachdem „Bruder Bononato" dem
Tode das erste Mal entronnen war, nahm er die Führerschaft seiner Glaubensgenossen wieder auf. In einem Privathause zu Villa Franca, einer Stadt zwischen Barcelona und Tarragona, hielt eine Gemeinde derselben ihre religiösen
Zusammenkünfte. Dort wurde er das zweite Mal festgenommen sammt allen
„Mitschuldigen", wie Eymerich sich ausdrückt. Die Letzteren theilten auch seinen
Tod in den Flammen. Das betreffende Haus wurde dem Erdboden gleich gemacht.

ſtanden. Vorweg Alle, welche die von der römiſchen Kirche geprebigten Lehren nicht blindgläubig hinnahmen oder in den von ihr gebotenen äußeren Gnadenmitteln nicht ihr Heil ſuchten; dieſe Alle waren Ketzer. Dann Diejenigen, welche Gott und die Heiligen läſterten. Wer in völliger Trunkenheit Läſterworte hervorſtieß, ſollte nicht ſofort beim erſten Male ſtraffällig ſein, aber bewacht werden. Wer nur halb betrunken war, mußte für ganz ſchuldig erkannt werden. Wem nachgewieſen wurde, daß er im Schlafe blaspemiſche oder ketzeriſche Aeußerungen gethan hatte, ſollte gleichfalls im Auge behalten werden, denn es war nur zu wahrſcheinlich, daß die Lippen unbewußt verriethen, was verborgen im Her̄en lauerte. Weiter Alle, die ſpöttiſche Bemerkungen machten über geweihte oder geheiligte Sachen. Zauberer und Wahrſager. Teufelsver̄hrer. Sollte man's glauben? — das h. Officium erfuhr, als ſeine ei̟ene Thätigkeit in vollſter Blüthe ſtand, während die Reformation erſt̄ wie Morgengrauen aufdämmerte und nur einigerorts ſchon das d̄üſtere Gewölk ſiegreich niederkämpfte, von Leuten, die dem Teufel op̟erten, vor ihm niederknieten, Hymnen ihm zu Ehren ſängen, ihn als „weißen" oder „ſchwarzen Engel" in den Litaneien um ſeine Fürbitte ̄ei Gott anfleheten! Ob alle dieſe Teufelsbündler gleich verdammlich ̄eien, darüber waren die römiſchen Theologen unter ſich nicht einig: ei̟ige meinten, nur Diejenigen, welche dem Gottſeibeiuns gute Worte gäb̄en, ſeien zu verurtheilen; Die, welche den Gehorſam des Höllenfürſten befehlshaberiſch forderten, ſeien ſtraflos zu laſſen, wenigſtens nicht als Ketzer zu behandeln. Wir wollen uns in dieſe heikele Angelegenheit nicht weiter einmiſchen und fahren in unſerer Aufzählung fort. Sterndeuter und Alchymiſten ſtanden auch unter der Jurisdiction der Glaubensrichter. Ebenſo die Mohamedaner und Juden. Letztere ſeien — ſo werden wir belehrt — nach den Worten des h. Paulus: „Diejenigen, die draußen ſind, richte ich nicht" allerdings der Kirche eigentlich nicht unterworfen; es ſtehe dem h. Officium aber doch zu, ſie zu verurtheilen, wenn ſie gegen den chriſtlichen Glauben geſprochen hätten; denn wer das thue, der beleidige die Kirche, und die Kirche habe das Recht, ſich gegen ihre Feinde zu ſchützen. Der Inquiſition unterſtanden endlich Alle, welche, wenngleich ſelbſt durchaus rechtgläubig, Ketzern Schutz und Schirm gewährten. Nur den allernächſten Verwandten ſollte einiger Anſpruch auf nachſichtige Beurtheilung in dieſer Beziehung zugebilligt werden — können, nach Gutbefinden der Richter. Zu den Begünſtigern der Häreſie wurden auch diejenigen bürgerlichen Beamten gerechnet, welche den Inquiſitoren und ihren Gehülfen nicht willig ſtarke Hand leiſteten oder angeklagten Perſonen gar zu Schlupfwinkeln oder zur Flucht verhalfen. Diejenigen, welche einem Ketzer Speiſe reichten, galten nur dann nicht als Beförderer der Häreſie, wenn der Hungernde ſchon dem Tode nahe war; um ihn den Belehrungsversuchen und den heilskräftigen Strafen des h. Officiums zu erhalten, waren milde Gaben zum sofortigen Verzehr gestattet.

Geistliche Privilegien der Inquisitoren.

Diese waren zahllos — sind zahllos müssen wir eigentlich sagen, denn in Rom leben ohne Zweifel noch alte Inquisitions-Practiker, welche dieselben als ihr gutes Recht in Anspruch nehmen. Das Hauptvorrecht der Inquisitoren war, daß sie, einem Grundprincip aller ordentlichen Justiz zuwider, in eigener Sache Recht sprechen konnten. Es heißt ausdrücklich: „Diejenigen, welche Mitglieder des h. Officiums kränken und beleidigen, dürfen von Letzteren selbst angeklagt und bestraft werden, denn die ihnen zugefügte Injurie ist als gegen die Kirche gerichtet zu betrachten." Und es handelte sich dabei um Leib und Leben, um Hab und Gut, denn es war bestimmt: „Diejenigen, welche einen Advocaten, Procuratoren, Notar oder sonst einen Diener des h. Officiums schlagen, mißhandeln, niederwerfen oder durch Drohungen von der Erfüllung seiner Amtspflicht abzuhalten suchen, sind mit dem Tode zu bestrafen, ihre Erben mit der Confiscation des Vermögens und mit allen Bußen, welche in Hochverrathsfällen zulässig sind."

Die Inquisitoren und ihre Helfer standen überhaupt so gut wie über den bürgerlichen Gesetzen. „Ungeachtet der allenfallsigen Vorschriften der Staats- oder Stadt-Behörden dürfen die Officianten und Familiaren der Inquisition verbotene Waffen tragen zu jeder Zeit, bei Tag und Nacht." Dasselbe Vorrecht galt für Diejenigen, welche von den Inquisitoren zur Hülfe aufgerufen wurden. Wo, wie etwa zur Schreckenszeit der französischen Protestanten (1547 bis 1559) zu Paris die Menge fanatisirt war, wäre es also kein Ding der Unmöglichkeit gewesen, daß das h. Officium durch Ausnutzung dieses Vorrechtes das Volk gegen die gesetzlichen Autoritäten selbst bewaffnet hätte. Kurz es war dem Inquisitions-Institut eine solche Fülle von Ausnahmsrechten und so große Macht zugetheilt, daß es erhaben stand über allen ordentlichen Gewalten in Kirche und Staat. Kein canonisches Gesetz zog seiner Willkür Schranken, nur vor dem Papste, dessen Cardinälen und Delegaten mußte es Halt machen, „denn das Werk soll sich nicht erheben über den Meister."

Ablaß-Gnaden für die Inquisitoren.

Wir können dieses Kapitel nicht besser schließen, als mit der wörtlichen Wiedergabe eines Schriftstücks, welches unter den Manuscripten des „Britischen Museums" in London aufbewahrt wird und aus der Blüthezeit der Inquisition in Mexiko herrührt. Es ist ein „Verzeichniß der Ablässe, so den Dienern des h. Officiums und Allen, welche ihnen Beistand leisten, sind zugestanden worden."

„Das Inquisitions-Tribunal dieser Stadt Mexiko u. s. w. hat, gedrängt von seinem Eifer für die Reinheit des Glaubens und seiner väterlichen Liebe sowohl gegen die officiellen Diener seines Bezirks wie gegen alle Diejenigen, welche denselben ihr h. Amt durch ihren Beistand erleichtern, beschlossen, mit möglichster Genauigkeit und in größter Vollständigkeit alle die ausgezeichneten und speciellen Ablässe, Exemptionen und sonstigen geistlichen Gnaden zusammenzustellen und im Drucke zu veröffentlichen, wie sie von so vielen Päpsten im Laufe der Zeit den vorhin bezeichneten Personen zur Belohnung gewährt worden sind. Wir thun das, damit Niemand durch Unkenntniß dieser kostbaren und reichen Schätze abgehalten werde, sich dieselben zu eigen zu machen, dann auch um die anderen frommen Christen und Katholiken, welche bisher so heilskräftigen Lohn für ihre Arbeit zum Wohl der Kirche sich bereits zu verdienen wußten, zu ermuntern, in ihrem gottgefälligen Werke fortzufahren und auszudauern.

„Die besagten Ablässe sind folgende:

„1. Vor Allem einem Jeden, der im Dienste und in der Gunst des h. Officiums mit wahrer Reue über seine Sünden und — sofern ihm dies möglich ist — nach aufrichtigem Bekenntnisse derselben vor einem Priester, aus diesem Leben abscheidet, ein vollkommener Ablaß. (Gregor IX. 1238 in der Bulle, welche beginnt mit den Worten: »Ille humani generis pervicax inimicus«.)

„2. Alle, welche den Predigten beiwohnen, die bei den öffentlichen Acten des h. Officiums gehalten werden, gewinnen einen Ablaß von zwanzig Tagen. (Gregor IX. in derselben Bulle.)

„3. Jedem, der das h. Officium gegen die Häretiker und ihre Zuhälter, Begünstiger und Vertheidiger unterstützt, ist ein Ablaß von drei Jahren gewährt. (Gregor IX. in derselben Bulle.)

„4. Se. Heiligkeit Papst Innocenz IV. hat im neunten Jahre seines Pontificates, im 1252. Jahre nach der Geburt unseres Herrn Jesus Christus, die Herren Inquisitoren bevollmächtigt, ihren Gehülfen und Freunden Ablässe von zwanzig und vierzig Tagen zu gewähren.

„5. Diejenigen, welche mit Eifer irgendwie thätig und behülflich sind bei der Festnahme, der Abführung und der Einsperrung von Ketzern; weiterhin Diejenigen, welche den statutenmäßigen Processionen, und den wo immer stattfindenden öffentlichen oder privaten Abschwörungen reumüthiger Ketzer beiwohnen; dann Diejenigen, die an der Bekehrung und der religiösen Unterweisung der Häretiker mitwirken oder bei solchen Belehrungen auch nur mit empfänglichem Gemüthe anwesend sind; endlich Diejenigen, welche den Herren Inquisitoren mit Rath und That gegen die Ketzer, deren Parteigänger,

Helfershelfer und Vertheidiger beistehen und sie auf irgendwelche Art begünstigen — alle in der Ausübung ihrer Amtspflichten. Solche verdienen sich nach dem Sinne der Kirche vierzig Jahre Ablaß. (Paul V. im Jahre 1611 in der Bulle: »Cum inter caeteras«.)

„6. Die Diener des h. Officiums sind berechtigt, das Abzeichen der Kreuzfahrer zu tragen, und gelten als Kreuzfahrer; an dem Tage nun, an welchem sie in's h. Officium aufgenommen und vereidet werden, sollen sie nach abgelegter Beicht und Empfang der Communion aller Ablässe und Nachlassungen theilhaftig werden, welche durch das Concil von Clermont Denjenigen bewilligt sind, welche wirklich in's h. Land zu dessen Wiedereroberung ausziehen. (Innocenz IV. in der Bulle: »Malitia hujus temporis« vom Jahre 1254.)

„7. Außerdem gewinnen dieselben Personen, wenn sie am Tage ihrer Aufnahme und Vereidigung die vorhin aufgeführten Bedingungen erfüllt, oder im Falle entgegenstehender Hindernisse wenigstens aufrichtige Reue über ihre Sünden erweckt haben, von jenem Tage an gerechnet, ein Mal in ihrem Leben und dann wieder in der Todesstunde vollkommenen Ablaß und gänzlichen Nachlaß aller ihrer Sünden. (Clemens VII. 1530 in der Bulle: »Cum sicut ex relatione«.)

„8. Dieselben Personen sollen ein Mal im Leben und dann wieder in der Todesgefahr losgesprochen werden von Allem, wovon sonst nur der Papst absolviren kann, auch von den in der Bulle: »In coena Domini« reservirten Fällen, vorausgesetzt, daß sie vorschriftsmäßig beichten oder doch den guten Willen hierzu haben. (Clemens VII. in der vorgenannten Bulle.)

„9. Dieselben Personen gewinnen an jedem Tag, an welchem sie zu fünf Altären pilgern und dort knieend einen Psalm und fünf Vaterunser mit dem »Ave Maria« beten — oder im Falle sich an ihrem Wohnort nur Ein Altar befindet, diese Gebete an demselben fünf Mal wiederholen — alle die Ablässe, welche durch den Besuch der Altäre der Stationen zu Rom*) gewonnen werden können. (Derselbe in der nämlichen Bulle.)

„10. Denselben Herren Inquisitoren ist die Vollmacht ertheilt, Jeden vom Interdict, von der kirchlichen Ueberwachung und Excommunication, mögen diese Straf- und Zuchtmittel durch die canonischen Gesetze oder durch besondern Urtheilsspruch ihm auferlegt sein, zu

---

*) Die fünf sogenannten Patriarchal-Basiliken, welche mit S. Croce in Gerusalemme und S. Sebastiano fuori le mura die sieben Kirchen bilden, die von Rom-Pilgern processionaliter und ex officio besucht werden, sind in folgenden Versen genannt:

„Paulus, Virgo, Petrus, Laurentius, atque Joannes
Hi patriarchatus nomen in urbe tenent.“

entbinden; ebenso von den Strafen, welche dadurch verwirkt sind, daß Einer kirchliche Gebäude durch Brandlegung oder sonst beschädigt oder daß er Hand gelegt hat an Kleriker, kurz von allen und jeden Censuren, die im Allgemeinen von den Päpsten ausgesprochen sind. Bei dieser Vollmachtertheilung ist allerdings vorausgesetzt, daß die in den Dienst des h. Officiums Aufgenommenen auch mit Eifer in diesem Dienste verharren. (In der schon aufgeführten Bulle Innocenz' IV. von 1254: »Malitia hujus temporis«.)

„11. Die Herren Inquisitoren sind auch befugt, alle die Gelübde und Versprechen, welche sie gethan haben, in ihnen zusagendere Leistungen umzuwandeln; ausgenommen ist hiervon das Gelübde einer Kreuzfahrt und solche, welche immerwährende und ihrer Natur nach unabänderliche sind. (Ebendaselbst.)

„12. In Zeiten eines allgemeinen Interdicts dürfen sie die Messe hören und allem sonstigen Gottesdienst beiwohnen, auch mit kirchlichen Ehren begraben werden; doch soll dies ohne Pomp geschehen. (Clemens VII. in der obenangeführten Bulle vom Jahre 1530.)

„13. Die Diener des h. Officiums sollen, so lange sie im Amte verharren und man ihrer darin bedarf, nicht excommunicirt werden, selbst nicht durch einen Delegaten oder Subdelegaten des Apostolischen Stuhls, sofern dieser nicht eigens vom Römischen Papste hierzu angewiesen ist unter ausdrücklicher Erwähnung, daß in diesem besonderen Falle das vorstehend bezeichnete Privilegium eine Ausnahme erleide und aufgehoben sei. (Urban IV. in der Bulle: »Ne inquisitionis negotium« vom Jahre 1261.)

„14. Die Herren Inquisitoren haben Vollmacht, die geistlichen Mitglieder des h. Officiums von allen Irregularitäten, in die sie verfallen sein können, sei es daß sie im Stande der Excommunication oder an einem interdicirten Orte Messe gelesen, sei es daß sie sich dieselbe auf sonst eine Art zugezogen haben, zu entbinden; nur darf der Fall nicht vorliegen, daß sie der Schlüsselgewalt des Apostolischen Stuhles zum Trotz als Excommunicirte die Messe celebrirt haben, oder daß sie selbst die specielle Ursache gewesen sind, daß der Ort, an dem sie das h. Opfer feierten, mit dem Interdicte belegt wurde, wie dies des Breiteren in den angeführten Bullen Innocenz' IV. und Clemens' VII. auseinandergesetzt ist.

„15. Diejenigen Klostergeistliche, welche zugleich als Diener des h. Officiums fungiren, sind in allen dieses ihr Amt betreffenden Punkten der Gehorsamsleistung gegen die Obern und Würdenträger ihres Ordens enthoben. (Alexander IV. in der Bulle: »Catholicae fidei negotium« vom Jahre 1260.)

„16. Die Diener des h. Officiums, wenn sie eine reuige Beicht abgelegt und mit dem Brode des Heils sich gestärkt haben, sollen einmal im Jahre, dann am Vorabend und am Tage selbst, an welchem das Gedächtniß des ruhmreichen St. Petrus Martyr begangen wird, sowie am Feste Kreuzerhöhung durch den Besuch einer dem genannten Heiligen gewidmeten Kirche oder Kapelle oder auch nur eines Oratoriums der nach ihm genannten Bruderschaft einen vollkommenen Ablaß und Vergebung aller Sünden gewinnen; sie haben dabei zu beten um den Sieg der h. Römischen Kirche, für die Erhöhung des h. katholischen Glaubens, um die Ausrottung der Ketzereien, für das Wohlbefinden des h. Vaters, um Frieden und Eintracht zwischen den christlichen Fürsten. (Paul V. in der schon angezogenen Bulle vom Jahre 1611: »Cum inter caeteras«.)

„17. Denselben Personen werden unter den nämlichen Bedingungen, wenn sie eine der besagten Kirchen oder Kapellen oder ein Oratorium der Bruderschaft vom h. Petrus Martyr besuchen an einem der folgenden Feste: Kreuzerfindung, Weihnachten, Maria-Verkündigung, Mariä-Himmelfahrt und Allerheiligen, oder am Vorabend dieser Feste und dabei die aufgezählten Fürbitten verrichten, einmal im Jahre und an jedem der genannten fünf Tage vierzig Jahre Ablaß zugesichert. (Ebendaselbst.)

„18. Damit aber Niemand daran zweifele, daß Diejenigen, welche im Dienste des h. Officiums wirken, in der That aller geistlichen Gnaden, die den Mitgliedern der Bruderschaft des ruhmreichen St. Petrus Martyr zugesichert sind, theilhaftig werden, auch wenn sie in die Liste dieser Confraternität nicht eingeschrieben sind, so wollen wir das letzte Kapitel dieser Bulle Wort für Wort hersetzen. Dasselbe lautet:

„19. »Es ist unsere Absicht und unser Wille, daß die besagten Ablässe und Gnaden zu Theil werden sollen sowohl jedem der Inquisitoren selbst, wie allen Commissaren, Beisitzern und übrigen Beamten, endlich allen Dienern und Familiaren des h. Officiums, wo immer dieselben wohnen und sich aufhalten mögen und trotzdem sie in die Mitgliederzahl der genannten Bruderschaft nicht eingereiht sind, wenn sie nur ihre Obliegenheiten gegen das h. Officium eifrig erfüllen. Dasselbe gilt auch von allen Andern, die nicht ausdrücklich aufgeführt sind und sich um die h. Inquisition verdient machen. Und es soll dieser Gnadenverleihung Nichts im Wege stehen und hinderlich sein: nicht apostolische Constitutionen und Ordonnanzen, auch nicht Unsere eigene Gepflogenheit, sparsam zu sein in dergleichen Gewährungen, oder sonst etwas Gegentheiliges. Gegeben zu Rom in der Marcuskirche, unter dem Fischerring, am 29. Juli 1611, im siebenten Jahre Unseres Pontificates.«

„20. Diese sämmtlichen Indulgenzen und Vorrechte sind nicht nur, wie sie hier einzeln aufgezählt wurden, einzeln gewährt, sondern durch andere Bullen in ihrer Gesammtheit bestätigt worden; so

namentlich in der Bulle Calixtus' III. vom Jahre 1458, welche beginnt: »Injunctum Nobis desuper«, dann in der Pius' V. von
1570: »Sacrosanctae Romanae et universali Ecclesiae«. Hier
wie dort sind sie zugesprochen den Dienern des h. Officiums für
jetzt und allezeit, abgesehen und unabhängig von deren übrigen eigenthümlichen Gerechtsamen und Befugnissen, wie sie durch die Gesetze,
Verleihungen, Gebrauch, Uebung und Sitte festgestellt und in päpstlichen wie königlichen Rescripten bestätigt sind."

Darüber ist Angesichts dieser Zusammenfassung der päpstlichen
Gnadenerweise an die Mitglieder und Helfer der Inquisitions-Tribunale selbst dem zweifelsüchtigsten Gemüthe wohl kein Zweifel mehr
gestattet, daß das h. Officium keine weltliche Institution, auch kein
Privat-Unternehmen, sondern eine für wesentlich erachtete Einrichtung
der römischen Kirche war.

Zwölftes Kapitel.

Die „katholischen Majestäten" Ferdinand und Jsabella und der erste Groß-Jnquisitor Torquemada.

„Ein Glück für Spanien war es, daß um diese Zeit in Castilien ein neues und heiliges Tribunal errichtet und mit strengen, eifrigen Richtern besetzt wurde zum Zwecke der Aufspürung und Vertreibung der Ketzer und Abtrünnigen — andere Richter als die Bischöfe, welche dieses Amt und diese Gewalt vordem geübt hatten. Zur Lösung der besagten Aufgabe bekleideten die römischen Päpste diese Richter mit der nöthigen Autorität und gaben Anweisungen, daß die Könige ihnen dabei mit ihrer Gunst und ihrem Arm behülflich sein sollten. Diese Richter nannte man Jnquisitoren, nach den Obliegenheiten ihres Amtes, welches ja im Jnquiriren der aufgesuchten Ketzer besteht, ein Verfahren, welches in Italien, Frankreich und Deutschland nunmehr schon ganz allgemein ist, ebenso im Königreich Aragonien. Castilien, immer von dem Wunsche beseelt, die ungeheuerlichen Frevel am Glauben und an der Autorität der Kirche gebührend zu züchtigen, wollte gegen die übrigen Staaten nicht länger zurückstehen. Es wird freilich berichtet, daß auch früher schon Jnquisitoren ihres Amtes in Castilien gewaltet hätten, aber nicht in der Weise und mit dem Nachdrucke.

„Es ist der Cardinal von Spanien" [Mendoza], „dem wir hauptsächlich die Anregung und Betreibung dieser Heilsanstalt zu verdanken haben. Derselbe erkannte, daß in Folge der übergroßen Zügellosigkeit der voraufgegangenen Jahre und der Einmischung von Mauren und Juden in den Handel und Wandel der Christen gar Mancherlei im Königreiche aus den Fugen gegangen war. Bei dieser Zügellosigkeit konnte es nicht anders kommen, als daß auch manche Christen von der häretischen Verderbniß angesteckt wurden; größer war jedoch noch das Unheil, daß Viele, welche sich vom Judenthum belehrt hatten, wieder abfielen und zu ihrem früheren Aberglauben zurückkehrten. In Sevilla war dieses Uebel ärger geworden als sonstwo im Lande. In dieser Stadt begann man darum mit dem Aufsuchen der Abtrünnigen und der Bestrafung Derjenigen, welche man schuldig erkannte. Wer sich schwer vergangen hatte, der wurde, oft erst nach langer Haft und peinlichen Verhören, lebendig verbrannt. War das Vergehen jedoch nur ein leichteres, so begnügten sich die Inquisitoren mit der Ehrloserklärung der betreffenden Familie. Nicht Wenige wurden mit der Confiscation ihres Vermögens und lebenslänglicher Einsperrung gestraft. Nur Einzelne kamen davon, ohne mindestens zum Tragen des Sambenito verurtheilt zu werden. Das ist ein sackartiges Bußgewand von grobem gelbem Wollenzeug ohne Aermel, das am Halse anliegt und bis zu den Knien reicht. Rothe Andreaskreuze sind daraufgenäht. Die Träger dieses Kleides waren badurch vor ihren Mitbürgern kenntlich gemacht. Letztere sollten vor ihnen zurückgescheucht werden und an dieser schändenden Strafe sich ein Exempel nehmen. Das hat sich denn auch durch die Erfahrung recht gut bewährt, obgleich die Bevölkerung es Anfangs doch arg fand."

So erzählt der spanische Jesuit Johann de Mariana in seinem Buche: „Historiae de rebus Hispaniae libri XXX", von welchem Buche im Jahre 1605 der Schluß im Drucke erschien. P. Mariana ist einer der namhaftesten Geschichtschreiber der Jesuiten, obgleich er, wie Ranke nachweist, alles Thatsächliche dem Zurita entnimmt und die Dinge nur in seiner originellen Art darstellt. Auch war er den Päpsten nicht blind ergeben; vielmehr stellt er sich Alexander VI. gegenüber auf Seiten des Florentiner Mönchs Savonarola, den dieser wegen seines Drängens auf Reformation der Kirche hatte hängen und verbrennen lassen, und klagt gegen den Ersteren, er habe seinen Sohn Cäsar Borgia „gegen alles Recht, gegen alle Pflicht, gegen alle Forderungen der Billigkeit" aus dem geistlichen Stand wieder austreten lassen. Das Alles zeigt, daß der Mann sonst recht gut mit eigenen Augen zu sehen befähigt war — die Inquisition aber erscheint ihm wie allen übrigen Glaubenseiferern als eine Anstalt des Heils.

Der von Mariana genannte Cardinal Mendoza mag wohl bei der Aufrichtung des neuen Tribunals in Spanien mitgewirkt haben; seiner Anregung dazu hat es schwerlich bedurft. Papst Gregor IX., der würdige Nachfolger Innocenz' III., hat eben in Spanien, in der Grafschaft Toulouse und im Königreich Frankreich das Werk vollendet, welches sein Onkel Innocenz begonnen hatte. Durch eine vom 26. Mai 1232 datirte Bulle installirte er Dominicaner-Mönche als Inquisitoren in Aragon; in der Folge beschenkte er dann die Königreiche Navarra, Castilien und Portugal mit derselben Einrichtung. Das Königreich Granada konnte derselben noch nicht theilhaftig werden; denn es befand sich noch im Besitze der Mauren. Welch' schmerzliche Entbehrung dies für jenes Land war, ergibt sich aus einer stehend gewordenen Redensart des würdigen Erzbischofs Talevera, der selbst zu Granaba unter ben Mauren lebte: „maurische Handlungen und spanischer Glaube sei Alles, was zu einem guten Christen gehöre."

Zehn Jahre später wurde auf einem in der Seestadt Tarragona in Aragonien abgehaltenen Concil das — wenn man so sagen barf — Technische der spanischen Inquisition in die kunstgerechten Formen gebracht. Raymund von Pegnaforte, des Papstes Pönitentiarius, führte babei, auf die Einlabung Peter's, des Erzbischofs der Stadt, den Vorsitz. Die termini technici für den Betrieb des Inquifitions-Geschäftes wurden festgestellt; man einigte sich über die Begriffe von „Rechtgläubigkeit" und „Ketzer", von „leichtem", „schwerem" und „bringendem Verdacht"; man wurde handelseins, wer ein „Beförderer", ein „Hehler", ein „Vertheidiger der Ketzer", wer ein „rückfälliger Häretiker" sei. u. s. w. Die ehrwürdigen Väter dieses Concils ordneten weiterhin auch einen Theil des practischen Verfahrens bei den Processen. Ganz so ausgebildet, wie wir es in dem voraufgegangenen Kapitel nach Eymerich und Pegna geschildert haben, wurde es damals noch nicht — „gut Ding will Weile haben".

In der oben aus Mariana's Geschichte mitgetheilten Stelle ist schon angedeutet, daß ein großer Theil der spanischen Bevölkerung aus Juden bestand. Es waren die Nachkommen entweder von solchen Einwanderern, die aus anderen Ländern vor der Verfolgung hatten flüchten müssen, oder von solchen, die theilweise schon viele Menschenalter vor Christi Geburt sich auf der pyrenäischen Halbinsel niedergelassen hatten, um dort Handel zu treiben. Sie waren unter den mohamedanischen Herrschern wie auch längere Zeit unter den christlichen Königen bürgerlich frei. Die kaiserlichen Strafedicte gegen die Nichtchristen hatten aus Italien, die vom römischen Klerus geschürten Pöbelhetzen aus England u. s. w. immer neuen Zuwachs herbeigeführt. Und die Fremdlinge brachten ihre Angelegenheiten vorwärts: weil sie die betriebsamsten waren, wurden sie bald auch die reichsten und angesehensten Einwohner des Landes. Ihre Arzneikundigen waren die gesuchtesten Aerzte, ihre Gelehrten die berühmtesten Lehrer an den Schulen; für alle Staatsämter zeigten sie sich anstellig und geschickt; Diejenigen unter ihnen, welche das Christenthum annahmen — man nannte sie „Neuchristen" — bekamen Töchter aus den angesehensten Familien des Landes; alles das der Feindschaft des Klerus, dem Volks-Fanatismus und der widrigen Gesetzgebung der Cortes oder Parlamente zum Trotz. Wie anderswo unter den Nationen des Abendlandes, wurde auch hier der Reichthum und das Ansehen der Juden und der „Neuchristen" denselben zum Ver-

derben. Wie im mittelalterlichen England hatte der Verlauf folgende
Stadien: erst wurden die Juden die Gläubiger der Christen, dann
deren Opfer. Das, was man „Wucher" nennt, d. h. das Nehmen
von soviel Zinsen, als eben zu bekommen war, war freilich von den
Gesetzgebern verboten — auch die Leute, welche als solche fungirten,
liehen, was sie brauchten, lieber zu niedrigen Gebühren als zu hohen;
die Juden behaupteten aber ihre Rechte, die ihnen beim Abschlusse
des Geschäfts eingeräumt worden waren. Sie bestanden auf ihrem
Schein. Daraufhin sahen die Christen reinen Bluts sich dann ihre
Gläubiger erst recht an und fanden, daß sie es mit ungenügsamen
Personen zu thun hätten, die darauf aus seien, die Katholiken an
den Bettelstab zu bringen. Kein Wunder! — es waren ja die
Nachkommen jener Rotte, die Christum gekreuzigt hatten und von
diesem selbst der Herzenshärtigkeit beschuldigt worden waren. Da
wurden dann Tag um Tag die Magistrate aufgerufen gegen solche
„gierigen" Mitbürger, die das Land aussaugten, oder ganz kurzer
Proceß gemacht — die Gläubiger todt geschlagen und gewaltsam be-
erbt. Und sollte denn für die sonst überall in ganz Europa von
priesterlichem Fanatismus ausgestreuten und gepflegten, selbst im
nebeligen England so poetisch verklärten Märchen von den Freveln
der Juden gegen den christlichen Glauben und die heiligen Bräuche
der Kirche im „Lande der Orangen und der Gesänge" ein unfrucht-
barer Boden gewesen sein? Was die englische Phantasie in dieser
Beziehung geleistet hat, erzählt uns die Abtissin in Chaucer's „Can-
terbury-Geschichten": Ein Christenknabe ärgert die Judenschaft damit,
daß er, an ihren Häusern vorbeigehend, unablässig seine Stimme
zum Lobe der Gottesmutter erschallen läßt. Die Bösewichte fangen
ihn ab, durchschneiden ihm „den Hals bis zum Wirbel" und werfen
ihn in eine unsagbare Grube. Aber seine Mutter entdeckt ihn doch
nach langem Suchen:

> „Wie er zerschnitt'nen Halses lag im Schacht,
> Hat „Alma Redemptoris" er gesungen
> So laut, daß rings davon der Platz erklungen."

So erzählte sich denn auch der spanische Judenhaß damals:
diese Christenfeinde hätten einen Knaben zum höhnenden Andenken
an den Tod des Erlösers gekreuzigt und ihr Passa-Mahl mit dem
Fleisch und Blut eines Christenkindes begangen. Warum sollte das
frommgläubige Volk in solchen Dingen nicht den im Zorne auf die
Juden hinweisenden Finger Gottes erkannt haben, wenn noch im
19. Jahrhundert (1825) zu Rom bei der Seligsprechung des spanischen Minoriten Julianus unter den durch ihn gewirkten Wundern
auch das aufgeführt wurde, daß er bereits halbgebratene Vögel vom
Bratspieß abgestreift und wieder lebendig gemacht habe?

Der Volkshaß gegen die Juden entlud sich endlich im Jahre 1391, entzündet durch die aufreizenden Predigten eines Archidiaconus der Stadt Ecija, der heißesten Spaniens und darum „el sarten" — „die Schmorpfanne" von Andalusien genannt. Zu vielen Tausenden wurden sie erschlagen und ihre Synagogen in christliche Kirchen um- gewandelt. Das Blutbad fand gleichzeitig fast im ganzen christlichen Spanien statt. Gegen 35,000 Juden retteten sich durch sofortige Annahme der Taufe. In Valencia allein sind es deren nach Zurita an 11,000 gewesen. Als für so viele, von der Todesangst gleich- zeitig zu den Taufbrunnen der dortigen Kirchen getriebenen Menschen das Chrisma, sie zu salben, nicht ausreichte, füllten die Büchsen sich immer von neuem wieder. So hatte man, was man Angesichts der altkirchlichen Verbote der Zwangstaufen brauchte: eine Bestätigung des himmlischen Wohlgefallens.

Von dem genannten Jahre und seinen blutigen Tumulten ab bis zum Schlusse des Säculums waren es dieser dem Namen nach „Bekehrten" bereits weit über eine Million. Nicht als ob man sich hätte genügen lassen an dem Wechsel des Namens des Bekenntnisses — man wollte auch die Ueberzeugung umwenden. Der für seine Dienstleistungen den Heiligen beigesellte Dominicaner Vincenz Ferrer aus Valencia durchzog das Land; er führte sogar, wie seine Bio- graphen sagen, Sänger und Orgeln mit sich und predigte „gewal- tiglich". Unter dem ihm in Schaaren nachziehenden Volk von „Bü- ßern" und „Geißlern" muß es wohl wüst hergegangen sein, denn Gerson, der berühmte Kanzler der Pariser Universität, der gewaltigste Redner auf den Concilien jener Zeit, ein Mann so fromm, daß man ihm das Buch „Von der Nachfolge Christi" zutraute, drang in ihn, sich dieses Gefolges zu entledigen. Es war dem Vincenz ernst mit seiner Sache; er hielt sich vor Allem für berufen, der Welt zu ver- kündigen, daß das Erscheinen des Antichrist in Kurzem bevorstehe, damit die Menschheit sich auf den schweren Kampf vorbereite. An Benedict XIII., den Einen von Denen, die augenblicklich Papst spiel- ten, schrieb er, er wisse genau, daß der Antichrist bereits neun Jahre alt sei; Vielen war es gleichzeitig geoffenbart worden; durch kirch- liche Beschwörungen zum Geständniß gezwungene Dämonen hatten es durch den Mund der von ihnen Besessenen ausgesagt.

In den ersten zehn Jahren des 15. Jahrhunderts gab es eine zweite große Schaar gezwungener Bekehrter, ihren jüdischen Glaubens- genossen zum Leid und zu ihrem eigenen schließlichen Verderben. Unter die schärfste Ueberwachung der Inquisitoren gestellt, waren sie nicht im Stande, auch nur äußerlich eine Anhänglichkeit an die Kirche kund zu geben; sie hatten ihr widriges Joch zwar auf sich genom- men, aber sie haßten sie doch schon wegen des Zwanges, durch den sie ihr zugeführt worden waren, von Grund ihres Herzens. Nun

rühmte sich die Papstkirche, sie habe das Judenthum in Spanien überwunden. Und doch hätten ihre höchsten Vertreter Besseres zu thun gehabt: es zankten sich wieder einmal Mehrere um die „Statthalterschaft
Gottes" wie Marktschreier um die Kundschaft. Einer von diesen, der
Spanier Peter von Luna, der vorhin genannte Benedict XIII., wurde
weder in Rom noch in Frankreich anerkannt und war schon drei Jahre
in Avignon eingeschlossen gehalten worden; jetzt zog er in Spanien umher. In seiner Gegenwart wurde nun eine förmliche Disputation über
Judenthum und Christenthum gehalten. Dieselbe dauerte 69 Tage —
man kann sich denken, was in dieser Zeit zusammengespuckt wurde. Auf
der einen Seite stand Hieronymus von Santa Fé und andere vom
Judenthum „Bekehrte", auf der andern eine Schaar von Rabbi. Benedict XIII. wohnte dem Gezänke pflichtmäßig bei. Die Sache kam zum
voraussichtlichen aber programmmäßigen Schluß. Ueberzeugt war Keiner worden von seiner Gegenseite, aber die Christen hatten gesiegt. So
erklärte der Halbpapst; dabei gab er zu verstehen, die Hartnäckigkeit
der Juden mache strengere Maßregeln gegen sie nöthig. Der Grad
der Verachtung, welcher den getauften Juden zu Theil wurde —
seitens der Reichen des Interesses wegen, seitens der Volksmassen
aus Fanatismus — richtete sich nach der Glaubensstufe, die sie er-
klommen hatten. Am besten standen sich in dieser Beziehung die
„Bekennenden", so genannt, weil sie, scheinbar aufrichtig, zugaben,
daß das Judenthum eine falsche Religion sei; schlimmer ging es den
bloß „Bekehrten", deren christliche Glaubenstreue vielfach mit Recht
bezweifelt werden konnte. Wann und wo diese Zweifel zu sicheren
Vermuthungen und offenbarer Gewißheit sich verdichteten, bediente
man sich nach dem Vorgange der Priester der schwerzudeutenden Benennung „Marranos" für alle verdächtigen Christen jüdischer Ab-
stammung. So in steter Angst vor hinterhaltiger Verfolgung seufzten
die „Neuchristen" nach Befreiung von diesem Druck. Einzelne erhoben
sich zu dem Muthe, einem Glauben, dessen Wahrheit sie innerlich
nicht erfuhren, auch äußerlich wieder zu entsagen; die Meisten lebten
heimlich nach ihren alten Ueberzeugungen und dem Glauben ihrer
Väter. Das eröffnete dem Eifer der Inquisitoren ein neues Feld.
Aber der Schaffer waren zu wenige für die große Arbeit; man
wandte sich deshalb an den Herrn des Weinbergs, nach Rom, daß
er neue Werkleute sende. Denn auch die Mauren und Halb-Mauren
oder Moresken im Königreiche Granada forderten den strafenden Arm
des h. Officiums fortwährend heraus.

Schon im Jahre 1472 brach zuerst in Córdova ein blutiger
Aufstand gegen die Neuchristen aus, der von Stadt zu Stadt sich
fortpflanzte: den getauften Juden erging es jetzt wie früher den
ungetauften. Die Leichname der Erschlagenen lagen zu Tausenden
in den Häusern und auf den Straßen. So war die spanische Be-

völkerung vorbereitet, sich ein sonst verabscheutes Institut aufdrängen zu lassen. Noch im Jahre 1420 hatte der Adel von Valencia den Bemühungen des Königs Alfons V., die Inquisition in dieser Stadt einzuführen, drei Monate lang energisch Widerstand geleistet. Stammeshaß und Argwohn aus religiösen Gründen, verbunden mit Mißgunst und Geldgier — die Neuchristen gehörten größtentheils zu den Reichen — hatten jetzt eine Stimmung erzeugt, welche der schlaue König Ferdinand, „der Katholische", bei gegebener Gelegenheit zu benutzen der rechte Mann war. Da, im Jahre 1477, kam ein gewisser „Bruder Philipp de Barberi", ein Sicilianischer Inquisitor, an den Hof der „katholischen Majestäten" Ferdinand's und Isabella's, welche bekanntlich auch die Herrscher von Sicilien waren, um von ihnen die Bestätigung für einige Privilegien zu erbitten, die dem h. Officium auf dieser Insel neuerdings vom Papste gewährt worden waren. Er erkannte die Gefahr, in welcher die Kirche in den fast das ganze spanische Territorium umfassenden vereinigten Königreichen von Castilien und Aragonien schwebte und rieth dem Herrscherpaar die Einsetzung eines obersten Inquisitionshofes, wie er in Sicilien bestehe und sich wohl bewähre; das sei das einzige Mittel, um die Marranen, Moresken, Juden und Muselmanen mit Erfolg zu bekämpfen.

Das Samenkorn dieses guten Rathes fiel auf fruchtbaren Boden; auch fehlte es nicht an Solchen, die ihm durch Begießen zum Keimen und Gedeihen verhalfen: neben den hoffähigen Dominicanern bemüheten sich auch einige enge mit Rom liirten und deshalb besonders glaubenseifrigen Würdenträger des Weltklerus, den Herrschern an's Herz zu legen, wie schön und förderlich es wäre, wenn man in Spanien eine Inquisition habe nach dem sicilianischen Muster. Sie appellirten an den kirchlichen Eifer der Königin Isabella und trugen Sorge, daß ihre Ohren nicht leer wurden von Gerede über jüdische Mordthaten und Heiligthums-Profanationen. Beim Könige Ferdinand verwiesen sie darauf, wie seitens der Kirche die Vermögens-Confiscation als eins der kräftigsten Strafmittel gegen Ketzer angesehen werde. Was in dieser Beziehung an Gesetzen von Rom zu verlangen sei, würden sie gern und schnellstens besorgen. Danach hatte Ferdinand „der Katholische" kein Bedenken mehr. Ferdinand von Aragonien und Isabella von Castilien, die nunmehrigen gemeinschaftlichen Herrscher Gesammt-Spaniens, mit kostspieligen Entwürfen und weitgreifenden Kriegsplänen sich tragend, befanden sich in dringender Geldnoth. Der zeitgenössische Geschichtschreiber Hernando del Pulgar hat anschaulich geschildert, wie die Königin Schulden auf Schulden häufte und erst die Städte um gezwungene Anleihen, dann einzelne Edelleute und selbst begüterte Frauen, kurz Jeden, der Etwas besaß, halb bittend, halb befehlend, um Vorschüsse anging. Der Krieg verschlang Alles. Ferdinand hatte seinerseits die äußerste Grenze in Auflegung

neuer Steuern, auch auf den Klerus, erreicht, und felbft das Silber-
Geräthe der Kirchen zu Gelde gemacht. Da bot fich die, wie wir
gehört haben, von den Päpften bereits in Sicilien und anderwärts
eingeführte Confiscation der Güter der lebendigen Ketzer wie der erft
nach ihrem Tode als folche Erkannten und Verurtheilten als will-
kommene Geldquelle dar. Grade die Chriften jüdifcher Abkunft waren
die Gläubiger des Königs-Paares geworden, und letzteres nach der
Lage der Dinge völlig außer Stande, die erhaltenen Vorfchüffe zu-
rückzuerftatten oder auch nur die hohen Zinfen davon zu entrichten.
Ferdinand erfuchte den Papft, der von ihm geplanten Maßregel die
oberhirtliche Gutheißung zu gewähren. Die gewünfchte Bulle kam
„mit wendender Poft". Jetzt machte Ifabella doch Schwierigkeiten.
Den „Glaubenseifer" der Mönche und Priefter fand fie ganz in Ordnung und allen Ruhmes werth, denn fie war ja felbft von gleichem
Eifer befeelt. Das Vorwärts-Drängen des Dominicaner-Priors Alfons de Ojeda zu Sevilla, fowie des päpftlichen Nuntius Nicola
Franco, Bifchofs von Trevifo, erfchien ihr durchaus natürlich. Den
Durft nach Gold in dem Herzen ihres Gemahls konnte fie nicht
tadeln, denn fie felbft wußte am beften, daß er Geld brauche. Sie
hatte aber mehr als das halbe Reich in die Ehe gebracht und darum
mußte man auf ihre Gewiffensbedenklichkeit die gebührende Rückficht
nehmen: fie wünfchte die Bekehrung vorher noch einmal mit gelin-
deren Mitteln zu verfuchen. Ihr Beichtvater verlegte fich auf's
Bücherfchreiben; die Prediger wurden ermuntert, eifrig auf neue
Wahrheits-Beweife zu finnen; es wurde Anregung gegeben zu Disputationen in Conferenzen. Auf das Erfuchen der Königin ließ fich
fogar der Cardinal Mendoza herab, in Sevilla eine „Conftitution"
aufzuftellen, worin Alles genau vorgefchrieben war, was ein Chrift
zu thun und mit ihm zu gefchehen habe von der Wiege bis zum
Grabe: wie die Taufe an ihm vollzogen werden müffe, was ihm gelehrt werden folle 2c. Diefe „Conftitution" wurde in allen Kirchen
der Stadt verlefen, und in jeder Pfarre auf einer Tafel aufgehängt.
Der Cardinal verfaßte auch eine fummarifche Anweifung für den
Seelforge-Klerus: was fie den Pfarrkindern einprägen, was fie von
ihnen verlangen und worin Letztere ihrer Hausgenoffenfchaft mit gutem Beifpiele vorausgehen follten. So wurde Nichts verfäumt, gutkirchliches Verhalten zu befehlen. Da aber erklärlicherweife alle
diefe Statuten und Anweifungen faft nur die äußerliche Werkheilig-
keit betonten, fo waren fie wenig geeignet, die jüdifchen Herzen zu
überzeugen, daß Götzendienft mit Bildern, Reliquien u. f. w. nicht
verwerflich fei. Auch in den Conferenz-Disputationen brachte man
weder die Wankenden zur Feftigkeit noch die Unwiffenden zur Er-
leuchtung. Befonders auffällig und anftößig war den jüdifch-gefinn-
ten „Neuchriften" die Vorenthaltung des Evangeliums in der Landes-

sprache, denn sie wußten recht gut, daß die Christen ein heiliges
Buch hätten, welches ebenso wie das Mosaische Gesetz auf Eingebung
Gottes niedergeschrieben sei. Sie verstanden es nicht, daß die ange-
sehenste schriftliche Urkunde einer Religion, die das lautere Wort
Gottes enthalte, vor den Mitgliedern dieser Religions-Genossenschaft
verborgen gehalten wurde.

Der Klerus drang schließlich mit seiner Behauptung durch: die
mehrjährige Erfahrung beweise, daß die Bekehrung zur christlichen
Wahrheit mittels Gründen unmöglich sei. Die Königin gab zu, ihr
Versuch sei mißglückt. Die mehrere Jahre unausgeführt gebliebene
päpstliche Bulle wurde jetzt, im Jahre 1480, veröffentlicht. König
und Königin erinnerten sich aber doch, daß auch sie „so zu sagen"
einiges Interesse daran hätten, was im Lande vor sich gehe, ebensogut wie der Papst. Unter diesem Gesichtspunkte blieb dann noch
das Eine und Andere bezüglich des Inhalts der Bulle zu ordnen.
Wie das Recht und das Interesse der Krone geschützt werden könne,
wenn den Inquisitoren volle und absolute Gewalt über Leib und
Leben, Hab und Gut der Unterthanen eingeräumt würde, das war
nicht wohl abzusehen. Dem Papste den Vorschlag zu machen, daß
die Beisitzer derselben Laien und das Gerichtsverfahren ein öffentliches sein sollten, wagten Ferdinand und Isabella nicht: der Papst
war zu dieser Zeit so mächtig, daß er einem unfügsamen Potentaten
leicht Feinde von allen Seiten an den Hals hetzen konnte; sie erlaubten sich deshalb den unmaßgeblichen Vorschlag zu machen, daß
entweder der König einige der Beisitzer ernenne und die anderen der
Papst, oder daß der König sie alle anstelle und der Papst sie für ihr
Amt bestätige. Die „katholischen Majestäten" rechneten ganz richtig,
daß die Creaturen der römischen Curie naturgemäß die Rechte der
Kirche denen des Staates vorgehen lassen würden; mit der Meinung
aber, daß Priester ihrer Wahl dieser Versuchung nicht unterliegen
würden, waren sie, wie die Erfahrung sie nachträglich belehren sollte,
vollständig im Irrthum. Zu Rom wußte man das besser und machte
deshalb keine Schwierigkeiten. Nach einigem Verhandeln hin und
her in Betreff der Persönlichkeiten wurde der „Oberste Inquisitions-
Rath" — „Consejo de la Suprema", folgendermaßen constituirt:
General-Inquisitor: Dominicaner-Bruder Thomas de Torquemada. Zwei Beisitzer: Johann Guttierrez de Chabes und Tristan
de Medina, Rechtsgelehrte. Drei königliche Räthe: Don Alonso
Carillo, erwählter Bischof; Sancho Velasquez de Cuellar und Poncio
de Valencia, Doctoren des bürgerlichen Rechts. Es war, als hätte
man bei der Verständigung über diese Persönlichkeiten sich gegenseitig
Concessionen gemacht: einen confiscationseifrigeren Mann, als der
Papst in dem Dominicaner-Pater Thomas de Torquemada dem ganzen Geschäfte vorsetzte, hätte der König selbst schwerlich ausfindig

machen können, und um reichliche Confiscationen war es diesem doch
hauptsächlich zu thun. Auch zu Rom hoffte man freilich auf eine
ansehnliche Quote — sehr bezeichnend wird häufig in päpstlichen
Actenstücken das h. Officium geradezu „negotium", „Geschäft", genannt — aber hier fiel doch die erstrebte Ausdehnung der Jurisdiction des „Apostolischen Stuhles" und die Schaffung eines Schreck-
mittels für's Volk durch öffentliche Hinrichtungen noch schwerer in's
Gewicht. Daß man bei Torquemada's Ernennung auch in dieser
Beziehung sich nicht vergriffen hatte, zeigte die Folge. Die königlichen Räthe waren erprobte kirchliche Eiferer — das war des Königs
Gegenconcession. In Punkten, welche die königliche Gewalt und
das materielle Interesse des Königs betrafen, hatten diese Räthe ein
entscheidendes Votum, in Sachen der geistlichen Jurisdiction
durften sie ihre Ansicht kund geben: das endgültige Urtheil stand
bei dem General-Inquisitor allein.

Dem „Obersten Inquisitions-Rath" waren gleich anfänglich vier
Tribunale untergeordnet; mehrere andere kamen später dazu. Einigen
Inquisitoren, welche vom Papste Special-Vollmachten hatten, wurden
diese entzogen und auf Torquemada übertragen, so daß der römische
Hof nun die ganze Leitung concentrirt in der Hand hatte. Als die
Arbeiten der Inquisitoren sich mehrten und ihre Geschäftstüchtigkeit
durch die Erfahrung besser ausgebildet war, wurde der Oberste Rath
erweitert. Präsident desselben war immer der zeitige General-Inquisitor; unter ihm fungirten sechs „apostolische" Räthe, ein Fiscal-
Procurator, drei Secretäre, ein Alguacil, zu Deutsch Scherge, zur
Besorgung der Urtheils-Vollstreckung, ein Geldeintreiber, vier Gerichtsdiener, zwei Berichterstatter und so viele Consultoren, als das mo-
mentane Bedürfniß erforderte. Diese sämmtlichen Officianten wurden
so besoldet, daß sie der hohen Würde des ihnen verliehenen Amtes
gemäß leben konnten. Der General-Inquisitor und Raths-Präsident
hatte uneingeschränkte Gewalt über jeden spanischen Unterthan, so
daß er selbst kaum mehr Unterthan war. Er allein berieth mit dem
Könige die Ernennung derjenigen Inquisitoren, welche den Provin-
cial-Tribunalen vorgesetzt wurden. Jedes dieser letzteren bestand aus
drei Inquisitoren, zwei Secretären, einem Unter-Alguacil, einem Ein-
nehmer, sowie mehreren Verhör-Richtern und Consultoren; in ihren
Functionen waren sie beschränkt: alle Capital-Fälle fielen ganz, bei
den übrigen nur die endgültigen Urtheile der Madrider „Suprema" zu.

Während so Ferdinand, Isabella, Torquemada und der päpstliche Nuntius Nicola Franco die Ausführung ihrer Pläne zum Verderben der Ketzer vorbereiteten — wie verhielt sich das Land dem
gegenüber, was sagte die Bevölkerung dazu?

Weder der Klerus noch die Laien waren damit einverstanden.
Nachdem die Bulle Sixtus' IV., welche den König ermächtigte, In-

quifitoren mit abfoluter Autorität in Kezerangelegenheiten zu ernennen und abzufehen, angelangt, aber, wie wir wiffen, wegen der Bedenklichkeiten der Königin Jfabella einftweilen zurückgelegt worden
war, wurde im Jahre 1478 zu Sevilla, wo der königliche Hof damals refidirte, eine Provincial-Synode abgehalten. Hätte der Klerus
von Caftilien die Inquifition für nöthig gehalten und nach ihr verlangt, fo würde er auf der Synode diefes Verlangen oder wenigftens
die Hoffnung ausgefprochen haben, das vom Papfte bereits gebilligte
heilskräftige Inftitut werde demnächft in's Leben treten. Die Synode
überging aber die ganze Kezerfrage mit Stillfchweigen; fie erwähnte
weder des Uebels noch der Mittel zu feiner Heilung. Diefes Verhalten erklärt fich leicht. Wie follten die Bifchöfe ein Tribunal in
Glaubensfachen gut heißen, welches fie felbft zur Verantwortung
ziehen konnte, dagegen ihr Votum völlig befeitigte, wenn es fich darum handelte, über den Glauben ihrer Diöcefan-Angehörigen zu befinden?! Der Anficht waren fie freilich Alle, das die gewaltfame
Unterdrückung der Kezerei nicht blos erlaubt, fondern ein vor Gott
verdienftliches Werk fei; aber fie meinten doch, fie feien die Organe,
welche in folchen Angelegenheiten zu entfcheiden und das Nöthige
vorzukehren hätten; früher habe der Bifchof wenigftens neben dem
Inquifitor diefes Recht ausgeübt, wie bei der alten Inquifition zu
Touloufe und bei der alten Inquifition in Italien. Es hatte zwar
keiner der Bifchöfe den Muth, gegen die neue Einrichtung fich zu
erheben; es trat aber auch keiner für diefelbe in die Schranken;
durch ihr Schweigen gaben fie zu verftehen, das fie die Escamotage
ihrer Autorität fich nur gezwungen gefallen ließen.

Wenige Monate vor der Bekanntmachung der Bulle, deren Inhalt längft Jedem im Lande bekannt war, und deren Inkraft-
Sezung man von Tag zu Tag vorausfah, traten die Cortes, das
Provincial-Parlament von Toledo, zufammen. Wäre das Parlament
mit den nahenden Dingen einverftanden gewefen, fo würde es ge-
wis jeden gefezgeberifchen Act, der mit der Jurisdiction des in Aus-
ficht ftehenden Inftituts in Collifion kommen mußte, vermieden haben;
es traf aber im Gegentheil für die Verwaltung der Provinz Anordnungen, welche in das Gebiet der projectirten Glaubensgerichte an-
ftandslos hineingriffen. So wurden u. A. Vorkehrungen getroffen,
um die jüdifche Bevölkerung von der chriftlichen mehr abzufcheiden;
die Juden follten in befonderen Stadtvierteln getrennt wohnen und
eine von der der Chriften abfällige Kleidung tragen; es wurde ihnen
unterfagt als Aerzte, Wundärzte, Apotheker, Gaftgeber, Barbiere
chriftliche Kundfchaft anzunehmen u. f. w.

In welcher Art die Magiftrate und das Volk gegen die Neuerung fich erklärten, foll uns die Stadt Sevilla zeigen, die wir wohl
als Vertreterin der Stimmung überhaupt betrachten dürfen. Als

eine Anzahl von Inquisitions-Beamten dort einzog im Schutz-Geleite von Berittenen, die zu diesem durch königlichen Befehl gepreßt worden waren, weigerten sich die Civil-Autoritäten, ihnen hülfreiche Hand zu leisten, der in der Bulle enthaltenen Zumuthungen, den canonischen Vorschriften und einem ausdrücklichen Geheiß der Krone zum Trotz. Die Inquisitoren waren dadurch gehindert, ihr Geschäft zu eröffnen, während Diejenigen, auf die sie es abgesehen hatten, die Stadt verließen und in der Umgegend Schutz suchten und fanden. König Ferdinand sah sich genöthigt, ganz specielle Befehle zu erlassen, um den Widerstand der Bevölkerung zu brechen. Der Magistrat mußte sich schließlich bequemen, den zugereisten Kirchengewaltigen die geforderten Bütteldienste zu gewähren.

In Folge dieser Unterstützung konnten die Inquisitoren an's Werk gehen. Aus dem Dominicaner-Kloster St. Paul erließen sie am 2. Januar 1481 ihr erstes Mandat. Sie hätten, sagen sie darin, in Erfahrung gebracht, daß die Neuchristen geflüchtet seien; sie befählen daher dem Marquis von Cadix, dem Grafen von Arcos sowie allen Herzögen, Marquis, Grafen, Baronen, Gutsherren rc. des Königreichs Castilien, die Flüchtlinge fest zu nehmen und innerhalb vierzehn Tagen nach Sevilla bringen zu lassen, feste Hand legend auf ihr Eigenthum. Alle aber, welche diesem Befehle Trotz böten, sollten, als Begünstiger der Häresie, im Banne sein, verlustig aller Würden und alles Besitzes beraubt; ihre Unterthanen aber sollten aller Pflicht und jeder Gehorsamsleistung entbunden sein. In Folge dieser Androhung wurden ganze Schaaren von Flüchtlingen nach Sevilla zurückgetrieben, gefesselt gleich Missethätern; die Gefängnisse und alle sonstigen verfügbaren Räume des Klosters von St. Paul reichten nicht hin, dieselben aufzunehmen, so daß der König dem „Neuen und heiligen Tribunal" das jenseits des Quadalquivir gelegene Castell von Triana als sicheren Aufbewahrungsort zuwies. An dem Eingange zu diesem Castell befestigten die Inquisitoren in dem Gefühle ihres Sieges über den Widerstand der Magistrate und des Volkes bald nachher eine Inschrift zum Gedächtniß an die ersten Functionen der neuen Inquisition im westlichen Europa. Die Schlußworte dieser Inschrift waren folgende: „Möge Gott sie bestehen lassen zum Schutze und zur Ausbreitung des Glaubens bis an's Ende der Zeiten; Steh' auf, o Herr, richte Deine Sache! Fang' Du die Füchse!" *)

Das zweite von St. Paul ausgehende Edict war ein Ausfluß der „Gnade". Durch dasselbe wurden alle, die sich des Abfalls vom Glauben schuldig wußten, aufgefordert, binnen einer kurzgemessenen

---

*) Die Bezeichnung „Füchse" für die Ketzer haben wir schon früher, seit Innocenz III., aus dem Munde der Rechtgläubigen gehört.

Frist vor dem Inquisitor zu erscheinen. Denjenigen, welche mit zerknirschtem Herzen und dem aufrichtigen, festen Willen, sich zu bessern, kommen würden, war darin Belassung ihrer Habe zugesichert; die ganze Strenge der Gesetze aber wurde Solchen angedroht, welche die zur Selbstanzeige gewährte Gnadenfrist unbußfertig verstreichen ließen. Viele eilten daraufhin nach St. Paul, in der Hoffnung, mit einer leichten Buße davon zu kommen. Den Inquisitoren war es jedoch um etwas ganz Anderes zu thun gewesen: es mußte nicht nur Jeder seinen eigenen Namen, Stand und Wohnort angeben, sondern auch eine möglichst genaue Personal-Beschreibung Derjenigen, von denen er wisse oder gehört habe, daß sie sich gleichfalls gegen den Glauben vergangen hätten.

Nachdem so das Terrain vorläufig ausgekundschaftet war, erging ein drittes Monitum: wer von einem in den jüdischen Unglauben rückfällig gewordenen Christen wisse, müsse denselben, wenn er nicht selbst den üblichen Strafen verfallen wolle, binnen sechs Tagen zur Anzeige bringen. Man hatte seine Leute aber schon ohne das in's Auge gefaßt: überall erschienen Gerichtsdiener des h. Officiums in den Häusern und schleppten die Anrüchigen in die Gefängnisse des Castells. Wer als getaufter Jude die ihm in Fleisch und Blut übergegangenen Gebräuche der Altvordern weiter beobachtet hatte, wer also an Samstagen reine Kleider anzog oder ein frisches Tischtuch auflegte, vom Rind- oder Hammelfleisch vor dem Genusse das Fett entfernte, das Geflügel mit einem besonders geschärften Messer abschlachtete und dabei, das Blut verdeckend, einige hebräische Worte murmelte, in der Fastenzeit Fleisch aß, seine Kinder unter Handauflegung segnete, Unterschied der Speisen beobachtete an nicht christlichen Fest- und Fasttagen, nach der alten Weise für die Todten betete, das Gesicht eines sterbenden Familien- oder Hausgenossen der Wand zukehrte, ein eben getauftes Kind wusch, also den „Tauffegen wegfegte" — alle Solche waren des Abfalls vom wahren Glauben dringend verdächtig und der darauf gesetzten Strafe verfallen. Es wurden 36 Artikel abgefaßt, aus welchem Jeder das nöthige lernen konnte, um seine Nachbarn zu verrathen.

Was nun kam erzählt uns Llorente. Diese Maßnahmen waren so geschickt gegriffen, daß der gewünschte Erfolg nicht ausbleiben konnte. Am 6. Januar 1481 — das bedeutungsvolle Fest der „Erscheinung des Herrn," eines der in der alten Kirche am meisten hochgehaltenen, war wohl mit Absicht gewählt — wurden sechs Personen lebendig verbrannt; das macht für jeden der auch an diesem Tage gefeierten heiligen drei Könige nur gerade zwei Stück. Aller Anfang ist schwer; man kam aber sofort besser in Zug. Am 26. März fuhren bereits sechszehn mit Rauch gen Himmel; am 21. April waren's der Opfer noch mehr; der 4. November sah wieder ein Auto-de-Fé, kurz: am Schlusse des Jahres hatte man mit Gottes Hülfe zweihundertachtundneunzig Menschen zu Asche verbrannt. Außer diesen verdammten die Inquisitoren 79 Apostaten zu immerwährendem Gefängniß. Wohl gemerkt: Alles das allein in der Stadt Sevilla. Der obengenannte spanische Geschichtschreiber Johann de Mariana aus dem Jesuiten-Orden vermerkt, daß in dem Erzbisthum Sevilla und in dem Bisthum Cadix während des einen Jahres 1481 zweitausend judaisirende — d. h. den jüdischen Gebräuchen treu gebliebene — Christen leibhaftig, viele andere bloß im Bilde verbrannt worden seien. Außerdem wurden 17,000 mit mehr oder weniger empfindlichen Bußen belegt. Unter den Verbrannten befanden sich viele angesehene und reichbegüterte Personen — ihr Vermögen floß in den königlichen Schatz. Torquemada sorgte aber, daß auch die römische Curie nicht zu kurz kam. In Sicilien erhielt sie kraft eines vom König Alfons von Aragonien im Jahre 1451 bestätigten Privilegiums die Hälfte der von der Inquisition eingezogenen Güter. Wenn nun in Spanien der königliche Fiscus alle bewegliche und unbewegliche Habe der Verurtheilten oder Entwichenen bis auf den Hausrath herab in Anspruch nahm — dabei aber freilich auch die Geschäftskosten bestritt und die Mitglieder besoldete — so gestattete man andererseits der Curie um so reichere Bezüge für Indulgenzen, Dispensationen und Kirchenpfründen-Verleihungen. Ferdinand und Isabella duldeten es, daß ihr Volk durch die zum Vortheil des römischen Fiscus erfundenen kirchlichen Mißbräuche ausgesaugt wurde, gegen welche andere Nationen und die großen Concilien des Jahrhunderts so energisch ankämpften.

Die häufige Wiederholung der „Glaubensacte" ließ eine permanente Einrichtung zur Vornahme dieser Brandopfer wünschenswerth erscheinen. Der Gouverneur von Sevilla kam diesem tiefgefühlten Bedürfniß fördernd entgegen: er ließ außerhalb der Stadt eine geräumige Plattform aufmauern, deren Reste sich bis zu Ende des vorigen Jahrhunderts erhalten hatten. Der Name dieser mehrere Fuß über den Boden erhöheten Plattform war „Quemadero", d. i. „Brandstätte".

Angesichts dieser Schrecken flüchteten zahlreiche Neuchristen nach Frankreich, Portugal und selbst nach Afrika — von den Christen weg zu den H e i d e n. Andere, die nur im Bilde verbrannt worden waren, wendeten sich klagend nach Rom. Dieser Angstruf nach Gerechtigkeit machte dort stutzig. Papst Sixtus IV. schrieb unterm 29. Januar 1482 an Ferdinand und Isabella einen Brief: es seien unzählige Klagen gegen die Inquisitoren bei ihm eingelaufen, besonders gegen die Dominicaner-Mönche Michel Morillo und Johann de San Martin; diese hielten sich nicht innerhalb des canonischen Rechts und erklärten Viele für Ketzer, die doch keine seien. Nur mit Rücksicht auf deren Ernennung durch den König — sagte der Papst — wolle er die Erwähnten in ihrem Amte belassen, andernfalls würde er sie abberufen haben. Für die Zukunft aber müsse er das dem Könige bewilligte Ernennungsrecht zurückziehen, es sei denn, daß er Solche wähle, welche von dem General oder Provincial der Dominicaner vorgeschlagen würden. Diesen stehe überhaupt das Privilegium zu, die Aemter des h. Officiums zu besetzen und es sei eigentlich ein unbefugter Eingriff in diese Vorrechte eines Anderen gewesen, als er, der Papst, den „katholischen Majestäten" die betreffende Concession gemacht habe.

So wußte der Papst unter dem Schein unparteiischer Gerechtigkeit, dem Könige den einen, ihm in die Hand gelegten Zügel zu entwinden — ein neuer Beleg, daß wenn kleine Tyrannen sich mit großen auf gemeinschaftliche Geschäfte einlassen, sie allezeit zu kurz kommen. Später freilich erfolgte zwischen Papst und König wieder Verständigung zu gemeinsamer Leitung des h. Officiums, aber der Letztere wurde doch vom Ersteren in voller Abhängigkeit gehalten. Wir müssen aber etwas genauer auf diese Auseinandersetzungen eingehen, weil in ihnen besonders auch über die geschäftliche Seite manches bedeutsame Wörtchen gefallen ist.

Sixtus IV. hatte bei seinen Klagen die Forderung gestellt, die Inquisitoren möchten die Bischöfe nicht so ganz ignoriren. Letztere hatten offenbar beim Papste Beschwerde erhoben, sei es im legitimen Gefühl gekränkter Würde als die ordentlichen Oberhirten der Diöcesen, sei es weil Andere die Schafe schlachteten, die lebend zu scheeren sie doch gerechten Anspruch hatten. Die Königin äußerte darob dem Papst ihre Besorgniß: „die Spanier würden in Rom das Gerücht verbreitet haben, daß sie nur aus Habsucht, um das Vermögen der Neuchristen einziehen zu können, das neue Gericht so angelegentlich fördere". Der Papst aber beruhigte sie in einem Schreiben vom 23. Februar 1483: „er messe diesen Aussagen gegen eine so fromme Fürstin keinen Glauben bei; nur möge sie auch die königlichen Edicte beseitigen, durch welche der päpstlichen Vollgewalt bezüglich der Prälaten-Ernennungen und Pfründenverleihungen ein solcher Eintrag geschehe wie bisher." Zu deutsch also: „Leben und leben lassen!" Wenige Monate darauf, am 2. August 1483, machte der Papst noch einen Versuch, eine Milderung des Inquisitions-Verfahrens zu erwirken, das bereits seinen unmenschlichen und tyrannischen Charakter entwickelt hatte; er versuchte Diejenigen, welche nach Rom appellirt hatten, zu schützen; er gab zu bedenken, daß die Art, wie die Inquisitions-Mönche auch die Reuigen öffentlich beschimpfen und für ihr ganzes Leben ehrlos machten, die Menschen zur Verzweiflung treibe; er ernannte zuerst einen erzbischöflichen Vicar, dann den Erzbischof von Sevilla selbst zum örtlichen päpstlichen Stellvertreter in spanischen Inquisitions-Fällen, an welchen die Appellationen gerichtet werden könnten. Aber schon nach wenig Tagen bereute Sixtus IV. den hiermit genommenen Anlauf zu einer Milderung der Verfolgung und beeilte sich, den Conflict mit den „katholischen Majestäten" zu beseitigen. Im Uebrigen stand es dem Inhaber des römischen Stuhles zu dieser Zeit und den „katholischen Majestäten" gegenüber, wenn er die Praxis seiner Vorgänger nicht verleugnen wollte, kaum wohl an, über die harte Behandlung der „Reuigen" Seitens der Inquisitoren Beschwerde zu führen. Die Art der Buße, die einem reuigen Ketzer von der alten, direct durch die Päpste mit Richtern versorgte Inquisition auferlegt wurde, war noch weit strenger als die zu Isabella's Zeiten. Llorente bringt die Liste der Bußübungen bei, welche der h. Dominicus einem solchen Menschen, Namens Ponce Roger, auferlegt hat. Derselbe war verdammt, „1. an drei aufeinander folgenden Sonntagen mit entblößtem Oberleibe von einem Priester mit Ruthen gepeitscht zu werden auf dem ganzen Wege vom Stadtthor bis zur Kirchenthür; 2. sein ganzes weiteres Leben hindurch keine thierische Nahrung zu genießen; 3. jährlich drei Fastenperioden zu beobachten und während derselben sich auch nicht einmal Fischspeisen zu gestatten; 4. drei Abstinenztage in der Woche zu halten und an diesen Fischnahrung, Wein und Oel zu meiden, außer im Falle einer Krankheit oder nach sehr angestrengter Arbeit; 5. einen Bußsack zu tragen; 6. jeden Tag, wo es ihm möglich sei, eine Messe zu hören, Sonn- und Feiertags der Vesper beizuwohnen; 7. die kirchlichen Tag- und Nachtzeiten zu beten, dazu im Tage sieben, Abends zehn, um Mitternacht zwanzig Vaterunser sammt dem Ave. Falls der gedachte Ponce Roger eines dieser sieben Bußwerke unterlasse, so solle er als rückfälliger Ketzer verbrannt werden!"

Mitunter scheint Isabella doch einige Scham und eine Anwandlung von Gewissensbissen empfunden zu haben; in einem ihrer nach Rom gerichteten Briefe findet sich wenigstens folgende Stelle: „Ich habe großes Unglück verursacht, habe Städte und Länder, Provinzen und Königreiche entvölkert, doch Alles aus Liebe zu Christus und seiner jungfräulichen Mutter." Ein anderes Mal versicherte sie: „man verläumde sie mit der Beschuldigung, daß sie dies Alles aus Geldgier gethan habe; sie behalte für sich persönlich keinen Maravedi (sie wollte damit andeuten, die confiscirten Güter würden ja zu Staatszwecken und zum Wohle der Christenheit aufgebraucht); sie habe das Geld mitunter sogar zum Besten der von den Verurtheilten hinterlassenen Kinder verwendet." Erst macht man die Kinder durch Ermordung ihrer Ernährer zu Waisen und bestiehlt sie um ihr Erbe; gibt man ihnen dann so viel davon zurück, daß sie nicht Hungers sterben, so ist das ein Werk, deſſen man ſich vor dem „Vater der Chriſtenheit" rühmen darf. Als des vierten Sixtus Nachfolger, Innocenz VIII. (1484—1492), einen Legaten zur Unterſuchung des Inquiſitionsweſens zu ſenden beſchloß, hieß Iſabella ihren Vertreter beim Apoſtoliſchen Stuhl, den Biſchof von Badajoz, dem Legaten ſagen: ſie biete ihm große Gunſtbezeugungen (wörtlich: „mercedes", was den Begriff von Geldſpenden hat), und er werde ſich, falls er ihren Wünſchen Rechnung trage, in ihrem Reiche wohl gefallen; nur müſſe freilich der Papſt bezüglich der dabei unterlaufenden Simonie dispenſiren.

Die Briefe des Papſtes Sixtus' IV. an Torquemada — ſie ſind nachzuleſen bei Lopez: „Tercera parte de la historia general de S. Domingo", III, 75 — zeigten uns, was ihn ſo willfährig gegen jedes Begehren Ferdinand's und Iſabella's machte. Letzterer hatte nämlich den von dem Papſte nach Spanien geſandten Geldeinſammlern und dem für die „Apoſtoliſche Kammer" höchſt einträglichen Vertrieb von Kreuzzugs-Abläſſen, deren Ertrag zur Bekämpfung der Ungläubigen dienen ſollte, Hinderniſſe bereitet. Torquemada war erfolgreich in ſeinem Bemühen, dieſe zu heben. Sixtus dankte nun dem Groß-Inquiſitor für dieſe Dienſtleiſtung, und als die Kunde nach Rom drang, daß Torquemada durch ſeine Energie in maſſenhaften Hinrichtungen und Confiscationen alles früher Dageweſene überbiete, ſchrieb der Papſt: ſein Wirken in Spanien erfülle ihn mit größter Freude; er möge ſich ſeiner höchſten Gunſt verſichert halten und ſo fortfahren.

Torquemada ließ ſich denn auch in ſeinem entſchloſſenen Vorgehen durch Nichts beirren, weder durch die Appellationen nach Rom, noch durch das ihm mitgetheilte päpſtliche Schreiben an die Majeſtäten. Von 250 Berittenen als Leibwache begleitet, zog er umher, um ſein Werk immer beſſer zu organiſiren. Vor Allem ſorgte er dafür, daß auch .Aragonien ſeiner geiſtlichen Gerichtsbarkeit unterſtellt wurde.

Bald nach ſeinem Amtsantritt berief der Groß-Inquiſitor von Spanien die ihm untergeordneten Vorſtände aller Tribunale des Landes zu einer Berathung nach Sevilla, um behufs eines einheitlicheren Verfahrens in Gemeinſchaft mit ihnen eine Reihe von Beſchlüſſen zu faſſen. Am 29. October 1484 wurde das Reſultat dieſer Berathungen in 28 Regeln bekannt gemacht. Unter'm 9. Januar 1485 kamen noch elf weitere hinzu. Der Geiſt, der in dieſen 39 Beſtimmungen lebt, iſt den Leſern aus dem Kapitel über Eymerich's „Anleitung", in welche ſie durch deren Commentator aufgenommen worden ſind, bereits bekannt. Bei derſelben Gelegenheit — es iſt dies ein wohl zu beachtender Umſtand — wurde zu Sevilla ein Agent ernannt, der die ſo vervollkommnete Inquiſition bei der römiſchen Curie vertrete und das Verfahren der Mönche in Schutz nehme,

wenn dasselbe in Appellationen an den Papst, entweder Seitens der
Angeklagten selbst oder Seitens ihrer Freunde und hinterlassenen
Angehörigen, Angriffe erfahre. Das geschah trotz der Bulle, welche
zwei Jahre vorher nach Spanien geschickt worden war und die An-
weisung enthielt, der Erzbischof von Sevilla allein habe über derartige
Berufungen zu entscheiden. Diese Bulle war eine bloße Finte zur
Beruhigung des Landes; gehandelt hat man danach zu Rom niemals.

Schon um diese Zeit also, wir betonen es, beginnen die Beziehungen der practischen Justizpflege zwischen der römischen Curie,
als der obersten Instanz in Sachen der Inquisition, und den Tribunalen in den anderen Kirchenprovinzen als untergeordnete. Dreißig Jahre hindurch nach Errichtung der neuen Inquisition in Spanien appellirte Jeder, der die Mittel dazu hatte, nach Rom, entweder
in Person oder durch eingesandte Memoriale, und wer die allerdings
nicht ganz wohlfeile Ausfertigung der erforderlichen Breve bezahlte,
dem wurde die gewünschte Indulgenz oder Ausnahmestellung ohne
allzugroße Schwierigkeit gewährt. Diese Indulgenzen und Privilegien hatten freilich nur so lange Gültigkeit, als nicht ein Anderer
hinterher kam und, wiederum gegen gute Bezahlung, eine gegentheilige Entscheidung erwirkte. Die Sache hatte aber auch noch
sonstige Bedenken: Die „katholische Majestät" hatte angeordnet, daß
Jeder, der von einem solchen Documente Gebrauch mache, ohne Weiteres an Gut und Leben gestraft werde. So erhandelte der König
die ihm passenden oberhirtlichen Urtheile, so die Inquisitoren, die
Neuchristen — alle kauften und alle wurden betrogen; aus
den Taschen Aller floß das Geld in der „Apostolischen" Dataria, der
päpstlichen Kanzlei, zusammen und das war der heiligen famiglia
des Vaters der Gläubigen die Hauptsache. Darin und in nichts
Anderem bestand die „Milde Roms", die von den Gutkirchlichen
rühmend erhoben wird, wenn man sie mit der unleugbaren Härte
der spanischen Inquisition bedrängt und diese mit Fug und Recht
in's päpstliche Schuldbuch schreibt.

Wir haben vorhin nach Llorente's Angaben über die Opfer
Torquemada's einige Ziffern verzeichnet. Wie schon Eingangs unseres Buches bemerkt, findet man es vortheilhaft, die Statistik Llorente's überhaupt zu bemängeln, weil er sich in einzelnen Fällen
wirklich darin vergriffen hat. Lassen wir also andere Gewährsmän-
ner reden, Zeitgenossen und den Dingen noch nahestehende Historiker,
Jesuiten und Inquisitoren. Nach den Angaben des Groß-Inquisitors
Paramo, welcher in seinem früher schon genannten, 1589 zu Madrid erschienenen Werke: „De Origine et Progressu Officii Sanctae Inquisitionis ejusque Dignitate atque Utilitate" die erste
Bearbeitung aus den ihm von Amts wegen offen stehenden Quellen
lieferte, wurden allein in der Stadt Sevilla in 40 Jahren (1480

bis 1520) über 4000 verbrannt, über 30,000 als „Bußfertige" zu
verschiedenen Kerkerstrafen, zu den Galeeren und zu öffentlichen Be-
schimpfungen verdammt. Da die zahlreichen Entwichenen sämmtlich
als verstockte Ketzer verurtheilt wurden, damit ihr Vermögen der königlichen Kasse zufließe, so stieg die Zahl der Straf-Mandate allein
in der Diöcese Sevilla auf 100,000 und darüber, wie neben Paramo auch Zurita angibt. Auch die andere Thatsache verschweigt
Paramo nicht, daß allein in Andalusien in kurzer Zeit weit über
4000 Wohnhäuser in Folge der Flucht ihrer Bewohner vor der Inquisition verödet standen. In dem durch sein „Gnadenbild" berühmten, etwa 3000 Einwohner zählenden Städtchen Guadelupe in
Castilien wurden nach Paramo im Jahre 1485 von zwei umher-
reisenden Inquisitoren sieben Autos-de-Fé gehalten, in denen 53 Personen, 52 derselben wegen Judaisirens, dem Scheiterhaufen übergeben, 46 Leichname ausgegraben und nebst den Bildnissen von 25
Entwichenen verbrannt, 16 zu ewigem Kerker „begnadigt" wurden; viele
Andere kamen auf die Galeeren oder mußten Sambenitos tragen.
In einem einzigen, im Jahre 1501 zu Toledo abgehaltenen Auto-
de-Fé starben 67 Frauen wegen angeblichen Rückfalls in's Judenthum
in den Flammen. In dem genannten Städtchen Guadelupe ließen
sogar die zur Befestigung der Inquisition nöthigen und, wie Paramo
offen sagt, „von den Inquisitoren sehnlich herbeigewünschten" Wunder
nicht allzulange auf sich warten; ja sie wurden, einmal im Zuge,
bald so zahlreich, daß Sancho de la Fuente, der eine der Inquisitoren, der sie aufzuzeichnen unternommen hatte, endlich ermüdete und
sich mit 60 Mirakeln begnügte, „welche" — sagt Paramo — „die
h. Jungfrau zur Bestätigung des h. Gerichts" in ganz kurzer
Zeit wirkte.

Im April 1484 berief Ferdinand die Cortes des Königreichs
Aragonien nach Tarragona. Die Versammlung erwählte dann auf
sein Geheiß einen Ausschuß, der die nöthigen Maßregeln zur Errichtung eines weiteren Inquisitions-Tribunals vorzubereiten hatte. Torquemada ernannte, auf die jüngste päpstliche Entscheidung sich stützend,
den Dominicaner-Pater Kaspar Inglar und den Petrus Arbues aus
Epila, Canonicus an der Metropolitan-Kirche, zu Inquisitoren. Der
König wies die Civil-Behörden an, den Neuernannten dienstbar zu
sein. In der Bevölkerung von Aragonien, wo man die Inquisition
schon seit 250 Jahren kannte und wo noch mancherorts Brandstätten
ihre Spuren bezeichneten, stieß ihre Reorganisation auf größeren
Widerstand, als dies in den südlichen Theilen der Halbinsel der Fall
gewesen war. Die Aragonesen fanden, daß die Güter-Confiscation
und die Verheimlichung der Belastungs-Zeugen zwei dem Landes-
wohl sehr verderbliche Neuerungen seien, und man bemängelte diese
Punkte um so mehr, als man sich der Hoffnung hingab, durch den

Widerstand gegen diese Einzelbestimmungen die ganze Institution zu
Falle zu bringen. Große Geldsummen wurden zusammengesteuert,
um am päpstlichen und am königlichen Hofe mit Erfolg unterhan=
deln zu können; die vier Stände des Königreichs traten zusammen
und untersagten den Inquisitoren, die unterdessen nach Teruel ge=
gangen waren, die Rückkehr in's Land; es wurden Abgeordnete an
den Hof nach Córdova gesandt, um die Minister und die Vertrauten
des Königs, Jeden einzeln, zu bearbeiten. Nichts blieb unversucht.
Man erbot sich, dem König und der Königin irgend einen, den an=
sehnlichsten mit den größten Opfern verknüpften Dienst zu leisten,
wenn nur die Confiscation beseitigt werde. Vergeblich. Der König
befahl den Inquisitoren als Delegirten des Papstes, die kirchlichen
Censuren gegen die Ketzer in Wirksamkeit zu setzen und so waren die
Processe und Hinrichtungen bald in vollem Gange.

Am 13. September desselben Jahres, 1484 bereits, hatte der
Oberstrichter von Aragon und seine fünf Local=Substituten im Amts=
ornat, gleichzeitig verschiedene andere Justizvorstände im Dome den Eid
auf das Evangelium leisten müssen, daß sie in allen Fällen starke Hand
beordern würden, um die Autorität des h. Officiums zu schützen, zu
vertheidigen und zu vermehren. Und zur Zeit, als dieser Eid ge=
leistet wurde, bestand ein großer Theil der nächsten Umgebung des
Königs aus getauften Juden oder directen Abkömmlingen von sol=
chen, so zahlreich waren die Neuchristen unter den höchsten Beamten
vertreten! Des Königs erster Secretair für Aragon, der Protonota=
rius, der Vice=Kanzler, der königliche Schatzmeister — alle diese waren
jüdischen Stammes. Noch der Vater und Großvater des letzterwähn=
ten Amtsinhabers waren Juden gewesen und hatten die Hand der
alten Inquisition zu fühlen gehabt. Diese Männer, deren Nachkom=
men sich gegenwärtig noch in den angesehensten Familien Spaniens
befinden, sahen mit Schrecken das Unheil voraus, welches aus dem
Vorgehen der neuen Inquisition für ihre Stammesgenossen und das
Land entstehen werde und schickten eine Deputation an den Papst;
eine andere Deputation trug ihre Befürchtungen den Majestäten vor.
Gegen sämmtliche Mitglieder dieser Deputationen ging später die
Inquisition vor als gegen „Behinderer" des h. Officiums.

Wie wenig ließen sich die Inquisitions=Tribunale durch solche
Bedenklichkeiten wirklich behindern! Im Mai und Juni des Jahres
1485 wurden zwei „Glaubensacte" zu Saragossa, der Hauptstadt
des Königreichs Aragonien, gehalten und bei jedem eine nicht unbe=
trächtliche Anzahl des Abfalls beschuldigter Neuchristen lebendig ver=
brannt. Freilich: die Bevölkerung sah es mit Abscheu — aber was
konnte das helfen?! Es sollte ja Schrecken verbreitet werden durch
diese Autos=de=Fé! Da beschlossen Einige, den Schrecklichen selbst mit
Schrecken zu wehren.

Dreizehntes Kapitel.

St. Arbues ein Wegweiser der römischen Kirche.

„Was den Arbues betrifft, so dürfen Sie wegen seines Cultus
ganz unbesorgt sein: Sie werden nie aufgefordert werden zu rufen:
»Heiliger Arbues, bitte für uns!« Kein deutscher Bischof hat ihn
in den Diöcesan-Kalender aufgenommen, da es uns ja an Vorbildern
der verschiedensten Tugenden nicht fehlt. Mir aber scheint, daß Peter
Arbues mit größerem Rechte unter die Heiligen, als Kaulbach unter
die großen Maler wird gerechnet werden müssen."

Das sind die Schlußsätze eines Vortrags, welchen einer der
Glaubenseifrigen zu München am 3. Februar 1869 im dortigen
christlichen Kunstverein gehalten hat und welcher acht Tage darauf in
dem einzigen größeren klericalen Organ Bayerns, der „Augsburger
Postzeitung" zum Abdruck kam. Seit dem sind acht Jahre verflossen;
der Aerger, den das Kaulbach'sche Bild von dem judenverbrennenden
Arbues den Römisch-Kirchlichen damals erregte, ist verraucht und — in
dem Verlage der Expedition des „Bayerischen Vaterland" des Dr.
Sigl ist zu haben: „Litanei zum heil. Martyrer Petrus mit Bild
(feiner Farbendruck) und Uebung des Glaubens. 100 Stück 9 Mark",
als Separatabdruck eines ebendaselbst verlegten 120 Seiten füllenden
Schriftchens: „Des h. Martyrers Petrus von Arbues Leben, Tod,
Wunder und Verehrung. 1877." Der Verleger macht „besonders
die Herren Katecheten" auf das Schriftchen aufmerksam. Das Volk
wäre also bereits versorgt; wenn die Brevier-Lieferanten zu Regensburg, Mecheln u. s. w. nicht schon angewiesen sind, bei den nächsten
Neudrucken die Vita und die Tagzeiten des h. Arbues zum 5. September einzuschalten, so wird dies sicher mit der Zeit auch geschehen,
denn obgleich, wie unser Münchener meint, „es uns ja an Vorbildern
der verschiedensten Tugenden nicht fehlt", so hat es doch seinen guten
Zweck, wenn der Priester in seinem täglichen Gebetbuche von Zeit
zu Zeit einem so mustergültigen Vertreter des kirchlichen Glaubens-

gerichtes begegnet. Die zwei letztverflossenen Jahrzehnte waren ja überhaupt zu Rom eine Zeit specieller Vorbereitung auf die Dinge, die da kommen sollten, die Erklärung der „Unbefleckten Empfängniß" nach dem schon 1867 gemachten ziemlich unverblümten Eingeständnisse des Jesuitenpaters Schrader, Professor der Dogmatik an der Universität zu Wien, eine vorläufige Probe für die dem Vaticanum zugedachte Haupt-Aufgabe. Die Priester der Römischen Kirche dürfen nicht so sehr mit den modernen Weltanschauungen verwachsen, daß ihnen die Inquisition und der Staat als Büttel derselben fremde Begriffe werden. Der bei dem 18. Centenarium des h. Petrus im Juni 1867 heilig erklärte Arbues soll sie vor dieser „Verweltlichung" bewahren.

Daß die Inquisition ein preiswürdiges und zur Vollständigkeit der kirchlichen Einrichtung gehöriges Institut sei, dies war von jeher und ist auch heute noch die herrschende Ansicht der Römischen Curie. Mehr als 50 Päpste haben sich in der feierlichsten und bestimmtesten Weise über die geistlichen Vortheile derselben ausgesprochen, im Kirchenstaate wurde es, was wir in einem späteren Kapitel ausführlicher werden erzählen müssen, wenn es, wie zur Zeit der Napoleonischen Herrschaft und der Republik, unterdrückt worden war, beide Male, 1815 und 1850, mit der Rückkehr des Papstes wieder hergestellt. Da nun die römische Kirche sich als maßgebende Herrin aller anderen Kirchen des katholischen Erdkreises hinstellt, so kann sie den Mangel der Inquisition bei diesen nur als eine Unvollkommenheit in ihrer Organisation betrachten, die niemals gebilligt werden, sondern nur ertragen werden darf, so lange ihr eben nicht Heilung geschafft werden kann. Und man weiß das in zu Rom approbirten Büchern wohl plausibel zu machen. Der Papst hat die Pflicht, für das Seelenheil der Gläubigen zu sorgen, also ist er — so folgert z. B. Devoti in seinem für classisch erachteten „Lehrbuch des Kirchenrechts", auch befugt zur Einsetzung der Inquisition, „die, wie man weiß, so viel Gutes bewirkt und so viel Böses abgewendet hat". In dem großen Wörterbuch des Maroni, an welchem Gregor XVI., der Vorgänger Pius' IX., noch mitgearbeitet hat, wird der Ausdruck: „Die heilsame und wohlthätige Institution des hochverdienten Inquisitions-Tribunals" gebraucht. Die von Pius IX. als die getreue Interpretin des echt kirchlichen Geistes anerkannte „Civiltà cattolica" der römischen Jesuiten erkennt in der so verbreiteten Abneigung gegen das h. Officium nur ein Symptom der allgemeinen Geistesverwirrung: „Ubbidienza senza esame" — „Gehorsam ohne Prüfung" ist, wie sie unermüdlich predigt, das einzige Rettungsmittel für die kranke Menschheit. Wer die Inquisition, diese Heilsgabe der Päpste, nur mit kritisirendem Auge mustert, der ist — man sehe das VIII. Heft, S. 282 des Jahrgangs 1854 — schon auf dem Wege zum Verderben. Wer die Zwangsgewalt der Kirche bestreitet, wer bedenklich findet, daß die Kirche ihren Excommunicationen durch Leibes- und Lebensstrafen Nachdruck gibt, der ist ein Rebell gegen Gott, mag er Philosoph oder Theolog, Katholik oder Protestant sein. Eine practische Bethätigung dieser Theorie war es, als für das im Jahre 1863 mit den südamerikanischen Freistaaten abgeschlossene Concordat der achte Artikel dahin formulirt wurde, daß die weltliche Behörde jede von den geistlichen Gerichten verhängte Strafe unweigerlich zu vollziehen habe.

Die Tagesblätter von entschieden ultramontaner Haltung diesseits der Alpen nehmen die Inquisition rückhaltlos in Schutz. Vor allem sind von den französischen zu nennen der dem päpstlichen Nuntius Meglia zu Paris dienstwillige „Monde" sowie der L. Veuillot'sche „Univers". Kein Jahr vergeht, ohne daß die Sache in „empfehlende Erinnerung" gebracht wird. Im Jahre 1858 machte das letztgenannte Blatt sich mehrere Artikel hindurch lustig über die „kleinen Geister", die beim Gedanken an ein Bischen Untersuchungs-Tortur zusammenschauderten. Am 4. September spann der „Monde" den Faden weiter aus. Hören wir genauer zu.

„Es ist unwahr, daß die Kirche nicht die Macht habe, Zwangsmittel anzuwenden, und überhaupt keine Gewalt, weder eine directe noch eine indirecte, in zeitlichen Dingen. Der Syllabus hat in seiner 24. These den entgegenstehenden Satz verurtheilt. Gebrauch von dieser Gewalt, die Gewissen zu nöthigen, macht die Kirche aber nur gegenüber Denjenigen, welche dieses Recht durch ihre Zugehörigkeit zur Kirche anerkennen. Dieses Zuchtrecht ist von Jesus Christus bekräftigt durch die Worte: »Wenn deine rechte Hand dich ärgert, so haue sie ab und wenn dein rechtes Auge dich scandalisirt, so reiße es aus und wirf es von dir! Es ist besser, daß ein Glied verderbe als daß dein ganzer Leib in die Hölle fahre.« Hat nicht er selbst, Stricke in der Hand, die Käufer und Verkäufer aus dem Tempel gejagt und sah nicht Petrus, der erste Papst, den Ananias und die Saphira, dessen Weib jähen Todes zu seinen Füßen sterben, weil sie den h. Geist belogen hatten? Die Kirche kann somit, ohne Verläugnung ihres Ursprungs, auf die äußeren Zuchtmittel nicht verzichten. Nur die Unwissenheit nimmt an dieser Gewalt Anstoß; ohne näher zuzusehen, innerhalb welcher Grenzen die Kirche sie ausüben will, spricht man von Verfolgung Andersgläubiger. Unsere Gegner wollen sich auch nicht belehren lassen. Die Kirche hat sich nie verführen lassen, ihre Strafgewalt auf die Ungläubigen auszudehnen. Haec potestas non data est a Christo. Nur über die Christen, nur über Diejenigen, welche durch die Taufe unter ihre Gerichtsbarkeit gestellt sind, macht die Kirche diese Rechte geltend. Es ist Thorheit zu sagen, die den Kindern ohne deren freie, vernünftige Zustimmung

•

gespendete Taufe könne denselben für später keinen Zwang auflegen: jede Ehre hat ihre Verpflichtungen, die Ehre, Christ zu sein so gut wie die Ehre, Franzose zu sein. Mit seiner Nationalität, die der Mensch sich ja auch nicht wählt, übernimmt er die damit zusammenhängenden Pflichten. Ebenso wenig kann die Kirche, welche zur Spendung der Taufe die zu freier Mitwirkung des Täuflings nöthige Vernunftentwicklung nicht abwartet, die Ehre ihrer Mitgliedschaft nicht ertheilen, ohne gleichzeitig die damit verknüpften Verpflichtungen aufzulegen. Das sind einfache logische Folgerungen, und wen sehen wir dagegen sich auflehnen? — nur Solche, die von denselben gar nicht berührt werden! In dem christlichen Staate ist nun die canonische Form des kirchlichen Zuchtrechtes die Inquisition. Es sind die Päpste, welche dieses Tribunal in's Leben gerufen und durch alle Jahrhunderte aufrecht erhalten haben; Pius VI., von dem französischen Usurpator vor die Wahl gestellt, seine Freiheit dran zu geben oder die Inquisition, opferte seine Freiheit. Was ist nun aber die Inquisition? Inquisition und Tortur sind nicht Eins und dasselbe. Die Inquisition ist ein Tribunal, welches sich über die Glaubenssätze ausspricht und seine Gerichtsbarkeit ausschließlich Solchen gegenüber ausübt, welche durch ihren Eintritt in's Christenthum dieselbe anerkannt haben und welches keine härtere Strafe verhängt als Verbannung und Einsperrung. Der weltliche Arm kann, wenn die Staatsordnung die Ketzerei unter die gesellschaftlichen Verbrechen zählt, über diese Strafen hinausgehen, wie er denn wirklich im Mittelalter darüber hinausgegangen ist, aber die Tortur und die Todesstrafen gehen nicht von der Kirche aus, sondern vom bürgerlichen Gesetz. Dieses Gesetz kann zu weit gehen. Die Kirche hat die Grausamkeiten der spanischen Inquisition von sich abgewiesen; diese hatte über ihr Recht hinausgegriffen. Wir wiederholen: die Kirche übt ihren Einfluß über die Gewissen nur durch moralische Gewalt, nur Denjenigen gegenüber, welche diese Gewalt als legitim anerkannt haben, und nur durch ein solches Tribunal, das weder die Tortur noch den Tod in Anwendung bringt."

Wie wahrhaftig diese sichtlich einer geistlichen Feder entflossenen Worte sind — nun deff' sind die auf diesen Blättern aufgeführten Thatsachen Zeuge.

Die römischen Theologen und Canonisten in Deutschland sind nicht minder „orthodox" hinsichtlich der Inquisition wie die in Italien und Frankreich. Der so hoch angesehene Kirchenrechtslehrer Philipps zu Wien sagt in seinem Handbuch VI, 597, daß man dem Inquisitions-Institute sehr unverdient zuweilen den Vorwurf eines besonders strengen Verfahrens gemacht habe; gerade das Gegentheil davon sei wahr. Der Würzburger Professor Dr. J. Hergenröther und der Professor Dr. Martens am bischöflichen Seminar zu Pelplin

argumentiren die dogmatische Begründung der peinlichen Bestrafung
der Ketzer aus der Bulle Leo's X. vom Jahre 1517 gegen Luther.
Gleich beim Beginn der Reformation meinte man noch, diese mit Gewalt ersticken zu können. Leo ließ also durch seinen Nuncius in
Deutschland erklären, der Papst habe die Macht, Könige abzusetzen
und autorisire ihn aus der Fülle dieser seiner Obergewalt, sich mit
Hülfe des weltlichen Armes der Person Luther's zu bemächtigen, alle
Laien und Fürsten mit Ausnahme des Kaisers, falls sie nicht ge-
horchten, zu excommuniciren und ihrer Würden wie ihrer Güter verlustig zu erklären. In der dieser Vollmacht beigeschlossenen Bulle
gegen Luther war des Letzteren 33. These verurtheilt und damit als
Kirchenlehre declarirt: daß es „dem Geiste des Christenthums nicht
zuwider ist, Ketzer mit dem Tode zu bestrafen". Die betreffende Be-
weisführung des genannten Dr. Martens steht im 8. Bande des zu
Mainz bei Kirchheim erscheinenden „Archiv für Kirchenrecht" von
Moy und Vering, S. 201 und fgde.

Hören wir noch eine Stimme aus dem mehr und mehr von
der Wasserpest des Ultramontanismus ergriffenen England. Zu Anfang des Jahres 1876 hatte ein strengrömisches Parlaments-Mitglied,
Sir G. Bowyer, in einer englischen Zeitschrift einen Aufsatz über
das Verhältniß von Kirche und Staat veröffentlicht und darin u. A.
gesagt: „Wir verdammen und verabscheuen die Verfolger früherer
Zeiten, mögen sie Katholiken oder Protestanten gewesen sein." Dafür
wurde ihm sofort in der unter der besonderen Aufsicht des Cardinals
Dr. E. H. Manning erscheinenden, der wärmsten Protection Pius' IX.
sich erfreuenden Londoner Zeitschrift „Dublin Review" (April-Heft,
S. 369) folgender spitzige Verweis ertheilt: „Nichtkatholische Leser
des Aufsatzes von Bowyer werden sicher unter den »katholischen Verfolgern« Diejenigen verstehen, welche Ketzer zum Tode verurtheilt
haben. Als guter Katholik kann aber Bowyer diese nicht gemeint
haben. Er weiß ja doch, daß Pius IX. den Petrus Arbues heilig
gesprochen hat und dieser hat mehr als Einen Ketzer zum Tode verurtheilt. Die Sache dieses Heiligen ist reiflich genug überlegt worden. Der Heiligsprechungs-Proceß ist 1490 eingeleitet, 1537, 1614
und 1622 wieder aufgenommen worden. Die Beatification erfolgte
1622, die Canonisation 1867. Sir G. Bowyer kann doch einen
kirchlich anerkannten Martyrer nicht »verabscheuen« wollen! Es gibt
aber bekanntlich eine beträchtliche Anzahl von canonisirten Heiligen,
welche in der einen oder andern Weise an der Hinrichtung von Ketzern
Theil genommen haben. Wir müssen also annehmen, daß Sir G.
Bowyer nicht im Allgemeinen alle Diejenigen »verabscheuen« will,
welche überhaupt Ketzer zum Tode verurtheilten, sondern nur Solche,
welche die christlichen Gesetze gegen Ketzer mit ungebührlicher Strenge
oder in grausamer Absicht zur Ausführung gebracht haben. Und

auch dabei möchten wir ihn daran erinnern, daß die Ketzerei selbst eine schwerere Sünde ist, als die Grausamkeit bei der Bestrafung der Ketzer. Man kann freilich sagen, bei der Sünde der Ketzerei sei oft unverschuldete Unwissenheit anzunehmen; aber wir antworten: es ist mindestens ebensogut möglich, daß bezüglich der Grausamkeit unverschuldete Unwissenheit anzunehmen ist. Und für die »früheren Zeiten«, welche Sir G. Bowyer im Auge hat, ist mit viel größerer Wahrscheinlichkeit anzunehmen, daß bei Denjenigen, welche den Ketzern gegenüber grausam waren, verzeihliche Unwissenheit unterlaufen ist, als bei den Ketzern selbst." So die „Dublin Review".

Die päpstliche Lehre steht nach diesen Zeugnissen fest. Es ist 1) erlaubt, und dem Geiste des Christenthums nicht zuwider, Ketzer, d. h. Christen, die nicht so wollen wie die römische Curie will, zum Tode zu verurtheilen; 2) es kann Jemand ein Heiliger der römischen Kirche werden, obschon (oder weil?) er Ketzer zum Tode verurtheilt hat; 3) es ist nur unerlaubt, bei der Verurtheilung von Ketzern mit ungebührlicher Strenge zu verfahren und sie aus Grausamkeit (das ist begreiflich etwas Anderes als mit Grausamkeit) zu tödten; 4) diejenigen „guten" Katholiken, welche in früheren Jahrhunderten selbst aus Grausamkeit und mit ungebührlicher Strenge Ketzer verfolgt haben, werden wohl mit unverschuldeter Unwissenheit gehandelt haben, während diese Entschuldigung für die verbrannten Ketzer keine Wahrscheinlichkeit hat.

Sehen wir nun zu, ob speciell Petrus Arbues der Ehren des Altars theilhaftig ist, obschon oder weil er Ketzer in's Feuer geliefert hat.

In der Nacht vom 14. zum 15. September 1485 begab sich einer der Inquisitoren, Peter Arbues aus Epila, zur Matutin in die Kathedrale von Saragossa. Unter seinen Kleidern trug er wie immer ein Panzerhemd, unter seinem Hute einen stählernen Schädel-Schützer, denn er traute dem Landfrieden schon lange nicht und fürchtete Vergeltung für seine Härte. In der linken Hand hielt er eine Blend-Laterne, in der rechten einen schweren Stock. Man wird zugeben: diese Ausrüstung war eines Vertreters der Inquisitions-Kirche würdig. Aus dem Kreuzgang des Inquisitions-Palastes in den Dom eingetreten, kniete er an einem Pfeiler nieder und setzte die Laterne auf die Steinplatten; den Knüttel hielt er in der Rechten fest, halb verdeckt von dem Mantel. Seine Amtsbrüder, die Cano-niker, waren auf ihren Plätzen, am Absingen ihres Pensums zum Schlusse der Octave von Mariä Geburt. Da naheten zwei Männer und knieten in der Nähe von Arbues nieder. Nicht lange währte es und es sauste ein wuchtiger Schlag auf den linken Arm des Inqui-sitors; ein zweiter Hieb folgte unmittelbar von der andern Seite auf den untern Theil seines Hinterhauptes. Arbues brach zusammen, die untere Kinnlade war zerschmettert; achtundvierzig Stunden später starb er, vierundvierzig Jahre alt.

Als die Blutthat bekannt wurde, ergriff panischer Schrecken auch die besonnenere Bevölkerung; Jeder sah die Folgen voraus. Der aufgereizte Pöbel aber lief, wie Zurita in seinen Annalen erzählt, durch die Straßen unter dem Rufe: „In's Feuer mit den Neu-christen, welche den Inquisitor erschlagen haben!" Sobald der Tag graute, versammelte der Erzbischof die königlichen wie die kirchlichen Beamten, auch die Adeligen der Stadt, um über die Uebelthäter abzuurtheilen, ohne einen ordentlichen Richter zuzuziehen oder an den Rechtsbrauch sich zu kehren. Darüber wurden nun, wie der Inquisitor Ludwig Paramo berichtet, alle „Schuldbewußten" bestürzt und mit tiefstem Schmerz erfüllt, indem sie erkannten, daß ihnen nun diejenigen Rechte noch genommen wurden, mittels deren sie sich des Inquisitions-Unheils bis jetzt noch einigermaßen erwehrt hatten. Die Mehrzahl der Verschworenen scheint zwar zunächst entkommen zu sein, ging aber doch, wie Paramo andeutet, „durch höhere Fügung im Laufe eines Jahres elendiglich zu Grunde". Die anderen, darunter besonders die Rädelsführer: Johann de Lababia und Johann Sperandeo, welche wir später noch einmal bei Erwähnung des Seligsprechungs-Processes zu nennen haben werden, wurden theils geviertheilt und ihre Körperstücke an der Heerstraße aufgesteckt, theils verbrannt. Es sollen nach Llorente mehr als 200 Menschen zur Sühne für Arbues hingerichtet und noch weit mehr in den Kerker geworfen worden sein; alle nämlich, welche als Mitverschworene irgendwie verdächtig oder auch nur mit Verschworenen näher bekannt waren.

Ganz Aragonien war bei der Schreckenskunde von der blutigen That und der noch blutigeren Sühne in Aufruhr gerathen. Die Einwohner vieler Städte — es seien nur einige, Teruel, Valencia, Lerida und Barcelona genannt — drangen in die Inquisitoren, von weiteren Verfolgungen abzustehen. Zwei volle Jahre dauerte die Aufregung; königliche Edicte wie päpstliche Bullen erwiesen sich der Erbitterung der Bevölkerung gegenüber als ohnmächtig — militärische Gewalt that schließlich das Ihrige. In Saragossa, dem Sitze der Verschwörung und dem Thatort des Verbrechens, gab es natürlich des Unheils am meisten. Tausende flohen aus der Stadt, ohne daß sie auch nur der geringsten Verschuldung sich bewußt gewesen wären. Zuflucht fanden diese Armen nirgend, denn überall fürchtete man, durch offene Theilnahme an ihrem Schicksal die schwere Hand des Schreckensgerichtes auch auf sich selbst herabzuziehen. Wie glaubwürdig deshalb Llorente's Zahlen-Angaben in diesem Falle sind, mögen zwei Beispiele aus vielen darthun.

Ein flüchtiger Einwohner von Saragossa fand seinen Weg nach Tudela und flehte dort um einen verborgenen Schlupfwinkel im

Hause des Don Jacob. Letzterer war Infant von Navarra, ein legitimer Sohn der Königin von Navarra und Neffe des Königs Ferdinand selbst. Der Prinz gewann es nicht über sich, einem Menschen, den er für schuldlos erkannte und der gleich einem gehetzten Wild Schutz suchte zu seinen Füßen, das erbetene Asyl zu versagen. Er gestattete ihm einen Unterschlupf für ein paar Tage, dann möge er sehen, wie er nach Frankreich entkomme. Für diesen Act der einfachsten Menschlichkeit wurde Don Jacob von der Inquisition festgenommen und als „Behinderer des h. Officiums" in's Gefängniß gesetzt. Später wurde er nach Saragossa gebracht — also dem ihm zuständigen Gerichtsbezirke entzogen! — und dort zu öffentlicher Bußleistung in der Kathedrale während des Hochamtes verurtheilt. Und zu welch' entwürdigender Buße! Der Erzbischof führte den Vorsitz dabei, aber dieser Erzbischof von Saragossa war ein Bastart Sr. „katholischen Majestät", des Königs Ferdinand, ein Range von siebzehn Jahren! Dieser Erzbischof gab zwei Priestern Befehl, den Rücken des Infanten von Navarra, des Neffen seines eigenen Vaters, mit Ruthen zu schlagen und demgemäß machte Don Jacob einen Rundgang um die Kirche unter den Geißelhieben zweier Pfaffen!

Der zweite Fall ist noch ekelerregender — er ist wahrhaft teuflisch. Kaspar de Santa Cruz entkam nach Toulouse, starb dort und ward begraben. Zu Saragossa konnte man ihn als Mitwisser in der Verschwörung gegen Arbues nur bildlich verbrennen. Aber da kam zu Tage, daß sein in Saragossa wohnender Sohn ihm bei der Flucht behülflich gewesen sei. Der Sohn wurde als „Behinderer der h. Officiums" eingekerkert und demnächst bei einem Auto-de-Fé als Büßer mitaufgeführt. Dort hatte er ein verdammendes Urtheil über seinen eigenen Vater laut zu verlesen. Dann wurde er dem Inquisitor von Toulouse zugeschickt. Dieser ließ ihn an das Grab des Vaters führen, damit er mit eigenen Händen die Leiche ausgrabe und sie verbrenne. Und das Gräßliche geschah. Eine ruchlosere Verhöhnung des vierten Gebots hat Himmel und Erde gewiß niemals gesehen. Die Bibel freilich — man muß nur zu suchen und zu deuten verstehen, wie die Exegeten Roms — liefert auch eine Rechtfertigung hierfür: „Wer Vater und Mutter mehr liebet als mich, ist meiner nicht werth." Wo die Biene Honig saugt, wo der wirklich Fromme Trost und Glauben sich in's Herz liest, da findet auch die Spinne was sie braucht: — Gift. Dieselbe Kirche aber, welche durch die Schrecken ihres heimlichen Gerichtes ein Kinderherz zwang, seine Natur zu verleugnen, daß ihm das Unmögliche möglich wurde, dieselbe Kirche beansprucht die Herrschaft über die Schule und weiß auch für diese Ansprüche ein Bibelwort, das Wort des Heilands: „Gehet hin und lehret alle Völker!"

Die Königin Isabella errichtete ihrem erschlagenen Beichtvater

Arbues — „Beichtvater der katholischen Majestäten" hieß nämlich jeder Inquisitor — auf eigene Kosten ein prächtiges Grabmal; sie konnte das wohl, denn wenn er ein Martyrer war, so war er ein Martyrer ihrer Schatulle. Zwar erlangten die Aragonesen, welche die Absicht der so hoch getriebenen Verehrung des Inquisitors wohl durchschauten, eine päpstliche Bulle, welche die Entfernung des Grabmals aus der Kirche empfahl; allein der Nachfolger des Arbues, der Inquisitor Garcia, nachher Bischof von Barcelona (es war das ja, beiläufig bemerkt, der übliche Lohn des inquisitorischen Eifers: ein reichdotirter Bischofssitz), ließ diese Bulle für erschlichen erklären. Das Grabmal blieb und die „erschlichene" Bulle wurde wie zum Hohne, gleich den Sambenitos der hingerichteten Mörder, als Trophäe über demselben befestigt. Auf der Inschrift des Grabmals hieß es mit einer Anspielung auf den Galiläischen Fischer: der heilige Petrus (Arbues) sei der festeste Fels, auf den Gott sein Werk (die Inquisition) gegründet habe. Was die aufgehängten Bußsäcke betrifft, so folgte man damit nur einer „Sitte" des h. Officiums: diese gelben mit rothen Kreuzen benähten Gewänder, welche die zur Abschwörung Verurtheilten hatten tragen müssen, wurden, damit ja kein Vergessen und keine Verjährung eintrete, nach dem Tode oder der Begnadigung ihrer Träger, mit deren Namen versehen, in den Kirchen aufgehängt, so daß der Enkel noch an jedem Sonntag die Schmach, welche seinen Großvater getroffen hatte, vor Augen sehen mußte. Wie peinlich man das gefühlt hat, geht daraus hervor, daß mehrere Mal dem König hohe Summen geboten wurden, wenn er in die Entfernung der Sambenitos mit ihren infamirenden Inschriften willige. Noch im Jahre 1608 berichtete der venetianische Gesandte Priuli an seine Republik von einem solchen, auch diesmal vergeblich gemachten Anerbieten.

Die Seligsprechung und dann auch die förmliche Canonisation des Martyrers Arbues wurde nun die große Angelegenheit der spanischen Könige und spanischen Inquisitoren. Welche Empfehlung war das aber auch für das „h. Geschäft", wenn der erste Geschäftsführer von der ganzen Kirche verehrt wurde! Der erste Proceß bei der römischen Congregation der Riten in dieser Angelegenheit wurde schon im Jahre 1490 formulirt. Karl V. begehrte die Seligsprechung im Jahre 1537 von Paul III. und erlangte bereits, daß eine Lampe vor dem Grabmal des Martyrers brennen durfte. Philipp III. wandte sich im Jahre 1614 nochmals in dieser Sache an Paul V. Auch die Canonici von Saragossa hielten um die Förderung dieser Lebensfrage der Kirche an, und sehr gründliche Untersuchungen über den Glaubenshelden und sein Grab wurden in Spanien durch eine vom Papst ernannte Commission angestellt. Die italienisch-päpstliche Inquisition hatte schon längst ihren Himmels-Patron in dem

canonifirten zwischen Como und Mailand erschlagenen Peter Martyr
von Verona — wir haben seiner bereits in einem früheren Kapitel
gedacht — und es war also nur billig und gerecht, daß der spanischen Schwester-Anstalt die gleiche Ehre nicht vorenthalten werde.
Hatte doch schon der eben erwähnte Amts-Nachfolger des Arbues,
Garcia, erklärt: sowie zwei Apostel in der Kirche des Abendlandes
seien, einer im Osten, Petrus zu Rom, und einer im Westen, Jacobus
zu Compostella, so seien auch zwei Martyrer-Inquisitoren in der
Kirche: einer im Osten, Petrus von Verona, der andere im Westen,
Petrus von Saragossa.

Alexander VII. (1655 bis 1667) machte schließlich Ernst mit
der Seligsprechung des Mannes, der, wie er sich in der Beatifications-
bulle ausdrückte, während der sechszehn Monate seiner Amtsverwaltung (vom 4. Mai 1484 bis zum 15. September 1485) „treu
und mit dem höchsten Eifer für den katholischen Glauben das Amt
eines Inquisitors führte". Die an Alexander VII. gerichteten Bitten
der Verehrer des Arbues waren begleitet von einer Denkschrift und
einem kurzen Lebensabriß des Martyrers. Beide Actenstücke beruhen
auf Zeugenaussagen und beide sind von den Antwerpener Jesuiten,
welche die „Acta Sanctorum quotquot toto orbe coluntur", die
von ihrem Societäts-Genossen Johann Bolland im Jahre 1643
begonnene „Leben der Heiligen" fortsetzen, diesem Werke einverleibt
worden, der Lebensabriß ganz, die Denkschrift mit Ausnahme der
kitzlichsten Stelle in dem Dictum, welches darin dem als seliger Geist
erschienenen Arbues in den Mund gelegt wird. Wir werden auch
diesen letzteren Satz dem Leser nicht vorenthalten.

In der Denkschrift nun heißt es:
„Unerschrocken ließ Arbues als Inquisitor die Gerechtigkeit
walten; er ließ sich im Laufe der Verhandlungen weder durch Thränen
noch durch Bitten erweichen, sondern theilte Jedem sein Recht zu,
unerschütterlich. Ja, so wunderbar groß war seine Unbeugsamkeit,
daß er, als der schneidigste (acerrimus) Verfolger der Ketzereien sich
erwies und daß durch seinen Eifer und seine Emsigkeit in kurzer
Zeit viele Häretiker, Abtrünnige und Rückfällige, die verdiente Strafe
für ihre Verbrechen erhielten. Weil er nun so unerbittlich sein
Amt verwaltete, so ganz der Entdeckung der ketzerischen Unthaten
und deren Bestrafung hingegeben war, so warfen diese ihren bittersten
Haß auf ihn. Und wie nun Paramo erzählt, beschlossen Einige von
ihnen, die den vornehmeren Ständen angehörten, in geheimer Zusammenkunft, äußersten Falls, wenn ihnen keine andere Abwehr mehr zu
Gebote stehe, zur Tödtung der Inquisitoren zu schreiten. Es kamen
nun Warnungen an Arbues, er möge vor den zahlreichen Freunden und Verwandten seiner Opfer auf der Hut sein, sein
Amt entweder niederlegen oder es mit weniger Härte ausüben. Aber

er ging nicht von seiner Strenge ab, sondern erklärte sich damit zufrieden, »wenn seine Feinde aus einem so schlechten Priester, wie er sei, den besten Martyrer machten«. So wurde er denn am 15. September 1485, da man in sein wohlverwahrtes Haus nicht eindringen konnte, von einigen Verschworenen Nachts in der Kirche überfallen und verwundet, in Folge dessen er am 17. September starb. Die beiden Anführer der Mörder, Johann de Labadia und Johann Sperandeo, scheinen sich aber aus den nächsten persönlichen Gründen zu dem Attentat gegen Arbues hergegeben zu haben; denn dem Erstgenannten hatte er erst kurz vorher die Schwester zum schimpflichen Tode verurtheilt (»Acta Sanct.« Septemb. V. pag. 733 u. 753), dem letztern aber den Vater in den Kerker geworfen." Die bei dem von Alexander VII. im Jahre 1661 angeordneten Beatifications-Proceß fungirenden Glaubens-Promotoren Rossi und Cerri, — die Träger dieses Amts haben, ähnelnd den Staatsprocu-ratoren des französischen Code pénal, Zweifel und Schwierigkeiten vorzubringen — machten denn auch die Thatsache geltend, daß jene beiden Männer nicht aus Glaubenshaß, sondern aus persönlichem Rachegefühl, weil sie die Ihrigen für schuldlos verfolgt und bestraft hielten, den Arbues getödtet hätten. Zugleich mit der Beatification des Letzteren handelte es sich damals in Rom auch um die des in Volhynien erschlagenen Polen Josephat Kuncewicz von Poloczk, der nach dem Urtheil der „Teufels-Advolaten" Rossi und Cerri gleich-falls nicht des Glaubens wegen getödtet worden sei, sondern weil er einen Priester der nicht unter dem Papst stehenden griechischen Kirche eingekerkert hielt. Die Anwälte der zwei Erschlagenen wußten jedoch darzuthun, daß sich, wenn man nur tiefer in die Sache ein-bringe, nichtsbestoweniger ein gewisses Glaubens-Interesse in dieselbe eingemischt habe, bei dem Einen wie bei dem Anderen. Daraufhin wurden denn Beide, erst gemeinsam selig und dann, am 29. Juni 1867, gemeinsam heilig gesprochen. Mit der Verherrlichung des Arbues ist aber, nach der Intention der römisch-jesuitischen Curie, der spanischen Inquisition eine glänzende Genugthuung Seitens der Kirche zu Theil geworden für alle die Angriffe, welche dieses unschuldige Wesen Jahrhunderte hindurch hat erfahren müssen. Darum sagt denn auch Pius IX. in seiner Allocution zu dieser Canonisations-Feierlichkeit, welcher bekanntlich mehrere Hundert Bischöfe beiwohnten, als „stumme Hunde", wie die Schrift solche Leute nennt, und ohne sich zu schämen: „es handele sich hier darum, Helden der Kirche heilig zu sprechen, die mit rühmlichem Wetteifer zur Vertheidigung des Apostolischen Stuhls, des Sitzes der Wahrheit und der Einheit, zum Schutze des wahren Glaubens oder um die vom Schisma der Kirche Entrissenen, in deren Mutterschoß zurückzuführen, gekämpft und den Tod erlitten haben."

Auch in der Zukunft wird Rom der Welt solche Schauspiele nicht ersparen: noch ehe es den Thron auf den christlichen Altären für den Arbues gänzlich fertig gezimmert hatte, lüpfete es schon wieder eine Anzahl anderer Ketzerrichter, um sie ebenfalls dort zur Verehrung aufzupflanzen. Noch zu Anfang des letztgenannten Jahres 1867 erließ der Cardinalbischof und päpstliche General-Vicar Patrizi ein von Pius IX. bestätigtes Decret der Congregation der Riten, welches die Inquisitoren, welche im Jahre 1242 im Gebiet von Avignon ermordet wurden, der Zahl der Seligen beifügt. In diesem Decret heißt es: „Da die Päpste stets und überall die Ketzerei auszutilgen beflissen gewesen, so habe Gregor IX. einige Inquisitoren in das Gebiet von Toulouse geschickt, welche, während sie dort ihrem Amt mit gebührendem Eifer und Fleiß oblagen, von den Ketzern überfallen und ermordet wurden, weshalb man sie allgemein für heilig gehalten habe."

So weit wären diese also auch — voraussichtlich erweist sich der Finger Gottes, der ja „wunderbar ist in seinen Heiligen" an den Martyrern aus dem Avignonet ebenso gewaltig und unwiderstehlich, daß die „Teufels-Advocaten" gegen die Canonisation dieser letzteren ebenso ohnmächtig bleiben, wie bei Arbues. Die Wunder, womit dessen Grab verherrlicht wurde, haben wir noch zu erzählen.

Sie begannen an den bei dem Morde entstandenen Blutflecken in der Kathedrale von Saragossa. Diese waren nämlich nach der That bald verschwunden, aber um die Zeit der Bestattung des Erschlagenen wurden sie wieder sichtbar, und zwar sah das Blut ganz frisch aus. Das „gutkatholische Volk" — es sind uns ja bis zur Stunde recht kräftige Proben davon erhalten geblieben! — kam und rief: „Wunder! o Wunder!" Man tauchte Tücher und Papierstücke in die Feuchtigkeit und, so wird versichert, die Blutflecken nahmen später die Form von Rosen und anderen röthlichen Blumen an. Da die Sache dem gutkirchlichen Volle so viele Freude machte und eine so inquisitionsfreundliche Wirkung auf dasselbe äußerte, so wiederholte sich das Wunder zwölf Tage später. Die zu dieser Zeit in der Kirche anwesenden Priester verhüllten erst den in den Kirchenstühlen befindlichen Chorknaben die Köpfe, zogen dann das wollene Tuch, womit sie die Stelle bedeckten, an der man früher das Blut gewahrt hatte, weg und — es war wiederum frisches Blut da, fast noch reichlicher als damals. Das „Volk", welches dies Mal nicht, wie vor zwölf Tagen bei dem Begräbniß, zufällig da war, wurde schnell herbei gerufen. Mit großer Erbauung und nunmehr schon völlig durchdrungen von der so augenscheinlich beglaubigten Gottwohlgefälligkeit der Inquisition tauchten die Gläubigen wieder ihre Tücher und Papierchen in die Feuchtigkeit. Der Jesuit Mariana meint freilich: es möchten da wohl „ludibria oculorum" — „Täuschungen der Augen" mit im Spiele gewesen sein; es waren aber wohl „ludibria digitorum" — „Täuschungen der Finger".

Nachdem einmal das erste Wunder so gut beglaubigt war, wurden deren immer mehr ruchbar: die berühmte Glocke von Bililla (einige Meilen von Saragossa), die nach alten Sagen jedes Mal bei besonders wichtigen und tragischen Ereignissen ihre metallene Zunge regte, hatte sich in derselben Stunde, in welcher Arbues überfallen worden war, so gewaltig angestrengt, daß man andern Tags das Band, mit welchem der Klöppel eingehängt war, zerrissen fand. Auf Befehl des Inquisitors Talavera, welchem der Fiscal=Procurator der Inquisition, Fuentes, mit gleichem Begehren sich anschloß, wurde über das Blut=Wunder von einem Notar ein Protokoll aufgenommen, nach Rom geschickt und dort von der Congregation der Riten vollkommen zuverlässig gefunden.

Einige Jahre nach dem Tode des Arbues fand sich der Priester Blasco Galvez bei den Inquisitoren von Saragossa ein und erklärte, Arbues sei ihm eines Morgens um 7 Uhr — er wisse nur nicht mehr mit Sicherheit, ob im Jahre 1486 oder 1487 — erschienen, und habe ihn beauftragt, ihnen zu sagen, daß er (Arbues) jetzt große Herrlichkeit im Himmel genieße, und daß auch ihnen für ihre große Mühewaltung am Glaubensgericht dieselbe Seligkeit werde zu Theil werden. „Sie sollten nicht zweifeln, daß sie sehr wohl daran gethan, eine so große Anzahl von Menschen den Flammen zu übergeben, denn alle, bis auf Einen, seien jetzt in der Hölle. Auch sollten sie die an der Landstraße ausgestellten Glieder seiner hingerichteten Mörder hinwegnehmen und die Asche der Verbrannten in den Ebro werfen lassen — wenn das geschehen sei, werde nicht mehr so viel Hagelschlag in Aragon erfolgen." Kurz darauf würdigte Arbues, den sein auf Erden so überaus großer Geschäftseifer auch noch im Jenseits nicht ruhen zu lassen schien, denselben Blasco Galvez eines zweiten Besuchs, um ihm noch höher gerichtete Aufträge zu ertheilen. Galvez sollte nämlich dem Erzbischof von Saragossa — wir haben die Bekanntschaft dieses jetzt Zwanzigjährigen schon gemacht — sowie dem Könige Ferdinand und dessen Gemahlin Isabella kund thun: daß Gott ihnen Glück, langes Leben und die himmlische Seligkeit zum Lohn bestimmt habe für ihr hohes Verdienst um die Einrichtung der Inquisition; nur freilich müßten sie sich die Fortdauer mit derselben Sorge angelegen sein lassen und vor Allem die Moresken ohne Ausnahme und ohne Schonung aus Spanien vertreiben. Zugleich mußte Blasco Galvez den Inquisitoren im Namen ihres verklärten Amtsgenossen noch ein Mal sagen: er empfehle ihnen, ihr Amt als Ketzerrichter kräftigst zu führen; denn eben dadurch habe er seinen Ehren=Sitz unter den himmlischen Heerschaaren gewonnen. Endlich lehrte Arbues den mit seinen nächtlichen Besuchen begnabeten

Galvez auch noch ein an ihn (Arbues) gerichtetes Anrufungs-Gebet, welches Alle, die es sprächen, vor der Pest sichere. In dieser nächtlichen Conversation nannte Galvez seinen gespenstigen Gast einmal einen „Heiligen", welches Compliment dieser aber, ohne Zweifel aus Respect gegen die Riten-Congregation zu Rom, die ja seine Canonisation damals noch nicht ausgesprochen hatte, mit den Worten ablehnte: „Noch bin ich das nicht — ich hoffe es erst zu werden." Blasco Galvez beschwor im Jahre 1490 vor dem erzbischöflichen General-Vicar Oropesa diese seine Aussagen und der Inquisitor Lasmiera trug Sorge, daß das gehörig beglaubigte Document in Rom vorgelegt wurde.

Das Alles steht wörtlich bei den Bollandisten; der himmlische Arbues aber hatte sich bei seinem irdischen Freunde Blasco Galvez dadurch legitimirt, daß er ihm einen 25 Jahre alten Leibschaden während seines zweiten Besuches völlig curirte. So ist Peter Arbues der Patron der Bruchleidenden geworden.

Das bereits erwähnte Grabmal von weißem Marmor war schon im Jahre 1487 vollendet. Das aus demselben Material gearbeitete Bild des Inquisitors stand in Lebensgröße darauf; auf den Seiten las man die Hauptdaten seines Lebens und die Widmung der „katholischen Majestäten"; ein Gitter umgab das Ganze. Nach der Beatification im Jahre 1664 wurde an derjenigen Stelle in der Nähe des Altars der Domkirche, wo die tödtlichen Streiche den Inquisitor getroffen hatten, in den Boden eine Platte gelegt mit folgender lateinischen Inschrift: „Siste, viator, locum adoras" etc. — „Hemme deine Schritte, Wanderer, und kniee nieder, wo der selige Petrus von Arbues durch zwei Streiche erschlagen wurde. Die Stadt Epila gab ihm das Leben. Diese Kathedrale verlieh ihm ein Canonicat. Der Apostolische Stuhl machte ihn zum ersten Vater-Inquisitor des Glaubens. Durch seinen Eifer wurde er den Juden verhaßt. Unter ihren Mordwaffen fiel er hier als Martyrer im Jahre 1485. Der Allergnädigste König Ferdinand und seine Gemahlin Isabella errichteten ihm ein marmornes Mausoleum, an dem viele Wunder geschahen zu seinem Ruhme. Papst Alexander VII. versetzte ihn unter die heiligen und seligen Blutzeugen am 7..April des Jahres 1664. Das Grab wurde damals geöffnet, die heiligen Reliquien erhoben und mit der gebührenden Feierlichkeit und Verehrung unter den Altar der Kapelle übertragen, welche auf Kosten des Domcapitels aus demselben Marmor wie das Grabmal selbst in 65 Tagen erbaut worden war, am 23. September des Jahres 1664."

Jahrhunderte hindurch erwies sich der selige Arbues für leibliche Bruchschäden als allzeit bereiter Nothhelfer; einmal aber hat er sogar auch einen geistigen Bruch wunderbar geheilt, und auch dieser Fall sei, in der Voraussetzung, daß die Leser ihn so gläubig hin-

nehmen, wie die Antwerpener Jesuiten ihn erzählen, in Kürze noch
mitgetheilt; er ist jedenfalls noch merkwürdiger, als daß der heilige
Vernichter so vieler Menschenleben auf Erden vom Himmel aus, sei
es zur Abwechselung oder zur Reparatur einiger kleiner Versehen,
auch einige Todten erweckt hat. Als der spätere Cardinal Xaviere
noch Theologie-Professor zu Saragossa war, sollte er einmal eine
Predigt halten zur Empfehlung der „Cruzaba", d. h. der von jedem
Spanier zu kaufenden päpstlichen Bulle, die ihm reichlichen Ablaß
und die Befreiung einer beliebigen Seele aus dem Fegfeuer bewilligte
und deren Kaufpreis zur Bekämpfung der Ungläubigen verwendet
werden sollte. Da, beim Besteigen der Kanzel, verspürte Magister
Xaviere einen geistigen Bruch — er hatte schier Alles vergessen, was
er Eindringliches hatte vorbringen wollen, um die Herzen und Taschen
seiner Zuhörer zu erschließen. „O, Heiliger, Gebenedeiter", rief seine
Seele in ihrer Angst, „wenn Du mir nicht beistehest in dieser Noth,
dann ist es um mich geschehen!" Und siehe: an dem der Kanzel
gegenüber befindlichen Grabmal des Arbues stand die ganze Predigt,
Wort für Wort aufgeschrieben, so daß der Redner sie nur eben ab-
zulesen brauchte.

So gnädig aber auch der verklärte Inquisitor sich seinen Ver-
ehrern erwies — Solchen gegenüber, die seine Fürbitte und Wun-
derkraft geringschätzig ansahen, war immer noch Etwas von dem
Ketzerrichter in dem Bewohner der lichten Höhen zurückgeblieben. Die
Bollandisten führen uns aus der mehrerwähnten Denkschrift zwei
hier einschlägige, ernst mahnende Beispiele vor. Ein Weib fragte
das andere: ob sie das Grab des Magisters von Epila besucht habe.
Als diese unbesonnen antwortete: „Den hab' ich nicht nöthig, ich
leide nicht am Bruch" — da ward sie durch höhere Hand bestraft;
augenblicklich hatte sie zwei Brüche, in jeder Leiste einen, und dieses
Uebel quälte sie nun zehn Jahre hindurch, denn so lange ließ sie es
währen, bis sie sich zu einer neuntägigen Andacht zu dem Leibschaden-
Patron verstehen wollte. Da war jener Mann doch klüger, der auf
die Frage seiner Frau: weshalb er das Grab des h. Magisters nicht
besucht habe, gleichfalls mit einer schnippigen Antwort bei der Hand
war; denn als er im selben Augenblicke fühlte, wie seine Eingeweide
stark sich herabsenkten und er einen Leibschaden habe, that er sofort
Buße für seinen Frevel: er ging zum Grabe des Wunderthäters und
konnte, nach Hause zurückgekehrt, durch die erfolgte Heilung sein
Weib in ihrem frommen Vertrauen stärken.

Das berühmte Werk von H. Th. Buckle: „Geschichte der Civilisation in England" enthält einen Passus, der gewiß Vielen schon
auffällig erschienen ist, dennoch aber eine Wahrheit ausspricht, die
man zu einem richtigen Urtheil über die Inquisitions-Gräuel nicht
aus den Augen lassen darf. Wir müssen diese Stelle, in welcher

Buckle den Beweis liefert, „daß unwissende Menschen um so schäblicher sind, je größer ihre Aufrichtigkeit ist", in ihrem Gedankengang verfolgen:

Es gibt kein Beispiel in der Geschichte, so argumentirt Buckle, daß ein unwissender Mensch, der die Gewalt in Händen hatte, seine von seinem Standpunkte aus ganz wohlgemeinten Absichten durchzuführen, nicht viel mehr Unheil angerichtet als Gutes gestiftet hätte. Wenn er gleichzeitig eben so eigennützig ist wie unwissend, so ist dies noch weniger schlimm, denn dann legt seine Selbstsucht, die Furcht, sich zu schaden, seinem Thatendrange oft in heilsamer Weise einen Zügel an. Gerade wenn er sich berufen glaubt und Willens ist, nur für das Wohl Anderer zu wirken, ist das Uebel, das ein solcher Mensch über die Welt bringt, meist unabwendbar und unermeßlich. Die Geschichte der religiösen Verfolgungen liefert die Beispiele zu dieser Behauptung in reicher Zahl. Auch nur einem Einzelnen wegen seiner religiösen Ueberzeugungen Leiden zuzufügen, ist nicht nur an sich ein großes Unrecht und für die Menschheit verderblich, sondern auch eine der thörichtesten Handlungen, die sich denken lassen. Nichtsdestoweniger ist es unwidersprechlich wahr, daß sehr Viele von Denen, welche religiöse Verfolgungen veranlaßt und betrieben haben, Menschen von reiner Absicht und strenger Sittlichkeit gewesen sind; sie wollten eben Ansichten, die sie für gut und wahr hielten, bei Anderen zu deren ewigem Heil erzwingen. Schlechte Menschen kann man Diejenigen nicht nennen, welche, ohne alle irdische Rücksicht und ohne eigenen Nutzen, jedes in ihre Hand gelegte Mittel zur Ausbreitung einer Religion anwenden, von deren Nothwendigkeit für die ewige Seligkeit ihrer Mitmenschen sie überzeugt sind; sie sind nur unwissend über die Natur der Wahrheit und ihr Recht, unwissend über die verderblichen Folgen ihres gewaltsamen Handelns. Es ist das Feuer aufrichtigen, wenn auch verkehrten Eifers, was sie erhitzt. Ihr Fanatismus wirkt' freilich zerstörend, aber er will aufbauen. Wenn irgend Jemand von der höchsten Wichtigkeit einer religiösen Lehre sich überzeugt hält und der festen Meinung ist, Jeder, welcher diese Lehre verwerfe, sei ewig verdammt, so wird ein Solcher ganz gewiß Alle verfolgen, welche sich nicht zu dieser Lehre bekennen, vorausgesetzt, daß er die Macht dazu in der Hand hat und durch seine Unwissenheit verblendet ist für die Folgen seiner Handlungen. Und das Maß seines Verfolgungseifers wird sich bestimmen nach dem Grade seiner Aufrichtigkeit. Nur dadurch, daß wir der Ausübung dessen, was er für seine höchste Pflicht und seine schönste Tugend hält, Hindernisse in den Weg legen, können wir das Verderben, das er anrichtet, einschränken.

Buckle verweist dann, zum Belege hierfür, auf zwei geschichtliche Thatsachen.

Die römischen Kaiser ließen die ersten Christen verfolgen. Diese Verfolgungen sind zwar meist sehr übertrieben geschildert worden, aber sie waren doch in Wahrheit sehr häufig und sehr hart. Was aber Manchem äußerst sonderbar erscheinen wird: unter den rührigsten Urhebern dieser grausamen Verfolger werden die besten Männer genannt, die je auf dem Throne saßen, während die schlechtesten und verruchtesten Kaiser, wie Commodus und Heliogabal, die Christen schonten und sich um ihre Ausbreitung und Vermehrung im Reiche nicht kümmerten; die letzteren ließen dem Christenthum, welches sie nach ihrem sonstigen geistigen Standpunkt doch als gottlosen und verderblichen Wahn ansehen mußten, freien Lauf und hemmten es nicht durch Strafgesetze, welche sie als gewissenhaftere aber mehr im Irrthum befangene Kaiser in Anwendung gebracht haben würden. Der große Feind des Christenthums dagegen war Marc Aurel, ein Mann von gütiger Gesinnung, von furchtlosem unerschütterlichem Rechtssinne; ein tadelloser Schüler der strengsten Moralphilosophie, wetteiferte Marc Aurel mit den Christen in Verachtung der Thorheiten und Zerstreuungen des Lebens; aber die Christenlehre fand in ihm einen offenen und strebsamen Mitbewerber um die Herrschaft über den menschlichen Geist, nicht nur einen Nebenbuhler in der Erhebung des Gemüths in's Reich der Ideale und zu edleren Motiven des Handelns, sondern geradezu einen heftigen und unduldsamen Verfolger. Zum Ueberfluß verweist Buckle auf den letzten und eifrigsten Gegner des Christenthums auf dem Cäsaren-Thron, auf Julian, ein Fürst, dessen Denken und Regierungsmaßregeln oft angegriffen worden sind, gegen dessen sittliches Betragen aber kaum die Verleumbung einen Argwohn zu erheben gewagt hat.

Als zweiten Beleg zieht Buckle dann die Inquisitoren in Spanien an. „In diesem Lande, das muß man gestehen, hat das religiöse Gefühl eine Herrschaft über die menschlichen Angelegenheiten ausgeübt wie sonst nirgends. Kein anderes europäisches Volk hat so viele eifrige und uneigennützige Missionare, so viel begeisterte und selbstverleugnende Martyrer hervorgebracht, welche freudig ihr Leben an die Verbreitung von Lehren setzten, welche sie für einzig wahr und zum Heile nothwendig hielten. Nirgends ist die Geistlichkeit so zahlreich gewesen, nirgends hat sie so die Oberhand über Alles gehabt, nirgends hat sich das Volk so gläubig und so kircheneifrig erwiesen. Aber diese beziehungsweise guten Eigenschaften der Bevölkerung haben nicht nur die religiösen Verfolgungen nicht verhindert, sondern sie geradezu befördert. Wäre das Volk gleichgültiger gewesen — oder hätte es auf einem, abseits der Priester gewonnenen höheren Bildungsstande sich befunden — so würde es auch duldsamer gewesen sein. So aber wurde die Vertheidigung des Glaubens seine vornehmste Rücksicht. Diesem einen Zweck wurde

Alles geopfert. So erzeugte der Glaubenseifer ganz natürlich die
unmenschlichste Grausamkeit und bereitete den Boden, in welchem die
Inquisition, das Werkzeug zur Ausbreitung und Befestigung der
hierarchischen Herrschsucht, wie zur Stillung der königlichen Geldgier
gedeihliche Wurzel schlagen konnte. Die Betriebsgesellen an jener
barbarischen Einrichtung waren meist keine Heuchler, sondern unselige
Schwärmer. Heuchler sind gewöhnlich zu geschmeidig, um grausam
zu sein, während Heuchelei eine kriechende, geschmeidige Kunst ist,
welche sich nach dem Gefühl der Menschen richtet und zur Erreichung
selbstsüchtiger Zwecke deren Schwachheit schmeichelt. In Spanien
war der Sinn des Volkes durch den Klerus auf einen einzigen
Gegenstand gerichtet und so riß er Alles mit sich fort; der Haß
gegen die Ketzer wurde eine Sitte und ihre Verfolgung galt als
Christenpflicht. Daß sich die Inquisitoren wirklich durch unbeugsame
Rechtlichkeit auszeichneten, läßt sich aus verschiedenen, von einander
unabhängigen Quellen darthun. Llorente, der Geschichtschreiber der
Inquisition und ihr bitterster Feind, deutet trotz der ihm so reichlich
zu Gebote stehenden Mittel, sich zu unterrichten, nicht einmal eine
Anklage gegen den sittlichen Charakter der Inquisitoren an; während
er die Grausamkeit ihres Verfahrens verabscheut, kann er die Rein=
heit ihrer Absichten nicht anfechten. Dies setzt ihn fast in Verlegen=
heit; er sagt: »Man wird meine Unparteilichkeit anerkennen, wenn
ich manchmal edele Gefühle bei den Inquisitoren nachweise, was
mich auf den Gedanken bringt, daß die grausamen Urtheile des h.
Officiums vielmehr eine Folge seiner Organisation, als eine Wir=
kung des Charakters der einzelnen Mitglieder sind.« Dreißig Jahre
früher veröffentlichte Townsend, Geistlicher der anglicanischen Kirche,
seine »Reise durch Spanien während der Jahre 1786 und 1787«,
und obgleich er als Protestant und Engländer allen Grund hatte,
gegen das scheußliche System, welches er beschreibt, eingenommen zu
sein, kann er doch dessen Vertreter nicht anklagen, macht vielmehr
bei Erwähnung des Tribunals, das zu Barcelona errichtet wurde
und eine bedeutende Filiale des Haupt=Officiums war, das merk=
würdige Zugeständniß: alle dortigen Inquisitoren seien persönlich
ehrenwerthe Männer, ja die meisten von ihnen ausnehmend menschen=
freundlich gewesen.

„Diese Thatsachen, so auffällig sie sind, sind nur einige wenige
jener vielen Zeugnisse der Geschichte, welche entschieden beweisen, daß
das sittliche Gefühl gänzlich unfähig ist, die religiöse Verfolgung
hintanzuhalten. Wo die religiöse Unduldsamkeit schwächer geworden
ist, geschah dies in Folge des Fortschrittes der Verstandesbildung.
Die Geschichte zeigt, daß der eigentliche Gegner der Unduldsamkeit
nicht die menschenwürdige Ausbildung des sittlichen Gefühls, sondern
die Wissenschaft ist. Der Verbreitung von Kenntnissen und ihr allein

verdanken wir das allmälige Aufhören des größten Uebels, welches die Menschen je sich selber zugefügt haben. Denn daß die religiöse Verfolgung ein größeres Uebel ist als irgend ein anderes, leidet keinen Zweifel, nicht sowohl wegen der fast unglaublichen Zahl der thatsächlich hingemordeten bekannten Opfer als wegen des Umstandes, daß die unbekannten Opfer, von denen die Geschichte keine Nachrichten hat, Diejenigen, die körperlich verschont blieben, aber geistig desto mehr litten, naturgemäß noch viel zahlreicher sein müssen. Wir hören viel von Martyrern und Bekennern, von Solchen, die durch das Schwert oder am Galgen oder auf dem Scheiterhaufen umkamen, nur Weniges aber im Verhältniß zu ihrer viel größeren Menge von Denjenigen, welche durch die drohende Verfolgung zum äußerlichen Aufgeben ihrer Ueberzeugungen getrieben wurden und dann nach diesem Abfall, vor welchem das Herz sich entsetzt, gezwungen waren, ihr ganzes übriges Leben in fortdauernder erniedrigender Heuchelei zuzubringen. Dies ist der eigentliche Fluch religiöser Verfolgung. Wenn die Menschen genöthigt sind, ihre Gedanken zu verbergen, so wird's ihnen zur Gewohnheit, sich durch Verstellung äußerliche Ruhe und den Frieden mit dem Gesetze durch Täuschung zu erkaufen. So wird ihnen das Betrügen zur täglichen Nothdurft und die Heuchelei zur Lebens-Gewohnheit; die ganze öffentliche Meinung wird gefälscht und Laster wie Irrthümer nur um so zahlreicher zur Welt geboren."

Soweit Buckle, dessen Erwägung, wie gesagt, eine unleugbare Wahrheit enthält, dessen einzelne Behauptungen aber wir nicht sämmtlich gelten lassen können. Vorerst müssen wir — doch dies nur beiläufig — seiner Berufung auf Llorente's „Histoire critique de l'Inquisition d'Espagne" widersprechen. Die Sittlichkeit in dem Begriffe, der sich vor Allem hervordrängt, wenn von einem zur Enthaltsamkeit verpflichteten Klerus die Rede ist, war durchschnittlich keineswegs viel höher als die der spanischen Welt- und Kloster-Geistlichkeit im Allgemeinen; diese aber stand sehr tief. Ist doch Spanien das einzige Land in der ganzen Christenheit, wo die Kebsehe der Geistlichen gewissermaßen legitimirt war, und das war in der Blüthezeit der Inquisition. Die alten „castilianischen Freiheiten" gestatteten der daraus entsprungenen Nachkommenschaft, den geistlichen Herrn Papa zu bewerben, wenn dieser ohne Testament gestorben war. Die Unverschämtheit dieser Schönen im Pfarrhof gedieh zu einer Höhe, daß wiederholt Gesetze gegeben wurden, welche ihren Anzug bestimmten, um sie von ehrbaren Frauen zu unterscheiden. Aber auch in Llorente's Geschichte, deren vier Bände völlig zu durchlesen wegen der Anlage, des Styls und des Stoffes allerdings eine fast unmögliche Arbeitsleistung ist, enthält Spuren davon, die Buckle, wenn er in dem Worte „Sittlichkeit" nur die kezeramtliche Integrität begreift,

übersehen zu haben scheint. Im 22. Kapitel §. 14 wird ausdrücklich von dem Groß-Inquisitor Alonso Manrique, Erzbischof von Sevilla, erzählt, daß einer seiner Söhne Bischof von Abila wurde und
seinem Vater, der in der Reihe der Groß-Inquisitoren der fünfte
war, als zwölfter in diesem Amte folgte. Von einem zweiten
Sohne des Alonso Manrique heißt es in der „Vita" des Vives von
Mayans: „Der sehr ehrenwerthe Alonso hat sich nicht unbezeugt gelassen; er hatte einen Sohn Roderich, von dem berichtet wird, er
habe zu Paris den schönen Wissenschaften obgelegen."

Aber vielleicht haben wir vorstehend den Widerspruch des Clo-
rente'schen Textes mit der Buckle'schen Behauptung von der persönlichen Bravheit der Inquisitoren schon erklärt und letztere bezieht sich
wirklich nur auf deren Amts-Tugend. Die Leser haben sich in dem
Kapitel über die Eymerich-Pegna'sche „Anleitung" mit der Geschäfts-
Praxis und den Handwerks-Vortheilen der Inquisitions-Mönche bekannt gemacht — sie mögen sich selbst die Frage beantworten, ob
ein wirklich sittlicher, ein wirklich rechtlicher Mann sich zur Uebung
derselben hergeben konnte.

Nur eine Erklärung bleibt, aber mit dieser Erklärung werden
auch alle bestehenden Gesetze der Moral über den Haufen geworfen:
Der religiöse Fanatismus, der jenen gefährlichen Satz, den
Tasso in seinem „Befreiten Jerusalem" (Canto IV, st. 26) mit Recht,
obgleich wohl absichtslos, von einem Höllengeiste herleitet, sich zur
Richtschnur nimmt: „Per la fé ... il tutto lice" — „Zur Förderung des Glaubens sind alle Mittel erlaubt."

Auch die Wissenschaft, wenn darunter der Reichthum an
Kenntnissen verstanden wird, ist es nicht, die den Menschen gegen
Andersgläubige duldsam macht; sie ist es wenigstens nur in gewisser
Beziehung. Wir können uns ganz wohl einen schlichten Landmann
denken, der rücksichtlich der Toleranz den wissenschaftlich ausgebildet-
sten Eiferer unserer Tage überragt wie der Montblanc einen Maul-
wurfshaufen, und gewiß hatte schon zu den Zeiten des wissenschaftlichen Magisters von Epila mancher ungelehrte, von der
Inquisition verfolgte Jude und Maure eine Vorahnung von der
Wahrheit, welche Montesquieu in seinen „Lettres persanes" ausspricht mit den Worten: „Wer mich zwingen will, von meinem
Glauben abzulassen, der thut dies nur, weil er von dem seinigen
nicht lassen würde, auch wenn man ihn mit Gewalt dazu zwingen
wollte; er findet es seltsam, daß ich Nichts thun mag, wozu er selbst
vielleicht für alle Schätze der Welt sich nicht verstehen würde."

Was den Menschen duldsam macht, das ist einzig die rechte
Gottes-Erkenntniß, d. h. die Erkenntniß, daß wir von dem Gott,
der die Welten regiert, mit gleicher Sicherheit Nichts wissen, als daß
es nach seiner Ordnung und seinem Willen gehandelt ist, wenn wir

unseren Mitmenschen lieben — nach Christi Weisung auch die Samaritaner und die Feinde. Wer die wahrhaft apostolischen Worte gehört hat, welche der als Gast zu dem damaligen Altkatholiken-Congreß aus Heidelberg gekommene Professor Dr. J. C. Bluntschli im September des Jahres 1872 im Gürzenich-Saale zu Köln gesprochen hat, der wird hier ihrer gedenken.

> „Zu der verlorenen Kirche
> War einst der Pfad von Wallern voll,
> Nun weiß ihn Keiner mehr zu finden.“

Der von Pius IX. in Peter Arbues aufgesteckte Wegweiser führt sicherlich nicht zu ihr.

Jacob Balmes, gestorben zu Barcelona im Jahre 1849, noch vor erreichtem 40. Lebensjahre, war gewiß einer der begabtesten, wissenschaftlichsten, sittenreinsten und arbeitseifrigsten spanischen Priester der Neuzeit; wir werden ihm noch begegnen als dem am meisten ausgebeuteten Apologeten der Inquisition zu Rom. Um gewisse Behauptungen Guizot's in dessen „Geschichte der europäischen Civilisation“ zurückzuweisen, schrieb Balmes das dreibändige Werk: „Der Protestantismus, verglichen mit dem Katholicismus in seinen Beziehungen zur europäischen Civilisation.“ Darin findet sich wörtlich folgende Bemerkung: „Wir fühlen, wie sich bei dem bloßen Gedanken an das Lebendigverbrennen eines Menschen unser Haar auf dem Kopfe sträubt. In einer Gesellschaft lebend, worin die religiöse Gesinnung sehr abgeschwächt ist; gewohnt mit Leuten zusammen zu leben, die verschiedene, ja manchmal gar keine Religion haben, können wir uns nur schwer zu dem Glauben erschwingen, daß es damals gar nichts Absonderliches war, Ketzer oder Gottlose zur Bestrafung bringen zu sehen.“

Damit kommt Licht in die Sache: je mehr „Religion“, je mehr Kirchlichkeit wir haben, um so leichter werden wir das Grauen vor den unter der Folter stöhnenden, auf dem Scheiterhaufen zuckenden Menschenleibern überwinden.

Nun werden wir auch nicht mehr staunen, wenn man uns versichert, Arbues und Torquemaba seien fromme, tugendhafte Männer gewesen. Diese Gattung von Menschen beobachtete alle Punkte ihrer Ordensregel auf's Genaueste, betete regelmäßig ihr Brevier, verrichtete gewissenhaft ihre kirchlichen Functionen, trug große Rosenkränze an der Seite, hatte Heiligen-Reliquien neben dem Kopfkissen, versorgte wöchentlich ihren Weihkessel so regelmäßig mit Wasser wie an Abstinenztagen ihren Tisch mit Eiern und Fisch. Gleichzeitig — oder in Folge dessen? — trugen sie nicht das geringste Bedenken, Männer, Frauen und Kinder erst auf die Folter, dann auf den Scheiterhaufen zu bringen wegen Aeußerungen oder Handlungen, die heutzutage

nicht einmal eine Rüge im Beichtstuhl finden würden. Ihr „Sitt-
lichkeitsgefühl" hielt sie nicht ab, sich zu Werkzeugen eines Instituts
zu machen, welches die schuldlosen Söhne und Enkel wegen angebli-
cher Vergehen der Väter ihrer Ernährer beraubte, welches Tausende
von wohlhabenden Familien plötzlich in Noth und Elend versetzte,
um die königliche Kasse zu bereichern. Und dabei verfuhren sie nach
Regeln und Satzungen, welche allen der menschlichen Brust eingeschrie-
benen Begriffen von Recht und Gerechtigkeit Hohn sprachen.

Aber trotz Alledem — thun wir Unrecht, wenn wir sagen: der
blutige Arbues war im Grunde moralisch besser als seine unblutigen
Verehrer von heute?

Vierzehntes Kapitel.

Die Austreibung der Juden.

Die wichtigste Eigenthümlichkeit der spanischen Inquisition war
die ihr durch den „Consejo de la suprema“, den „Obersten Rath“
verliehene monarchisch-concentrirte Verfassung. Nachdem der erste
Widerstand in Aragonien überwältigt und die neue Disciplin im
Aufspüren und Bestrafen der Ketzer völlig durchgeführt war, gewann
das h. Officium in der allgemeinen Regierung des Landes einen
solchen Einfluß, daß der ganzen späteren Geschichte des Volkes ein
eigenthümlicher Charakter aufgeprägt wurde. Man erzählt von den
Wilden in Louisiana, daß sie den Brodbaum umhieben, wenn sie
die Frucht davon essen wollten: die Inquisition war für Spanien
das schneidige Werkzeug, das den Königen zwar eine volle Schatulle
und den römischen Curialisten viel Taschengeld verschaffte, aber gleichzeitig den Grund legte zu der nachmaligen Verarmung und Ent-
völkerung der Halbinsel.

Wir werfen vorerst einen Blick auf die Art, wie die Inquisition
mit den Mauren verfuhr, um dann zu sehen, wie ihr Geist die
Juden im Lande vertilgte und vertrieb.

Das „katholische“ Herrscherpaar hatte die Mauren allenthalben
überwältigt mit Ausnahme von Granada. Das spanische Heer lag
eben vor dieser stolzen Stadt. Die Einwohner wußten, daß fernerer
Widerstand hoffnungslos sei und gaben durch das Aufhissen einer
Flagge kund, daß sie einen Waffenstillstand eingehen möchten. Die
Feindseligkeiten wurden auf sechszig Tage unterbrochen. Die Häupter
von Granada kamen in das königliche Lager und wurden aufgefordert,
die Bedingungen zur Uebergabe zu stellen. Ihre Forderungen waren
groß, wenn man in Anschlag bringt, daß sie von einem durch lange
Kämpfe geschwächten und endlich besiegten Volke ausgingen; aber
auch die Spanier waren des Streitens müde, und geneigt, alles
Mögliche zu gewähren in der Hoffnung, es werde der Tag kommen,

wo man den vollen Sieg erreichen werde ohne langwierige Unter-
handlungen oder weiteren Krieg. Man gestand den tapferen Ueberbleibseln der Saracenen einen Strich Landes an der Seeküste als
Wohnplatz zu. Dieses Land, die Alpujarras, sollten sie gegen eine
gewisse Summe Goldes als „Krongut" besitzen. Eine allgemeine
Amnestie und einige specielle Begünstigungen für den Maurenkönig
Abbilèhi und seine Familie drückten dem Uebereinkommen das Siegel
auf. So viele Mauren dies wollten, durften die Stadt verlassen
mit allem tragbaren Gut, ausgenommen Waffen und Munition.
Ueber weitere Punkte wollte man sich noch verständigen, nachdem das
Maurenschloß Alhambra und andere befestigte Punkte an Ferdinand
und seine Truppen übergeben seien.

Die Berathung und Feststellung dieser Punkte nahm vierzig Tage
in Anspruch — die Spanier konnten also von keiner übereilten
Gewährung reden; sie waren sich über das, was sie bewilligten, klar
und handelten allem Anschein nach in guten Treuen. Wenn sie
ihre Zusagen hielten, so waren die Mauren ein freies Volk, das
in dem ihnen angewiesenen Hügellande und seinen zwölf Städten
unbelästigt wohnen konnte. In Granada und den Vorstädten sollten
sie ruhig wohnen dürfen zur Bebauung ihrer Gärten in jener ihnen
eigenen unnachahmlichen Weise; Keiner soll ein Schmach-Zeichen tragen
müssen an seinem Kleide und auch sonst in keiner Art der Verachtung
bloßgestellt werden. Sie sollen leben dürfen nach ihren eigenen Gesetzen und Gebräuchen, unbehelligt wegen ihrer Religion. Diese
letzten zwei Punkte, welche ganz besonders Schutz zu bieten schienen
gegen Verfolgung, sollen deshalb mit den Worten des Vertrags hier
stehen, wie sie uns von Marmol, einem Geschichtschreiber der Inquisition, aufbehalten worden sind.

„Es soll nicht erlaubt sein, daß irgend Wer, durch Wort oder
That, einen christlichen Mann oder eine christliche Frau mißhandele,
weil sie Mauren geworden sind, wenn dieser Uebertritt vor dem
Abschluß dieser Capitulation erfolgt ist. Und wenn ein Maure eine
zu seinem Glauben übergetretene Frau geheirathet hat, so soll sie
nicht angehalten werden dürfen, eine Christin zu sein gegen ihren
Willen, sondern sie soll über ihre Willensmeinung befragt werden
in Gegenwart von Christen und Mauren und dann ihrer eigenen
Neigung folgen. Und so soll es auch gehalten werden mit den Kindern, Knaben oder Mädchen, welche einem maurischen Manne von
einer Frau christlicher Herkunft geboren werden.

„Kein Maure, weder Mann noch Weib, soll gezwungen werden,
Christ zu werden; und wenn eine Jungfrau oder eine Ehefrau oder
eine Wittwe erklärt, Christin werden zu wollen aus Neigung zu
irgend Wem, so soll sie nicht zur Taufe aufgenommen werden, bis
ihre Willensmeinung in aller Ordnung festgestellt ist. Hat sie aus

dem Hause der Eltern oder von wo immer etwas mitgenommen, Geschmeide oder was sonst, so soll dieses dem Eigenthümer zurückgegeben und Wer des Diebstahls schuldig ist, bestraft werden."

Am bestimmten Tage — 2. Januar 1492 — setzte sich der Erzbischof von Toledo selbst, Cardinal Don Pedro Gonzalez de Mendoza, an der Spitze eines großen Heerhaufens, der einige Stück Kanonen mit sich führte, nach Granada in Marsch, um von der Alhambra Besitz zu nehmen. Ferdinand und Isabella folgten mit der Haupt-Streitmacht in einiger Entfernung. Der besiegte Maurenkönig Abdilehi kam Mendoza entgegen und hieß ihn, die Gewalt über die Festungswerke, die Gott seinem Volke wegen dessen Sünden genommen, für die mächtigen Herrscher, in deren Hand sie gefallen, anzutreten. Dann wandte er dem alten Sitze seiner Königsherrlichkeit traurig den Rücken, um sich entwaffnet den Eroberern zu überantworten. Isabella war an einer Stelle, wo sie das ferne Maurenschloß im Gesichte hatte, zurückgeblieben. Als sie Abdilehi mit ihrem Gemahl auf sich zukommen sah, ohne daß noch die Spanische Flagge auf der Alhambra erschienen war, fürchtete sie schon Unheil. Auch der sie umgebenden Priesterschaar war nicht besser zu Muthe als ihrer Herrin. Endlich gewahrte man, wie die den Hügel hinaufrückenden und diesen bedeckenden spanischen Truppen in das Schloßthor einziehen; im selben Augenblicke sinkt der Halbmond und die Standarte von Castilien und Leon, überragt von einem silbernen Kreuze, wird aufgehißt. Granada ist für die Christenheit zurückerobert. Der Krieg ist zu Ende. Die Heiden liegen am Boden. Die geistliche Umgebung der Majestäten stimmt das „Te Deum" an.

Und die Folgen dieses Gewinnstes?

Vor Allem war nun die Heuchelei überflüssig geworden. Die Stadt Granada, in welcher kein einziger Christ wohnte, wurde mit einem Erzbischof ausgestattet. Fray Hernando de Talavera bekam diesen Sitz in partibus infidelium. Die Truppen geleiteten ihn auf seinen einsamen Hirtenstuhl; die Heerde sollte er sich durch Bekehrung der Mauren selbst beschaffen. Daß er diese Aufgabe habe, läßt er vorerst durch Nichts merken und in kurzer Zeit hat er durch seine Leutseligkeit und seine Liebeswerke die Zuneigung der Einwohner von Granada gewonnen. Diese begegnen ihm mit großer Ehrerbietung, trauen ihm die besten Absichten zu und nennen ihn den Ober-Alfaqui der Christen. In der That zogen unter der Hand immer mehr Christen in Granada ein, um sich dort häuslich niederzulassen. Es dauerte nicht lange und ein regelmäßiger Gottesdienst fand mit allem Gepränge Statt.

Der Erzbischof blieb aber auch unter diesen neuen Verhältnissen besonnen, so weit dies ein von Isabella mit einer bestimmten Aufgabe betrauter Erzbischof an diesem Platze überhaupt sein konnte.

Nun machte sich aber auch die Inquisition an's Werk; es waren jedoch vorerst nicht die Mauren, welche sie auf's Korn nahm.

In der Capitulation von Granada befand sich auch ein Artikel, nach welchem jeder Jude, der sich bei der Besitznahme der Stadt durch die Spanier in derselben befand, nur drei Jahre Bedenkzeit hatte, um Christ zu werden; andernfalls sollte er über's Meer in die Berberei gebracht werden. Die Vertreibung der Juden war also offenbar eine schon vor der Eroberung von Granada Seitens der katholischen Majestäten und ihrer Priesterschaft in's Auge gefaßte Maßregel.

Die Juden selbst hatten zur Zeit des Krieges von dem über ihnen schwebenden Verhängniß keine Ahnung; sie dienten dem Staate gleich andern Bürgern: jüdische Waffenschmiede arbeiteten im Lager; jüdische Proviant-Meister versorgten die Armee; jüdische Wechsler sorgten dafür, daß der Sold bei der Hand war zur Löhnung. Ohne Zweifel sind es auch Juden gewesen, welche das Geld vorschossen, welches Ferdinand und Isabella dem Maurenkönige beim Friedensschlusse zu zahlen hatten. Es ist nun einmal nicht anders: in allen Ländern sind die Juden für Geld-Interessen die Lehrmeister der ganzen Nationen gewesen; ihr Gesellenstück in der Behandlung der Finanz-Angelegenheit haben auch zuerst die Italiener, speciell die Lombarden gemacht; die um die Mitte des 13. Jahrhunderts vom hohen römischen Klerus als Concurrenten der Juden nach England gezogenen, der italienischen Schule entstammenden „Päpstlichen Geld-Wechsler" hatten ihre Meister im Erwerb dort bald überflügelt.

Die jüdische Bevölkerung Spaniens hatte also an ihrem Theil zur Eroberung Granadas redlich mitgearbeitet. In den Augen des General-Inquisitors galt das freilich Nichts, und der General-Inquisitor trieb die königlichen Gewissen wie das Wasser die Mühle; aber auch das andere Wort gilt hier: „Wer gern tanzt, dem ist leicht aufgespielt." Der Groß-Inquisitor Thomas de Torquemada befand sich im königlichen Gefolge, wie es einem „Beichtvater der Majestäten" geziemte. Da bekam er dann oft zu hören, daß der König Geld brauche. Der Inquisitor wußte Rath und schritt zur That. Einige seiner Mönche hatten bald eine neue Unthat der Juden aufgespürt. Diese unverbesserlichen Christenfeinde hatten wieder einmal eine consecrirte Hostie gestohlen, in der Absicht, dieselbe mit dem warmen Blute eines zu schlachtenden Christenkindes zu durchtränken und damit die Inquisitoren zu vergiften. Als sicherster Beweis für die Wahrheit dieser Behauptung wurde der Umstand geltend gemacht, daß zerbröckelte Hostien-Theile sich zwischen den Blättern eines jüdischen Gebetbuchs in einer Synagoge vorgefunden hatten; ein merklicher Lichtschein war von ihnen ausgegangen. Das Märchen war nicht einmal Original: schon 120 Jahre früher, 1370, war es in

Brüssel gerade so verlaufen, bis auf die Oblaten im Buch, doch hat es dort nur drei Juden das Leben gekostet, deren drei vom Schei- terhaufen aufgelesene und auf Piken gesteckte Köpfe der „Rue de trois têtes" den Namen gegeben haben, der schönen Gudula-Kirche aber gebrannte Fensterbilder mit der ganzen Legende und den Frauen Brüssels die Juli-Kirmes des „Saint Sacrament du miracle" bis auf den heutigen Tag.

In der Alhambra, in welcher die siegreichen, aber insolventen Majestäten residirten, weckte das eine Verbrechen das Echo von hun- dert anderen. In den Augen des Königs konnte Torquemada nur gewinnen, daß er mit seiner Ansicht: derartige Gräuel nähmen nicht eher ein Ende, als bis der Boden Spaniens von allen Juden ge- säubert sei, so den Nagel auf den Kopf traf. Unter dem 30. März 1492, drei Monate nach der Eroberung Granada's, erging ein kö- nigliches Edict von dort, wonach alle Juden das Land zu verlassen hätten, mit Ausnahme Derjenigen, die das Christenthum annähmen.

Das Edict ist sehr langathmig, aber mit seinem Tenor müssen wir die Leser doch bekannt machen. Ihre Hoheiten hatten also mit Bedauern vernommen, daß die Juden fortführen, die Christen durch ihren Unglauben zu schädigen; leider habe darin weder die Abschlie- ßung der Christusfeinde in die abgesonderten Stadt-Viertel noch die Verbrennung Einzelner in Folge der Untersuchung und des Urtheils der Inquisition eine Besserung gebracht. Um diesen Versuchen, die Christenheit von Spanien zu verderben, ein Ende zu machen, hätten die Majestäten auf ein endgültiges und durchgreifendes Mittel geson- nen. Sie seien gewiß nicht der Ansicht, daß alle Juden schuldig seien; aber sie müßten sich doch sagen, daß wenn gewisse Glieder einer Genossenschaft oder Communität sich fort und fort von dem darin herrschenden Geist angetrieben fühlten, Verbrechen zu begehen, nichts Anderes übrig bleibe, als diese Genossenschaft oder Communität aufzulösen und zu vernichten. Sie befählen daher allen Juden und Jüdinnen, das Land zu verlassen und nie wieder zu betreten, auch nicht zu einem nur zeitweiligen Besuch, unter Androhung der Todes- strafe. Ueber den letzten Tag des Juli hinaus dürfe kein Jude sich mehr auf spanischem Boden betreffen lassen. Wer dies dennoch wage, ferner: wer einem Juden oder einer Jüdin Rast oder Obdach in sei- nem Hause oder irgend welchen Schutz und Schirm gewähre, der habe sein Hab und Gut verwirkt; jeden Amtes, jeder Würde, jeden Dienstes, die er bekleide oder inne habe, sich verlustig gemacht. Wäh- rend der ihnen noch gewährten vier Monate möchten die Juden ihre liegenden Güter verkaufen oder gegen bewegliche Habe umtauschen; solche Dinge jedoch, deren Ausfuhr ohnehin durch die Gesetze des Königreichs verwehrt sei, wie vor Allem Gold, Silber und gemünztes Geld dürften sie nicht außer Landes mitnehmen.

Wiederum wurde wahr, was geschrieben ist im Buche Esther von den Juden im Lande des Perser-Königs Assuerus: „In allen Städten und Oertern, wohin der grausame Befehl des Königs kam, war ein sehr großes Klagen unter den Juden, und Fasten und Heulen und Weinen und Viele nahmen Säcke und Asche statt des Lagers." Sie erboten sich, sich jedem Gesetze unterwerfen zu wollen, so hart und drückend es auch sei, wenn man sie nur belassen wollte in der Heimath.

Der greise Rabbi Abarbanel, der das Vertrauen auch der Herrscher vor Ferdinand und Isabella genossen hatte und von Letzterer acht Jahre vorher an den Hof berufen worden war, um, was ihm auch gelang, ihre Einkünfte zu regeln und zu verbessern, dieser verdiente und unter seinem Volke hochverehrte Greis bahnte sich jetzt seinen Weg in die Alhambra, warf sich unter Thränen zu den Füßen der Majestäten nieder und flehte um Erbarmen; sechshunderttausend Goldkronen erbot er sich herbeizuschaffen als Lösegeld von der über die Juden verhängten Verbannung. Hören wir seinen eigenen Bericht:

„Ich bat so dringlich um Gnade, daß mir fast die Sinne schwanden und die leiblichen Kräfte mich verließen. Drei Mal stürzte ich dem König zu Füßen und beschwor ihn, nicht so grausam mit uns, seinen Knechten, zu verfahren. »Nimm«, sagte ich ihm, »all' unser Gold und Silber; nimm die sämmtliche Habe des Hauses Israel, aber belass' uns in der Heimath!< Ich mahnte auch meine Freunde, die Beamten des Königs, ihren Zorn gegen mein Volk zu mäßigen; auch bei den königlichen Räthen versuchte ich Alles, damit sie den König zur Zurücknahme des Verbannungs-Edictes bewegen möchten. Aber wie die Natter ihr Ohr mit Staub füllt, damit die Stimme des Zauberers sie nicht bewege, so verhärtete der König sein Herz gegen die Bitten, mit denen wir ihn bestürmten. Er werde, verschwor er sich, das Edict nicht widerrufen um Alles, was die Juden ihr eigen nännten. Die Königin stand zu seiner Rechten und war wider uns; sie bestärkte ihren Gemahl in dem Vorsatze, das einmal begonnene Werk zu Ende zu führen. So war Alles aufgeboten worden zu unserer Rettung; aber da war kein Rath mehr und keine Hülfe."

Und doch war es nahe daran gewesen, daß das Geldanerbieten des Rabbi Abarbanel zusammen mit den mannichfachen Fürsprachen den Sieg davon getragen hätten. Der König kam in's Schwanken, ob er nicht besser thue, die baare Summe von sechshunderttausend Goldkronen sich gefallen zu lassen, als auf seinen Antheil an der Beute zu hoffen, die der Vertreibungsplan in Aussicht stellte, nach welcher so viele gierige Hände greifen würden, daß es einigermaßen zweifelhaft war, ob der königliche Antheil die sicher gebotene Summe

auch nur erreichen werde. Da führte der Groß-Inquisitor Torquemada den Entscheid herbei mit einem Schlage; er stürzte in das
Zimmer, in welchem König und Königin beisammen saßen und hielt
Beiden ein Crucifix vor Augen, mit bewegter Stimme ihnen zu-
rufend: „Das erste Mal hat Judas den Sohn Gottes verrathen
um dreißig Silberlinge; Euere Hoheiten sind im Begriff, ihn zum
zweiten Male zu verrathen für vielleicht dreihunderttausend. Hier
ist er! Hier habt ihr ihn! Wenn ihr wollt — verkauft ihn!" Bei
den letzten Worten legte der verwegene Mönch das Kreuzbild vor
dem Königspaare auf den Tisch und ging mit stolzen Schritten aus
dem Gemache. Ferdinand und Isabella merkten, daß dem Willen
des Groß-Inquisitors trotzen so viel heiße als das Gewitter des
päpstlichen Unwillens über sich und das Land zusammenziehen —
sie schlugen sich das Angebot des Rabbi Abarbanel und die Fürsprache seiner Freunde aus dem Sinne.

Die Inquisition als Gerichtstribunal ist, das räumen wir
ein, bei der Vertreibung der spanischen Juden nicht im Spiele gewesen, aber ihr Haupt und ihre Diener waren deshalb doch nicht
minder zu diesem Zwecke thätig. Die moralische Verantwortung
auch für diesen Frevel am Menschengeschlecht fällt also unbestreit-
bar dem h. Officium und seinen Auftraggebern zu Rom zur Last;
das von den Priestern beherrschte Königspaar war diesmal wie immer
ein williges Werkzeug in ihrer Hand, wenn ihm Aussichten auf materiellen Gewinn geöffnet werden konnten.

Nachdem Torquemada beim Könige so weit gesiegt hatte, machte
er sich daran, die Lage auszunützen. Er sendete Prediger-Mönche
durch das Land, um die Juden zu bekehren und veröffentlichte ein
Edict, in welchem er ihnen die Taufe anbot und die Aufnahme in
den Schooß der heiligen Kirche. Es zeigten aber nur Wenige Verlangen hierzu. Er verbot den Christen, nach Ablauf des Monats
April noch ferner mit den Juden zu verkehren und ihnen Obdach
oder Speise oder sonst eine von des Lebens Nothwendigkeiten zu gewähren. Der Engländer Lindo theilt in seiner „Geschichte der spanischen und portugiesischen Juden" aus der ungedruckten Chronik
des Bernaldez de los Reyes Catholicos einige Sätze mit, welche
mit den Worten eines Zeitgenossen ein Bild geben von der damaligen Lage des Volkes Gottes in Spanien. „Innerhalb der in dem
Verbannungs-Decret ihnen gewährten viermonatlichen Frist veräußer-
ten die Juden ihre Habe sozusagen um Nichts. Sie liefen umher
und boten ihre Sachen zum Kaufe an, fanden aber keine Abnehmer.
Schöne Häuser und einträgliche Güter mußten sie um den hundert-
sten Theil des Werthes verschleudern. Ein Haus wurde für einen
Esel, ein Weinberg für ein Stück Tuch oder Leinen weggegeben. Weil
es ihnen verboten war, Gold oder Silber mitzunehmen, näheten sie

deſſen ſo viel ſie konnten in ihre Sättel und Halfter und das ſonſtige Geſchirr ihrer Laſtthiere. Einige verſchluckten bis zu dreißig
Stück Ducaten, um die behufs ſtrenger Nachſuchung der Taſchen und
des Gepäcks beorderten Beamten in den Grenzſtädten und Seehäfen
zu täuſchen. Die behäbigen Juden beſtritten die Reiſekoſten der
armen; wie ſie ſich denn überhaupt untereinander hülfreich beiſtan-
den. Dennoch gab's des Jammers und Elends genug. In der
erſten Juli-Woche fand der allgemeine Aufbruch Statt; Alt und Jung,
Groß und Klein, Weib und Mann, Reich und Arm griffen zum
Wanderſtab, um das Geburtsland zu verlaſſen, zu Fuß, auf Pferden,
Eſeln oder Karren, Jeder dem Hafen zu, in welchem er ſich ein-
ſchiffen wollte. Was ſie unterwegs litten iſt nicht zu beſchreiben:
die Einen ſtarben, Andere kamen zur Welt; der erlag der Ent-
kräftung, Jener einer Krankheit. Die Chriſten ſahen das Schau-
ſpiel mit herzlichem Erbarmen und drängten in die Davonziehenden,
ſich doch taufen zu laſſen, um dieſem ihrem Leid ein Ende zu
machen. Einige griffen wirklich zu dieſem Auskunftsmittel, aber es
waren deren doch nur wenige. Die Rabbis ermuthigten das Volk
durch Wort und Beiſpiel: ſie trieben die Jungen und die Frauen
an, zu ſingen und auf Flöten und Tambourinen zu ſpielen, damit
die Kraft zum Dulden nicht von den Schaaren weiche."

Alle ihre Synagogen hatten die Verbannten ohne Vergütung
zurücklaſſen müſſen; ſie wurden zu chriſtlichen Kirchen eingerichtet.

Ein Zug von fünfzehnhundert reichen Familien ging zuerſt zu
Schiff. Die Haupt-Ladeplätze waren die Häfen von Carthagena,
Valencia, Barcelona, Cadix und Gibraltar; die Ziele, wohin die
Schiffe ſich wandten Afrika, Italien und das Morgenland. Der
Dialect der ſpaniſchen Sprache, worin die Juden in dieſen Ländern
noch heute verkehren, iſt derſelbe geblieben von jenen Jammer-Tagen
her. Einige gingen auf der See zu Grunde durch Schiffbruch,
Krankheit, Gewaltthätigkeit oder Feuer, Andere an den Küſten, an
welchen ſie gelandet waren, durch Hunger, Erſchöpfung, Todtſchlag
und andere hundertfältige Ungaſtlichkeit. Viele wurden als Sclaven
verkauft oder durch verwilderte Capitaine über Bord geworfen, Eltern
mußten ihre Kinder hingeben für Brot. Auf einem Schiffe, das
mit Exilirten zu voll gefüllt war, brach eine peſtilenzartige Krankheit aus; der Capitain ſetzte auf einer wüſten Inſel Alle an's Land,
wo die Armen dann vergebens nach Hülfe ſich umſahen. Die Wenigen, welche dieſe Tage des Grauens dort überlebten, wußten davon
zu erzählen. Eine Mutter, mit zwei Kindern auf den Armen, wankte
neben ihrem kranken Manne dahin und hauchte vor Erſchöpfung auf
dem Wege den letzten Athem aus; da brach auch der Mann neben
ſeinen zwei Kleinen ohnmächtig zuſammen; als er wieder zur Be-
ſinnung kam, waren dieſe vor Hunger geſtorben. Er bedeckte ihre

Leiber mit Sand und — „Gott meiner Väter!" schrie er zum Himmel, „sieh', das grause Elend will mich wegtreiben von Dir, weil ich nicht zum Verräther werden wollte an Deinem Gesetze; aber ich bin ein Jude und ein Jude werde ich bleiben!"

Mit den vollgepfropften Schiffen landete eine todtbringende Seuche im Hafen von Neapel; die Einwohner wurden angesteckt und die Zahl Derer, welche daran starben, wird auf zwanzig Tausend angegeben. Die ausgehungerte Ladung eines andern Schiffes, das zu Genua in den Hafen lief, wurde mit Kreuz und Fahne empfangen; man gedachte, die Taufbegier der ausgedarbten Verbannten mit Brotlaiben anzuregen. An der Spitze einer Schaar von Priestern stand Einer, der in der einen Hand ein Crucifix, in der andern Brot hielt und dieses letztere als Preis bot für die Annahme des Glaubens an das Heil durch das Kreuz — der Preis war so unbedeutend nicht, denn auch in Genua herrschte zu der Zeit Hungersnoth. Eine verhältnißmäßig günstige Aufnahme fanden jene Vertriebene, welche an der italienischen Küstenstrecke landeten, die das Gebiet des Papstes Alexander VI. säumte. Der Papst wies ihnen vor der Stadt die Umgend des Grabmals der Cäcilia Metella an der Via Appia zum Lager an. Ferdinand Gregorovius meint, wenn der König von Portugal, der Tausende solcher Flüchtlinge aufnahm, eine Kopfsteuer von acht Ducaten von ihnen erhoben habe, so werde sich vom Papste wohl das Gleiche voraussetzen lassen. Ob alle in die Ansiedelung am Metella-Thurm Zugelassenen in dessen Schatten noch Ducaten zu zählen hatten, wissen wir nicht; die Pest aber haben sie auch nach Rom mitgebracht, wie der gleichzeitige Chronist Stefano Infessura in seinem römischen Diarium vermerkt. So sprengte der Geist der Inquisition seinen eigenthümlichen Segen aus über alle Lande!

Spanien aber fügte sich in dem Dienste dieses Geistes allein durch die Judenvertreibung den Verlust von achthundert Tausend fleißigen Menschen zu, deren Verbrechen nur darin bestand, daß sie fest hielten am Glauben ihrer Väter und den „katholischen Majestäten" mehr Geld geliehen hatten, als diese zurückerstatten konnten oder wollten.

Fünfzehntes Kapitel.

Die Ausrottung der Mauren.

Im Gegensatze zu den Juden wurden die der Taufe widerstrebenden Mauren sowie die widerwillig getauften Moresken ganz mit den eigensten Mitteln der Inquisition verfolgt und landflüchtig gemacht. Aber man leitete die heikle Sache unter der Hand so vorsichtig ein, und behielt bei der Durchführung des Plans die eigenartigen Verhältnisse der neuen Provinz Granada so wohl im Auge, daß ein nur oberflächlicher Betrachter der Dinge leicht die Unduldsamkeit des spanischen Volkes verantwortlich machen könnte für das, was einzig die geistlichen „Völkerhirten" und die Inquisitions-Mönche verschuldet haben.

Nachdem die „katholischen Herrscher" von Granada Besitz ergriffen und ihre Haupt-Gläubiger, die Juden, des Landes verwiesen hatten, belehnten sie diejenigen ihrer mohamedanischen Vasallen, denen sie für ihre Dienstleistungen am meisten verpflichtet waren, getaufte wie ungetaufte, mit einem großen Theile des in Besitz genommenen Landes; ebenso stellten sie vielfach Mohamedaner auf erledigte Vertrauensposten. An den Hof aber zogen die Prälaten, die wegen ihrer Frömmigkeit und Weisheit berühmt waren; allerdings hatten Ferdinand und Isabella eine „Frömmigkeit" im Auge, wie sie zu der eigenen absonderlichen Frömmigkeit paßte, und eine „Weisheit", die sich bei der Durchführung der königlichen Pläne nutzbar machen ließ. Die Landes-Regierung bestand eben damals außer dem Herrscher-Paar aus einer sehr gemischten Gesellschaft, deren Jeder, wenn er die Majestäten für seine Maßnahmen zu gewinnen gewußt hatte, keinem Andern Rechenschaft darüber zu geben brauchte.

Zu diesen als Rathgeber in Staats-Angelegenheiten an den Hof berufenen „Religiösen" hatte auch der schon als späterer Erzbischof von Granada erwähnte Don Fray Hernando de Talavera gehört, auf dessen frühere Laufbahn wir hier einen kurzen Rückblick werfen

— 313 —

müssen. Er war ein Priester des bekanntlich in Castilien entstandenen und im großen Ganzen specifisch spanisch verbliebenen Hieronymiten-Ordens, im Uebrigen ein Mann von raschem Verstande und ausgebreiteten Kenntnissen, ein tüchtiger Prediger, in den heiligen Schriften und der Moral-Philosophie wohl bewandert, dabei als untadelig in seinem Wandel gerühmt. Zwanzig Jahre lang hatte er einem Kloster bei Valladolid als Prior vorgestanden und von dort beriefen ihn Ferdinand und Isabella, als sie von seinen Tugenden und Fähigleiten hörten, an den Hof, machten ihn zu ihrem Beichtvater und ernannten ihn zum Bischof von Avila, behielten ihn aber unter den königlichen Räthen. Wir notiren das deshalb so ausführlich, weil Don Hernando de Talavera einen ihm vortheilhaften Gegensatz bildet zu den übrigen Hof-Klerikern, mit welchen wir in diesem Kapitel zu thun haben werden. Nachdem eine große Anzahl Christen sich in Granada niedergelassen hatte, suchte er um die Erlaubniß nach, den Stuhl von Avila aufgeben zu dürfen, um sich persönlich der Fürsorge· für die neue Kirche unter den Mauren widmen zu können. Seinem Verlangen wurde entsprochen, Papst Alexander VI. sandte ihm das Pallium und die Bestätigung als Erzbischof von Granada. So ausgerüstet machte er sich denn an's Werk. Talavera's natürliche Menschenfreundlichkeit und sein tadelloses Leben scheinen ihm bald die Verehrung der Mauren gewonnen zu haben; freilich ließ er nicht merken, daß er mehr ihrer Bekehrung als der Seelsorge der in Granada wohnenden Christen wegen gekommen war. Doch liegt Nichts vor, welches annehmen ließe, daß er zu Zwangsmaßregeln gerathen hätte, oder solchen auch nur geneigt gewesen wäre. Wie er selbst sich eifrig mit der arabischen Sprache und der Uebersetzung der h. Schriften in dieselbe beschäftigte, so auch, durch sein Beispiel angeregt, mehrere seiner Kleriler. Die Mohamedaner hörten ihm willig zu, wenn sie truppenweise ihn in Privathäusern trafen, wo er sich dann durch Dolmetscher mit ihnen verständigte. So wurden die Mauren zutraulich: sie lernten die in ihre Sprache übersetzten „Zehn Gebote", das „Apostolische Glaubensbekenntniß" und verschiedene Gebote hersagen.

Am Hofe hielten indessen Torquemada und andere Eiferer die Gewissen des Königs-Paares und damit die religiös-inquisitorischen Angelegenheiten des Landes in strammer Leitung.

Der erste verrätherische Streich, der von dort ausgeführt wurde, traf den König Abdilehi, den die Araber jetzt, seitdem er aus der Alhambra und von Granada weg in die Alpujarras verwiesen war, „Zogoybi" — den „Unglücklichen" nannten. Kaum ein Jahr hatte er dort in Frieden gelebt, da erschien plötzlich der Diener vor ihm, den er bestellt hatte, um ihn als Vasallen im königlichen Gefolge zu vertreten, mit gar seltsamer Kunde. Der Mann hatte mehrere mit schwerer Goldlast beladene Maulthiere mitgebracht und erklärte, diese achtzig Tausend Ducaten seien der Kaufpreis, für den er in Abdilèhi's Namen dessen Belehnung mit den Alpujarras dem Könige zurückgegeben habe. Letzterer habe nämlich eingesehen, daß es besser sei, wenn Abdilèhi über's Meer sich zurückziehe und mit der genannten Summe sich dort ein Asyl ankaufe; in Spanien sei seine Anwesenheit eine stete Bedrohung des Landes, da seine Glaubens- und Stammes-Genossen darin nur eine stete Aufforderung sehen könnten, die Waffen in der Hand sich wieder zu erheben. Der Mann hatte sich zum Verrath an seinem Herrn erkaufen lassen und diesem letzteren blieb Nichts übrig, als den schmählichen Handel vollständig zu machen. Er schiffte sich nach Nord-Afrika ein; Gram und Scham gingen mit ihm an Bord.

Nun konnte man am Hofe die längstgeplante Aufgabe: die Mauren, welche sich nicht bekehren wollten, zu vertreiben, fester in's Auge fassen. Torquemada freilich starb noch über den Vorbereitungen dazu — am 16. September 1498 — aber sein würdiger Nachfolger im Groß-Inquisitoriate, Don Diego Deza, legte die Hand da an, wo Jener abgelassen hatte. Er und seines Gleichen im Eifer für den alleinseligmachenden Glauben führten zu den Ohren der zögernden Majestäten den unwiderleglichen Nachweis, daß damit ja gar Nichts geschehe, was dem wohlwollenden Geiste in der Capitulation von Granada entgegen sei: diejenigen Mauren, die sich bekehren würden, gewönnen dabei und zwar nichts Geringeres als das Heil ihrer sonst dem Teufel verfallenen unsterblichen Seelen; diejenigen aber, die sich in ihrem Unglauben verstockt zeigen würden, seien der Vertragstreue gar nicht werth; die Heiligkeit des Zweckes: für ganz Spanien die Glaubens-Einheit zurückzugewinnen, rechtfertige außerordentliche Mittel; und wo das Seelenheil auf dem Spiele stehe, sei die Gültigkeit von Verträgen und Versprechen, besonders Ungläubigen gegenüber, ein nichtzubeachtendes Nebending.

Eine Zeit lang verblieben Ferdinand und Isabella bei ihren Bedenklichkeiten; aber die Inquisitions-Mönche und ihre Helfershelfer übten die Tugend der Beharrlichkeit. „Rom ist nicht in einem Tage erbaut worden" und warum sollten sie die Hoffnung dies Mal aufgeben, nachdem das Zureden der Gottesmänner ihrer Art doch schon zwei Mal über die von irdischen Rücksichteleien eingegebenen königlichen Widersprüche gesiegt hatte: damals als eine neue lebensfrische Form der Inquisition eingeführt werden sollte, und dann, einige Jahre später, als es sich um die Austreibung der Juden handelte. „Ihre Hoheiten", so erzählt Marmol, „wollten das Zeitgemäße eines strengen Vorgehens nicht einsehen: das Land sei noch nicht völlig beruhigt und die Mauren hätten noch ihre Waffen zur Hand liegen; in gewissen Punkten, in welchen sie so feinfühlig seien, dürfe man fie nicht zur Rebellion treiben, sonst habe man sofort wieder einen neuen Krieg auf dem Halse." Man sieht: nicht das Unmoralische, sondern nur das Unzeitgemäße der ihnen aufgedrängten Maßregel machte den „katholischen Majestäten" Schmerzen. Sie wollten durch einen kostspieligen Kreuzzug gegen die Mauren nicht von dem Verfolg anderer, ihnen näher am Herzen liegender Pläne abgehalten werden und hofften, die Mauren würden gleich anderen besiegten Völkerschaften mit der Zeit gutwillig der Religion der Eroberer gewonnen werden. „Damit dies", fährt Marmol fort, „durch Liebe bewirkt werde und durch Wohlwollen, befahlen die Herrscher den Gubernatoren, Alcayden und Richtern aller ihrer Königreiche, den Mauren ihren besondern Schutz zu gewähren und nicht zu dulden, daß ihnen von irgend welcher Seite Unrecht geschehe; der hohen Geistlichkeit aber und den Mönchen legten sie es nahe, durch Predigt und Belehrung zu versuchen, ob nicht die Meisten doch ohne strenge Maßregeln dem Christenthume zu gewinnen seien."

Wir haben hier nicht weiter zu untersuchen, ob diese schönen Worte in Wahrheit die Gesinnung der Herrscher ausdrückten — uns genügt es, zu wissen, daß die darin ausgesprochene Milde und Menschlichkeit nicht die Gesinnung der Kirche war, von der sie sich leiten ließen.

Der Friede hielt unter der sorgsamen Pflege des Erzbischofs Fray Hernando de Talavera sechs bis sieben Jahre, da brachte das Eingreifen eines andern, minder zurückhaltenden Prälaten eine gewaltsame Trübung in das Verhältniß zwischen der Stadt und ihrem geistlichen Haupte.

Francisco Ximenes de Cisneros, Erzbischof von Toledo und Primas von Spanien, der im Gefolge des Hofes nach Granada gekommen war, sah dort mit Erstaunen, mit welcher Harmlosigkeit die mohamedanischen Mauren und der christliche Erzbischof miteinander verkehrten. Er erhielt auf seine eigene Anregung die königliche Weisung, einstweilen in der Stadt zu bleiben und an das Bekehrungswerk Hand zu legen; doch wurde ihm von den Herrschern die äußerste Vorsicht und die Vermeidung jeden Anlasses zu Tumult zur Pflicht gemacht. Gleichzeitig aber gaben Ferdinand und Isabella ihre, diese Mahnung zur Bewahrung des religiösen Friedens völlig unwirksam machende Zustimmung dazu, daß Granada dem Inquisitions-Tribunal von Córdova unterstellt wurde.

Hernando legte seinem aufdringlichen Amts-Collegen seine Pläne, sowie die Mittel, mit denen er sie zu verwirklichen strebte, offen dar — er konnte nicht wohl anders, denn Ximenes war in der hierarchischen Stufenleiter sein Vorgesetzter. Er zeigte ihm die Uebersetzungen von Stücken der h. Schrift in's Arabische, die er angefertigt habe, um sie drucken zu lassen, sowie die zu gleichem Zwecke

vorbereitete Uebertragung anderer gottesdienstlicher Schriften. Diese
Neuerung erklärte Ximenes für bedenklich, ja geradezu für eine Mißachtung des kirchlichen Verbots, die h. Schrift und die Liturgie dem
Volke in der Verkehrssprache zugänglich zu machen. Hernando ver-
wies zu seiner Rechtfertigung auf die Griechische Kirche, in deren
Gebiet die Liturgie und die h. Schriften ja dauernd verständlich geblieben und dies auch in der Lateinischen Kirche viele Menschenalter
hindurch, nämlich so lange der Fall gewesen sei, bis das rein lateinische Idiom nach und nach aufgehört habe, die Sprache des Volkes
zu sein. Ximenes bestand auf seinem Urtheil und verbot den Druck
der besagten Schriftstücke.

Noch war Ximenes weder Cardinal noch Groß-Inquisitor; aber
unzweifelhaft hat er zu dieser Zeit mit dem h. Officium zu Córdova
bereits im Verkehr gestanden. Im Jahre 1499 begann er sein Mis-
sions-Geschäft unter den Mohamedanern damit, daß er mit gelehrten
Mauren öffentliche Disputationen abhielt. Bei der Darlegung der
Glaubenslehren und den Abhandlungen über theologische Themata
flocht er mit Geschick Bemerkungen ein, wie seine Gegner durch die
Annahme dieser Glaubenssätze und deren Weiterverbreitung im Volke
auch die bürgerliche Freiheit gewinnen könnten und Aemter und
Reichthümer dazu, denn es stehe ja in der Schrift: „Suchet zuerst
das Reich Gottes und alles Andere wird euch obendrein gegeben
werden." Das Geschäft kam wirklich zu Stande: es dauerte nicht
lange und maurische Doctoren beclamirten in den Moscheen gegen
den Aberglauben und die Irrlehren des Islam, ihre Zuhörer be-
schwörend, den Propheten fahren zu lassen und den Glauben des
Kreuzes zu empfahen, wie es der Primas, der Verwalter und Aus-
spender der königlichen Gnaden zu ihrem eigenen Heile bringend
wünsche. Diese Predigten mit ihren faßlichen Beweisgründen wirkten
Wunder: die abgefallenen mohamedanischen Schriftgelehrten führten
dem Primas drei Tausend ihrer Brüder auf ein Mal als Taufcan-
bidaten zu. Ximenes besprengte sie „mit Hysop", während man sie
an ihm vorüberführte, und die Taufe war vollzogen, aus Heiden
Christen gemacht. Hernando hatte ihnen erst nothdürftigen Unterricht
in der Heilslehre ertheilen wollen, bevor man sie durch das Tauf-
Sacrament in den Schooß der Kirche aufnehme, Ximenes aber erklärte: Nun habe man sie so schön beieinander; wer wisse, wie Viele
von ihnen wieder kämen, wenn man sie vor der Taufe noch einmal
entlasse. Bald darauf wurde an einem Muttergottes-Feste die Moschee
im Albaycin, welches Stadtviertel von Granada mit einer unabhängigen Jurisdiction privilegirt war, zu einer christlichen Collegiat-
Kirche geweiht und der Erlöser als ihr Patron angerufen.

Daß das Alles nicht so ganz ohne Widerrede Seitens der Mauren abging, läßt sich denken. So sollte unter Anderen auch ein hoch-

angesehener Maure fürstlichen Geblüts Namens Zegri Worte der Unzufriedenheit haben fallen lassen. Ximenes aber vermeinte, die Stadt
durch das Aufgebot einer besonders kräftigen Autorität in diesem
Augenblicke zur Ruhe verweisen zu sollen und ließ diesen Mauren-
fürsten heimlich festnehmen und in der Alhambra einsperren, zusammen mit einem Mönche, Namens Leo, in ein und derselben Zelle.
Auch in diesem Leo hatte Ximenes sich nicht vergriffen: derselbe redete
dem Zegri so viel vor von ewiger Gefangenschaft, wenn er sich nicht
taufen lassen werde, daß Letzterer sich die Sache gründlich überlegte
und Christ wurde. Nachdem er einmal so weit gegangen war, entschloß er sich, auch ganze Arbeit zu machen und sein Christenthum
in der Gunst der Mächtigen auszunutzen: er erfüllte sich mit Be-
kehrungseifer.

Die Sache kam allmälig in Zug. Als die Zahl der Proselyten
binnen kurzer Zeit ein halbes hunderttausend erreicht hatte, war Ximenes überzeugt, daß es nur einigen Nachdruckes bedürfe, um die
Christianisirung des Landes zu beschleunigen. So lange der Maurenkönig das Alhambra-Schloß in Besitz gehabt, hatte es immer Christen
in der Provinz gegeben, welche um irgend eines zeitlichen Vortheils
willen, zum Mohamedanismus übertraten; dem Erzbischof Ximenes
von Toledo schien jetzt die Zeit gekommen, diese Elchen — so
hießen sie nach ihrem Land-Districte — in den Schooß der
Kirche zurückzuführen. Diejenigen von ihnen, welche auf die erste
Aufforderung hierzu nicht Folge leisteten, wurden, wo es sich immer
thun ließ, der Mißachtung der obrigkeitlichen Autorität beschuldigt
und festgesetzt. Die Gefängnisse waren bald gefüllt. Als schließlich
wieder einmal ein Gerichtsdiener eine Frau aus dem Albaycin-Viertel
abführte, geriethen deren Nachbarn in Wuth; sie befreiten die Frau
und erschlugen den Büttel. Die Aufregung theilte sich bei der allgemeinen Unzufriedenheit schnell der ganzen Stadt mit. Hundert
Tausend waffenfähige Leute erhoben sich mit einem Male, einig in
dem Gedanken, fernerer Gewaltthätigkeit zu widerstehen. Die Besatzung der Alhambra konnte sich des Anpralls nicht erwehren; sie
hätte, nachdem Ximenes eine zehntägige Belagerung ausgehalten
hatte, capituliren müssen, wenn nicht der Erzbischof von Granada,
dessen freundlichen Verkehr mit den Einwohnern Ximenes so anstößig
gefunden und so herbe getadelt hatte, den Belagerten durch diese Volks-
freundlichkeit zum Retter geworden wäre. Talavera begab sich mu-
thig unter die aufgeregten bewaffneten Schaaren und bat sie, von
weiterer Gewaltthätigkeit abzulassen. Sie küßten sein Gewand wie
immer, beklagten sich aber bitter über den Bruch der ihnen bei der
Uebergabe von Granada gemachten Zusagen, sowie über die von Ximenes befohlenen Verhaftungen, die von ihm vorgenommene öffentliche Verbrennung ihres Koran, überhaupt über die tausenderlei täg-

lichen Vexationen seinerseits, die ihnen nachgerade unerträglich geworden seien. Erst als Hernando die erregten Wogen einigermaßen geglättet hatte, wagte sich auch der Befehlshaber der Besatzung herbei und versprach seinerseits Verzeihung alles Geschehenen, wenn die Aufständischen zur früheren Ordnung zurückgekehrt wären.

Die Kunde von diesen Vorgängen machte die Herrscher äußerst besorgt. Ximenes, mit Grund der unheilvollsten Ueberstürzung angeklagt, sah sich von der höchsten Ungnade bedroht und eilte nach Sevilla, um sein Thun vor Ferdinand und Isabella zu rechtfertigen. Das gelang ihm so gut, daß er nicht bloß den Aerger des Königs und der Königin begütigte, sondern diese auch dazu brachte, daß sie Granada als eine aufrührerische Stadt zu behandeln beschlossen, welche die ihr bei der Eroberung gemachten Zugeständnisse verwirkt habe.

Die Herrscher hatten Anfangs vor strengem Einschreiten gebangt — das war jetzt vorbei. Sie waren vor Torquemada zurückgewichen und hatten die Juden vertrieben, jetzt wichen sie vor Ximenes zurück und vertrieben die Mauren. Der Sultan, den man von Granada aus angerufen hatte, schickte einen Gesandten an den spanischen Hof mit der Bitte, seine Glaubensgenossen nicht mit Gewalt zu Christen machen zu wollen. Ferdinand und seine Gemahlin erklärten, von einem Zwang zur Annahme des Christenthum sei keine Rede; aber nach den gemachten Erfahrungen müßten sie die Mauren vor die Wahl stellen: entweder zu dem Christenthum überzutreten, oder nach Nord-Afrika auszuwandern; die Mohamedaner hätten eben wieder gezeigt, daß sie niemals christlichen Königen die Treue halten würden. Die Vorbereitungen zur Verpflanzung der Mauren in die Berberei nahmen also ihren Fortgang. Es sollte ihnen alle Erleichterung gewährt und Gelegenheit geboten werden, ihr Eigenthum vor dem Abzuge zu verwerthen. Beträchtliche Mengen meldeten sich zur Taufe. Hernando de Talavera besorgte das Geschäft im Großen — denn von dem Empfange eines christlichen Sacraments kann doch sicher bei einer solchen mechanischen Zwangshandlung nicht die Rede sein. Diejenigen, welche lieber davon zogen, als Christen wurden, fanden Aufnahme auf königlichen Schiffen, wo ihre Behandlung während der Ueberfahrt Nichts zu wünschen übrig ließ. Die Capitaine mußten sogar bei der Ablieferung ihrer Zwangs-Auswanderer in den verschiedenen Städten der Berberei von deren Gubernatoren sich bescheinigen lassen, daß die Passagiere mit der Behandlung auf den Schiffen zufrieden gewesen seien. So gut war es den Juden nicht geworden; der Grund ist nicht weit zu suchen: die Juden hatten eben keinen Gewaltigen der Erde, dessen eingreifende Rache zu fürchten gewesen wäre; vor dem Gott Abrahams, Isaaks und Jacobs war es der Kirche der Inquisition nicht bange, wohl aber vor dem türkischen Sultan; an der italienischen wie an der spaniſchen Küſte hatte man es erfahren, daß die krummen Säbel für den Glauben des Propheten recht kräftig geſchwungen wurden.

Die Bewohner der Alpujarras brachen Angeſichts dieſes ihren Glaubens- und Stammesbrüdern in Granada angethanen ſchimpflichen Unrechts in offene Empörung aus. Der Bürgerkrieg, der hieraus erwuchs, dauerte mit einigen Intervallen volle zwanzig Jahre. Wir haben uns mit demſelben hier nur in ſo weit zu beſchäftigen, als die geiſtliche Inquiſition eine Rolle in demſelben ſpielte.

Die Moresken oder getauften Mauren hatten von dem Chriſtenthum weiter Nichts angenommen als den Namen; dieſer Name aber war ihnen verhaßt wie die Hölle, denn er war es, welcher ſie den Inquiſitoren in die Hand gab. Königliche Befehle ergingen, auf Grund deren ſie Spaniſch lernen, ſich wie die Spanier kleiden, ihre angeſtammten Sitten und Gebräuche laſſen ſollten. Mehrmals wurden dieſe Edicte erneut und eingeſchärft; eben ſo oft mußten ſie, weil ſie auf zu feſten Widerſtand ſtießen, zurückgezogen werden. Auf Berufung des Kaiſers Karl V. — wir haben ihn hier als ſpaniſchen König Karl I. zu nennen — wurde im Jahre 1526 zu Granada großer Rath gehalten, wobei der Erzbiſchof von Sevilla und General-Inquiſitor Albeſo Manrique, von dem wir ſchon in einem früheren Kapitel gehört haben, daß er ſich auch fleiſchlich nicht unbezeugt gelaſſen, den Vorſitz führte. Die Verſammlung beſtand aus Prälaten und anderen Würdenträgern, aus Mitgliedern der Provincial-Räthe und des h. Officiums. Die erwähnten verhaßten Edicte wurden erneuert und ſtrenge Anweiſungen zu ihrer endlichen Durchführung gegeben; über die letztere ſollte das Inquiſitions-Tribunal, das bei dieſer Gelegenheit zu Granada für die ganze Provinz eingerichtet wurde, die Aufſicht führen. Eine große Anzahl Mauren floh nun vor dieſen Schrecken aus Granada und den andern Städten weg; ſie ſuchten die Landſtraßen und die Berge auf, um der Doppel-Meute, den Einen, die ſie als Rebellen und den Andern, die ſie als Ketzer verfolgten, zu entgehen. Gegen die kleine Erkenntlichkeit von achtzig Tauſend Ducaten ließ König Karl I. ſich jedoch bereit finden, zu verſprechen, daß die Strenge der Inquiſition in Betreff der Confiscationen einige Milderung erfahren ſolle und Papſt Clemens VII. erließ wirklich eine Bulle, in welcher ausnahmsweiſe die eine und andere Rückſichtnahme geſtattet wurde. Dieſe Bulle war um ſo werthloſer, weil das Volk bis auf einzelne Ausnahmen ohnehin bereits verarmt war.

Um den Moresken zu zeigen, was ihrer harrte, wurden im folgenden Jahre nach Erlaß dieſer Bulle bei einem Auto-de-Fé zu Granada einige judaiſirende Ketzer lebendig verbrannt, trotz der erkauften Milderungsverſprechen bezüglich der Confiscationen.

Von der Härte der Inquiſitions-Tyrannei muß man ſich aus

Einzelheiten einen Begriff bilden, da ein genaueres Eingehen uns zu
weit führen würde. Bis zum Jahre 1529 lebten die Moresken in
besondern Stadtvierteln, den „Morerias"; dann wurden sie aber
gezwungen, unter den „Alt-Christen" ihre Wohnung aufzuschlagen, dergestalt, daß auch nicht zwei Moresken-Familien in geschlossener Verbindung mit einander blieben. Ihr gleichgültigstes Thun wurde von
spionirenden Augen beobachtet und den Inquisitoren darüber berichtet.
Llorente erzählt aus den Original-Acten des h. Officiums zu Balladolid einen Fall, der das System zu gut charakterisirt, als daß wir
denselben übergehen dürften.

Am 8. December 1528 denuncirte eine gewisse Catalina, ein
Weib des schlimmsten Rufes, einen Moresken Namens Juan, 71
Jahre alt, seines Zeichens Kupferschmied, geboren aus Segovia und
wohnhaft zu Benevente. Sie erzählte den Inquisitoren, vor achtzehn Jahren habe sie mit diesem Juan in demselben Hause gewohnt und doch nicht ein einziges Mal gesehen, daß er oder seine
Kinder Schweinefleisch gegessen oder Wein getrunken hätten, dagegen
hätten sie gewohnheitsmäßig Samstags-Abends und Sonntags-Mor-
gens sich die Füße gewaschen. So war es nun allerdings die Gewohnheit auch der Mauren, ebenso wie die Enthaltung von Schweinefleisch und vom Wein. Die Inquisitoren luden den alten Mann
vor und verhörten ihn zu drei verschiedenen Terminen, wie üblich.
Er erklärte, Alles was er ihnen sagen könne, sei das: die Taufe
habe er empfangen, als er 45 Jahre alt gewesen; bis dahin habe
er weder Schweinefleisch gegessen noch Wein getrunken gehabt; er
würde nun lügen, wenn er behaupte, daß er in Folge der Taufe
Appetit auf diese Sachen bekommen habe, und so habe er deren
Verzehr denn auch fürder unterlassen. Was nun das Füße-Waschen
betrifft, so habe es damit allerdings seine Richtigkeit; aber er sei,
wie man wohl wisse, Kupferschmied, und da fände er gleichwie seine
mit ihm zusammen arbeitenden Söhne ein gründliches Fußbad am
Schlusse der Woche ganz am Platze; selbst eine Wiederholung am
Sonntag Morgen erweise sich nicht als überflüssig. Die Inquisitoren
fragten noch Mancherlei, dann schickten sie ihn nach seinem Wohn-
orte Benevente zurück mit dem Verbote, sich weiter als drei Meilen
von der Stadt zu entfernen. Zwei Jahre später beschloß das h.
Officium, der Sache besser auf den Grund zu gehen und den Mann
peinlich zu verhören; man hoffte offenbar, daß wenn man auch
über ihn selber nichts Weiteres erfahre, sich doch Anhaltspunkte gewinnen ließen zur Anklage Anderer. Der 73jährige Greis wurde
also wieder nach Valladolid geschafft, dort in einem unterirdischen
Gemach des Inquisitions-Hauses, der „Tortur-Kammer", nackt aus-
gezogen und in das „Geschnüre" der Strickleiter gespannt. Damit
hoffte man Etwas aus ihm heraus zu bringen, was sich als „Ein-

geftändniß" verwerthen laffe, der geängstigte Alte erklärte aber von vorneherein, seine sämmtlichen Aussagen, die er machen werde, würden ihm aus Angst vor Schmerzen ausgepreßt werden, also wahrhaftige Aussagen nicht sein. Da die Inquisitoren hieraus erkannten, daß die Drohung — und mehr hatten sie wohl nicht beabsichtigt — zu nichts Haltbarem führen werde, ließen sie es dabei bewenden. Aber sie hielten den Armen in enger Haft bis zum nächsten Auto-de-Fé, wobei er dann, eine brennende Kerze in der Hand, unter den Büßenden aufmarschiren und dem Verbrennen einiger Anderer zusehen mußte. Schließlich hatte er dem h. Officium vier Ducaten zu entrichten, dann durfte er heim gehen, nicht als unschuldig erkannt und freigegeben — Gott bewahre! — sondern als ein einstweilen in Gnaden „Losgelassener".

Wie die getauften Moresken zu treuen Anhängern der Inquisitions-Kirche gemacht werden könnten, das blieb dieser noch lange eine angelegentliche Sorge. Als der Erzbischof von Granada, damals Don Pedro Guerro, auf dem Concil von Trient sich einfand, legte er dem Papst Paul III. die Sache vor und dieser beauftragte ihn, beim Könige Philipp II. Alles aufzubieten, damit dieser Maßregeln treffe zur Rettung so vieler getaufter Seelen. In den Augen des Königs war aber die Inquisition die bevorzugte Heilsanstalt; leider konnte sie in den verwirrten Zuständen des Königreichs Granada ihre Wirksamkeit nicht so ungehindert und kräftig entfalten, wie es seiner Ansicht nach nöthig gewesen wäre. Er berief deshalb eine Versammlung ad hoc, gleich jener unter Ferdinand in Granada abgehaltenen nach Madrid und von hier wurde die neue Einschärfung der mehrerwähnten alten Decrete beschlossen: drei Jahre noch sollten den Moresken verstattet sein zur Annahme der spanischen Sprache an Stelle der arabischen, zur Ablegung der Mauren-Tracht und aller, selbst der unschuldigsten nationalen Gewohnheiten und Sitten. Der Inquisitions-Auditor, Pedro de Deza, begab sich im Jahre 1566 mit diesen Beschlüssen nach Granada, um sie dort zu verkünden. Ihr Bekanntwerden hatte keine andere Wirkung als Widerspruch und einen Appell an Philipp II., der aber für die Klagen seiner Unterthanen gegen Bedrückung Seitens der Geistlichen kein Ohr hatte, in Spanien selbst so wenig wie in den Niederlanden. Das beschleunigte die endgültige Auseinandersetzung.

Aufstände gab's nun allerorts in der ganzen Provinz; die Kriegsfurie trug ihre Fackel in die entlegensten Thäler. Die Inquisitoren versicherten dem König, es gebe nur ein Mittel, um die Moresken unschädlich zu machen: die Ausrottung. Nun ging man folgendermaßen vor: nachdem die letzten festen Plätze im Königreich Granada bewältigt waren, verstreute man die Ueberlebenden, so vieler man dort habhaft werden konnte, im ganzen Lande

und trieb dann die Vereinzelten in den Tod, an's Taufbecken oder
in die Fremde. Die bewaffneten Banden der in den spanischen
Truppen verkörperten „streitenden Kirche" überzogen districtweise das
ganze Königreich Granada. Die einzelnen Schaaren der wüsten
Soldateska hetzten die weheklagenden Moresken aus ihren Häusern
in den nächstgelegenen Kirchen zusammen, von wo sie auf Fuhrwer-
ken, wie man sie eben zur Hand bekam, über die Grenze gebracht
und in den Städten abgeliefert wurden; aus den letzteren begann
dann die Vertheilung über ganz Spanien, behufs der Vermischung
mit der übrigen Bevölkerung, auf's Neue. Nachdem dies geschehen,
war der Mauren-Stamm vorerst als Nation in Spanien vernichtet.

In der Provinz Valencia, welche, als im Jahre 1502 Ferdinand und Isabella das Decret zur Vertreibung der Mauren von
ihren Besitzungen im Königreich Aragonien, erließen, zu diesem Königreich gehörte, gab es ganz eigenthümliche Vorgänge. Auf Grund
ausgedehnter verfassungsmäßiger Rechte konnte diese Provinz dem besagten Decrete entschlossenen Widerstand leisten, — leider nicht auf lange
Dauer. Aber die Macht der Mauren war einmal gebrochen, und so
durften denn später sogar politische Parteien ungestraft es sich herausnehmen, mit der Taufe der Mauren gegen ihre Gegner zu operiren.
So geschah es im Jahre 1523, da sechszehn Tausend Mohamedaner von den Gegnern der adeligen Landbesitzer gewaltsam getauft
wurden, um diese Landbesitzer zu schädigen, indem diese von den auf
ihrem Grund und Boden hausenden Mohamedanern, so lange es
eben ungetaufte Mohamedaner waren, beträchtliche Revenuen bezogen.
Eine gleiche Zahl wanderte zu dieser Zeit nach Afrika aus, so daß
in Stadt und Provinz Valencia an fünf Tausend Häuser leer gestanden haben sollen. Seit der Zeit waren die Mauren auch in
Valencia so gut wie vernichtet. König Karl I. erwirkte sich zu Rom
eine Bulle, welche ihn des Eides entband, den er dem Provincial-
Parlamente von Saragossa geschworen hatte, sich nicht in ihre religiösen Angelegenheiten einzumischen. Daraufhin wurde dann zu
Madrid eine Art Kirchenversammlung gehalten und von dieser be-
schlossen: die sechszehn Tausend aus Parteihaß gewaltsam getauften
Mauren seien wirkliche Christen und unterständen demgemäß der
Aufsicht und Gewalt des h. Officiums. Die Inquisitoren machten
sich anheischig, den Rest zu bekehren und sparten denn auch keine
Mühe und Strenge zur Erreichung dieses Zieles. So wurde Valencia von den Anhängern des Propheten befreit: auf der einen
Seite Tausende vor den Christen flüchtig, auf der andern Seite
Tausende, welche mit dem Empfang der Taufe ihren Spott trieben
— es war gewiß ein erhebendes Schauspiel für Engel und Menschen! Die in das Gebirge versprengten Einzelnen wurden nach und
nach zur Botmäßigkeit gebracht. Den Schluß eines jeden Streif-

zuges nach solchen Verzweifelten bildete eine Feier am Tauffsteine. Die Inquisitoren standen in der Kathedrale von Valencia mit ihren Gnaden bereit, um sie, ohne weitere Vorbereitung, Jedem zu spenden, der, von den Umständen gezwungen, Verlangen danach zu tragen erklärte.

Im Jahre 1526, nachdem ein Bürgerkrieg in einem Vergleich zwischen dem König und den Aufständischen sein Ende gefunden hatte, wurden die letzten Reste getauft. Noch ein paar Jahre trugen diese Neuchristen ihre nationale Tracht weiter und redeten die arabische Sprache, dann gingen sie auch in dieser Beziehung in der übrigen Bevölkerung unter; nur das Eine hatten sie vor derselben voraus: ihnen besonders sah die Inquisition auf die Finger und es gab der Anstände um so mehr, als sie den Propheten von Mekka zwar vergaßen, aber keine Lust hatten, den Propheten von Nazareth kennen zu lernen, schon wegen ihres Hasses gegen Diejenigen, die ihn predigten.

Eng verbündet mit der königlichen Gewalt und deren starken Armes sich bedienend, hielt das h. Officium die Kerker voll und die Scheiterhaufen am Brennen. Die Könige verschafften sich mitunter Bullen von Rom, worin die Päpste ihre Zustimmung zu größerer Milde bei einzelnen Anklagen gaben, aber die Inquisitoren ließen sich dadurch in ihrem strengen Verfahren nicht beirren. Wie sollten sie auch, wenn die eigenen Landesbischöfe von Anschauungen ausgingen, wie der Erzbischof von Valencia sie in einer zu rücksichtslosem Vorgehen ermunternden Denkschrift an Philipp III. aussprach: „Ew. Majestät können ohne jedes Gewissensbedenken sämmtliche Moresken zu Sclaven machen und dieselben in Ihre königlichen Galeeren und Bergwerke stecken oder an Fremde verkaufen. Was deren Kinder betrifft, so finden sich dafür hier in Spanien Käufer zu hohen Preisen; und ein solcher Verkauf würde keine Strafe, sondern eine Wohlthat für sie sein, da auf diese Weise alle zu gläubigen Christen werden, was sie nie werden würden, wenn sie bei ihren Eltern verblieben. Durch diese Art von heiliger Gerechtigkeitsübung wird eine große Summe Geldes in Ew. Majestät Schatz fließen."

Diese ersehnte Hochzeit des hohepriesterlichen und inquisitorischen Fanatismus kam dann mit dem Jahre 1609. Schon im Mai des voraufgegangenen Jahres war der in deren Betreibung unermüdliche spanische Dominicaner-Mönch Bleda wiederholt in Rom erschienen, um der Sache die päpstliche Sanction zu erwirken. Kurz gefaßt sind es folgende Motive, die er geltend machte: England sei ganz ketzerisch; in Frankreich herrsche Gewissensfreiheit, welche von den politisch nach der Welt sich richtenden gemäßigten Katholiken, der schlimmsten und für die Kirche gefährlichsten Ketzerei, die es jemals gegeben habe, ausgebeutet werde; in Venedig zeige sich diese Pest auch schon; in Deutschland seien fünf Sechstel der Bevölkerung häretisch; nicht minder seien Flandern, Ungarn und Polen mit Ketzern gefüllt; so sei Spanien noch das einzige Land, welches der Kirche treu geblieben sei und darum müßten Marranen und Moresken hinausgefegt werden. Der Papst Paul V. gestattete Bleda, daß dieser selbst seinen Plan vor dem Cardinals-Collegium verfechte und er that es mit Erfolg.

Es läßt sich nicht leugnen: die Moresken hatten sich, der ewigen geistlichen Bedrückungen müde, insgeheim mit den Marokkanern und Türken in Verbindung gesetzt, und der Nachweis hiervon mußte auch beim Könige durchschlagend wirken. Philipp III. erkannte, man müsse einer neuen, von den genannten Völkerschaften unterstützten Empörung der Moresken zuvorkommen.

Schon zu Anfang hatte der Vicekönig von Valencia die Zahl aller altchristlichen und maurischen Haushaltungen in dem ihm unterstellten Königreiche feststellen lassen: es fanden sich 63,731 altchristliche und 28,701 maurische Häuser. Valencia war die von Moresken bevölkertste Provinz; sie konnte also bei längerem Zögern am gefährlichsten werden; mit ihr mußte man daher beginnen. Am 4. August, dem Feste des h. Dominicus, unterfertigte der König, nachdem er „mit vieler Andacht" dem Gottesdienste beigewohnt und vor dem Ergreifen der Feder sich von der Stirn bis auf den Bauch bekreuzigt hatte, die nöthigen speciellen Anweisungen an den Vicekönig, den Erzbischof und einige Militär-Beamte Valencias. Noch ein Mal versuchte der Adel von Valencia, der mit der Ausführung der Maßregel die besten Einkünfte verlor, dieselbe rückgängig zu machen; vergebens! Am 22. September bei Tagesanbruch durcheilten öffentliche Ausrufer die Straßen der Stadt Valencia, begleitet von den städtischen Bütteln, Keulenträgern und Trommelern, um an den belebtesten Plätzen das königliche Decret zu verlesen. Philipp III. verkündete darin, daß er die Moresken der Provinz, obgleich er sie als „überführte Ketzer, als Abtrünnige von der Kirche und als Verräther an himmlischer und irdischer Majestät am Leben und Besitz züchtigen könnte", doch begnadige und sie nur in die Berberei verbanne. Binnen drei Tagen sollten alle, mit so viel Eigenthum als sie tragen könnten, unter Leitung der dazu bestimmten Commissare, nach den bereitstehenden Fahrzeugen sich begeben; was sie zurücklassen müßten, gehöre den Herren, deren Vasallen sie gewesen seien, als Entschädigung. Vergrabung irgend welcher Werthsachen, Zerstörung ihrer Häuser und Anpflanzungen wurden den abziehenden Eigenthümern bei Todesstrafe untersagt. Zur Aufsicht und Bewahrung sollten in jedem Orte von hundert Häusern sechs, durch den Ortsherrn zu bestimmende Mauren-Familien zurückbleiben; ebenso durften diejenigen Moresken bleiben, die „von lange her nach dem Zeugniß

der Geistlichen unzweifelhafte Frömmigkeit gezeigt hätten, sowie schließlich die Kinder unter vier Jahren.

Ohne blutige Zusammenstöße mit den sich zusammenrottenden
Moresken, welche im Königreich Valencia zwischen 30 bis 50 Tausend waffenfähige Männer zählten, ließ das königliche Decret sich
nicht durchführen. Mit Ende des Jahres waren etwa 150,000
Moresken entfernt, nicht mitgezählt die von der beutelustigen Solda-
testa Ermordeten, die in den Gefechten Gefallenen, die an den
Strapazen Gestorbenen.

Nach den Moresken von Valencia kamen die von Andalusien
an die Reihe; deren waren ungefähr halb so viel. Aber ihnen
gegenüber war der Feiglings-Muth der Verfolger schon gewachsen:
außer anderen Erschwerungen betreffs der Mitnahme des Eigenthums,
wurde befohlen, allen Moresken, die nicht in ein christliches Land
übersiedeln wollten, die Kinder unter sieben Jahren abzunehmen, damit dieselben in Spanien christlich erzogen würden. Demgegenüber
verfielen zahlreiche Eltern auf ein sie hochehrendes Auskunftsmittel,
sich ihre Kleinen zu retten; sie nahmen allen dadurch gebotenen
Opfern an Geld und Mühsal zum Trotz ihren Weg nach der Nord-
küste von Afrika zunächst über Italien und, besonders zahlreich, über
Frankreich.

Nun kam das nordöstliche Spanien, die Provinzen Catalonien,
und Aragonien, wo zusammen 82 Tausend Moresken ihren Wohnsitz
hatten, an die Reihe. Den Valencianer-Moresken war noch erlaubt
worden, ihr Geld mitzunehmen; die Andalusischen durften zwar keine
Baarschaft oder Werthsachen aber soviel an spanischen Waaren mitnehmen, als sie dafür hatten bekommen können, den Aragonisch-
Catalonischen wurde nur das zur Reise nöthige Geld und eine
Mannslast tragbarer Habe gestattet; alles Uebrige sollte dem König
und den betreffenden Gutsherren anheim fallen.

Unterm 10. Juli 1610 erschien endlich der königliche Befehl,
der auch die Moresken von Alt- und Neu-Castilien, Estremadura
und der Mancha — die letzten in Spanien — auswies.

Im Jahre 1611 wurden auch diejenigen Moresken, die man
bis dahin zurückgelassen hatte, sei es wegen bewährten christlichen
Eifers oder weil sie den bereits seit Jahrhunderten christianisirten
Familien angehörten, durch wiederholte königliche Befehle vertrieben.
In den Provinzen der Krone Castilien betrug ihre Anzahl allein
44,672 Personen, durchaus friedliche Bürger.

Die Rückkehr eines verbannten Moresken war mit lebenslänglicher Galeerenstrafe belegt. Im Jahre 1613 kamen auf ein Mal
aus nur fünf Dörfern 800 solcher Unglücklichen, welche eine seltsame
Sehnsucht nach der ungastlichen Heimath zurückgetrieben hatte, auf
die Galeeren. Die Kosten, welche dadurch entstanden, mußte die be-

treffende Ortsjuſtiz tragen, welche, allzu menſchenfreundlich, bei der Wiederanſiedelung ihrer alten Mitbürger durch die Finger geſehen hatte. Die beſſeren Klaſſen der Bevölkerung waren eben allerwärts einſichtsvoller und humaner als die von ihrer eigenen Geldgier oder der ihrer Miniſter und von dem Fanatismus der römiſchen Prieſterſchaft gerittenen Herrſcher.

Der Verluſt an Einwohnern, welchen Spanien durch die nacheinander von der Inquiſition geforderte Vertreibung der Juden, Mauren und Moresken erlitt, beträgt über d r e i M i l l i o n e n S e e l e n. Der Handel ging zurück, der Ackerbau verfiel, die Fabriken ſchloſſen ſich, die Gebäude ſanken überall in Ruinen. Im Jahre 1609 hatte das Königreich Valencia 486,860 Bewohner gezählt; nach der Moresken-Vertreibung blieben nicht 300,000 dort übrig. In den Jahren 1600 bis 1619 verringerte ſich die Zahl der Bauern in dem Bisthum Salamanca von 8384 auf 4135. Ganz Spanien zählte, als im Jahre 1621 Philipp IV. den Thron beſtieg, nur noch ſ e c h s Millionen Einwohner gegen die z e h n Millionen, die es 70 Jahre früher gehabt hatte!

Wir ſind, um das gedrängte Bild von dem endlichen Schickſale der Moresken in Geſammt-Spanien zum Abſchluſſe zu bringen, unſerer Geſchichte weit vorausgeeilt; nachdem wir uns angeſehen haben, was der Geiſt der Inquiſition im großen Ganzen geleiſtet hat, betrachten wir im folgenden Kapitel des Genauern, w i e e r e s in Granada getrieben hat, um dann die Entwickelung des h. Officiums und der inquiſitoriſchen Rechtspraxis unter dem König Karl I. und Philipp II. weiter zu verfolgen.

Sechszehntes Kapitel.

Ein Maientag zu Granada.

„Kein Maure, weder Mann noch Weib, soll zum Christenthum herüber gezwungen werden; es soll sie auch Niemand in der Ausübung ihrer Rechte behindern oder wegen ihres Glaubens belästigen" — so war, wie wir uns erinnern, in dem Vertrage von 1492 zwischen den katholischen Herrschern und den besiegten Moslemim von Granada festgesetzt worden. Ferdinand und Isabella hatten diesen Vertrag beschworen. Ihn zu brechen wäre ihnen selbst vielleicht nicht in den Sinn gekommen, aber ihr Beichtvater, der höchste Vertreter der römischen Kirche am Hofe, drängte sie dazu. Der Papst selbst übte an dem Eid seine Lösegewalt und rechtfertigte dies mit den bekannten unwiderleglichen Gründen; sie sind wie in eine Nuß recapitulirt in dem einen Wort: „Per la fé — il tutto lice." Das unterworfene Volk wurde von Amts wegen „eingeladen", sich im Christenthum unterweisen zu lassen; eine autoritative Einladung ist aber bekanntlich nicht viel Anderes als ein Befehl. Die „Unterweisung" im Christenthum bestand in der Uebung des Kreuzschlagens und ähnlichen Dingen, die dem Moslemim als Götzendienerei erschienen. Die Art, wie man den Bekehrungen Nachdruck gab, läßt sich kaum anders bezeichnen denn als Bestechung und Einschüchterung. Einige Ernte für all' dieses gewissenlose Ackern und Jäten gewährten denn auch nur die untersten Schichten des mohamedanischen Volkes, aber das erreichte man doch, daß die Einwohnerschaft von Granada sich allmälig abschied in Katholiken und Moslemim.

Der Weinberg war also da — der Herr brauchte bloß Arbeiter hinein zu schicken. Der spanische König Karl I., nachdem er schon einige Jahre deutscher Kaiser war als der fünfte dieses Namens, verpflanzte das h. Officium innerhalb der Wälle der alten Mauren-Residenz. Im Jahre 1529 schaute die Alhambra auf das erste Auto-de-Fé herunter. Wie es verlief, das erzählt uns ein, hundertundvierzig Jahre später zu Granada selbst gedrucktes Schriftchen

„Auto General de la Fé; Exaltation de su estándarte cáto-
lico" etc. aus der „Hof-Buchdruckerei von Francisco Sanches, gegenüber dem Hospital von Corpus Christi, im Jahr 1672". Diese
Schilderung ist troß ihres steifen Bombastes und ihrer hündischen
Servilität vor den geistlichen und weltlichen Machthabern so lebens-
warm und frisch, daß, wenn sie nicht von einem inquisitionsfreundlichen Augenzeugen herrührt, wir sie doch jedenfalls einem Autor verdanken, der dem h. Officium mit Benußung der Acten desselben eine
herzliche Ovation bringen wollte.

Nachdem wir dies vorausgeschickt haben, lassen wir unsern
Mann erzählen, ohne ihn zu unterbrechen; nur an einer Stelle, wo
er in seiner Begeisterung für den sogenannten h. Ferdinand einen
Saß liefert, der sich durch fünfzig Zeilen durchspinnt, werden wir
ihm, damit der Leser bei Athem bleibt, einige Punkte sehen.

„Am fünften Tage des December im Jahre des Heils 1526
verpflanzte der Kaiser Don Karlos V., glorreichen Angedenkens, zur
hohen Ehre der Stadt Granada, zum Schuße des unbefleckten Ruhmes ihrer Glaubenstreue, zu mehr größerer Sicherheit des Granaden-
sischen Königreichs dieses h. Tribunal von Jaen hierher, und vom
Tage seiner Aufrichtung begann dieses h. Tribunal das ihm inne-
wohnende überaus kräftige Heilmittel gegen den Unglauben zu verbreiten. Sein erster Act war ein Act der Gnade, denn es ermahnte
alle Söhne der Kirche und befahl ihnen: wo Einer abgewichen sei
von der Treue gegen die h. Mutter Kirche oder, durch Irrthum verführt, eine glaubenswidrige That begangen habe, so möge er in der
gewährten unaufschiebbaren Frist kommen, um Verzeihung zu erhalten, nachdem er seine Irrthümer verschworen und seine Sünden be-
reut habe. Der Arm des h. Tribunals, der Recht zu üben hat und
zum Strafen erhoben ist, that an die Milde, um Verzeihung treten
zu lassen an Stelle der verwirkten Strafen. Se. Kaiserliche Majestät
aber sprach ihm die Güter zu, die eigentlich, auf Grund des Con-
fiscations-Rechtes, dem Königlichen Schaße gehört hätten.

„Aber wie die Bosheit die Milde allezeit mißachtet, so mußte
auch das h. Tribunal sehen, daß der Unglaube verstockt blieb. Wenn
es nun auch nichtsdestoweniger den blühenden Oelzweig, der die
Bußen mildert, wo nicht gänzliche Verzeihung eintreten darf, nicht
bei Seite legte, so bewaffnete es doch seinen Apostolischen Arm und
entblößte das Schwert, welches dann niederfiel auf die Schuldigen
bei dem Glaubensacte, der im Jahre 1529 auf dem Vibarrambla-
Plaße gefeiert wurde. Von diesem Auto an bis zum Jahre 1653
wurden im Ganzen achtundvierzig große Rotten von Apostaten zu
General-Autos-de-Fé auf den Richtplaß geführt; die bei Privat-Autos
Bestraften zu zählen, wäre ein eben so vergebliches Unternehmen, als
ob man die Bäume eines Waldbickichts zählen wollte; so häufig waren

diese Privat-Autos-de-Fé. Auch die Zahl jener Uebelthäter ist nicht
festzustellen, welche, von dem h. Tribunal verurtheilt, sich der Strafe
entzogen und in der Fremde umherirrten. Gerade sie bereiteten
dem h. Tribunal die höchsten Triumphe, denn der heilsame Schrecken
vor demselben, den sie in fremden Königreichen verbreiteten, überwog an Nutzen weit den Schaden, den sie in seinem eigenen Bereich
angerichtet hatten.

„Den so häufigen und durch die Zahl der Bestraften so bedeutenden Glaubensacten, welche das h. Officium von Granada damals
zur Demüthigung der Feinde der Kirche veranstaltete, folgte seit dem
letzten Privat-Auto, bei welchem 84 Fälle zur Erledigung kamen,
eine zweijährige ungewohnte Stille, bis endlich das General-Auto
Statt fand, über welches wir zu erzählen im Begriffe sind. Durch
die zweijährige Stille war das Volk sorglos geworden und man
schenkte dem leise auftretenden Gerüchte, daß Etwas im Werke sei,
anfänglich keine Beachtung; ja man vermaß sich, leichtfertig davon
zu reden und Vermuthungen anzustellen, um so in die geheim-
nißvollen Tiefen jenes allezeit ehrwürdigen, gesetzlichen und uner-
forschlichen Tribunals einzubringen.

„Die Anzeichen einer größeren Thätigkeit des h. Tribunals
mehrten sich und man zog die Folgerungen daraus. Die geheimen
Kerker im h. Hause sollten so voll sein, daß man sogar einen Theil
der Gefangenen in den Häusern der Diener der Inquisition habe
unterbringen müssen. Die Secretäre des h. Gerichts seien vermehrt worden; die Rührigkeit und Geschäftigkeit seiner Richter und
Räthe sei schon seit Jahresfrist eine ungewöhnliche; man hörte Klagen: sie hätten im Monate kaum ein paar freie Tage, im Tag kaum
einige müßige Stunden, bei der Arbeit kaum die Zeit, einmal voll
aufzuathmen. Man konnte in der That auf wichtige Dinge schließen, wenn man die Thätigkeit so hervorragender Männer sah, wie
der Beamten unseres h. Amtes, des Doctor Don Juan Marin de
Redezno aus Salamanca, Canonicus der Domkirche zu Toledo, Abt
von St. Gilbert zu Logrogno und Collegiat der Hohen Stiftskirche
zu Cuenca; des Licentiaten Don Balthasar de Loaste y Heredia, Collegiat des berühmten Größeren Collegiums zu Cuenca; des Doctor
Don Pedro de Herrero y Soto, Archidiakon zu Ecija, Ehren-Cano-
niker der Domkirche zu Sevilla, Mitglied des Größeren Collegiums
von Santa Cruz zu Valladolid, Professor des Instituts und Rector
der Universität daselbst; des Fiscal Sennor Licentiat Don Juan
Bautista Arzamundi, Collegiat des Hohen Stifts von Santa Cruz
zu Valladolid, Doctor-Canonikus von Ciudad Rodrigo, Bisthumsver-
weser und General-Vicar für die Armee, ein Mann von allzeit thä-
tigem Eifer und von nie schlummernder Wachsamkeit. Alles schien
darauf hinzuweisen, daß demnächst ein großes Licht hervorbreche, um

zu erhellen, was bislang durch eine so dichte Wolke der gespannten
Erwartung verborgen gehalten wurde. Wahrlich: in den Händen
so hochbedeutsamer Männer, wie die Genannten, lag der Faden sicher,
der in das räthselvolle Labyrinth hineinführte!

„Der Montag, der 2. Mai, begann die Zweifel zu zerstreuen
und die ersten zuverlässigen Anhaltspunkte zu bringen. An diesem
Tage nämlich wurde Don Juan Bautista Arzamundi von einem Zug
glänzender Wagen und Diener vom Palaste der h. Inquisition nach
der königlichen Kanzlei geleitet, wo der sämmtliche Abel der Stadt
versammelt war und ihn an der äußeren Freitreppe des Kanzlei-
Gebäudes erwartete. In die üblichen Worte der Zuneigung und
Verehrung, mit denen man ihn beim Empfange begrüßte, mischten
sich bereits dankbare Anerkennungen dafür, daß das h. Tribunal
eine erneuete Thätigkeit hoffen lasse. Von dort begab sich der Herr
Fiscal, von der ganzen so ansehnlichen und zahlreichen Versammlung
geleitet, hinauf in den Saal, wo der Königliche Acuerdo ihn erwartete. Nachdem der Fiscal ihn mit dem Vorhaben des h. Inquisitions-Tribunals an dem und dem Tage ein General-Auto-de-Fé
abzuhalten, bekannt gemacht hatte, lud er ihn im Namen des h.
Amts ein, diese Feier durch seine Anwesenheit zu verherrlichen. Die
Herren nahmen diese Ankündigung eines neuen Sieges des Glaubens
mit einer Freude entgegen, wie sie dem Glaubenseifer so ernster und
gewichtiger Männer eigen ist, die sich bewußt sind, daß sie den er-
habenen, von der Gesammtkirche mit dem Namen der »katholischen
Majestät« begrüßten und bis zu den Grenzen der Erde verehrten
König unmittelbar vertreten.

„Nachdem diese Ankündigung und Einladung gemacht und von
dem Königlichen Acuerdo mit der Zusage beantwortet war, daß sie
ihrer Pflicht sich wohl bewußt seien und derselben nachkommen würden, geleitete die ganze erhabene Versammlung von Hofwürdenträgern
und Adeligen den Fiscal wieder bis Eingangs der Kanzlei, von wo
dann mit demselben Gefolge, das ihn hergeführt, seine Auffahrt
zu dem Palaste des Erzbischofs von Granada erfolgte. Dieser, der
hochwürdigste Herr Don Diego Escolano y Ledesma, harrte bereits
des hohen Besuches und nahm dessen Ankündigung und Einladung
mit demselben freudigen Danke entgegen. Als der Herr Fiscal hierauf in den Palast des h. Tribunals zurückkehrte, wurde er auf dem
ganzen Wege von dem zahlreich in den Straßen versammelten christlichen Volke von jubelnden Zurufen wahrhaft überschüttet.

„Am folgenden Tage, Dinstag, dem 3. Mai, dem Tage der
Auffindung des h. Kreuzes, jenes allerheiligsten Holzes, welches zum
Grabe der Jüdischen Synagoge geworden ist, und damals zur Ge-
burtsstätte der Katholischen Kirche, der Behüterin des Buches des
Lebens, auf dessen ewig grünende Blätter der Oberste König der

Glorie, das Gesetz des alten Bundes aufhebend, in feuerig-purpurnen Lettern das Gesetz seiner Gnade eingeschrieben hat — an diesem Tage also, der denkwürdig ist durch die feierliche Ankündigung dieses Auto — begann um vier Uhr Nachmittags die Pracht dieses so sehnlichst erwarteten Ceremoniels vom Palaste des h. Tribunals aus sich zu entwickeln. Das dort zusammengeströmte Volk hörte auf ein Mal die h. Stille auf jenem Platze durchbrochen von dem vielfältigen Klange zahlreicher Trompeten und Pfeifen. Die Beamten des h. Officiums wurden sichtbar; sie ritten auf prächtigen Pferden und trugen Herolds-Stäbe in der Rechten. Es waren ihrer wohl achtzig: Familiare, Notare und Commissare, und die bunten Farben ihrer Satteldecken und sonstigen Decorationen und Ornamente überstrahlte die Farbenpracht des Mai und verdunkelte den Glanz des heiteren Sommertages. Dieser wohlgeordnete Geleits-Zug, groß und großartig durch den hohen Rang der Theilnehmenden, schloß Don Rodrigo Velasquez de Carvajal, Ritter des Ordens vom h. Jacob zu Compostella und Alguacil Major, d. h. Oberster Urtheilsvollstrecker des h. Officiums. Seine Kleidung und Amtswürden-Zeichen schmückten seine Person auf's Prächtigste. Der allgemeine Applaus bei seinem Erscheinen brachte die Stimmen Derjenigen zum Schweigen, welche an dieser Pracht und dem Anlaß, der sie zur Entfaltung brachte, mit loser Zunge ihre Kritik üben wollten. Don Joseph de Alarcon, der Secretär des »Heimlichen« ritt an seiner Seite und wußte gleichfalls mit seiner freundlichen Würde und seinem glänzenden Anzugs-Schmucke die amtliche Bedeutung seiner Person wie die Wichtigkeit des Tages zur Geltung zu bringen.

„Als die Procession sich in ihrer vollen Größe und Schönheit entwickelt hatte, zog sie durch die belebtesten Straßen der Stadt zum Neumarkt, wo der Königlichen Kanzlei gegenüber die erste Proclamation verlesen wurde wie folgt:

»Allen, die in dieser Stadt Granada wohnen, weilen oder eben sich aufhalten, kund und zu wissen, daß die Herren Apostolischen Inquisitoren dieses Stadtbezirks beschlossen haben, einen öffentlichen Glaubensact zu Ehre unseres Herrn Jesu Christi, zur Erhöhung des h. katholischen Glaubens als auch des kirchlichen Lebens, und zur Ausrottung der Ketzereien, am Montage, dem 30. Tag des Monats Mai des gegenwärtigen Jahres — dem Gedächtnißtage des glorwürdigen Königs Ferdinand's des Heiligen — und daß die Gnaden und Ablässe, welche der Papst bewilligt hat, Allen zu Theil werden sollen, die sich in der rechten Gesinnung bei diesem Acte einfinden und dabei behülflich sein werden.«

„Die in ihrer kirchlichen Gesinnung bewährte Bevölkerung von Granada hörte diese Kundmachung mit athemloser Spannung und bezeugte durch ihre Freude darüber ihren glühenden Religionseifer;

die Augen Vieler waren gefüllt mit den glänzenden Thränen gläubiger Rührung; von allen Seiten drängte man sich ehrerbietig hinzu, um mit Herz und Ohren die näheren Bestimmungen der Proclamation in sich aufzunehmen.

„Die zweite Verlesung ging auf dem Lonja-Plätzchen vor sich,
am Eingange des Rathhauses, und die dritte auf dem Platze von
Vivarrambla vor den Balkonen des erzbischöflichen Palastes. Aber
das Firmament, sei es, daß so viel Beifallsjubel es erschüttert hatte,
sei es, daß es neidisch war auf so viel irdischen Glanz: mitten
in der Ceremonie auf dieser dritten Station gab es ein furchtbares
Unwetter mit Donner, Blitz und Regensturm. Aber wenn es die
Absicht des Bösen war, die Versammlung zu ersäufen oder auscin-
anderzusprengen oder mindestens den Pomp abzukürzen, so ist ihm
Nichts von alledem gelungen. Allem zum Trotz, mit vollkommenstem
Gleichmuth, verlängerten die Theilnehmer die Feierlichkeit noch, indem sie auf einem Umweg zu dem Palaste des Herrn Inquisitors,
Don Pedro de Herrera y Soto, zurückzogen, weil dort auch die anderen Herren Inquisitoren, sowie der Fiscal versammelt waren, um
sich noch einmal den Anblick eines so stattlichen Schauspiels zu gewähren. Sie kamen unter dem strömenden Regen so ruhig daher,
als gingen sie unter einem Traghimmel. Alles ging ohne die geringste Störung oder Unordnung vor sich bis zu Ende und das Gewitter hatte, anstatt die Sache zu verderben, nur die Ausdauer der
Theilnehmer durch die Prüfung sich bewähren lassen.

„Am nächsten Tage begab sich der Secretär des Tribunals zu
dem Capitel der Kathedrale, um auch dieses — unter genauer Angabe der Zeit und des Orts — pflichtschuldigst einzuladen. Der
Dom-Dechant, als das Haupt des Capitels, sprach den Dank aus
im Namen Aller und setzte, mit großer Wärme des Gefühls, auseinander, wie sehr das Capitel eine so freundliche und ehrende Einladung zu schätzen wisse. Die Haltung der Capitularen ließ erkennen,
mit welcher aufrichtigen Freude sie dem großen Tage entgegensahen
und Alle machten die Zusage: gewiß, das ehrwürdige Capitel werde
bei einem Acte nicht fehlen, an dem Theil zu nehmen ja so ganz
und gar im Bereiche seiner geistlichen Amtspflichten liege. Ueber
diese Antwort erfreut, verabschiedete sich der Secretär, mit aller jener
Höflichkeit zur Straße geleitet, durch welche jenes berühmte Capitel
die Wichtigkeit solcher Mittheilungen anzuerkennen gewohnt ist.“

(Hier wird nun erzählt, welchen anderen Körperschaften und
Dignitäten, geistlichen wie weltlichen, der Secretär sein Evangelium
noch zugetragen hat.)

„Endlich graute der Tag des erhofften dreißigsten Mai, des
Festtags des glorreichen Ferdinand III. von Castilien und Leon —
jenes berühmten Monarchen, dessen glorreiches Gedächtniß die Jahr-

hunderte aufbewahren als Muster für katholische Fürsten — jenes heiligen Königs, dem das strahlende Gold der Krone durch die Gluth seiner Andacht und das Feuer seiner Gottesliebe gleichsam auf der Stirne umgeschmolzen wurde zu dem Lichtschein der ewigen Herrlichkeit, wie die Heiligen des Himmels ihn um's Haupt tragen — jenes Bollwerks des Glaubens, dessen königliche Majestät bei einer Gelegenheit gleich der, deren Verlauf wir eben erzählen, es nicht verschmähete, als Diener der h. Inquisition zu erscheinen, indem er bei der Verbrennung eines perfiden Albigensers Holz nahm auf seine heiligen und königlichen Schultern und es zum Scheiterhaufen herbeitrug, wobei nur das zu bewundern bleibt, daß dieses Holz nicht schon in der Nähe eines von solcher Gottesliebe flammenden Herzens in Brand gerieth, ehe es an seinem Bestimmungsorte anlangte. Ja, so ziemte es sich der hohen Weisheit des h. Tribunals, daß es gerade diesen Tag erwählte, um ihn zwiefach zu feiern durch ein General-Auto-de-Fé und als Gedächtnißfest jenes unüberwindlichen Kämpen, der es so wohl verstand, den Glauben zu verherrlichen und zu erhöhen. O, es ist ein tiefes Mysterium der Vorsehung, daß man gerade an dem Tage ein feierliches Glaubens-Auto zu begehen hatte, an welchem die Verehrung des glorreichen Ferdinand vor Jahren in dieser Diöcese eingeführt wurde. Das waren zwei Dinge, die zusammen paßten! Und so stiegen denn dieselben Lobeserhebungen auf an denselben Altären, gleichzeitig und in trefflicher Harmonie zum Preise der Religion wie zum Preise des verehrten Königs. Den Glauben kann man nicht feiern ohne den Namen Ferdinand's zu nennen, und der Name Ferdinand's macht, so oft wir sein gedenken, die Flamme der Religion in unserer Brust höher schlagen hinauf zum Himmel."

Mit einer Beschreibung des Straßen-Aufzugs an dem „Festtage" selbst wollen wir unsere Leser nicht behelligen; in einem späteren Kapitel werden wir einen ganz gleichen vorführen müssen. Aber wir wollen kurz hersetzen, um was für Uebelthäter es sich bei dem Auto am 30. Mai 1629 gehandelt hat. Sie sind in dem Büchlein aus Granada classificirt wie folgt:

Ein häretischer Alumbrado (der sich von innen erleuchtet glaubte)	1
Ein Fälscher von Pässen im Namen der Inquisition	1
Drei Männer, von denen Jeder zwei Frauen geheirathet hat	3
Drei Hexen	3
Neu-Christen. Getaufte Juden, die im Herzen Juden geblieben waren	33
Neu-Christen. Jüdinnen derselben Sorte	22
Mohamedaner	2
Bildnisse von flüchtigen Judaistrern	7
Weiber derselben Sorte	10
Ein Bildniß eines Mohamedaners	1
Zum Tod verurtheilte Juden	6
Zusammen:	89

Drei der zum Feuertode verurtheilten Juden waren Männer, die übrigen drei Frauen. Fünf von den sechs wurden gehängt — aus Gnade; sie hatten aus Furcht vor den Flammen im letzten Augenblicke um die Taufe gebeten, indem sie vorgaben, jetzt zu erkennen, daß das Christenthum doch die wahre Religion sei. An ihre wirkliche „Bekehrung" glaubte natürlich kein Mensch; der Meinung aber waren fast Alle: wenn man sich zu Etwas verstehe, was gerade von Denjenigen, die es als das Höchste zu betrachten vorgäben, als bloße Ceremonie behandelt werde, man keine Sünde begehe, wenn man es äußerlich mitmache, um sich dadurch eine mildere Strafe zu sichern; wenn eine Gotteslästerung, eine Verhöhnung des Heiligen darin liege, so falle sie Denen zur Last, welche ihre Mitmenschen durch die Todesangst dazu zwängen. So wird es wohl auch sein.

Unter den sechs Juden war aber Einer, dessen Muth so stark war wie sein Gewissen. Dieser, Rafael Gomez ist sein ehrenwerther Name, war offenbar ein Mann, der Zweideutigkeiten nicht machte: er verlangte, verbrannt zu werden. Unser Chronist sagt von ihm: „So starb dieser unsagbar elende Hebräer; den Leib der Erde gebend, überlieferte er seinen unseligen Namen dem stummen Schrecken der Welt und sein gotteschänderisches Gedächtniß dem Dunkel der Schande."

Wir enthalten uns auch hier aller Einrede, wie wir auch oben unseren Inquisitor-Chronisten seinen Bericht unwidersprochen haben abstatten lassen. Die fünf Juden, welche durch den Strick vom Leben zum Tode gebracht wurden und der lebendig verbrannte Rafael — dessen Namen in Ehren stehe immerdar — hatte gewiß nicht das schlimmste Loos getroffen; härter, weil länger, litten jedenfalls die zu „ewigem Gefängniß" Begnadigten.

Das war ein Maitag in Granada, eine würdige Gedächtnißfeier Ferdinand's des Heiligen!

Siebzehntes Kapitel.

Die General-Inquisitoren Deza und Ximenes.

Don Diego be Deza war Dominicaner, war Bischof, war Professor der Theologie an der Universität zu Salamanca, war Hofmeister des Infanten von Spanien und Beichtvater der „katholischen Majestäten" Ferdinand und Isabella; es war also nicht mehr als recht und billig, als daß er noch Etwas wurde — General-Inquisitor. Er hatte die Gottesgelahrtheit und das canonische Recht seiner Kirche inne und wußte, was seine Herren von einem höfischen Theologen forderten — er war also ein Mann, dessen Dienste man brauchen konnte. Im Jahre 1499 installirte eine Bulle Alexander's .VI. ihn zum General-Glaubenswächter von Spanien.

Seine erste Arbeit nach Uebernahme dieses Geschäftes galt einigen Juden, welche, getrieben von der Sehnsucht nach dem fruchtbringenden heimathlichen Boden, und aller Leiden, die sie und ihre Brüder dort zu bestehen gehabt, vergessend, wenige Jahre nach der großen Juden-Vertreibung in das Land ihrer Väter zurückkehrten. Der neue General-Inquisitor beeilte sich, Spanien wieder von ihnen zu befreien und sich zu diesem Zwecke ein königliches Edict zu erwirken. Dasselbe erging unter dem 5. September 1499. Einige der besagten Juden, so wird erzählt, hatten behauptet, sie gehörten gar nicht zu den vertriebenen Spaniern, sondern kämen aus fremden Reichen, und als sie festgesetzt waren, äußerten sie das Verlangen, Christen zu werden. In dem Decret vom 5. September wurden deshalb alle Richter in Castilien und Leon angewiesen: Juden und Jüdinnen, welche diese Königreiche beträten, möchten sie sein wer sie wollten, seien mit dem Tode zu bestrafen, ihre Habe aber dem Fiscus zuzuführen, kurz jedes einschlägige Gesetz mit aller Strenge gegen sie in Anwendung zu bringen. „Alles das", so heißt es wörtlich, „soll geschehen, auch wenn solche Juden erklären, zum Christenthum übertreten zu wollen, es sei denn, daß sie diese Absicht bereits vor dem

Uebertritt in unsere Staaten kund gethan hätten; in diesem Falle müssen sie aber diesen ihren Willen, den h. katholischen Glauben anzunehmen, in der ersten spanischen Stadt, welche sie betreten, durch einen vor Notar und Zeugen zu thätigenden Act beurkunden. Solche Personen, welche öffentlich und sofort bei ihrer Ankunft sich zum christlichen Glauben bekennen, sollen in unseren Königreichen in der christlichen Religion leben dürfen. Sollte aber Einer von ihnen jüdische Dienerschaft mit sich führen, so hat er diese binnen zwei Monaten zu entlassen oder auch sie müssen zur Religion des Landes übertreten. Geschieht weder das Eine noch das Andere, so verfallen diese Diener den vorbemeldeten Strafen an Leben und Vermögen."

Einige Juden wußten sich in diese Zwangslage zu schicken: sie ließen sich taufen und waren scheinbar die kirchlichsten der Kirchlichen. Im Geheimen aber lebten sie nach dem jüdischen Gesetz, ja sie wagten es, sich zu mosaischer Gottesverehrung zu versammeln. Eine solche geheime Synagoge wurde im Jahre 1501 zu Valencia entdeckt. Der Eigenthümer dieser Oertlichkeit wurde bei einem Auto verbrannt und das Haus selbst dem Erdboden gleich gemacht. Die Inquisition baute dann an der Stelle eine Kapelle, welche noch jetzt bekannt ist unter dem Namen „La Cruz Nueva" — „Das neuerhöhte Kreuz".

Deza verfolgte, während er sich am Hofe zu Sevilla aufhielt, seine Ziele mit aller Beharrlichkeit. Unter dem 17. Juni 1500 erließ er als General-Inquisitor folgende Verordnung:

„1. An allen Orten, wo eine solche noch nicht Statt gehabt hat, soll eine allgemeine Nachforschung angestellt werden.

„2. Das Edict, welches den Einwohnern des Landes zur Pflicht macht, Alles was ihnen ketzerisch oder auch nur verdächtig scheint, anzuzeigen, soll auf's Neue bekannt gemacht werden.

„3. Die untergeordneten Beamten des h. Officiums sollen in ihren Büchern nachsehen und alle darin verzeichneten Personen, denen man früher Nichts nachweisen konnte, jetzt wiederholt einer strengen Untersuchung unterwerfen.

„4. Wegen Gotteslästerung und dergleichen Nichtigkeiten soll Niemand zur Verantwortung gezogen werden; Gotteslästerungen haben ihren Grund in einer ärgerlichen Gemüths-Stimmung, nicht in Häresie.

„5. Bei einer canonischen Reinigung sollen zwei Zeugen vereidet werden als für die Rechtgläubigkeit des so Gereinigten für die Zukunft verantwortlich.

„6. Wer einer Ketzerei dringend verdächtig war und die ihm zugetrauten Irrthümer abgeschworen hat, muß das Versprechen ablegen, mit Häretikern keinen Verkehr mehr zu unterhalten, sondern die ihm als solche bekannten Personen anzuzeigen.

„7. Das gleiche Versprechen ist von Denjenigen zu verlangen, welche die Irrthümer abschwören, deren sie formell überführt worden sind."

Ein solcher Anfang war vielversprechend. Wir werden später sehen, daß Deza sogar Sicilien und Neapel in seine Fürsorge einbegriff und auch in diesen Königreichen die im Mutterlande Spanien betriebene Geschäftspraxis einzubürgern strebte. Deza war es auch, welcher den König Karl I. von Spanien antrieb, den den Cortes von Aragonien verpfändeten Eid zu brechen. Wie es den Mauren und Moresken unter seiner Verwaltung erging, davon haben wir bereits die Probe gehabt. Auch der uns als verhältnißmäßig milde bekannte Erzbischof Hernando de Talavera zu Granada mußte Deza's Eifer erfahren.

Hernando war den Gestrengen im Herrn allerdings schon seit Einführung der neuen Inquisition in Spanien einigermaßen anrüchig. Damals, als durch den dem spanischen Hofe zugereisten italienischen Inquisitor der Vorschlag zu dieser Neuerung gemacht wurde, war Hernando Beichtvater der Königin; er rieth von der Neuerung ab und meinte, man solle lieber das Judenthum durch christliche Belehrung überwinden, als durch Zwang und Gewalt. Zur Erklärung dieser dem Inquisitions=Institut allerdings nicht sehr freundlichen Anschauungen hatte man damals sofort darauf hingewiesen, daß Hernando durch seine Vorfahren mütterlicherseits einiges jüdische Blut in den Adern habe; an das ausschließlich jüdische Blut in den Adern Christi und der Apostel hat man bei dieser Argumentation offenbar nicht gedacht. Durch seine Verpflanzung vom Hofe und vom Bischofsitze zu Avila auf den neuen Erzstuhl zu Granada war Hernando, wie wir gesehen haben, kein besserer Eiferer geworden; die maurische Bevölkerung verehrte ihn so sehr, daß er im Stande war, die bösen Folgen der Tyrannei des Ximenes bei der aufgeregten Menge aufzuheben. Er hatte auch „laxe" Anschauungen in Betreff des kirchlichen Verbots von Bibelübersetzungen in der Volkssprache; aber mit diesen Anschauungen hatte er es, wie wir gleichfalls wissen, dahin gebracht, daß die Mauren ihrem Gedächtnisse die Zehn Gebote einprägten, Stücke der h. Schrift lasen, christliche Gebete lernten. Deza machte als General=Inquisitor den Ximenes, während dieser an der Belehrung Granada's auf seine Art dort mit thätig war, darauf aufmerksam, daß es mit der Reinheit des Glaubens bei Hernando nicht ganz richtig sein dürfte. Damals war Ximenes, wenngleich er schon von ihrem Geiste beseelt war, doch noch nicht als dienendes Glied der Inquisitions=Politik eingeschirrt: es kam dazu, daß Ximenes persönlich auf den Einfluß Deza's eifersüchtig war. Kurz: Ximenes suchte es zu hintertreiben, daß der General=Inquisitor seine schwere Hand auf Hernando legte; er schrieb an Papst Julius II., er möge die Orthodoxie Hernando's prüfen lassen, denn die erzbischöfliche Würde werde doch zu viel am Ansehen einbüßen, wenn der Groß-Inquisitor mit dem Metropolitan einer Provinz wie Granada in's Gericht gehe. Der Papst wies seinen Nuncius an, die Inquisitoren vom weiteren Vorgehen gegen Hernando abzuhalten, dagegen die Acten mit den Erhebungen betreffs des Glaubenszustandes des Verdächtigen nach Rom zu schicken. In einer von ihm berufenen Versammlung von Cardinälen und Prälaten ließ der Papst sich über die Angelegenheit berichten und sprach dann auf Grund der gehörten Urtheile seinen Entscheid dahin aus, daß dem Erzbischof mit Grund Nichts vorgeworfen werden könne. Hernando aber hatte während der drei Jahre, welche diese Untersuchung in Anspruch nahm, Manches erdulden müssen; abgesehen von der eigenen Unruhe und Belästigung, waren mehrere seiner Verwandten in den Proceß verwickelt und festgenommen worden. Diese Chicanen verdankte Hernando vorwiegend dem Amtseifer des Inquisitors Lucero.

Dieser Lucero war Präsident des h. Officiums zu Córdova. Sofort nach seinem Amtsantritte hatte er einen allgemeinen Angriff auf die ehrenwerthesten Einwohner der genannten Stadt gemacht, viele vorgeladen und eingesperrt. Die Verurtheilung erfolgte meist wegen „unvollständigen Bekenntnisses", was ein Zeichen „unvollständiger Reue" sei; der Schrecken, die Einschüchterungen zusammen mit Gnade-Verheißungen verführten natürlich auch Manchen dazu, Dinge zu gestehen, an die er niemals gedacht hatte; dann erfolgte daraufhin die Verurtheilung, denn die in Aussicht gestellt gewesene „milde Beurtheilung" erwies sich nachträglich immer als bloßes Lockmittel. Die Denunciation gedieh unter Lucero zur üppigsten Blüthe; stets waren seine Gemächer voll von Anträgern; die ungeheuerlichsten Berichte von Anzettelungen zwischen Mönchen, Nonnen und anderen Personen behufs Begünstigung des Judaismus und sonstigen kirchenfeindlichen Wesens wurden abgestattet und von Lucero's Notar mit Genugthuung zu den Acten genommen. Die dienstfertigen Familiaren bedurften nur leiser Andeutungen und sie schafften die Angeschuldigten zur Stelle, nöthigenfalls durch nächtliche Ueberraschungen aus den Betten heraus. So wurden die Gefängnisse gefüllt, die Bevölkerung aber so erbost, daß sie mehrere Mal im Begriffe war, das „h. Haus der Inquisition" zu demoliren und nur durch den Municipal-Rath, den Bischof, das Dom-Capitel und den Adel von Gewaltthätigkeiten zurückgehalten wurde mit dem Versprechen, die Abberufung Lucero's bei Deza bewirken zu wollen. Der Letztere war dazu nicht im Mindesten geneigt und so mußte denn, was sich nicht biegen wollte, brechen.

Als um diese Zeit Philipp I. die Regierung von Castilien über-

nahm, wandten sich der Bischof und viele Bürger von Córdova, deren
Angehörige in Untersuchungshaft gehalten wurden, an den neuen
Fürsten mit der Bitte, er möge Befehl geben, daß ihre Processe vor
einem anderen Tribunale geführt würden. Philipp enthob in Folge
dieser Klagen sowohl Deza wie Lucero ihrer Functionen und beor-
derte die ganze Angelegenheit vor den Obersten Inquisitions-Rath
von Castilien; er hatte aber, wie schon so mancher Fürst, der mit
übereifrigen Priestern in's Handgemenge gerieth, das Unglück, gerade
im entscheidenden Momente zu sterben. Während des Interregnums
wußte Deza sich wieder auf den Inquisitions-Thron zu schwingen
und die Stadt Córdova bekam jetzt auf's Neue seine schwere Hand
zu fühlen.

Der Marquis von Priego, welcher früher auf bittschriftlichem
Wege versucht hatte, Abhülfe herbeizuführen, griff jetzt zur Gewalt,
um den damals verfehlten Erfolg zu erreichen. Er stellte sich an die
Spitze der erbitterten Córdovesen, erstürmte — am 6. October 1606
— das Haus der Inquisition, befreite viele Gefangene und setzte an
Stelle derselben einen Theil der Beamten des h. Officiums fest.
Auch den Lucero würde dieses Schicksal, wenn kein schlimmeres, ge-
troffen haben; dieser aber hatte sich auf dem Rücken eines schnell-
füßigen Maulthiers aus dem Staube gemacht. Deza erwies sich im
Angesicht wirklicher Gefahr nicht muthiger als sein Knecht: er legte
sein Amt als Groß-Inquisitor nieder; das Volk aber, dem nicht die
Rache für so viel Unbill, sondern die Befreiung seiner Angehörigen
Hauptzweck war, kehrte, nachdem es diese letztere erreicht hatte, zur
Ruhe zurück.

Der Aufstand von Córdova sowohl, wie der beharrliche Widerstand im Königreich Aragonien waren dem Papst wie dem König
doch eine Lehre, daß die Inquisition Schiffbruch leiden könne, wenn
man das Steuer nur mit Kraft, nicht auch mit einiger Vorsicht und
Zurückhaltung lenke. In dieser Erkenntniß ernannte Ferdinand V.,
damals nur erst Mit-Herrscher von Spanien, den Erzbischof von Toledo, Franz Ximenes de Cisneros, zum General-Inquisitor von Castilien; zur selben Würde für Aragonien erhob er den Bischof von
Bique (Vich). Der Papst bestätigte diese Ernennungen; die Bulle,
welche dem Erzbischof Ximenes hierüber zukam, war sogar „an den
Cardinal X." ꝛc. adressirt. Die Verleihung des Purpurs war
offenbar nicht nur eine Belohnung für bereits geleistete, sondern auch
eine Aufmunterung für noch erhoffte Dienste zur Erhöhung der
Kirche. Der Groß-Inquisitor von Castilien hatte aber um diese Zeit
nicht nur seine liebe Noth mit den Männern von Córdova, sondern
es gab sich im ganzen Königreiche ein deutlich ausgesprochenes Miß-
vergnügen gegen die geistliche Tyrannei kund. Ximenes begann darum mit einem Schritte, der scheinbar von der Mäßigung eingegeben

war: er rieth zu einer Untersuchung über die Amtsführung seines Vorgängers Deza; mit demselben hatte er jedoch, wie wir wissen, schon zu dessen Lebzeiten nicht im besten Einverständnisse sich befunden. Auch kam die Anregung zu dieser Untersuchung von einer anderen Seite. Mehrere Spanier hatten sich zu den „Gräbern der Apostel" nach Rom begeben und dort Klage geführt über die grundlose Verhaftung von Verwandten, sowie über die leichtfertige Demolirung ihrer Häuser auf das bloße Gerede hin, dieselben hätten zu gottesdienstlichen Versammlungen heimlicher Juden gedient. Der Papst ernannte Delegaten, um die betreffenden Fälle zu untersuchen, und bevollmächtigte den Cardinal Ximenes, diese Untersuchung zu überwachen. Derselbe faßte die Sache mit ungeheurer Vorsicht an; er bildete im Einvernehmen mit dem Könige eine sogenannte „katholische Congregation", ein specielles Untersuchungs-Amt für diese Angelegenheit, dessen Mitglieder fast durchweg aus Inquisitoren bestanden. Nach langwieriger Prüfung fiel der Entscheid zu Gunsten der Beschwerdeführer; es erging ein Erkenntniß, welches den guten Namen der Todten wieder herstellte; die ruinirten Häuser sollten wieder aufgebaut und in den Gerichtsbüchern alle zu Ungunsten der noch Lebenden lautenden Aufzeichnungen getilgt werden. Diese Sentenz wurde mit großer Feierlichkeit und unter allgemeinem Jubel, bei Anwesenheit des Königs sowie vieler Prälaten und Großen des Reichs zu Valladolid verkündet. Diejenigen aber, welche den, in mancher Hinsicht doch unersetzlichen Schaden angerichtet hatten: Deza und Lucero, blieben unbestraft. Der Letztgenannte genoß ruhig zu Almeria die Würde und das Einkommen eines „maestrescuela", eines Lehrers der jungen Kleriker der dortigen Domschule.

So lange Ximenes persönlich außerhalb des Getriebes der Inquisition gestanden hatte, soll ihm eine Reformation derselben räthlich erschienen sein; einmal ihr lenkendes Haupt geworden, dachte er nur mehr daran, sie im Sinne seines königlichen Gebieters auszunutzen. Man kann sagen: gerade Ximenes hat sie als das vorzüglichste Werkzeug der Staatskirchen-Polizei mit derjenigen Energie imprägnirt, welche noch Jahrhunderte lang vorgehalten hat. Wir wollen es dahingestellt sein lassen, ob er vordem Vorschläge zur Reform des Instituts bei dem Regenten selbst gemacht hatte — jetzt wenigstens erkannte er in ihren Abnormitäten nur gesunde Regel; keine ihrer Befugnisse sollte ihr genommen, jede mögliche Ausdehnung ihres Arbeitsfeldes nicht versäumt werden. Schon den König Ferdinand hatte Ximenes bestimmt, das mit 600,000 Ducaten unterstützte Ansuchen der Neu-Christen um Oeffentlichkeit des Proceß-Verfahrens abzuschlagen; als nun nach dem Regierungs-Antritt Karl's von Oesterreich, des nachmaligen Deutschen Kaisers Karl V., die Neu-Christen auch diesem ihr Verlangen vortrugen und sogar 800,000 Ducaten boten, auch Karl's Erzieher und Berather Herzog Chièvres von Croy, ihre Wünsche unterstützte, da war es wieder Ximenes, der gegen die Bewilligung der Oeffentlichkeit protestirte und deshalb das folgende, von dem deutschen Apologeten des Cardinals, dem Kirchengeschichts-Professor, jetzigen Bischof v. Hefele von Rottenburg, nach einem gegen Llorente gerichteten spanischen Buche aus dem Jahre 1816 mitgetheilte Schreiben an König Karl richtete:

„Großmächtigster katholischer König, gnädigster Herr! Euere Majestät möge wissen, daß die katholischen Könige auf das h. Tribunal der Inquisition so viel Sorgfalt verwandt und deffen Gesetze und Einrichtungen mit so viel Klugheit, Weisheit und Gewiffenhaftigkeit geprüft haben, daß eine weitere Umgestaltung unnöthig erscheint, welche nur zu ihrem Nachtheil ausschlagen könnte. Am meisten würde eine solche Neuerung in diesem Augenblicke mich schmerzen, weil einerseits die Catalonier, andererseits der Papst Veranlaffung davon nehmen würden, die Inquisition noch geringer zu achten (aber offenbar aus entgegengesetzten Gründen: die Catalonier, weil die Denunciations-Lust gebrochen würde [siehe weiter unten die gesperrten Worte], der Papst doch nur, weil „die Sache Gottes dann bald ohne Vertheidiger sein" würde). Ich gebe zu, daß die Geldverlegenheit Eurer Majestät groß ist, aber noch größer war gewiß die des katholischen Königs Ferdinand, des Großvaters Eurer Majestät und obgleich die Neu-Christen ihm zum Navarresischen Kriege 600,000 Ducaten anboten, so nahm er sie doch nicht, weil er den Schutz und die Pflege der christlichen Religion allem Golde der Welt vorzog. Mit der schuldigen Ergebenheit und mit dem Eifer, welcher der Würde eigen sein muß, mit der Eure Majestät mich bekleidet haben, bitte ich Sie, das Beispiel Ihrer großväterlichen Ahnen im Auge behaltend, keine Veränderung in dem Verfahren der Inquisition zu gestatten. Es ist wohl zu beachten, daß jeder Einwurf, den die Gegner des jetzigen Verfahrens vorbringen, schon unter den katholischen Königen glorreichen Andenkens in seiner Unhaltbarkeit nachgewiesen wurde, und daß die Annullirung auch einer geringfügig scheinenden Bestimmung in dem Gerichts-Verfahren der Inquisition nicht ohne Verletzung der göttlichen Ehre und ohne Mißachtung Eurer erlauchten Vorfahren geschehen kann. Würde aber auch diese Erwägung auf Eure Majestät keinen Eindruck machen, so mögen Sie doch wenigstens bedenken, was sich in diesen Tagen zu Talavéra de la Reina ereignet hat, wo ein des Rückfalls in's Judenthum beschuldigter Neu-Christ den Namen seines Anklägers erfuhr, demselben nachstellte und ihn mit einer Lanze durchbohrte. Der Haß gegen diese Angeber ist wahrlich so groß, daß, wenn das Bekanntwerden ihrer Namen nicht verhütet wird, dieselben nicht bloß insgeheim, sondern an öffentlichen Plätzen und selbst in der Kirche umge-

bracht werden, und Niemand wird mehr in Zukunft durch
solche Angaben sein Leben in Gefahr setzen wollen.
Dann ist aber auch dieses h. Tribunal zu Grunde gerichtet und die
Sache Gottes ohne Vertheidiger. Ich vertraue, daß Eure
Majestät, mein König und Herr, Ihrem katholischen Blute nicht un-
treu werden und sich überzeugen wird, daß die Inquisition ein
Tribunal Gottes und eine lobenswerthe Einrichtung der Vorfahren
Eurer Majestät ist."

Im ganzen Verlaufe seines „Cardinal Ximenes" sucht Hefele
dem Leser die Ueberzeugung: die weltlichen Herrscher Spaniens hätten
sich der Inquisition nur zu ihren politischen Zwecken gegen den
Willen der Päpste bedient, sogar durch das kleine Mittel auf-
zudrängen, daß er, selbst wo dieser Zusatz in jedem Betracht überflüssig ist, in gesperrter Schrift nur von der Staats-Inquisition
redet. Wer den vorstehenden Brief des Cardinals Ximenes liest und
ehrlich urtheilt, muß zu der Ueberzeugung kommen, daß wenigstens
Ximenes das „Tribunal Gottes", „ohne welches die Sache Gottes
ohne Vertheidiger ist" und mit dem, so wie es zu jener Zeit seiner
Blüthe war, die „göttliche Ehre" steht und fällt, nur als eine
Heilsanstalt der Kirche ansah. Auch sonst bringt Hefele selbst in
seinem Buche der Thatsachen genug bei, die man in ihrer Tragweite
nur braucht verstehen zu wollen, um jedes Bemühen, die römischen
Kirchenhäupter von ihrer Schuld an den Inquisitions-Gräueln rein
zu waschen, als eitel zu erkennen. Selbst einen Augenblick angenommen, das Inquisitions-Institut als ständiges Tribunal mit seinen
Vermögens-Confiscationen u. s. w. sei als staatliche Zumuthung an
die Päpste herangetreten und habe sich nicht aus ihrem theokratischen
Herrschgelüste entwickelt — ei, man hat ja sonst, bei viel unschul-
digeren Versuchungen, das Wort: „Man muß Gott mehr gehorchen
als den Menschen" in Rom so kurz bei der Hand — warum willigte
man denn ein, daß die Kosten der „Staats-"Inquisition sogar aus
dem Kirchengut bestritten wurden? Im Jahre 1486, so berichtet
Hefele selbst, erging eine Bulle, wonach die zu Inquisitoren ernannten Geistlichen noch fünf Jahre lang ihre bisherigen Einkünfte fort-
genießen durften, obgleich sie — durch ihr neues Amt gehindert —
ihre an dies Einkommen geknüpften Pflichten nicht mehr erfüllen
konnten. Im Jahre 1501 kam vom Papste das weitere Zugeständniß hinzu, daß von jeder bischöflichen Kirche die Einkünfte eines
Canonicates der Inquisition überwiesen werden müßten. Doch —
hätten wir nach den voraufgegangenen Kapiteln noch nöthig, ausdrücklich gegen die Hefele'sche Mohrenwäsche zu argumentiren? Freilich: mit der Zeit ist die spanische Inquisition nur noch von dem
Staate ausgenützt worden und hat schließlich factisch die Rolle eines
bloßen Land-Gendarmerie-Corps gespielt; aber gibt es auch nur

Etwas in der römischen Kirche, was, wenn auch im Geiste begonnen, nicht doch im Fleische vollendet hätte, eben weil entweder aus ihrer eigenen Herrschgier und ihrem eigenen Gewalthunger die irdischen Elemente sich eindrängten, oder weil sie aus sehr weltlichen Rücksichtelein die Einführung derselben durch die politischen Gewalten zugeben mußte, um sich dagegen Dienstleistungen dieser politischen Gewalten für ihre theokratisch-hierarchischen Zwecke zu erkaufen?! Wir haben z. B. gesehen, wie die Inquisitoren, um bei so vielen nöthigen Filialen die Kosten des „h. Geschäfts“ herauszuschlagen, dem Begriff der Ketzerei eine geradezu lächerliche Ausdehnung gaben. Während der Hugenotten-Kriege in Frankreich hatte natürlich das katholische und in seinen niederländischen Besitzungen bedrohte Spanien ein großes Interesse an der Besiegung der protestantischen Partei. Nun bestand in Spanien ein altes Gesetz, wonach die Ausfuhr von Pferden nach Frankreich verboten war. An dieses Gesetz knüpfte die Inquisition an und erklärte: wer jetzt Pferde nach Frankreich einführe, von dem werde angenommen, daß er sie an die Hugenotten verkauft habe; er gehöre daher als ein „Begünstiger der Ketzer“ vor ihr Glaubensgericht. Wirklich verurtheilte sie im Jahre 1578 einen Mann, der einige Pferde nach Frankreich verkauft hatte, zu 200 Peitschenhieben, fünfjähriger Galeeren-Arbeit und zur Zahlung einer Geldbuße von 200 Ducaten. Im Jahre 1589 ging die Inquisition, gestützt auf ein eigens erlassenes päpstliches Breve, noch weiter und verurtheilte alle Diejenigen, welche überhaupt Schleichhandel mit irgend einem Gegenstand nach Frankreich trieben; im folgenden Jahre erklärten sie sogar alle Begünstiger des Schleichhandels für „Begünstiger der Ketzerei“. Man sieht: die Kirche hat den Inquisitoren, auch wo sie auf Staats-Straßen gingen, bereitwillig die nöthigen geistlichen Krücken geliefert.

Ximenes theilte das Castilische Reich in die zehn Inquisitions-Provinzen: Sevilla, Jaen, Toledo, Estremadura, Murcia, Valladolid, Majorca, Pampeluna, Sardinien und Sicilien, und gab jeder derselben ein wohlbewährtes Haupt.

Dem Einfluß und dem Betreiben des Cardinals Ximenes hatte Ferdinand es zu nicht geringem Theile zu verdanken, daß er die spanische Königskrone erhielt; er schenkte demselben deshalb auch sein vollstes Vertrauen und seine unbeschränkte Gunst. Die Macht des ehemaligen Franciscaner-Mönches Ximenes im Königreiche war deshalb eine ungeheure. Der „Cardinal von Spanien“ war unter Ferdinand Gouverneur von allen Besitzungen desselben; vor ihm als dem General-Inquisitor von Castilien zitterte jeder Geistliche und Laie im Umfange dieses Jurisdictions-Bezirkes. Aber das genügte seinem Thätigkeits-Triebe noch immer nicht: nachdem er die Inquisitions-Maschine in Spanien selbst in flotten Gang gebracht hatte, richtete

er seine Blicke auf das kleine Oran, jenen Staat auf Afrika's Nord-
küste, in welchem jeder vor der Inquisition Flüchtige bisher ein Asyl
gefunden hatte. An der Spitze von 14,000 Mann, die er aus
eigener Tasche ausgerüstet hatte und besoldete — die erzbischöflichen
Einkommen beliefen sich ja auf jährlich hunderttausend Ducaten —
schiffte er im Februar 1509 nach Afrika hinüber. Die geplante Eroberung war in kurzer Zeit geglückt.

Als Ferdinand im Jahre 1510 in den zu Monzón versammelten Cortes von Aragon den Vorsitz führte, bekam er bittere
Wahrheiten über das Treiben der Inquisitoren in diesem Königreiche
zu hören. Die Vertreter der Städe klagten, daß dieselben sich nicht
darauf beschränkten, Ketzer aufzuspüren und zu bestrafen, sondern sich
in bürgerliche Angelegenheiten einmischten; sie ließen Leute unter der
Beschuldigung von Vergehen, welche von kirchlicher Natur nicht
das Mindeste an sich hätten, in die Gefängnisse abführen; sie vermehrten ihre Familiaren in's Ungemessene, und da diese vom Steuer-
zahlen befreit seien, müßten die anderen Leute die Gemeinde-Bedürf-
nisse allein bestreiten. So könne das nicht weiter gehen. Auch
mischten sich die Glaubenswächter unter dem Vorwande: es kämen
dabei religiöse Interessen in Frage, oder ihre Privilegien erlaubten
ihnen das, in jeden Proceß; das könne nicht länger geduldet werden.
Wenn aber Jemand ihren Uebergriffen Widerstand entgegensetze, so
habe er, und wäre es der Vicekönig, der General-Capitän oder ein
noch so ehrenwerther Grande, sofort ihre Insulte, wenn nicht gar
die Excommunication zu gewärtigen. Sie bäten also den König, die
Inquisitoren in ihre Schranken zurückzuweisen und sie zur Achtung vor
den Staatsgesetzen und bürgerlichen Rechten anzuhalten. Der König
war in Verlegenheit; er half sich mit Versprechen und zweideutigen
Ausreden; er schob die Abhilfe auf die lange Bank; die Volks-
vertreter ließen es aber nicht dabei, und nach zweijährigem Hinaus-
schleppen mußte er, wohl oder übel, ihren Forderungen willfahren,
wenigstens theilweise. Aber selbst was er feierlich vor den Cortes in
Betreff der Regelung des Verhältnisses zwischen den Inquisitoren und
dem Staate beschworen hatte, hielt er nicht auf die Dauer; er ließ
sich seine Wortbrüchigkeit in Rom sanctioniren, wozu Papst Leo X.
sich dann auch bereitwillig verstand.

Nach Beendigung seines afrikanischen Feldzuges nahm Ximenes
die Oberleitung des h. Officiums, welche unterdessen von einem Stellvertreter geführt worden war, wieder in die eigene Hand. Eine
lächerliche Rolle spielte er in der Angelegenheit der sogenannten „Heiligen von Pietrahita", einem Ort in der Diöcese Avila. Sie war
die Tochter eines Landmanns und in den dritten Orden des h. Dominicus eingetreten. Eine „Beata" nannte man ein solches Zwitter-
wesen, das allen Ueberschwenglichkeiten des Ordenslebens ergeben und

auch, offen und verborgen, ein größeres oder kleineres Scapulier an Stelle des Klosterhabits tragend, doch in der Welt lebte. Das in Rede stehende Weibsbild behauptete im Verkehr mit Christus und der h. Jungfrau zu stehen, öfter Unterredung mit beiden zu haben und eine echte Himmels-Braut zu sein. Sie trieb ihre Tollheit so weit, daß sie, unter dem Vorgeben, vielleicht auch in der aufrichtigen Meinung, beständig von der Jungfrau Maria begleitet zu werden, an den Thüren, durch die sie eintreten wollte, stehen blieb und Complimente in die leere Luft machte, als nöthige sie ihre gottesmütterliche Gesellschafterin zum geziemenden Vortritt. Die Eröffnungen, welche die Närrin über ihr vertrautes Verhältniß zum himmlischen Bräutigam machte, hier wieder zu geben, ist unsere Feder nicht „jungfräulich" genug. Der Erzbischof von Toledo und Groß-Inquisitor Franz Ximenes de Cisneros aber glaubte so fest an die Inspiration dieser „Heiligen", daß er den König, sein Beichtkind, begierig machte, sie zu sehen. Sie wurde nach Madrid an den Hof beordert, wo Ferdinand und der „Cardinal von Spanien" sich an ihrer Unterredung erbauten. Es gab freilich auch Theologen, welche das Weib „eine sich selbst täuschende Schwärmerin" nannten. Die Sachlage war also danach angethan, daß ein Entscheid von Rom und eine Untersuchung Seitens der Inquisition absolut nöthig war. Das h. Tribunal schlug sich auf Seiten seines Groß-Meisters. Von Rom aus waren der päpstliche Nuncius nebst zwei Bischöfen angewiesen worden, ihr Licht bei der Untersuchung mit leuchten zu lassen und zu sorgen, daß aus der Sache kein Scandal erwachse. Mit wahrhaft kindlicher Naivetät freut sich v. Hefele, daß in Folge des Inquisitions-Entscheides „die Person endlich weiterer Beunruhigung überhoben ward".

Der in Rom gefürchtete Scandal kam allerdings auch, nur von anderer Seite. Es wurde bekannt, daß die Inquisitoren mehrfach an den sterblichen Leibern der im „h. Hause" gefangen gehaltenen Mädchen mehr Gefallen gefunden hatten als an ihren ketzerischen Seelen. Bei Llorente ist das Bruchstück eines Briefes des Ritters Gonzalo de Ayora nachzulesen, welcher in Ausdrücken tiefster Entrüstung derartigen schändlichen Unfug beklagt. Mit wahrer Ostentation beeilte sich der sittenstrenge Ximenes in einem Decret die Todesstrafe über alle Angestellten des h. Officiums zu verhängen, welche sich eines fleischlichen Vergehens mit einer verhafteten Weibsperson schuldig machten. In Folge dieses Decretes starb aber doch Keiner, weil Keinem die Schuld nachgewiesen wurde; es wurde aber Keiner überführt, weil Keinem der Proceß gemacht wurde; es wurde aber Keinem der Proceß gemacht, weil, wenn auch im h. InquisitionsAmte die Mäntel der Liebe zum Zudecken der Vergehen Anderer nicht gebräuchlich waren, man sich doch des Sprüchwortes erinnerte: „Eine Krähe hackt der andern die Augen nicht aus."

Die Königreiche Castilien und Aragonien wehrten sich unterdessen immer noch gegen die Ansprüche der geistlichen Gewalt. Wie auf einem der letzten Blätter bermerkt, hatte Ferdinand den Cortes von Aragonien zu Monzón geschworen, die bürgerlichen Rechte gegen die Uebergriffe der Inquisitoren zu schützen, Leo X. ihn aber von der Beobachtung dieses Eides entbunden. Darüber drohte ein allgemeiner Aufstand, so daß Ferdinand selbst sich beeilte, den Papst zum Zurückziehen seiner Bulle anzugehen und das Recht der Staats-Gesetze dadurch wieder anzuerkennen. Ein Gleiches setzten 1515 die Cortes von Toledo für Castilien durch. Ximenes beugte sich der Rothwendigkeit, welche die Vertreter der Nation ihm auferlegten; innerhalb des ihm frei gelassenen Gebietes arbeitete er aber um so eifriger an der Ausbildung des h. Officiums. So errichtete er u. A. ein weiteres Tribunal zu Cuenca. In dem von ihm eroberten Oran auf der Nordspitze Afrikas hatte er die meisten und ansehnlichsten Moscheen den Christen zugesprochen, — die nicht da waren, und um den Mohamedanern den Stachel im Fleische zu lassen, stiftete er — weil das Volk zu einem bürgerlichen fehlte — einen kirchlichen Festtag zur jährlichen Feier der Eroberung der Stadt. Neben zwei Klöstern, eins für Dominicaner und eins für Franciscaner, errichtete er, um die zweifelhaften Neu-Christen im Zwange zu halten, ein h. Amt, zu dessen Vorstand er als Ober-Inquisitor einen Priester Namens Piedra bestellte, der, wie die Schutzredner des h. Officiums betonen, „fromm und wohlunterrichtet" war. „Fromm und wohlunterrichtet" waren ja aber, wie wir wissen, Piedra's Amtsbrüder alle.

Nach der Auffassung des Ximenes, wie wir sie in seinem Briefe an König Karl kennen gelernt haben, war die Inquisition die echte und wahrhaftige Heilsanstalt der Kirche; er, als „Cardinal von Spanien" würde sich darum eines Versäumnisses schuldig gemacht haben, wenn er nicht auch sofort dieses Institut auf das eben entdeckte spanische Gebiet in der Neuen Welt verpflanzt hätte, um auch dort die Neubekehrten an die heilige Scheu vor der grundgültigen Mutter Kirche zu gewöhnen. Doch hiermit müssen wir uns in einem späteren Kapitel des Genaueren befassen.

In dem neuen Inquisitions-Districte von Cuenca im Königreich Castilien und Leon war einer der zuerst eingeleiteten Processe der gegen den guten Namen und das Besitzthum des Juan Henriquez de Medina, denn der Mann selbst war längst todt. Trotzdem er die Sterbe-Sacramente, Beichte, Communion und letzte Oelung vor seinem Hinscheiden empfangen hatte, soll er in der That bis zum letzten Augenblicke ketzerischen Glaubens gewesen sein. So war's immerhin möglich — es sterben ja heutzutage Tausende „im Schooße der h. römisch-katholischen Kirche," die Zeitlebens „so im Allgemeinen Gott einen guten Mann" sein ließen, während Juan Henriquez de

Medina zu seinen kezerischen Anschauungen, wenn er deren wirklich hegte, wohl durch gründliches Nachdenken gekommen war. Damals als Kezer sterben, hätte nichts Anderes geheißen als dem h. Officium eine Anweisung auf die Hinterlassenschaft ausstellen, und so mag mancher sonst sehr charakterfeste Mann Angesichts des Confiscations-Rechts der Inquisition in Rücksicht auf seine Kinder sich zur Heuchelei gezwungen gesehen haben. Das Glaubens-Tribunal von Cuenca erklärte denn auch den de Medina als ehrlos; es befahl, daß seine verweslichen Reste ausgegraben und verbrannt würden; sein Bildniß sollte unterdessen, mit einem Sambenito bekleidet, am Schandpfahl ausgestellt und sein Vermögen eingezogen werden. Die Erben wandten sich klagend an Ximenes, welcher die Untersuchung des Falls einer Commission überwies; diese aber procedirte und urtheilte ganz in Uebereinstimmung mit den ersten Richtern. Die ihr Hab und Gut bedroht sehende Familie appellirte vom Groß-Inquisitor Ximenes an den Papst, welcher den Proceß wieder aufzunehmen befahl und den Richtern strenge Unparteilichkeit einschärfte. Nun erfolgte ein dem Verstorbenen günstiges Erkenntniß.

Ein ganz ähnlicher Fall ereignete sich zu Burgos. Dort wurde ein gewisser Juan de Covarrubias, auch bereits ein todter Mann, angeklagt und freigesprochen. Bald darauf wurde die Klage wieder aufgenommen. Die Familie machte die Sache beim Papste anhängig und Leo X. erinnerte sich des Covarrubias als eines Jugendfreundes. Um so nachdrücklicher fiel nun die Weisung des Herrn zu Rom an die übereifrigen Knechte in Spanien aus, mit dem Ehrlos-Erklären und dem Güter-Einziehen nicht gar zu voreilig zu sein. Der Groß-Inquisitor Ximenes trat für die gefällten Entscheide seiner Untergebenen ein, starb aber bevor die Sache in's Reine gebracht war am 8. November 1517, zweiundachtzig Jahre alt. Die Zahl der unter seinem Regimente am Pfahl Verbrannten gibt Llorente auf 3564 an, die der reuig „Versöhnten" — d. h. unter Auflegung empfindlicher Bußen und oft lebenswieriger Freiheitsstrafen — auf 52,855.

Achtzehntes Kapitel.

Das h. Officium in Spanien unter Karl I. und Philipp II.

Wir haben die Geschichte der neuen Inquisition in Spanien unter ihren vier ersten General-Inquisitoren erzählt. Unter Karl V. walteten deren drei: Hadrian, Tabera und Loaisa. Die Amtsführung des achten, des Erzbischofs Baldés, unter der ersten Regierungszeit Philipp's II. schließen wir daran an, um dann die hervorragendsten Opfer dieser Zeit in den Gruppen, zu welchen die Henker selbst sie zusammengestellt haben, zu betrachten.

Der oben an erster Stelle genannte Hadrian war der Erzieher Karl's V., der spätere Papst Hadrian VI., bekanntlich von Geburt ein Niederländer. Ihm an erster Stelle hatte Karl es zu danken, daß er überhaupt zum spanischen Thron gelangte, da sein Großvater Ferdinand bereits anders verfügt hatte und nur auf Zureden Hadrian's, der von Karl deshalb aus den Niederlanden nach Madrid geschickt worden war, diese erste Verfügung wieder aufhob. Hadrian blieb von da ab in Spanien, um bis zur Ankunft Karl's, die sich noch zwei Jahre verzögerte, mit dem Cardinal Ximenes de Cisneros gemeinsam das Regiment im Lande zu führen. Er wurde zum Erzbischof von Tortosa ernannt und war als solcher Groß-Inquisitor von Aragonien und Navarra, dann nach dem Tode des Franz Ximenes General-Inquisitor von ganz Spanien. In ersterer Eigenschaft wurde er, 57 Jahre alt, von dem Papste am 14. November 1516, in letzterer am 4. März 1518 bestätigt. Er führte dies Amt nicht blos bis zum 9. Januar 1522, d. h. bis zu seiner Erhebung auf den päpstlichen Stuhl, sondern bis zum 10. September 1523, also, da er schon am 14. September starb, so zu sagen bis zu seinem Tode fort.

Karl wußte von den Klagen gegen die Uebergriffe und Gewaltthätigkeiten der Inquisition und war in seinem jugendlichen Edelmuth — er zählte 18 Jahre — entschlossen, diesen Klagen abzuhelfen. Durch die Gutachten vieler Gelehrten und einiger Universitäten in Flandern und Spanien wurde er in diesem Vorhaben bestärkt. Nach einem pomphaften Einzug in Balladolid trat er dort im Februar 1518 vor die Cortes von Castilien, die eine Adresse an ihn richteten mit folgendem Ansuchen: „. . . Wir bitten Euere Hoheit, Befehl zu geben, daß im Officium der h. Inquisition bei der Führung der Processe der Weg der Gerechtigkeit eingehalten werde; daß die Bösen bestraft werden, die Guten und Schuldlosen aber unbehelligt bleiben; daß die Inquisitoren die heiligen Canones beachten und die dahin gehörigen Bestimmungen des g e m e i n e n b ü r g e r l i c h e n R e c h t s nicht v e r l e ß e n; daß nur Solche zu Richtern ernannt werden, welche edelmüthigen Charakters, Männer von Gewissen und in dem gesetzlichen Alter sind, so daß sich eine unanfechtbare Rechtsprechung von ihnen erwarten läßt." Der König antwortete hierauf mit einem Decret, welches einstweilen bis zur gesetzlichen Regelung der Angelegenheit mit den nächsten Cortes die schlimmsten Mißbräuche abstellen sollte. Der Kanzler des Königs starb aber in diesem Augenblicke und das Decret wurde nicht einmal bekannt gemacht.

Von Balladolid ging Karl nach Saragossa, wo die Cortes von Aragon versammelt waren. Er schwor ihnen, die Rechte und Gesetze des Königreichs heilig zu wahren. Unter diesen Landesrechten war aber auch das, daß das h. Officium in seinen Schranken gehalten werde. Ebenso erhoben die Cortes von Catalonien zu Barcelona ihre Stimme. Die gemeinsamen Forderungen sind in den 39 Artikeln, die den Cortes von Saragossa vorgelegt wurden, zusammengefaßt: Jeder Ankläger solle einem scharfen Verhör unterworfen werden, damit der Inquisitor auch die B e w e g g r ü n d e zur Denunciation würdigen könne. Die Verhafteten sollten bis zu ihrer Verurtheilung in leibliche G e f ä n g n i s s e, nicht in S t r a f k e r k e r gebracht werden. Jeder Angeklagte müsse sich einen Vertheidiger wählen, sowie von seinen Freunden und Verwandten Besuche empfangen dürfen. Der Gegenstand der Anklage und die Namen Derjenigen, auf deren Zeugniß dieselbe sich stütze, seien ihm mitzutheilen. Das Kreuz-Verhör solle nur in dringenden Fällen zur Anwendung kommen und zwar ohne Tortur. Wenn ein Angeklagter nicht überführt werde, solle er ungestraft freigesprochen werden. Dem Angeklagten solle das Recht zustehen, Zeugen zu nennen, auch Juden; auch die V e r w e r f u n g von Zeugen solle ihm gestattet sein; falsche Zeugen müßten bestraft werden. Auf den bloßen Verdacht der Häresie hin solle Niemand beunruhigt oder gefangen genommen werden. Niemand solle mehr zu lebenslänglichem Kerker verurtheilt werden, weil man darin Hungers sterbe. Das Eigenthum der Verhafteten solle inventarisirt werden und von ihnen auf ihre Angehörigen in rechtlicher Ordnung vererben. Hadrian, welcher aus ehrlicher Ueberzeugung durch eine solche Abschwächung den Bestand des Staates und der ohnehin wankenden Kirche bedroht glaubte, sowie viele Granden, diese von eigennützigen Absichten geleitet, wußten Karl zu Gunsten der bisherigen Privilegien umzustimmen. Man verschmähte dabei solche Mittel nicht, wie sie von Bauernschlächtern unserer Tage angewandt werden. „Man hat mir gesagt", schreibt Don Juan Manuel an den Kaiser in einem Briefe vom 5. Juli 1522, „daß, wenn diese erhoffte Maßregel durchgeht, Euere Majestät über eine Million Ducaten zurückerstatten müssen von dem, was Solchen confiscirt wurde, die ihre Ketzerei bekannt haben oder dazu gern bereit wären und losgesprochen werden würden". Zu Ende des Jahres 1518 traten die Cortes von Aragon noch ein Mal zu Valladolid zusammen und machten Karl Vorstellungen, daß die bis jetzt für ihr Königreich erzielten Einschränkungen der inquisitorialen Befugnisse nicht hinreichten; er möge ihnen noch einige Artikel beifügen, gleich Denen, welche er den Castilianern in Aussicht gestellt habe. Er antwortete: sie dürften Nichts verlangen, was wider die h. Canones und päpstlichen Decrete wäre, die zum Schutze der Inquisition dienten; etwaige Klagen gegen einen Richter des h. Officiums müßten sie beim General-Inquisitor anbringen und wenn dort eine Sache nicht zum Austrage gebracht werden könne, müsse man sie dem Papste vorlegen. Eine gleiche Discussion entstand im Jahre 1819 zwischen dem Könige und den Cortes von Catalonien; sie hatte ein ebenso wenig befriedigendes Resultat.

Dieselbe Haltung hielt Karl inne bis an seines Lebens Ende. Und auch Karl muß dem Geschichtschreiber v. Hefele herhalten, um den staatlichen Charakter der Inquisition zu erweisen. „Nicht umsonst hat darum Karl V., der doch das Regieren verstand und das Selbstherrschen liebte, in seinem Testamente seinem Nachfolger dringend empfohlen, damit er seine Regenten-Pflicht erfülle." v. Hefele treibt hier bewußte Fälschung; er mußte wissen, was unter „Regenten-Pflicht" verstanden war. Karl's Nachfolger selbst, Philipp II., konnte ihn darüber belehren, wenn er belehrt sein wollte. In einer Versammlung seiner Theologen, welchen Philipp in Flandern die Frage vorlegte, ob ihm Gestattung der Religionsfreiheit erlaubt sei, rief er, vor einem Crucifix niederstürzend, in fanatischer Verblendung aus: „Ich bitte Dich, großer Gott, Herr aller Menschen, daß Du mich stets in dem Vorsatze beharren lassest, nie zuzugeben, daß man mich den Herrscher über Solche nenne, die Dich als ihren Herrn verleugnen!" Wer aber hat den Fürsten solche Begriffe von ihren Regenten-Pflichten beigebracht?

Die Inquisitoren, durch die Haltung des jungen Karl ermuthigt, rächten sich und sperrten den Secretär der Cortes von Saragossa als Ketzer in's Gefängniß. Dieser Schimpf aber erregte die

Aragonesen zum Zorne und sie verweigerten dem Könige die Summe, die zu bewilligen sie sich bereit erklärt hatten, wenn er ihren Beschwerden Abhülfe schaffe. Um das Geld zu bekommen, mußte Karl sich nun zu einer kleinen Concession bequemen. Im großen Ganzen blieb es beim Alten. Die Inquisitoren trotzten der öffentlichen Meinung und verübten, wie uns die später zu schildernden großen Autos-de-Fé zeigen werden, eine Grausamkeit nach der andern. Hier sei nur eine einzelne verzeichnet.

Ein Arzt, Johann de Salas, wurde angeklagt, zwölf Monate früher im Laufe eines heftigen Disputes von einer heiligen Sache in profanen Ausdrücken gesprochen zu haben. Er wies die Anklage als unbegründet zurück und berief sich dabei auf das Zeugniß mehrerer bei dem Gespräche gegenwärtig gewesenen Personen. Aber der Inquisitor Moris zu Valladolid, wo die Sache anhängig gemacht worden war, ließ de Salas schließlich in seiner Anwesenheit in die Folterkammer bringen. Dort wurde der Inquisit auf ein Instrument gelegt, das man die „Leiter" oder den „Esel" nannte und einem hölzernen Troge nicht unähnlich war; nur hatte es an Statt des Bodens einen oder mehrere Quer-Barren, so daß der Daraufliegende durch seine eigene Körperschwere in die Zwischenräume sich hineinkrümmte. In dieser peinvollen Lage wurden dem Manne die Arme und die Beine mit dünnen harten Hanf-Stricken elf Mal umwickelt. Jetzt wurde er zum Geständniß aufgefordert. De Salas erklärte, Nichts gestehen zu können; er müsse, was sie ihm anthun wollten, ruhig über sich ergehen lassen. Er betete das Athanasische Glaubensbekenntniß und „rief Gott und Unsere liebe Frau unzählige Mal" an. Da erfand man eine Erhöhung der Qual: man hing einen mit Wasser gefüllten irdenen Krug, in dessen Boden ein kleines Loch gemacht war, über seinem Mund auf und sperrte letzteren mit einem Holzstäbchen weit auf. Die einzelnen fallenden Tropfen erzeugten nun jedes Mal ein starkes Würgen, weil die Mundsperre den Armen am Schlucken hinderte. Von Zeit zu Zeit wurde diese Qual unterbrochen, aber ein Geständniß wollte immer noch nicht erfolgen. Nun wurden wiederholt in längeren Pausen die Seile am rechten Beine eingezogen, so daß sie in's Fleisch schnitten. Alles führte nicht zu dem erstrebten Ziel und Moris mußte die Tortur als unwirksam aufgeben; er nannte sie jedoch ausdrücklich die „begonnene" Tortur, um sie, wenn der jetzt entlassene de Salas wegen eines neuen Vergehens wieder gefaßt werde, auch wegen des alten „fortsetzen" zu können.

Wenn wir an diesem Beispiele sehen, wozu ein einziges unbedachtes Wort bei der spanischen Inquisition führen konnte, brauchen wir die Frage nach der bestimmten Menge der Opfer, welche dieselbe gefordert hat, gar nicht aufzuwerfen: sie war eben zahllos.

Wie Prof. Dr. Woler zu Bern, der sich aus dem Dr. Heine'schen Nachlasse im Besitz von zahlreichen Original-Acten befindet, in einem am 28. März 1876 im Rathhaus-Saale zu Bern gehaltenen Vortrage mittheilte, wurde einmal ein Theologe schon aus dem Grunde auf immer seiner geistlichen Würden beraubt und eingesperrt, weil er von einem Inquisitor gesagt hatte, dessen Thun sei unverständlich für Engel, Menschen und Teufel. Eine Frau zu Granada, die in ihres Geschlechtes Art mit der Zunge über einen Secretär des h. Officiums sich vergangen hatte und nachträglich erfuhr, welche Strafen ihr dafür drohten, stürzte sich in der Verzweiflung aus dem Fenster und kam todt unten in der Straße an. Wir sehen also: auch wenn wir sämmtliche Protocolle des unheimlichen Gerichtes noch besäßen, wir doch seine Opfer nicht alle zusammenzählen könnten.

Gerade die verständig und wirklich Frommen waren am Ersten der Verfolgung ausgesetzt. Die Behauptung, es sei nicht nothwendig den Rosenkranz zu beten, ein Tadel über den großen Aufwand an Kerzenlichtern 2c. in den Kirchen an gewissen Festtagen und die Bemerkung, daß man das dafür ausgegebene Geld besser an die Armen vertheile, ja sogar die Aeußerung: man solle aus Gesundheits-Rücksichten die Kirchenräume nicht zu Todtenhöfen machen — Alles das fiel unter den Begriff der Ketzerei und wurde bestraft, wie man Mord und Raub bestrafte. Auf ihrer Ketzerjagd verirrten sich die Inquisitoren sogar dahin, daß sie mitunter eine bestimmte Behauptung, zugleich aber auch das Gegentheil von dieser Behauptung für ketzerisch erklärten. Sagte z. B. Jemand: der König müsse auch für die kirchlichen Dinge sorgen, so wurde er bestraft, denn er trug eine Ansicht vor, die der ketzerische König Heinrich VIII. von England vertreten hatte; erklärte aber ein Anderer: der König dürfe sich nicht um kirchliche Angelegenheiten kümmern und der Kirche nicht den weltlichen Arm leihen, so war dieser ebenfalls ein Ketzer.

Mit der Sittlichkeit wurde es nicht gerade so strenge genommen wie mit dem Glauben, am wenigsten, wie es scheint, unter dem Klerus. Der Venezianische Gesandte Navagero schreibt 1525 aus Toledo: „Die Herren von Toledo und vornehmlich der Frauensleute sind die Priester; sie haben vortreffliche Häuser und stolziren einher, indem sie das beste Leben von der Welt führen, ohne daß irgend Jemand sie tadelte." Auch die Worte, die der wegen falschen Mysticismus processirte Minoriten-Bruder Franz Ortiz am 10. Februar 1530 an die Inquisitoren richtete, sind bezeichnend genug: „Wie viele öffentliche Sünder die in unerlaubtem Umgange leben, läßt man frei umhergehen und die Sittsamen zieht man wegen Ketzerei ein. Das Volk weiß das."

Auch dadurch vermehrten die Inquisitoren die Zahl ihrer Opfer in's Grauenhafte, daß sie oft auf den körperlichen oder geistigen

Zustand der Angeklagten gar keine Rücksicht nahm. Es kam vor, daß sie Erkrankte in die Kerker schleppte, daß sie Wöchnerinnen foltern ließ, daß sie Sterbende auf einer Tragbahre zum Scheiterhaufen bringen ließ, damit sie, nachdem sie den Tod der Ketzer verdient, nicht eines natürlichen Todes stürben. Neunzigjährige, an Körper und Geist gebrochene Personen wurden von den Inquisitoren zur Verantwortung gezogen, und nicht etwa bloß dann, wenn gegen dieselben der Verdacht andauernder Ketzerei vorlag — nein, bis in ihre Kindheit griff man hinauf und strafte sie für die gesunden Gedanken und die freimüthigen Worte ihrer Jugend. Im Jahre 1552 wurde eine 85jährige Frau, Marie de Bourgogne, von einem ihrer früheren Diener als heimliche Jüdin verklagt. Sie wurde gefangen gesetzt, die Untersuchung aber ergab auch nicht den geringsten Beweis. Während man neue Zeugen aufzutreiben suchte, mußte die Greisin aber im Kerker bleiben. Das dauerte fünf volle Jahre; da war man des vergeblichen Suchens müde und machte kurzen Proceß: die geistlichen Henker warfen die jetzt Neunzigjährige auf die Folter, um ein Geständniß zu erpressen. Nach einigen Tagen erlöste der Tod sie aus den Händen der siebenfach gesalbten Würger.

Wahrlich: wer kein Ketzer war, mußte Angesichts des Treibens der Inquisitoren zum Ketzer nach ihren Begriffen werden. Sie hatten den früheren Minister Philipp's II., Anton Perez, gefangen gesetzt, um sich durch seine Bestrafung als Ketzer für gewisse Dinge zu rächen, konnten aber längere Zeit keine Beweise ausfindig machen. Da wurde seinen Richtern angezeigt, daß er im Kerker folgende Aeußerung gethan habe: „Man sollte meinen, Gott schlafe, seitdem meine Sache betrieben wird; wer da nicht in Gefahr kommt, den Glauben zu verlieren, der hat keinen." Nun war die zur Verurtheilung nöthige „offenbare Ketzerei" gefunden. Durch einen Aufstand des Volkes von Saragossa wurde Perez befreit und entkam unter dem Beistand seiner Freunde über die französische Grenze, konnte also bloß im Bilde verbrannt werden. Als Begünstiger dieses „offenbaren Ketzers" — so heißt es ausdrücklich im Urtheile — wurden dann auf ein Mal 123 Personen eingekerkert und viele von ihnen verbrannt; weit mehr entzogen sich durch die Flucht nach Frankreich dem Gefängniß und dem Scheiterhaufen. Das Schicksal der hinterlassenen Angehörigen aller dieser Hunderte aber war durch die über sie verhängte Vermögens-Confiscation und Ehrlosigkeit dauerndes Elend.

Viele solcher Unglücklichen, wie sie heutzutage in unserer „glaubenslosen" Zeit sorgliche Pflege in Irrenhäusern genießen, Diejenigen, welche an religiösem Wahnsinn litten, bestiegen zu Zeiten der Inquisition den Holzstoß. Die theologische Leiter, mittels der man sie darauf brachte, war folgendermaßen construirt: Wenn Jemand in scheinbarem Wahnsinn irrige Vorstellungen über religiöse Dinge kund

gibt, Gotteslästerungen ausspricht u. s. w., so ist er offenbar vom
Teufel besessen. Nun kann aber der Teufel über Niemand geistige
Gewalt erlangen ohne dessen eigenes Zuthun, denn St. Augustin hat
gesagt: der Teufel könne den Menschen wohl versuchen, aber nur den
Willigen vermöge er wirklich zu verführen. Der Besessene ist also
an seiner Besessenheit selbst Schuld. Deshalb ist er auch verantwortlich für die Ketzereien, welche er in diesem Zustand ausspricht. Der
genannte Dr. Woter ist im Besitze des Gutachtens eines Jesuiten
über einen derartigen Fall von Wahnsinn, den er nach den eben angeführten Grundsätzen entschied.

So stand im 17. Jahrhundert vor der Inquisition von Peru
ein Mann, Franz de la Cruz, den hatte man gefangen gesetzt, weil
er versicherte, er könne Wunder wirken. Bei der Untersuchung
stellten sich der närrischen Ketzereien aber noch viel mehr heraus. Er
erzählte seinen Richtern: es sei gewiß, daß er Papst werde; er wolle
dann den Apostolischen Stuhl nach Peru verlegen; er sei heiliger
als alle Apostel, Engel und Erzengel; Gott habe ihm angeboten, mit
ihm in eine Vereinigung der Naturen zu treten, aber das habe er
ausgeschlagen; dagegen werde er nun bald als Erlöser auftreten, da
die Erlösung durch Christus nicht allen Anforderungen entspreche.
Fünf Jahre lang hielt man den Mann eingesperrt und machte ihn
dadurch selbstverständlich nur um so verrückter. Als er dann zum
Flammentode geführt wurde, sah er unverwandt gen Himmel, den
Feuerregen erwartend, der die Inquisitoren verzehren werde. „Uns
aber" — so schließt einer der bei der Verbrennung betheiligten In-
quisitoren seinen Bericht über den Vorgang — „uns verletzte kein
Feuer vom Himmel; ihn jedoch verzehrte die irdische Flamme und
verwandelte ihn in Asche." Der Fall ist durchaus kein alleinstehender.
Im Jahre 1635 trat in Sicilien ein Mann auf und erklärte: er
und nicht Christus sei der eigentliche Erlöser der Welt, er werde das
Christenthum von Grund aus neu machen; wo in der Bibel von
Christus als dem Messias geredet werde, sei eigentlich er gemeint.
Schon hatte er sich die Gesetze aufgeschrieben, die er der Welt geben
wollte, hatte bestimmt, daß sein Geschlechtsregister in's Evangelium
aufgenommen werde und daß er durch ein von ihm verfaßtes Gebet
in den Kirchen angerufen werde. Auch dieser arme Schelm wurde
nach mehrjähriger Haft verbrannt. Während der Untersuchung hatte
er den Richtern gesagt: er sei von Gott zu ihnen geschickt, um sie
zu bekehren. Daraus zog einer derselben die Lehre: beinahe hätte
man glauben können, „der Mann sei wirklich nur verrückt".
Auf der Richtstätte hoffte der Wahnsinnige wie sein amerikanischer
Leidens-Genosse auf des Himmels Schutz: er behauptete bis zum
letzten Augenblicke, es werde ein Regen die ihm bereiteten Flammen
verlöschen; daraus möge man seine göttliche Sendung erkennen.

Wie in Italien, so hat auch in Spanien gar mancher Fremde, der dort arglos seinen nichtrömischen Glauben verrieth, Kerker und Tod gefunden. Im Jahre 1615 stand vor den Schranken des Inquisitions-Tribunals zu Toledo Johann Kote, ein junger Mann, geboren zu Haltern in Westfalen von protestantischen Eltern. Nachdem er den Vater verloren, hatte ein Onkel, Johann Abendroth aus Köln, ihn zu sich genommen. Letzterer war ein vielgewanderter Mann, hatte im spanischen Heere als Capitän gedient und später als Kaufmann Spanien und seine Colonien durchreist. Die Dinge, die er in diesen Ländern sehen mußte, weckten schließlich den Belehrungs-Eifer dieses Calvinisten: er hielt es für möglich, den König von Spanien zu einem christlicheren Christenthume zu bekehren. Von England aus, wohin er auf seinen Handelsreisen gekommen war, schickte er seinen Neffen vier Mal mit Briefen an Philipp III. nach Madrid. Drei Mal glückte das, als aber Johann Kote das vierte Schreiben im Escurial abgab, nahm man ihn fest und übergab ihn sammt seiner Epistel der Inquisition. Er gestand im Verhör rückhaltlos, daß er von Kindsbeinen an im protestantischen Glauben gelebt habe und daran fest halte, bis man ihn eines Bessern belehre; einstweilen sei ihm allerdings der Papst der Antichrist und das römische Wesen um Nichts besser als Abgötterei. Der Unglückliche erkannte die Gefährlichkeit eines so offenherzigen Bekenntnisses vor diesen Richtern erst, als er hörte, daß der ihm verlesene Anklage-Act mit dem Antrage schloß, ihn als Ketzer, als Anstifter und Erneuerer längst verurtheilter Ketzereien dem weltlichen Arm zum Verbrennen zu übergeben. Vor dieser fürchterlichen Aussicht faßte ihn Verzweiflung. Er kroch zu Kreuze, wurde einem Jesuiten zur Unterrichtung übergeben und schwor seinem alten Glauben ab, dem ihm aufgedrungenen neuen zu. Trotz alledem wurde Kote jedoch von einem Theil der das Endurtheil sprechenden Inquisitoren zum Scheiterhaufen verdammt; der andere Theil entschied, er solle auf Lebenszeit im Kerker bleiben, die zehn ersten Jahre als Galeeren-Sträfling arbeiten, beim nächsten Auto-de-Fé 200 Peitschenhiebe erhalten, sein Vermögen confiscirt werden. Diese zweite Form des Urtheils wurde von dem Rathe der Inquisition gebilligt; der König hat ebenfalls in diesem Sinne zu entscheiden. Bei dem feierlichen Auto-de-Fé wurde das endgültige Urtheil verlesen; es lautete auf lebenslänglichen Kerker und nur sechsjährige Galeeren-Strafe; die 200 Peitschenhiebe und die Vermögens-Confiscation waren geblieben. Die Nachsuche nach etwaigen Gütern Kote's war im Jahre 1634, also nach 20 Jahren, noch im Gange.

Markerschütternd sind die Worte, welche ein Franzose im Kerker der spanischen Inquisition niederschrieb, ehe er in der Verzweiflung Hand an das eigene Leben legte: „O Gott, ich schicke Dir meine

Seele vor der Zeit zurück, um den sich Menschen nennenden Bestien zu entfliehen. Nimm sie gnädig auf, da du die Reinheit der Gesinnungen kennst, die mich stets beseelten."

Der Unwille der spanischen Bevölkerung, der sich nicht nur in den Cortes der Königreiche kund gab, sondern auch durch Straßen-Tumulte mit Bürgerkrieg drohte, gab Anlaß zu Auseinandersetzungen zwischen Karl V. und dem Papste, die im Jahre 1535 noch so wenig zu einer Verständigung geführt hatten, daß der König dem h. Officium seine Sanction entzog und zehn Jahre lang vorenthielt. Das war aber, weil eine negative Maßregel, nur eine zeitweilige Demüthigung des h. Officiums, dessen Vertreter die Köpfe steif hielten und so auch diesen Sturm ungeschwächt überdauerten.

Eine bemerkenswerthe Thatsache ist, daß auch der schwärmerische Ignatius von Loyola, der Gründer der Jesuiten-Compagnie, zu dreien Malen: zu Barcelona, Salamanca und Paris, Bekanntschaft mit den Hafträumen der Inquisition hat machen müssen. Derselbe war bekanntlich schon ein Vierziger, als er über seinen Zukunftsplänen brütete und zu deren Ausführung die nöthigste wissenschaftliche Bildung sich zu erwerben begann. Zu diesem Zwecke kam er, nachdem er bereits 42 Tage zu Barcelona eingesperrt gewesen, aber durch ein Erkenntniß vom 1. Juni 1527 gerechtfertigt war, auch nach Salamanca. Die zu dieser Zeit in Deutschland aufsteigende Kirchen-Reformation hatte auch die Gemüther der Spanier erregt. Jeder, der eigene Wege ging, wurde des Lutherthums leicht verdächtigt, und das Gebahren des ehemaligen Kriegsmannes und jetzigen Theologen, der noch dazu wegen eines verkürzten Beines hinkte — aber „mit vielem Anstande" wie seine jesuitischen Biographen betonen — war in der That ein absonderliches. Der Sub-Prior der Dominicaner nahm ihn sammt seinem Begleiter Calixt in Verwahr und Verhör. Die mehr der innern religiösen Beschaulichkeit als den äußeren kirchlichen Uebungen zugeneigten, also gewiß nach Lutheranismus riechenden Naturen nannte man zu jener Zeit in Spanien „Alumbrados" — „Erleuchtete". Einen solchen glaubte der Inquisitor von Salamanca in Ignatius erwischt zu haben. „Erleuchtet" wie kein Anderer muß Ignatius doch auch gewesen sein, als er ausgehungert aus der Grotte von Manresa in die Welt zurückkehrte. Hören wir nur, was der unsterbliche Franz Joseph Buß, Professor für Rechts- und Staats-Wissenschaft, zu Freiburg im Breisgau, Fürsprecher der „katholischen Universitäten", badischer Abgeordneter und Centrums-Mitglied des Reichstags, uns aus den Tagen gerade vor der Einsperrung des Ignatius zu Barcelona erzählt:

„Ignaz betete eines Tages das Officium der Jungfrau auf den Stufen der Kirche der Dominicaner (zu Manresa), als er im Geiste erhöht wurde und eine Gestalt sah, welche ihm die h. Dreifaltigkeit zeigte. Dieses Gesicht erfüllte ihn

mit so vielem innern Trost, daß er bei einer Procession vor allem Volk laut auf-
weinte. Er dachte jetzt nur noch an die h. Dreifaltigkeit, sprach bloß von ihr
und so erhaben, daß ihn die Gelehrtesten bewunderten und das Volk doch verstand. Er legte seine Gedanken über dieses unbegreifliche Geheimniß in einer
Schrift von 80 Blättern nieder, die leider verloren ging.

„In einem spätern Gesicht sah er die Ordnung, welche Gott bei der Schö-
pfung der Welt gehalten und die Zwecke, welche sich die göttliche Weisheit in der
Offenbarung gesetzt.

„Ein anderes Mal sah er während der Messe, als der Priester die Hostie
erhob, daß der Leib und das Blut des Sohnes Gottes wahrhaft unter den Gestalten waren und wie sie es waren.

„Eines Tages, als er am Ufer des Cardernero saß, empfing er eine tiefe
Erkenntniß aller Geheimnisse zumal, und als er eines andern Tages vor
einem Kreuze auf der Straße nach Barcelona betete, erkannte er ohne jedes Dunkel
alle Wahrheiten des Glaubens, so daß er erklärte, er glaube sie alle, auch wenn
es kein Evangelium gebe."

Bei so kräftiger Verzückung wird der „Alumbrado" Ignatius
von dem Mißbehagen der Außenwelt kaum Etwas gespürt haben,
als er 22 Tage lang in der dunkeln, schmutzigen Zelle zubrachte mit
dem Kopf an den einen Fuß seines Gefährten Calixt und mit dem
einen Fuß an dessen Kopf gefesselt. Zudem bekamen sie ab und zu
Gesellschaft von Solchen, die verdächtig waren, mit den mysteriösen
Lutheranern in Deutschland Briefwechsel oder Sympathie zu unterhalten. Endlich hatten aber die „Gelehrten" der Inquisition das
jetzt weltbekannte Büchlein des Ignatius: „Geistliche Uebungen" im
Manuscripte durchgesehen und daraus erkannt, daß der Mann dem
h. Officium nicht gefährlich sei. In einem darauf angestellten kurzen
mündlichen Inquisitorium trat der gutrömische Papstglaube der zwei
Sonderlinge erst recht glänzend zu Tage und so wurden sie denn
von ihren Zwillings-Banden gelöst und entlassen. Von da ging ihre
Reise nach Paris, wo sie, wie schon in einem früheren Kapitel bemerkt, vor dem Inquisitor Ori die dritte Glaubens-Prüfung zu bestehen hatten.

Schon aus dem Jahre 1521 haben wir sichere Anzeichen, wie
man der Verbreitung der Lutherischen Ideen in Spanien entgegenzuwirken suchte. Am letzten Februar-Tage des genannten Jahres
schrieb der päpstliche Nuncius Hieronymus Aleander vom Reichstage
zu Worms: „Die Schriften Luther's wurden in spanischer Uebersetzung gedruckt — ich glaube auf Veranstaltung der spanisch-nieder-
ländischen Marranen (getaufte Juden, s. das zwölfte Kapitel) —
und sollen nach Spanien geschickt werden. Der Kaiser sagte uns, er
habe dem vorgebeugt." Ha, jubelt der Akademiker v. Höfler, der
Dichter der schönen Epigramme von 1872, im Jahre 1875, damit
„ist die Verbindung der Marranen, welche bei dem Aufstande der
Comunidades so stark unter der Decke spielten, mit der deutschen

Reformbewegung sichergestellt und ebenso klar, warum sich die Granden so sehr gegen letztere aussprechen, und König Karl für die Inquisition Partei nimmt!" Der „Verbindung zwischen dem Aufstand" der Städte-Junta von 1520 bis 1521 mit der deutschen Reformation hätte, trotz v. Höfler, weder der erstere noch die letztere sich weniger zu schämen. als die Granden ihrer Politik für die spanische Glaubenseinheit und Karl seiner Parteinahme für die Inquisition.

Es währte aber doch bis um's Jahr 1541, bevor die Wächter der römischen Rechtgläubigkeit förmlich einschritten gegen die spanischen „Lutheraner", wie man Diejenigen nannte, die sich zur Regelung ihres religiösen Lebens mehr an die Bibel hielten, als an die römischen Recepte. Lange Zeit hindurch blieben's vereinzelte Fälle; erst in den Jahren 1557 und 1558 wurden die Einsperrungen von „Lutheranern" häufiger. Die meisten waren Männer von Geburt, gelehrter Bildung und Rang. Bei der regelrechten Untersuchung der Fälle stellte sich heraus, daß der Katholicismus dieser Personen Anklänge bot an die Lehren der deutschen Reformatoren. Philipp II. und der General-Inquisitor Valdés kamen überein: man müsse zu kräftigeren Mitteln greifen, um der Sache ein Ende zu machen, wo möglich für immer. Der König ließ über die Angelegenheit an den Papst Paul IV. berichten und dieser ertheilte in einem Breve vom 4. Januar 1559 an Valdés diesem die nöthigen Vollmachten. Ohne Rücksicht auf etwaige entgegenstehende Grund-Regeln des h. Officiums solle Valdés Alle, welche die Lutherische Ketzerei verbreiteten, auch wenn sie nicht Rückfällige wären und trotz allenfallsigen Anerbietens der Abschwörung dem weltlichen Arm zur Vollziehung der Todesstrafe überantworten, es sei denn, daß sich jeder kleinste Verdacht des Beharrens in der Ketzerei bei dem Betreffenden ausschlösse. Damit waren sogar Ferdinand der Katholische und Torquemada überboten. Unter'm Datum des folgenden Tages erließ der Papst ein zweites Breve in dieser Angelegenheit, worin er jede ausnahmsweise ertheilte Erlaubniß zum Lesen verbotener Bücher zurücknahm, die Verfolgung Aller, die solche Bücher läsen, anordnete und den Beichtvätern aufgab, die Pönitenten über diesen Punkt auszuforschen und sie zu belehren, daß sie unter der Strafe der größeren Excommunication dem h. Officium Jeden nennen müßten, von dem sie wüßten, daß er verbotene Schriften im Besitz habe. Der Beichtvater, der dies versäume, habe dieselbe Strafe zu gewärtigen. Bischöfe, Erzbischöfe, der König, kurz Jeder ohne Ausnahme sei gehalten, das h. Officium auch von der kleinsten Ketzerei zu unterrichten, welche er bei einem Andern entdecke oder vermuthe. Verdacht und Verdächtigung schossen in's Kraut. Die damals in Spanien zahlreichen Jesuiten thaten sich als besonders eifrig hervor. Welcher Art die Häretiker waren, auf die man es jetzt in erster Reihe abgesehen hatte, ergibt sich am besten aus den

Fragen, welche nach der Anordnung des General-Inquifitors Cardinal Manrique und unter ausdrücklicher Billigung des „Oberften Inquifitions-Rathes" zu Madrid von da ab bei den jährlichen öffentlichen Aufforderungen zur Denunciation der Häretiker den bisherigen Fragen zugefetzt werden follten.

„1. Ob fie müßten oder gehört hätten, daß irgend Einer gefagt, vertheidigt oder geglaubt habe, die Secte Luther's oder feiner Anhänger fei gut, oder daß er zu einem der folgenden verdammten Lehrfätze fich bekannt habe, nämlich:

„2. Es fei nicht nothwendig, feine Sünden dem Priefter zu beichten, da es genüge, fie reumüthig vor Gott zu bekennen.

„3. Daß weder der Papft noch die Priefter Macht hätten, die Sünden zu vergeben.

„4. Daß der wahre Leib unferes Herrn Jefu Chrifti in der confecrirten Hoftie nicht enthalten fei.

„5. Daß man zu den Heiligen nicht zu beten brauche, auch deren Bildniffe in den Kirchen überflüffig feien.

„6. Daß es kein Fegfeuer gebe, es alfo auch nicht nothwendig fei, für die Abgeftorbenen zu beten.

„7. Daß der Glaube und die Taufe zum Heil genüge, ohne die Werke.

„8. Daß Jeder, auch wenn er nicht Priefter fei, das Sündenbekenntniß eines Andern hören und ihm die Communion unter den zwei Formen von Brot und Wein reichen könne.

„9. Daß der Papft nicht die Macht habe, Abläffe und Sünden-Nachläffe zu ertheilen.

„10. Daß die Kleriker, Mönche und Nonnen heirathen könnten.

„11. Daß die Mönche, Nonnen und Klöfter überflüffig feien.

„12. Daß die religiöfen Orden nicht göttlicher Anordnung feien.

„13. Daß der eheliche Stand beffer fei und vollkommener als der der im Cölibat lebenden Mönche und Priefter.

„14. Daß es außer dem Sonntag keine Feiertage geben follte.

„15. Daß es keine Sünde fei, in der Faftenzeit, am Freitag und den übrigen Abftinenz-Tagen Fleifch zu effen.

„16. Ob fie müßten oder hätten fagen hören, daß Einer irgend eine andere Lehre Luther's oder feiner Anhänger geglaubt, vertreten oder befolgt habe, oder daß Einer das Königreich verlaffen habe, um in einem andern Lande ein Lutheraner zu werden?"

Um den zahlreich herbeiftrömenden Denuncianten, welche dem h. Officium Kunde brachten von „Lutheranern", die in Privathäufern fich verfammelten, Gehör zu geben, fowie zur Führung der hieraus fich entwickelnden Inquifitions-Proceffe, ernannte Valdés den Don Petro de la Gasca zu feinem Sub-Delegaten zu Valadolid, den Don Juan Gonzales de Munebreza zur felben Stellung in Sevilla; diefe zwei Städte mit ihrer Umgebung waren es nämlich, wo die evangelifche Auffaffung des Chriftenthums am meiften Boden zu gewinnen begann. Valdés richtete auch eine Art fliegendes Corps von Inquifitions-Häfchern ein, deffen Mitglieder fich über das Land zerftreuten

369

und wenn sie von Solchen hörten, die ihre Heimath verlassen hätten, um der Verfolgung zu entgehen, denselben mit Post = Pferden nach= eilten. Derartige Flüchtlinge hatten sich gewissermaßen schon selbst das Urtheil gesprochen, denn wer floh, mußte sich schuldig.

Die Einkünfte des h. Officiums, so reichlich sie waren, genüg= ten doch nicht, um die Kosten dieser Treibjagden zu bestreiten und so bestimmte der Papst auf Ansuchen des General = Inquisitors, daß an jeder Metropolitan = Domkirche die Einkünfte e i n e r Canonicats= Stelle zur Kasse des h. Officiums beigesteuert werden sollten; ein zweites päpstliches Breve bestimmte die jährliche Summe von 100,000 Ducaten in Gold aus den allgemeinen kirchlichen Einkünften zu den= selben Zwecken. Viele Dom = Kapitel erhoben Einwendungen gegen diese Besteuerung, eines, das von Majorica, erklärte rundweg: es bezahle keinen Heller; schließlich beugten sich jedoch alle. Nie war eine Armee zum Schutze des Landes gegen äußere Feinde so wohl ausgerüstet wie jetzt die Inquisitoren für ihren organisirten inneren Bürgerkrieg. Jetzt konnten sie am Schlusse jeder gelungenen Jagd dem pfäffisch verzogenen Volke die Schauspiele der Autos=de=Fé, nach denen sie die böse Gier in ihm geweckt, in der glänzendsten Weise vorführen.

Aber zwischen den Interessen der Gesellschaft und der unersätt= lichen Mordgier der päpstlichen Glaubensreiniger gab's keine Ver= söhnung. Don Philipp, als Fürst von Asturien ꝛc. wurde von den Autoritäten der Stadt angerufen, zwischen ihnen und der Priester= schaft, deren Brutalität unerträglich geworden sei, zu schlichten. Dieser „Erstgeborene von Castilien und Aragon" ꝛc. behandelte die Frage aber mit der Gleichgültigkeit eines Despoten ohne Rücksicht auf Sitte und Menschlichkeit, nur als einen Streit über Mein und Dein. Man legte ihm dar, welche Unzuträglichkeiten in der Stadt und dem Kö= nigreiche Valencia dadurch herbeigeführt worden seien, daß die dort so überaus zahlreichen Familiaren des h. Officiums von allen bür= gerlichen Strafgesetzen exempt zu sein behaupteten und, welche Ver= brechen sie immer begangen hätten, von den königlichen Beamten sich nicht wollten richten lassen. Die Inquisitoren stellten sich bei dieser maßlosen Forderung ihrer hoch= und niedergeborenen Büttel auf deren Seite; ebenso hartnäckig wehrten sie den königlichen Gerichten die Einsichtnahme in die Inquisitions = Processe, wo die bürgerliche Rechtspflege dies nöthig machte. Das gab des Streits genug: wenn die weltlichen Richter sich der Einmischung der Inquisitoren erwehr= ten, ließen Letztere sich durch keine Rücksicht auf den ungehinderten Gang der Justiz und die Autorität des Gesetzes abhalten, sämmtliche Mitglieder eines Gerichtshofes zu excommuniciren. So kam bald von der einen Seite die Klage an des Fürsten Ohr, daß ein welt= liches Gericht, das dazu gar nicht competent sei, sich heraus genom=

men habe, einem Inquisitions-Familiaren den Proceß zu machen, bald von der anderen Seite die Klage über Untergrabung des Ansehens der königlichen Gerichte beim Volke durch die Inquisitoren oder über eine von diesen letzteren ausgegangene Behinderung der bürgerlichen Justizpflege; von beiden Seiten aber hieß es: wenn das so fortgehe, werde es bald mit allem Frieden und aller Autorität im Lande zu Ende sein. Don Philipp, zu dieser Zeit der Gemahl der zehn Jahre älteren „blutigen" Maria von England, erklärte die Aufrechterhaltung des Ansehens der h. Inquisition für ebenso nöthig wie die Aufrechthaltung des Ansehens der königlichen Gerichte; beide müßten sich vertragen und den Familiaren müsse zu Theil werden, was ihnen von Rechts wegen zukomme. „Damit das h. Officium und die königliche Jurisdiction sich nicht länger gegenseitig behindern, befehlen Wir," — so bestimmte Philipp wörtlich — „daß einige Personen zur Berathung dieser Angelegenheit zusammen kommen, und zwar einige Seitens des Königlichen Raths von Aragon und einige Seitens der General-Inquisition. Diese sollen, nachdem sie von allem vorstehend Gesagten Einsicht genommen und was von beiden Seiten noch zu sagen ist, gehört haben, sich über die zu treffenden Vorkehrungen verständigen, sowohl über die Zahl und Eigenschaft der Familiaren, so viele deren und wie sie das h. Officium zu gedeihlicher Thätigkeit bedarf, wie auch über die Fälle, in denen die besagten Familiaren der weltlichen Jurisdiction entzogen sein und nur den Inquisitoren gesetzlich verantwortlich sein sollen."

Wie Philipp bestimmt hatte, so wurde es ausgeführt: zu gemeinsamem Rathe kamen sie zusammen, die Hirten und die Wölfe. Ihre Aufgabe war, Mittel und Wege ausfindig zu machen, daß die Wölfe ihren Fraß in etwas moderirter Art zu sich nähmen, und daß die Hirten möglichst wenig beunruhigt würden. Darüber handelseins zu werden war nicht allzu schwer. Die Zahl der Familiaren sollte um Etwas herabgemindert werden. In sieben weiteren Artikeln wurde dann festgesetzt, wie Wölfe und Hirten Friede mit einander bewahren wollten. Zur Sicherung dieses Friedens durften die Wölfe eine beträchtliche Schaar ihrer Familiaren in Waffen mobil halten. Das Actenstück ist datirt aus „Valladolid vom 11. Mai 1554" und unterzeichnet „El Principe" in gehöriger Form gegengezeichnet und für's Archiv numerirt. So ist's handschriftlich zu sehen im „Britischen Museum" zu London unter 4625, g. 1. Der Friede ließ sich auch ganz gut an: die Wölfe fraßen und die Schäfer schliefen. Vierzehn Jahre später hatte Philipp der Verfolgungs-Gräuel in England so viel gesehen, daß ihm wohl übel davon geworden sein konnte; als er um diese Zeit König von Spanien wurde, befahl er, es solle eine staatliche Visitation der Inquisition vorgenommen werden in Aragonien, Valencia und Catalonien, sowie in der damals noch zu Spanien gehörigen, 1659 an Frankreich abgetretenen Pyrenäen-Grafschaft Roussillon und Cerdagne. Er muß wohl in Folge dessen Vieles erfahren haben von neuen Uebergriffen der Inquisitoren in die königlichen Rechte und von ungeahndeten Gesetzwidrigkeiten ihrer Familiaren, denn das „Britische Museum" bewahrt an der bezeichneten Stelle weiterhin ein königliches Decret, worin er ernstlich befiehlt, im Königreich Valencia dieserhalb rechtliche Ordnung zu schaffen.

Wie hätten aber Kaiser Karl V. und König Philipp II. ihre Spanier vor der Inquisition wirksam schützen können — sie fühlten ja sich selbst ihr unterthänig! Sie hatten die Ehe-Gesetzgebung in einer Art geordnet, die Papst Paul nicht gutheißen zu können erklärte. Seiner Drohung mit Excommunication und Interdict schien der König widerstehen zu wollen. Da hieß der Papst den General-Inquisitor Baldés die „Urheber" und Anhänger der von ihm verurtheilten Meinungen zur Rechenschaft ziehen. Da war's mit Philipp's Muth vorbei. Er beauftragte den Herzog von Alba, der sich damals in Italien befand, den Papst für sein ketzerisches Widerstreben um Verzeihung zu bitten. Der Herzog natürlich gehorchte der Weisung. „Die künftigen Päpste," sagte Paul IV. zu den Cardinälen, „können an diesem König von Spanien lernen, wie man hochmüthige Fürsten schuldigen Gehorsam lehrt gegen das Oberhaupt der Kirche." Der Herzog von Alba aber war der Ansicht, sein Herr habe einen Fehler gemacht. „Wäre ich König gewesen, der Cardinal Caraffa hätte mir nach Brüssel kommen und mich fußfällig um Verzeihung bitten müssen, wie ich es vor dem Papste gethan habe." Für dies Mal kann man dem Alba nur zustimmen.

Neunzehntes Kapitel.

Die vier großen Autos zu Valladolid und Sevilla in den Jahren 1559 und 1560.

Wie in Toulouse, so war es auch in Spanien inquisitoriale Gepflogenheit, die „feierlichen Glaubensacte" an Sonn- und Fest-Tagen abzuhalten. Als kleine Vorspiele des Weltgerichts sollten sie dem Volke eine passende Feiertags-Erbauung bieten. Nur die Sonn-tage in den Fasten und im Advent blieben unbesetzt, ebenso die grö-ßeren christlichen Feste, die ohnehin ihre eigenen musicalischen und dramatischen Amusements in der Kirche hatten, wie Weihnachten, Ostern u. s. w. Wenn Tag und Stunde festgesetzt war, machten das die Pfarrer von der Kanzel dem Volke bekannt mit dem Bemer-ken, daß in Rücksicht auf diese „General-Glaubens-Predigt", welche der Herr Inquisitor auf dem und dem Platze abhalten werde, die sonstigen Predigten ausfallen würden.

Befanden sich unter Denen, an denen Ketzer-Strafen vollzogen werden sollten, Solche, die dem weltlichen Arm zur Hinrichtung zu übergeben waren, so wurden die obersten staatlichen Behörden der Stadt aufgefordert, sich mit sämmtlichen Unterbeamten einzufinden, um die Verbrecher in Empfang zu nehmen. Am Vorabende des Auto-de-Fé wurde gewöhnlich ein Busch, wie ihn die Zimmerleute eines Hausbaues nach Vollendung ihres Werkes diesem zur Krönung aufsetzen, in Procession zum Verbrennungsplatze, dem „Quemadero", hingetragen und aufgerichtet — auch die geistlichen Henker hatten ihren Handwerksbrauch. Ein Secretär des h. Officiums, mehrere Diener desselben und ein Ausrufer begaben sich zusammen vom In-quisitions-Palaste von einem öffentlichen Platze zum andern und ent-rollten ein Banner, auf welchem zu lesen war, daß Keiner, weß' Standes und Ranges immer, von Stund an bis zum Tage nach dem Auto Waffen tragen dürfe, weder Angriffs- noch Schutz-Waffen, unter Strafe der größeren Excommunication und der Confiscation

dieser Waffen; auch sei es verboten, sich am Tage des Auto in denjenigen Straßen, welche der Zug passire, sowie dem Platze, auf welchem die Fest-Bühne errichtet sei, anders als zu Fuße zu zeigen, also
nicht zu Pferde, nicht zu Wagen, nicht in der Sänfte.

Die den eigentlichen „Glaubens-Act" eröffnende Ceremonie war
die „Procession des Grünen Kreuzes" am Vorabend. Sämmtliche
Mönchs-Gemeinschaften der betreffenden Stadt und Umgegend, die
Commissare, Schreiber und Familiaren des Inquisitions-Districtes
nahmen daran Theil und versammelten sich im Hofe des h. Officiums.
Hatte das Thor diese fromme Rotte in langem Zuge auf die Straße
ausgespieen, so erschienen die Consultoren und Qualificatoren des
Tribunals mit allen Officialen, jeder eine brennende Wachskerze in
der Hand tragend. Zwischen den Officialen schritten Männer, welche
mit einer von einem Leichentuche verhüllten Tragbahre beladen waren.
Eine zahlreiche Musiker- und Sänger-Bande bildete den Schluß und
ließ die Hymne „Vexilla regis prodeunt" erschallen:

> „Des Königs Banner wallt voran,
> Licht streut das Kreuz auf uns're Bahn,
> Woran in Tod das Leben sank
> Und Leben uns im Tod errang" u. s. w.

So paßte es in diese Kehlen und zu diesem Thun! Der Zug
bewegte sich nach dem Platze, auf welchem die mächtige gezimmerte
Bühne mit den amphitheatralischen aufsteigenden Sitzreihen, Logen
und Galerien für die Schaustellung des anderen Tages aufgerichtet
war. Auf der einen Seite der Bühne befand sich ein Altartisch.
Die Decke wurde von der Bahre abgehoben und es zeigte sich ein
großes grünes, mit einem schwarzen Schleier verhülltes Kreuz. Der
Schleier wurde weggenommen, das Kreuz auf den Altar aufgepflanzt
und mit zwölf Wachsfackeln auf mächtigen Candelabern umstellt.
War diese große That geschehen, so war das christliche Heilswerk für
den Tag vollendet; einige Dominicaner-Mönche und eine Truppe
Lanzenknechte nahmen um das Kreuz Aufstellung, um es während
der Nacht zu bewachen und die Procession ging auseinander.

Jetzt begannen im „Heiligen Hause" die Vorbereitungen: den
Gefangenen wurden die Bärte abgeschnitten und das Haupthaar kurz
abgeschoren, damit sie recht nackt und gedemüthigt aussahen, wie es
den Elenden geziemte, die sich die Ungnade der allzeit grundgütigen
Mutter Kirche zugezogen hatten. Am Morgen des verhängnißvollen
Tages selbst, oft vor Sonnenaufgang, wurden die Gefangenen, nachdem man sie mit dem ihrer Rolle angemessenen Costüme versehen,
aus ihren Zellen in die Kapelle oder eine sonstige geräumige Halle
zusammengeführt. Die mit nur geringer Schuld Behafteten waren in
schwarze Kittel und schwarze Hosen gesteckt, barhäuptig und barfüßig.

Die schwerer Belasteten trugen das „Sambenito", den Buß-Sack. Dieser Ueberwurf war gelb mit einem rothen St. Andreas-Kreuz. Mitunter war ein Strick um den Hals, als Zeichen extraordinärer Schandbarkeit zugefügt. Diejenigen, welche verbrannt werden sollten, waren durch einen Bußsack von Schaaffell — „Zamarra" geheißen — und die „Coroza", eine spitze Mütze, nicht unähnlich einer Bischofs-Mitra, ausgezeichnet. Die Zamarra trug kein Kreuz, sondern gemalte Flammen und Teufelsgestalten, oft auch das entstellte und mit Flämmchen umgebene Porträt des betreffenden Ketzers selbst. Die Coroza war in gleicher Weise ornamentirt. Das Kleid eines zum Feuertode verurtheilt gewesenen, dann aber „begnadigten" Sünders machte auch diesen Umstand sofort kenntlich: hier waren die Flammenzungen mit der Spitze nach unten gekehrt; „fuego revuelto" nannte man das: „zurückgeschlagenes Feuer".

Da standen sie nun oder hockten auf dem Boden in stummem Brüten über ihr Schicksal, ein Schauspiel für Engel und Menschen, die Verbrecher aller Grade — doch nein: die zum Scheiterhaufen Verurtheilten waren in einem besonderen Zimmer untergebracht, um vor ihrer Erlösung noch die Tortur der Bekehrungs-Versuche seitens dieser Affen des Christenthums durchzumachen. Noch immer stand ihnen ja die „Gnadenpforte" offen; sterben, freilich, mußten sie — daran war Nichts mehr zu ändern; aber wenn sie sich der Kirche reuig unterwerfen wollten, dann vergalt diese den ihr so bereiteten Triumph ihnen damit, daß man sie vor dem Verbrennen — strangulirte. Das war immerhin schon Etwas! Aber das Beste blieb doch immer die gleichzeitig in Aussicht gestellte Befreiung von der Hölle. Wie oft mögen diese Seligkeits-Curatoren von todesmuthigen Naturen hierauf die Antwort bekommen haben: „Mich verlangt nicht nach einem Himmel mit einer Gesellschaft wie die Euere!"

Die an dem Auto officiell Theil zu nehmen hatten, fanden sich in den Gemächern des Inquisitors zusammen, um sich für des Tages Last und Beschwer an einem reichlichen Frühstück kräftigen Hinterhalt zu sichern. Nur die salbungsvollsten Reden über das Wohl von Kirche und Staat gaben sicher dem Mahl eine höhere Weihe. Die Gerechtigkeit gebietet, auch das nicht unvermerkt zu lassen: selbst die Opfer eines solchen Festtages wurden zu dieser Stunde reichlich gefüttert.

Unterdessen hatte die große Glocke der Kathedrale mit ihren seit dem Tagesgrauen ertönenden dumpfen Schlägen die Stadt in Bewegung gebracht. Rückte die festgesetzte Stunde dann heran, so trat der Inquisitor, einen seiner Notare an der Seite, unter die Delinquenten; der letztere verlas der Reihe nach und bei den wenigst Beschwerten anfangend, deren Namen — einzeln traten sie vor, die Verzerrungen des Hungers, der Folterqual, des Todesschreckens, der

Scham in den Zügen, manche aber auch Worte bittern Hohns oder glaubensstarken Siegesbewußtseins über ihre Dränger auf den Lippen. Dafür jedoch gab's Mittel: solchen Unbändigen stopfte man ein eigens dazu hergerichtetes Stück Holz in den Mund, welches die Zunge niederdrückte und mit einem am Hinterkopfe festgeschnallten Lederriemen gehalten wurde; zur Sicherung dieser Vorrichtung band man dem widerhaarigen Subjecte die Hände auf dem Rücken zusammen. In Goa, der ehemaligen Hauptstadt aller portugiesischen Besitzungen in Asien, hatten die Inquisitoren es eingeführt, daß der Notar zu jedem Sträflings-Namen auch den eines Wächters verlas, der in dem Zuge nebenher zu gehen hatte; in Spanien traten, unaufgerufen, neben jeden zum Tode Verurtheilten zwei bewaffnete Geleitsmänner. In Goa wie in Spanien eröffnete eine Zahl Dominicaner — diese hatten ja als Domini cani allzeit den Vortritt — den Zug; diesen folgten Chorknaben, Litaneien singend. Auch das Inquisitions-Banner war den Händen von Prediger-Mönchen anvertraut. In Spanien war das Emblem derselben ein grünes Kreuz auf schwarzem Grunde, ein Olivenzweig auf der einen, ein Schwert auf der andern Seite; die Inschrift lautete: „Exsurge Domine, et judica causam tuam" — „Erhebe Dich, o Herr und richte Deine Sache!" Die Inquisition in Goa führte in ihrer Standarte das Bild des Dominicus, der von den Knieen ab aus einer Wolke hervorragte, in der einen Hand den Oliven-Zweig, in der andern das Schwert haltend. Unterhalb der Wolke zeigte sich ein Hund, der, eine brennende Fackel zwischen den Zähnen, damit die Weltkugel in Brand setzt. Dominic's Mutter hat ja, wie die Legenden uns belehren, das Wirken des ihr in Aussicht stehenden Kindes — die Entzündung der Welt mit der Liebe Gottes durch einen von ihr geborenen Hund — in diesem Bilde vorgeahnt. Um das Brustbild des Heiligen zog sich die Inschrift: „Justitia et Misericordia" — „Gerechtigkeit und Barmherzigkeit". Hinter dem Banner schritten, je zwei nebeneinander, die Büßenden einher. Diesen folgten Diejenigen, welche fernerer misericordia unwürdig waren, die der justitia Verfallenen. Neben jedem dieser Verdammten, die entweder zu Fuß waren oder auf Eseln saßen, gingen oder ritten zwei bewaffnete Familiaren, während zwei Mönche: Theatiner, Jesuiten u. dgl. zu jeder solchen Schicht das Gefolge bildeten. Hinterdrein trug man ein gleich den wirklichen Todes-Candidaten mit bemaltem Sambenito und der Coroza bekleideten Puppen, welche anstatt der durch sie dargestellten geflüchteten Ketzer mit verbrannt werden sollten; hoch, in Lebensgröße, ragten sie, an einer unten aus den Beinen vorstehenden Stange gehalten, über die Theilnehmer des Zuges hinaus. Die Träger der Särge Solcher, die erst nach ihrem Tode in ihrer ketzerischen Nichtswürdigkeit erkannt und deren Gebeine deshalb — oft

nach ganzen Menschenaltern — dem Schooße des Grabes wieder ent-
rissen worden waren, um wenigstens an ihren verwesenden Resten
ihre Schuld zu büßen, bildeten den Schluß der Haupt-Partie der
Procession. Theils um die Büttel-Dienste beim Henker-Feste zu leisten, theils um der Verherrlichung der kirchlichen Gewaltthat als
Statisten zu dienen, trabten die bürgerlichen Behörden, hohe und
niedere, hinterdrein, von dem den Schweif bildenden übrigen Welt-
und Ordens-Klerus wie mit einer Klammer dem Ganzen angeschlossen.

Um die über Alles erhabene Jurisdiction des h. Officiums anzuzeigen, schritt sein Stab dem übrigen Prozessions-Körper eine gute
Strecke voraus, so daß ein merklicher Zwischenraum zwischen beiden
war. Der Inquisitor mit seinen Beiräthen, Notaren und Officialen
war von einer starken Schaar berittener Familiaren umgeben und
pomphaft wehten das königliche und das päpstliche Banner über diese
Gruppe hin. Daß in dem Zuge mehrere hochgehaltene Kreuze die
verschiedenen Abschnitte bezeichneten, versteht sich von selbst. Fromm-
sinnig wurden dieselben so getragen, daß den Reuigen das Christus-
bild zu-, den Verdammten abgekehrt war. Mit dem Ceremoniell,
wie es dem weltmännischen Spanier eigen ist, nahm der Seelen-Ge-
waltige nebst seinem Anhang auf der Festbühne Platz. Diese letztere
war, wie schon beiläufig bemerkt, zwar nur ein provisorischer Holz-
bau, aber von bedeutendem Umfang. Hoch stiegen die Logen und
die amphitheatralischen Sitzreihen mit den Tribünen für die weltlichen und geistlichen Beamten auf drei Seiten um die geräumige,
aber ebenfalls mit einem Bretterboden versehene Arena empor; nur
die vierte Seite blieb offen zum Zu- und Abgang. In der Arena
stand mindestens ein, meist reich decorirter Altar, daneben die Kanzel
für die sogenannte Glaubens-Predigt und oft noch einige andere er-
höhte Rednerbühnen, von welchen die Urtheile verlesen wurden.

Der Verbrennungs-Platz befand sich außerhalb der Stadt. Dieser
„Quemadero" war ein gepflastertes Quadrat, mitunter eine mehrere
Fuß hoch aufgemauerte Plattform, ein Heerd in bester Form, hier
und da der sinnigen Ausschmückung mit Statuen und Pfeilern oder
sonstigem architektonischem Ornament nicht entbehrend.

Das Mai-Auto-de-Fé zu Valladolid 1559.

Am Dreifaltigkeits-Sonntag des Jahres 1559, am 21. Mai,
wurde auf dem großen Platze zu Valladolid eine „Glaubenspredigt"
gehalten, welcher der Hof beiwohnen sollte; das war das erste Mal
in Spanien. König Philipp II. selbst war jedoch am Erscheinen
verhindert, aber die Prinzessin Donna Johanna, die Statthalterin
im Königreich während seiner Abwesenheit, sowie der unglückliche
Prinz Don Carlos, der damals erst 14 Jahre zählte, wohnten der Feier

in der königlichen Loge bei. Sie waren von sämmtlichen zum Hof gehörigen Räthen umgeben. Außerdem hatten sich viele Granden eingefunden, sowie eine große Zahl von sonstigen Herren mit und ohne Titel: Marquis, Grafen, Vicomten und Barone, endlich Damen jeden Ranges. Die Ehrensitze, die Tribünen für die Officianten, die Galerien, der Altar, die Kanzeln — Alles war mit verschwenderischer Pracht ausgestattet. Der Hof mit seinem Gefolge hatte bereits Platz genommen, als die Procession, unter dem Absingen von Litaneien, das Theater betrat. Man zählte 16 Personen im Bußkleid, die in die Kirche wieder aufgenommen werden sollten, um dann in Schande weiter zu leben bis an's Ende. Andere 14 Unglückliche trugen die gelben Ueberwürfe bemalt mit rothen Teufeln und Flammen; diese waren also dem Tode geweiht. Den Schluß bildete ein Kasten, der die halb verwesten Reste einer Frau enthielt, von der man behauptete, sie sei mit lutherischen Anschauungen aus dem Leben geschieden; hinter diesem Kasten her wurde das Bildniß dieser Frau auf einer hohen Stange getragen; das sollte die Schande vermehren.

Diese Frau war die Donna Leonore de Bibero, die Gemahlin von Peter Cazalla, königlichem Finanz-Director, die Tochter eines Mannes, der dieses selbe hohe Amt bekleidet hatte. Sie hatte zu Lebzeiten eine Kapelle und ein Erbbegräbniß in der Klosterkirche von St. Benedict ihr eigen genannt; sie war, äußerlich wenigstens, im Schooße der römischen Kirche gestorben, denn sie hatte durch deren Priester die Wegzehr und die Oelung empfangen. Einige Gefangene der Inquisition jedoch hatten, entweder als sie auf der Folterbank lagen oder doch unter den angedrohten Schrecken derselben, ausgesagt: Donna Leonore habe bis zu ihrem Hintritte lutherische Anschauungen gehegt und bekannt. Die Untersuchung ergab denn auch, daß religiöse Zusammenkünfte von Zeit zu Zeit in ihrem Hause abgehalten worden waren. Das Urtheil erging dahin: sie sei als Ketzerin gestorben. Ihre Kinder und Enkel wurden für ehrlos erklärt. Ihr Eigenthum wurde confiscirt. Jetzt brachte man ihre der Gruft entrissenen leiblichen Ueberbleibsel auf die Schaubühne und dort zum Quemadero zur öffentlichen Verbrennung. Ihr Bild mit Zamarra, Coroza, Höll' und Teufeln decorirt, wurde unter dem viehischen Gejohle des frommen Bruderschaftsvolkes durch die Straßen getragen und dann mit der Leiche verbrannt. Das Haus, welches sie bewohnt hatte und in welchem die evangelisch Gesinnten zum Gebet zusammengekommen waren, wurde dem Erdboden gleich gemacht, und eine Schandsäule mit folgender Inschrift auf der Stelle errichtet:

„Während die römische Kirche Paul IV. zum Oberhaupt hatte und in Spanien Philipp II. regierte, verdammte das heilige Amt der Inquisition diese Gebäude Peter's de Cazalla und Leonoren's de Bibero, seines Weibes, niedergerissen und dem Boden gleich gemacht zu werden, weil die lutherischen Ketzer darin zusammenkamen, um Versammlungen zu halten gegen unseren heiligen katholischen Glauben und die römische Kirche. Im Jahr 1559 am 21. Mai."

Die Schandsäule mit dieser Inschrift stand bis zum Jahre 1809, wo ein französischer General sie beseitigen ließ. Der Ort, welcher bis dahin „Gasse der Cazalla-Inschrift" genannt wurde, heißt jetzt „Straße Dr. Cazalla's".

Lebendig verbrannt wurden am 21. Mai folgende Personen:

1. Dr. Augustin Cazalla, Priester, Canonicus zu Sala- manca, königlich-kaiserlicher Ehren-Caplan und Hof-Prediger, Sohn der obengenannten Peter Cazalla und Donna Leonore de Vibero. Er hatte Karl V. einst nach Deutschland begleitet. Man sagt, die Fa- milie sei, wie so viele der ersten Geschlechter Spaniens, jüdischer Ab- stammung gewesen. Angeklagt wurde Dr. Augustin als „der Haupt- sprecher für den Lutheranismus in dem Conventikel zu Valladolid, der auch mit dem Conventikel zu Sevilla in brieflichem Verkehr steht". Anfänglich stellte er die ihm zur Last gelegten Thatsachen in Abrede; er beschwor sogar seine Unschuld; als er jedoch zur Tortur verurtheilt und in die Folter-Kammer abgeführt wurde, bekannte er und fügte seinem schriftlichen Bekenntniß das Versprechen bei, künftig „ein guter Katholik" sein zu wollen, wenn man ihn unter Verhän- gung einer Buße wieder in die Kirche aufnehmen wolle. Die In- quisitoren hielten es für unthunlich, Einem, der der Ketzerei als Wortführer gedient habe, die Todesstrafe nachzulassen; nichtsdesto- weniger ermuthigten sie den Dr. Augustin, auf Begnadigung zu hoffen unter der Ermahnung, nur hübsch aufrichtig zu sein und Alles zu sagen, was er von sich und besonders von Anderen wisse; darin wolle man ein Zeichen seiner gründlichen Bekehrung erkennen. Am Tage vor dem Auto schickte man ihm den Bruder Anton de Carrera, einen Hieronymiten-Mönch in die Zelle. Dieser eröffnete ihm, seine bisherigen Geständnisse genügten nicht, er müsse die ganze Wahrheit bekennen, wenn er sein Seelenheil nicht verscherzen wolle. Er ant- wortete, wenn er keine falschen Aussagen machen solle, könne er nicht mehr aussagen, als er ausgesagt habe, denn er wisse nicht mehr. Als Frater Anton nach langem vergeblichem Zureden sich an- schickte, wegzugehen, kündigte er dem Gefangenen an, unter so be- wandten Umständen habe er sich auf den Tod am anderen Tage ge- faßt zu machen. Dr. Augustin, über diese Eröffnung erschreckt, fragte, ob denn gar keine Hoffnung sei auf eine Milderung der Strafe. Nur wenn er ein umfassenderes Geständniß ablege, war die Antwort. Durch eine Art von weiterer Beicht erreichte Dr. Augustin schließlich, daß er nur als Leiche verbrannt wurde, indem man ihn vorher strangulirte.

2. Franz de Vibero Cazalla, Bruder des Vorgenannten und gleichfalls Priester, Beneficiat-Curat in der Stadt Hormigos.

Auch dieser bestritt anfänglich, daß er Lutherische Gesinnungen hege, soll aber später gleichfalls unter der Tortur gestanden und einen Widerruf unterzeichnet haben mit der Bitte, ihm· das Leben zu schenken und ihn unter Auferlegung einer Buße in den Schooß der Kirche wieder aufzunehmen. Man war aber hierzu nicht geneigt, denn obgleich er nicht, wie sein Bruder, ketzerischer Lehrthätigkeit bezüchtigt war: man führte seine scheinbare Bußfertigkeit nur auf seine Todesfurcht zurück. Was aber auch vorgegangen sein mag: er starb im Bekenntniß evangelischer Ueberzeugungen. Während sein Bruder Augustin auf der Richtstätte als Büßender sich aussprach, gab er sein Leibwesen kund, daß er, vom nahen Tode erschreckt, eine Zeit lang geschwankt habe. Gefaßt bestieg er dann den Holzstoß. Beide Brüder waren vor der Abführung zum Quemadero auf der Festbühne des Auto als Priester degradirt worden.

3. Donna Beatrix de Bibero Cazalla, Schwester der beiden Vorgenannten, bekannte gleichfalls erst unter den Peinen der Folter. Sie bat um Erbarmen und Wiederaufnahme in die Kirche, wurde desungeachtet aber erdrosselt und verbrannt.

Man sieht, die Familie Cazalla-Bibero hatte reichlich beigesteuert zu diesem christlichen Maifest in Valladolid; aber die Genannten drei waren ihre Opfer noch nicht alle: auch der treue Diener des Hauses, als der Hüter der heimlichen Ketzerversammlungen im Hause Leonoren's, er wurde verbrannt. Eine andere Tochter der Letztgenannten, sowie ein dritter Sohn wurden am nämlichen Tage zu lebenslänglichem Kerker verdammt, ebenso dieses dritten Sohnes Gattin und die Magd der Beatrix.

4. Alfons Perez, Priester, Magister der Theologie, leugnete erst, bekannte dann auf der Folter, wurde degradirt, strangulirt, verbrannt.

5. Don Cristóbal de Ocampo aus Zamora, Johanniter-Ordens-Ritter, Almosenier des Groß-Priors dieses Ordens von Castilien und Leon, wurde erdrosselt und verbrannt.

6. Cristóbal de Padilla, ein adeliger Landsmann des Vorigen, erdrosselt und verbrannt.

7. Licentiat Anton Herrezuelo, Advocat in der Stadt Toro, der glückliche Gatte eines 24 jährigen Weibes, als unbußfertiger Lutheraner verdammt, starb mit Heldenmuth. Als sie zusammen zum Quemadero geführt wurden, redete Augustin Cazalla ihm zu, seinem Beispiele zu folgen und sich die Qualen langsamen Verbrennens bei lebendigem Leibe durch ein „Schuldbekenntniß" zu ersparen, aber Herrezuelo blieb unerschütterlich. Die Psalmen, die er auf dem Wege zur Richtstätte anstimmte, die Bibelworte, die er sich laut in die Erinnerung zurückrief, beweisen, daß sein Lächeln, als man ihn an den Pfahl band, wahrhafter innerer Glaubensfreudigkeit ent-

ſtammte. Sprechen konnte er nicht mehr, denn man hatte ihm, er-
boſt über die beſagten „Kundgebungen ſeiner hartnäckigen Unbuß-
fertigkeit, das Maul geſtopft". Aber ſelbſt das ſtumme Lächeln reizte
ſeine Henker noch zum Zorn: ein roher Waffenknecht ſtieß ihm zur
Bekundung ſeines eigenen Glaubenseifers die Hellebarde in den Leib.
So verblutend und verbrennend zugleich, gab er den Geiſt auf.

8. Johann Garcia, Silberſchmied. Sein Weib hatte dem
Inquiſitor hinterbracht, wo die Gebets-Verſammlungen Statt fanden,
an denen ihr Mann Theil nahm. Er bequemte ſich zu der äußerlichen Unterwerfung und wurde, als er zum Verbranntwerden bereits
an den Pfahl gekettet war, erdroſſelt. Seine Frau aber bezog von
da an eine jährliche Penſion aus der Kaſſe des h. Officiums, weil
ſie die irdiſche Liebe zum Gatten durch die überirdiſche Liebe zu Gott
und ſeiner heiligen römiſchen Kirche ſtarkmüthig überwunden hatte.

9. Licentiat Perez de Herrera, Vorſitzender des Gerichts
für Schmuggler in der Stadt Logrogno, bekannte ſich nach ſeiner
Verurtheilung ſchuldig und wurde deshalb gnädig ſtrangulirt vor
dem Verbrennen.

10. Gonzalo Baez, ein Portugieſe, wurde als in's Judenthum rückfällig verurtheilt, bekannte und erduldete das Gleiche.

11. Donna Catalina de Ortega, Wittwe des Comthurs
Loaiſa zu Valladolid, Tochter von Ferdinand Diaz, Fiscal des könig-
lichen Raths von Caſtilien, Catilina Roman aus Pedroſa, Iſa-
bella de Eſtrada, eine Beate, d. h. eine privat nach klöſterlicher
Regel lebende Jungfrau aus derſelben Stadt, endlich Johanna
Blasquez, Dienerin der Marquiſe von Alcanices — alle vier
ſtarben als Lutheranerinnen durch Erdroſſelung, weil ſie zuletzt ihre
Schuld eingeſtanden hatten.

Die geiſtlichen Arbeiter im Weinberge der Inquiſition hatten
ſich für den einen Tag des Guten zu viel vorgeſetzt: die ſechszehn
zum Sambenito Begnadigten konnten nicht mehr erledigt werden
und wurden in ihre Zellen zurückgeführt. So bewährte ſich auch
hier wieder die Verheißung: „Den Gerechten gibt's der Herr im
Schlafe", denn die Zuſchauer und Theilnehmer des Auto gewannen
ſo ihren Ablaß doppelt: zwei Mal vierzig Tage für bloße Anweſenheit und allenfalls eine kleine Vermünſchung auf die Ketzer; zwei
Mal drei Jahre für Jeden, der nur irgendwelche Beihülfe leiſtete.
Und wie mancher wurde durch die Glaubens-Predigt erwärmt, durch
Aufſpüren irgend eines verſtockten Ketzers ſich weitere drei Jahre
Nachlaß von dem ihm zufallenden Fegfeuer abzuverdienen!

Nachdem die Inquiſitoren ſich durch eine ruhſame Nacht zum
neuen Tagewerk geſtärkt hatten, wurden ihnen die Büßer auf der
Schaubühne wieder vorgeführt. Ein Notar verlas jedem Einzelnen
das Urtheil — ſie wurden zu dieſem Zwecke auf ein kleines Gerüſte

in der Mitte der Bühne geführt — und einer der geiſtlichen Väter gab ihm hinterher von einer naheſtehenden Kanzel aus ſpecielle Aufklärung über die wahre Bedeutung, den Grad und die Dauer der zudictirten Buße. Einige, welche zur Galeeren-Strafe verurtheilt waren, wurden in's Civil-Gefängniß abgeführt, um dann ihr Leben lang eine Kugel am Beine mitzuſchleppen oder an die Ruderbank geſchmiedet zu werden. Andere mußten, bis auf die Hüften entblößt, unter blutigen Geißelhieben die Straßen und Plätze der Stadt durchwandern. Noch Andere wurden, einen Strick um den Hals, in ihren Sambenitos in Kirchen oder an Knotenpunkten von Straßen dem Hohne des gutkirchlichen Volkes ausgeſetzt. Das geringſte Plauderwörtchen über die Vorgänge zwiſchen ihnen und dem h. Officium war mit neuer Verhaftung bedroht.

Die Sambenitos der auf dem Holzſtoß Geſtorbenen aber wurden in der Dominicaner-Kirche aufgehängt mit dem Namen eines Jeden, und unter dem Namen ſtand das Wort: „Combustus" — „Verbrannt."

Das September-Auto zu Sevilla 1559.

Die Veranſtalter der nächſtfolgenden General-Glaubens-Predigt, welche am Sonntag, 24. September, 1559 zu Sevilla abgehalten wurde, konnten ſich zwar der Anweſenheit der königlichen Familie nicht rühmen, aber dafür beehrten vier Biſchöfe, welche als Inquiſitoren in der Darbringung von Menſchen-Opfern einige Berühmtheit erlangt hatten, das Feſt mit ihrer Gegenwart. Anweſend waren ferner das Domcapitel, mehrere Granden, die Herzogin von Bejar, viele ſonſtige Größen, ein Schwarm vornehmer, wenn auch titelloſer frommer Damen, ſchließlich der profanus vulgus ebener Erde. Einundzwanzig Lebendige und eine Effigies wurden zum Verbrennen, achtzehn als Büßer Begnadigte vorgeführt.

Die Effigies ſtellte den Franz de Zafra vor, einen Curat-Beneficiaten von der Pfarrkirche zum h. Vincenz in Sevilla; er war, weil er ſich der Unterſuchung entzogen hatte, für ſchuldig erklärt und als verſtockter Lutheraner verurtheilt worden. Reynald Gonzales de Montés, welcher ſelbſt eine Zeit lang im h. Hauſe zu Sevilla gefangen ſaß und ſeine Erlebniſſe in einem kleinen Buche: „Enthüllte Kunſtgriffe der ſpaniſchen Inquiſition" erzählt hat, ſagt, Zafra ſei ſehr bewandert geweſen in der h. Schrift und ſo geſchickt, ſeine innerſte Meinung zu verbergen, daß die Inquiſitoren ihn noch lange zur Erklärung ſchwieriger Fragen herangezogen hätten, nachdem er ihrer Meinung längſt nicht mehr geweſen; ſo habe er bei den gutachtlichen Urtheilen über als incriminirt ihm vorgelegte mündliche und ſchriftliche Aeußerungen ſeiner Freunde dieſen ſehr zum Schutze ſein können.

Eine ſchwachſinnige Beata, welcher er in ſeinem Hauſe Unterhalt gewährt hatte, wurde verrückt und demgemäß in ſtrenger Zimmerhaft
gehalten. Sie entwiſchte eines Tages und lief nun gerades Wegs
auf's h. Amt, um Zafra und die Leute, mit denen er verkehrte,
als der Ketzerei verdächtig anzugeben. Die Inquiſitoren wußten
ihrem Gedächtniß nachzuhelfen und ſtellten nun eine Liſte auf von
mehr als dreihundert Namen. Anfänglich gelang es Zafra, die Inquiſitoren von der Ungereimtheit zu überzeugen, daß er ein Ketzer
ſein ſolle, aber das h. Officium beſaß in den Angaben der verrückten
Betſchweſter den Schlüſſel, um der wahren Sachlage auf den Grund
zu kommen. Eine große Menge von ihr genannten Perſonen wurde
verhaftet, ſo daß das Caſtell von Triana und alle ſonſt verfügbaren
Gefängniß-Räume voll waren. Man war alſo um ſichere Haft-Locale
in Verlegenheit und ſo kam es, daß es Zafra nebſt einigen Anderen
gelang, zu entkommen. Da man ihn nicht ſelber hatte, verbrannte
man eine ihn darſtellende Puppe.

Die Erſte, welche dem weltlichen Arm übergeben wurde, war
Donna Iſabella de Baena, eine reiche Dame aus Sevilla, in
deren Wohnung die evangeliſch Geſinnten zuſammengekommen waren.
Sie wurde verbrannt, ihr Haus dem Erdboden gleich gemacht und
eine Schandſäule auf der Stelle errichtet mit einer ähnlichen In-
ſchrift, wie wir ſie bei Erzählung des Schickſals der Leonore de Vibero kennen gelernt haben.

2. Don Johann de Gonzalez, Prieſter und in ganz An-
daluſien berühmter Prediger zu Sevilla, mit zwei Schweſtern.
Mit bewundernswerther Feſtigkeit weigerte er ſich, der qualvollſten
Tortur zum Trotz, einzugeſtehen, daß er ein Ketzer ſei: ſeines Glaubens Quell und Fundament ſei das Evangelium, er ſei alſo ein
Chriſt nach Chriſti Lehre. Eben ſo feſt weigerte er jede Ausſage
über Andere. Die zwei Schweſtern erklärten, ihr Bruder habe redlich nach der Wahrheit geſucht und ſie hätten auch ſonſt alle Urſache,
ſeinem Beiſpiele zu vertrauen. Nebeneinander wurden die drei Ge-
ſchwiſter auf dem Quemadero an den Pfahl gekettet, in der Hoffnung, daß die Schweſtern den Bruder doch noch ſchwach machen
würden; aus gleicher Rückſicht nahm man dem Letztern auch den
Knebel aus dem Munde, als die brennende Fackel an das Zünd-
Reiſig angehalten wurde. Die Flammen ſchlugen empor und aus
dem Qualm ertönte der von Don Johann angeſtimmte, von den
Schweſtern begleitete Pſalm: „Deus laudem meam non tacueris!"

3. Bruder Garcia de Arias, ein bejahrter Mönch aus dem
Kloſter St. Iſidor zu Sevilla, wegen ſeines Silberhaares der „weiße
Magiſter" genannt. Die Furcht vor den Inquiſitoren und ihren
Ketzerriechern, den bereits zahlreichen Jeſuiten, hatte ihn, wie den
obengenannten Reynald Gonzalez de Montés, zu mancherlei Bemän-

telungen seiner wahren Ueberzeugungen, welche die evangelischen waren, greifen lassen; erst im Kerker fand er den wahren Glaubens-muth und verlor ihn dann auch nicht wieder. In den Disputationen, die man, des Sieges gewiß, mit ihm anstellte, verwarf er die Feg-feuer-Lehre und den Bilderdienst wie alle anderen römischen Aus-schmückungen der christlichen Lehre mit aller Entschiedenheit. Als seine Gegner ihn zu widerlegen versuchten, sagte er ihnen, sie sollten Eselstreiber werden, vom Glauben verständen sie Nichts. So starb er am 24. September als verstockter Ketzer mit ungebrochenem Muthe.

4. Frater Cristóbal de Arellano und seine zwei Brü-der Chrysostomus und Cassiodorus. Sie waren Schüler des Arias und gleichfalls Mönche in St. Isidor. Der „weiße Magister" blieb auch ihr Vorbild im Sterben.

5. Frater Johann de Leon, ein weiterer Mönch des ge-nannten Klosters, gehörte zu Denjenigen, welche sich mit Zustimmung ihrer noch nicht eingesperrten Ordens-Genossen der Verfolgung der Inquisition entzogen hatten. Johann de Leon konnte jedoch die Tren-nung von seiner Gemeinschaft nicht lange ertragen; er kehrte in sein Kloster zurück, hörte aber dort, daß die übrigen Insassen nach Frank-furt geflüchtet seien. Dorthin folgte er ihnen und in Gemeinschaft begaben sie sich nach Genf. Hier erfuhren sie, daß die Königin Eli-sabeth der „blutigen" Marie auf dem Throne von England gefolgt sei und sie machten sich dorthin auf die Reise. In Spanien war unterdeß diese geheime Auswanderung ruchbar geworden. Die Inqui-sition unterhielt damals zu Mailand, Frankfurt, Antwerpen und in an-deren Städten Italiens, Deutschlands und Flanderns geheime Agenten, die gegen reichen Lohn die Aufgabe hatten, geflüchtete spanische Pro-testanten einzufangen und ihren heimischen Drängern unter sicherem Geleite wieder in die Hände zu liefern. Auch Johann de Leon fiel diesen Agenten des h. Officiums in die Hände. Sie bemächtigten sich seiner in der holländischen Provinz Seeland, gerade als er im Begriff war, sich mit dem, 14 Tage später zu Valladolid auch schon verbrannten Johann Sanchez, dem Diener von Peter Cazalla, nach England einzuschiffen. Auf dem Wege nach Spanien wurde Johann de Leon nicht bloß mit Hand- und Fußschellen versehen, sondern er mußte eine bis auf den Hals hinabreichende helmähnliche Kopf-bedeckung von Eisenblech tragen, die noch dazu eine Vorrichtung hatte, daß ihm die Zunge lahm gelegt war, indem ein Eisenstück in den Mund hineinreichte und dieselbe niederhielt. Während Johann San-chez in Valladolid zurückgelassen wurde, schleppte man Johann de Leon weiter nach Sevilla. Er blieb aller Qualen ungeachtet seinen religiösen Ueberzeugungen treu. Man hatte ihm alle Pein angethan, so daß, als er, den Sperrklotz im Munde, auf unserem Auto er-schien, kaum mehr menschliche Gestalt hatte; nur ihm den Kopf zu

ſcheeren, hatte man unterlaſſen; das erhöhete aber nur ſein grauen-
haftes Ausſehen. Als er mit dem eiſernen Halsband am Pfahl feſt-
geſchloſſen war, nahm man ihm den Knebel aus dem Munde, um
ihm bei allenfallſiger Sinnesänderung das Bekenntniß des „katholiſchen" Glaubens zu ermöglichen. Ein alter Schulfreund und Ordens-
genoſſe, der als „reuiger" Ketzer neben ihm den Tod durch Erdroſſelung erwartete, beſchwor ihn, durch eine Kundgebung der Reue ſeine
Schmerzen abzukürzen — umſonſt; Johann de Leon wollte den ihm
von der Mutter Kirche bereiteten Kelch trinken bis auf die Hefen.

6. Dr. Criſtóbal de Loſado, Arzt zu Sevilla. Er galt
als der Prediger der Evangeliſch-Geſinnten in der Stadt, wurde
als Häreſiarch verurtheilt, blieb „verſtockt" und ſtarb wie der Vorgenannte.

7. Ferdinand de San Juan, ein Schulmeiſter, anfänglich
von der Todesfurcht in's Wanken gebracht, gewann ſchließlich ſeine
ganze Seelenſtärke wieder und ſtarb in den Flammen.

8. Bruder Morreillo, Mönch aus Iſidor, hatte als des Vorigen Haftgenoſſe dieſen zur Standhaftigkeit ermuthigt, unterlag ſelber
aber im letzten Augenblicke und ſicherte ſich durch eine „ſacramenta-
liſche Beicht" die Gnade der Erdroſſelung vor dem Anzünden des
Scheiterhaufens.

9. Donna Maria de Bohorqués, illegitime Tochter des
Don Peter Garcia de Xerez, eines mit den erſten Granden verſchwä-
gerten Edelmanns aus Sevilla, war kaum einundzwanzig Jahre
alt, als ſie den Inquiſitoren in die Hände fiel. Sie hatte den Dr.
Gil, den Präſidenten des canoniſchen Gerichts zu Sevilla und erwählten Biſchof von Tortoſa zum Lehrer gehabt. Latein verſtand ſie
vollkommen und hatte auch Kenntniſſe vom Griechiſchen; in ihrer
reichhaltigen Bibliothek befand ſich manches reformatoriſche Buch und
die h. Schrift des Neuen Teſtaments kannte ſie großentheils auswendig. Was man ihr hinſichtlich ihrer evangeliſchen Geſinnung
zur Laſt gab, dazu bekannte ſie ſich, vermied es aber mit großer
Vorſicht, irgend Etwas auszuſagen, was Andere belaſten konnte.
Leider entfuhr ihr unter den Schmerzen der Folter ein desbezügliches
Wort über ihre Schweſter Johanna: nämlich daß dieſe ſie noch
nie wegen ihrer religiöſen Ueberzeugung getadelt habe. Noch in der
Nacht vor ihrem Tode bekam ſie den Beſuch verſchiedener Prieſter
und Mönche, welche einen letzten Verſuch zu ihrer Bekehrung machen
wollten. Maria dankte ihnen für ihre Hirtenſorge, meinte aber: ihr
eigenes Seelenheil ſei eine ſo ernſte Sache für ſie, daß ſie ſelbſt es
ſich gewiß mehr angelegen ſein laſſe, als Unbetheiligte es könnten.
Als ihr das Eiſenband am Pfahle den Hals umſchloß, forderte man
ſie auf, das Glaubensbekenntniß zu ſprechen; ſie that es, fügte aber
den einzelnen Sätzen Erläuterungen bei, welche ihre evangeliſche Auf-

faſſung der Kirche Chriſti documentirten. Da machte man ſie ſtumm durch Erdroſſelung und zündete den Holzſtoß an.

Und Maria's Schweſter — blieb die unbehelligt von den „Verfolgern der kezeriſchen Bosheit,“ da ſie doch Maria's Bekenntniß nicht getadelt hatte, alſo auch ſelbſt der Kezerei „dringend verdächtig“ war? Ja noch mehr: wäre Donna Johanna de Bohorqués eine gute römiſche Katholikin geweſen, ſo hätte ſie nicht warten dürfen, bis ihre Schweſter der Inquiſition von ſelbſt in die Hände fiel: ſie hätte dieſelbe anzeigen müſſen. Da ſie dies verſäumte, wird ſie jezt ſelbſt gefangen in's Caſtel Triana abgeführt und unter Anklage geſtellt. Da ſie guter Hoffnung war, ſo geſtattete man ihr ein oberirdiſches Gemach. Acht Tage nach der Geburt wurde ihr das Kind, ein Knabe, entriſſen, und nach weiteren acht Tagen die Mutter in einen lichtloſen Kerker gebracht. Nun begann das Verhör, das bald zu einem peinlichen wurde, weil ſie nicht eingeſtehen konnte, weſſen man ſie beſchuldigte. Ihre Arme und Beine wurden mit harten Hanfſeilen umſchnürt, die ſich beim Anziehen der Dreh-Rolle tief in's Fleiſch einſchnitten, ihre Gelenke durch die Hebe-Winde auseinandergeriſſen. Da dabei jedoch keine inneren Theile verlezt wurden, wäre eine Heilung möglich geweſen. Aber man mußte ein Bekenntniß haben und das war bis jezt noch nicht erzielt. „Man muß dann zur Tortur an empfindlicheren Theilen ſchreiten“ heißt es in einer im h. Hauſe zu Sevilla geſchriebenen Anweiſung zur kunſtgerechten Folterung. Es wurden nun dünne ſcharfe Seile um die Brüſte gelegt und dem leiblichen Schmerze die Pein verlezter Schamhaftigkeit hinzugefügt nur um eine Ausſage zur Belaſtung des Gatten oder der Freunde deſſelben zu gewinnen. Ein Zufall machte dem Teufelswerk ein Ende: beim Herablaſſen eines Riegels wich das Gerüſt und zerdrückte dem darauf liegenden Schlachtopfer einige Rippen, ein Blutſtrom quoll aus Naſe und Mund. Man trug die Arme in ihre Zelle zurück, wo der Tod ſie nach achttägigem Siechthum erlöſte. So wurden die hochwürdigen Henker nicht einmal „irregulär“, denn die Inquiſitin war ihnen ja nicht unter den Händen geſtorben. Ueber die Todte aber erging das Verdict nicht, daß ſie ſchuldlos geweſen ſei, ſondern daß ſich ihr keine Häreſie habe nachweiſen laſſen!

Das October-Auto-de-Fé zu Valladolid 1559.

England wurde von dem Unglück, Philipp II. zum Könige zu haben, durch den Tod ſeiner Gattin, der „blutigen“ Marie, befreit. Vor ihrem Hinſcheiden war er in ſeine Erblande abgereiſt und befand ſich in Brüſſel, in ängſtlicher Sorge den Frieden mit Frankreich betreibend, als das Mai-Auto in Valladolid Statt fand. Er ſchiffte

sich zu Vlissingen ein nach Spanien. Schon hatte man im Bis-
cayischen Meerbusen Laredo in Sicht, da drohte in Folge stürmischen Unwetters und schlechter Schiffsleitung die Flotte zu scheitern.
In dieser äußersten Noth machte Philipp das Gelübbe: wenn Gott
ihn glücklich landen lasse, werde er es mit seiner Regentenpflicht der
Unterbrückung der Ketzerei doppelt ernst nehmen. Die Erfüllung
dieses Gelübbes begann sofort mit dem Auto, das am 8. October —
natürlich wieder einem Sonntage! — zu Valladolid mit nie gesehe-
nem Pompe gefeiert wurde.

Auch ohne das Gelübbe des Königs war ihm das Schauspiel
zugedacht gewesen — man hatte sogar einige besonders interessante
Ketzer für diese Gelegenheit aufgespart — aber man suchte es nun
bei der geneigten Stimmung Philipp's, von geistlicher Seite dazu
auszunutzen, den weltlichen Arm für die Inquisition auf's Neue in
Eid und Pflicht zu nehmen. Außer dem Könige waren auch wieder
die Prinzessin Statthalterin Donna Johanna und der Prinz von
Asturien, Don Carlos, also zum zweiten Male, anwesend. Außerdem sein Vetter: der Prinz von Parma; drei Gesandte Frankreichs,
der Erzbischof von Sevilla, die Bischöfe von Palencia und Zamora,
verschiedene erwählte aber noch nicht geweihte Bischöfe, der Conne-
tabel von Castilien, der Groß-Admiral; Herzoge, Marquis und
Grafen in großer Zahl; nicht wenige sonstige geistlichen Würdenträger; ein reicher Damenflor; die Civil-Behörden vollzählig. Auch
Rom war diplomatisch vertreten. Don Diego de Simancas, der dazumal Secretär der Inquisition war und — eine solche Beförderung
war ja der gewöhnliche Lohn für den bewiesenen Glaubenseifer —
später Bischof von Zamora wurde, sagt: „Das Auto fand auf das
Feierlichste auf dem Marktplatze Statt. Die Häretiker mit ihren
Wächtern waren dies Mal auf einem Gerüste ganz neuer Construc-
tion so aufgestellt, daß man sie von allen Seiten im Auge hatte.
Das Volk strömte dermaßen aus der ganzen Umgegend zusammen,
daß wohl zweihunderttausend Personen zugegen sein mochten."

Der Bischof von Cuenca hielt die Fest-Predigt; die Bischöfe
von Palencia und Zamora nahmen an den verurtheilten Klerikern
die Ceremonie der Degradation vor. Als das geschehen war, trat
vor Verlesung der Urtheile der Erzbischof von Sevilla, Don Ferdinand de Valdés, in seiner Eigenschaft als Groß-Inquisitor vor die
Loge des Königs und redete ihn an: „Herr, sei uns zum Schutz!"
Philipp erhob sich, zog sein Schwert und schwenkte es tapfer durch
die Luft zum Zeichen, daß er bereit sei, für die Inquisition einzu-
stehen. Dann verlas der Erzbischof eine Aufforderung an den König, welche der Inquisitions-Secretär Simancas, eigener Erklärung
zufolge, Tags vorher abgefaßt hatte und die folgendermaßen lautete:
„Da es durch apostolische Decrete und die heiligen Canones verord-

net ist, daß die Könige einen Eid zu leisten haben: den heiligen katholischen Glauben und die christliche Religion zu schützen, so fordere ich Euere Majestät auf, die königliche Rechte auf dem Degen, beim Kreuze Christi zu schwören, daß Sie dem h. Officium der Inquisition und seinen Dienern wider die Ketzer und Abtrünnige, deren Vertheidiger und Begünstiger, kurz Allen, welche mit Wort oder That, mittelbar oder unmittelbar den Absichten und Beschlüssen der h. Inquisition entgegenzuwirken zu suchen, die nöthige Hülfe und den erforderlichen Beistand leisten wollen; sowie, daß Sie alle Unterthanen und Landesbewohner anhalten wollen zur Befolgung und Beobachtung der Apostolischen Constitutionen und Befehle, welche zur Vertheidigung des heiligen katholischen Glaubens wider die Ketzer und deren Anhänger, Hehler und Begünstiger erlassen worden sind und erlassen werden." Es war Philipp II. in der Seele ernst gemeint, als er antwortete: „Asi lo juro" — „So schwöre ich's."

Wenden wir uns den Opfern zu, deren Urtheile jetzt der Reihe nach verlesen wurden.

1. Don Carlo di Sesso, geboren zu Verona, Sohn des Bischofs von Piacenza, aus edelm Geschlecht, 43 Jahre alt, ein Rechtsgelehrter, der lange im Heere Kaiser Karl's V. gedient und dann als erster Richter in Toro geamtet hatte. Spanien war sein zweites Vaterland geworden durch seine Heirath. Seine Frau, Donna Isabella de Castilla, war eine Tochter von Don Franz de Castilla, einem Abkömmling des Königs Don Pedro I., des Grausamen. Er wohnte jetzt zu Villa-Medina, bei Logrogno und galt als der Hauptverfechter der evangelischen Lehre in Valladolid, Palencia und Zamora sowie in den Landschaften dieser Städte. Zu Logrogno hatte man ihn festgenommen und in das h. Haus nach Valladolid gebracht, wo er am 18. Juni 1558 vor dem Fiscal sich verantworten mußte. Am Tage vor dem Auto kündigte man ihm an, daß er sterben müsse und ermahnte ihn, zu bekennen, was ihm noch bezüglich seiner selbst oder Anderer zu bekennen übrig sei. Als Antwort auf diese Mahnungen, verlangte er nach Feder und Papier, um sein Glaubens-Bekenntniß aufzuzeichnen. Mit wahrhaft bewundernswerther Geistesstärke und Seelenruhe brachte er dieses Geschäft Angesichts eines nahen schreckenvollen Todes zu Stande. Er wies am Schlusse nach, wie die römische Kirche von der Lehre des Evangeliums seit Langem abgewichen sei. Während der ganzen Nacht quälten ihn die Mönche noch mit Versuchen, ihm ein Wort der Unterwerfung zu entlocken. Vergebens. Er erschien also, den Knebel im Munde und die Hände auf dem Rücken zusammengebunden, auf dem Auto, und so trat er auch, damit nichts Ketzerisches aus seinem Munde zu den Ohren des Volkes verlautbare, den Weg zum Richtplatz an. Dort ermöglichte man ihm das Reden und drängte ihn wieder, ein Schuldbekenntniß

abzulegen. „Macht keine Weiterungen mehr," sagte er, „und bringt das Feuer herbei!" So starb er.

2. Peter de Cazalla, Bruder des im Mai verbrannten Dr. August Cazalla und Sohn der Leonore de Vibero, Pfarrer von Pedrosa. Er hatte um Nachlaß der Todesstrafe und um Wiederaufnahme in die Kirche als Büßer gebeten, das war ihm aber verweigert worden, weil er die Ketzerei weiter zu verbreiten gestrebt habe. Am Pfahle befestigt, verlangte er, während das Feuer angelegt wurde, zu beichten. Ein Mönch hatte ihm schnell diesen Dienst geleistet; so ersparte er sich wenigstens das Verbranntwerden bei lebendigem Leibe.

3. Dominico Sanchez starb auf gleiche Weise.

4. Bruder Dominic de Rojas, Priester und Dominicaner-Mönch, Sohn des Marquis von Posa. Als er seinen Sitz verließ, um zur Richtstätte geführt zu werden, wandte er sich, in die Nähe der Loge des Königs gekommen, an diesen mit der Versicherung, daß er an den dreieinigen Gott glaube, auch an das Heil in der Kirche — doch sage er nicht der „römischen Kirche". Der König wandte sich von ihm weg und befahl, den Aufdringlichen zu entfernen, was nur mit Anwendung von Gewalt gelang. Man brachte ihm den Sperrklotz in den Mund und führte ihn ab. Zahlreiche Ordensgenossen folgten ihm, um ihn auf dem letzten Gange noch für ihre Sache wiederzugewinnen. Die Dominicaner behaupten, er habe Zeichen des Einverständnisses gegeben, daß man ihn wieder zur römischen Kirche zähle; sie behaupten das vielleicht nur, damit er wenigstens vor dem Lebendigverbrennen bewahrt bleibe, wie es denn auch geschah.

5. Johann Sanchez, den Diener des Peter Cazalla, haben wir schon im vorigen Abschnitt mit Johann de Leon zusammen genannt, denn mit diesem wurde er ja aus Seeland, wohin er unter falschem Namen geflüchtet war, nach Spanien zurückgebracht. Die Glaubensrichter hatten Briefe von ihm aus Brüssel an Donna Catalina Ortega, welche sie unterdessen auch eingekerkert hatten, aufgefangen. Aus Brüssel entkam er noch; erst in Thüringen fiel er in die ihm gelegten Schlingen. Schon seine Flucht ins Ausland war Beweis genug für seine Schuld. Er leugnete auch nicht. Wegen seiner freimüthigen Aeußerungen mußte auch er mit verstopftem Munde zur Richtstätte ziehen. Der lebenskräftige, erst 33 Jahre alte Mann hatte ein schweres Sterben. Halb verbrannt riß er sich vom Pfahl los und sprang vor Schmerz in die Luft unter dem Rufe: „Mehr Feuer! Barmherzigkeit, Barmherzigkeit!" Die brachte ihm endlich der Tod.

Außer den fünf Genannten wurden an diesem Tage noch neun Andere verbrannt, darunter Donna Euphrosine Rios, Nonne der h. Clara zu Valladolid; Donna Maria Miranda, Donna

Maria de Guévara, Donna Catharina de Reynoso und Donna Margaretha de Santisteban, alle vier aus dem Cistercienserinnen-Kloster von Bethlehem zu Valladolid; Peter Sotelo und Franz de Almansa. In dem Zuge wurde auch die Effigies der Beata Johanna Sanchez aufgeführt. Sie saß in dem Kerker der Inquisition wegen Abfalls von der Kirche, da erfaßte sie der Wahnsinn der Verzweiflung und sie versetzte sich mit einer Scheere eine solche Wunde am Halse, daß sie nach einigen Tagen starb. Den Seelentrost der Mönche aber wies sie bis zuletzt ab, so daß wenigstens ihre Leiche verbrannt werden mußte.

König Philipp begab sich von der Schaubühne des Auto nach dem Quemadero, sah den Hinrichtungen zu und ließ seine Leibwache dabei Dienste thun.

Sechszehn Personen wurden zum Sambenito begnadigt und doch waren bei denselben Richtern, die heute schon so reiche Todes-Ernte gehalten hatten, noch fünfundvierzig Processe im Gange.

Wir haben eben die Cistercienser-Nonne Donna Maria Miranda genannt. Als dieselbe sich unter den Händen der Folterknechte befand, entschlüpfte ihr ein Wort, daß eine ihrer Mitschwestern, die gleichfalls unter den Brandopfern dieses Auto schon aufgeführte Donna Marina de Guévara, eine mit den angesehensten Familien des Landes in verwandtschaftlichen Beziehungen stehende Dame, ihre religiösen Anschauungen theile. Marina, welche zum Martyrthum nicht geschaffen gewesen zu sein scheint und in banger Ahnung, von ihrer Schwester genannt zu werden, begab sich selbigen Tages (15. Mai 1558) zum Inquisitor und machte freiwillig Aussagen über ihren geistigen Zustand hinsichtlich der religiösen Ueberzeugungen. Wie man sich erinnert, forderte das h. Officium regelmäßig zu solchen Selbstanzeigen auf unter Verheißung der Verzeihung für Alles. Zudem befindet sich im eigenen Regelbuch der Inquisitoren die allgemeine Vorschrift, solche Personen mit Nachsicht zu behandeln: „semper mitius se habendo erga eum, quia venit per se, non vocatus." Und das Concil von Béziers vom Jahre 1234 bestimmte ausdrücklich, daß ein Selbstankläger, wenn sich annehmen lasse, daß sein Bekenntniß ein aufrichtiges und vollständiges sei, weder mit dem Tode noch mit Verbannung, noch mit Confiscation des Vermögens, noch mit Kerkerhaft geahndet werden solle: „Poenitentes et dicentes plenam de se ac de aliis veritatem, habeant impunitatem mortis, immurationis, exilii et confiscationis bonorum." Hierauf vertrauend und nicht Willens, für bloße Meinungen Verfolgung zu erdulden, warf Donna Marina sich dem Inquisitor Wilhelm zu Füßen und bekannte ihm: Ja, sie habe einige Lutherische Meinungen als nicht ganz verwerflich und vielleicht richtig angesehen; volle Zustimmung habe sie denselben jedoch nicht geschenkt, sie hätte sie sogar lieber für falsch gehalten. Der Inquisitor ging nach der Strenge des Gesetzes gegen sie vor und erklärte ihr: sie müsse ein Bekenntniß vor dem Notar des h. Tribunals ablegen. Dieses Bekenntniß wurde zu den amtlichen Acten genommen. Am 16., 26. und 31. des Augustmonats begab Donna Marina sich aus freien Stücken und in voller Vertrauensseligkeit wiederholt zum Inquisitor, um die erst nachträglich ihr einfallenden kleinen Umstände, von denen sie glaubte, daß sie zu einem aufrichtigen Bekenntniß gehörten, ihren früheren Angaben beizufügen. So kam schließlich jedes Wörtchen, das sie jemals über strittige Glaubenspunkte gesprochen hatte, in den Acten zusammen. Daraus knüpften nun der Inquisitor Wilhelm und seine Amtsbrüder das Netz, in welchem ihr Wild sich verfangen müsse.

Sämmtliche Personen, welche Marina nannte, wurden festgenommen und verhört und durch deren Aussagen zur großen Genugthuung der Inquisitoren, die Lutherischen Gesinnungen Marina's festgestellt. Am 11. Februar 1559 nahm das h. Officium seine Inculpatin aus ihrer Haftzelle in dem Cistercienzerinnen-Kloster weg und sperrte sie in sein eigenes Gefängniß. Sie wurde drei verschiedenen Verhören unterworfen, es ergab sich aber Nichts, als was sie auch schon bekannt gehabt hätte, freilich ohne sich ganz klar darüber zu sein, daß ihre Auffassungen des Evangeliums mit den römischkirchlichen Deutungen der Schrift nicht übereinstimme. Am 3. März las ihr der Fiscal 23 Anklage-Punkte vor. Sie konnte Nichts dagegen einwenden, nur meinte sie, diese Beschuldigungen sprächen mehr das aus, worüber sie Zweifel gehabt hätte als ihre fest gegründeten Ueberzeugungen. Durch den ihr bewilligten Rechtsbeistand ließ sie sich eine Bittschrift abfassen, welche sie, von ihr unterzeichnet, dem h. Tribunale einreichte und worin sie um Gnade und Verzeihung flehte. Am 8. Mai wurde ihr auf ihr Ansuchen eine nachträgliche Audienz vor dem Richter gewährt. Sie machte einige durchaus nebensächliche Zusätze zu ihrem früheren Bekenntnisse, die zwar zu den Acten genommen wurden, aber Nichts bewiesen, als daß man es mit einem durchaus ängstlichen Gewissen zu thun habe. Es wurde ihr hierauf ein Summarium des Processes zugestellt mit der Aufforderung, „die ganze Wahrheit" zu gestehen und das als richtig einzuräumen, was, wie sie aus dem Summarium ersehe, von den verschiedenen Zeugen gegen sie ausgesagt worden sei, sie aber verschwiegen habe. Am 5. Juli bat sie um eine neue Audienz, in welcher sie erklärte: sie habe in die „Bekanntmachung der Zeugen-Aussagen" hineingesehen, es komme ihr aber vor, als habe man ihr dieselben gegeben, um sie mit religiösen Irrthümern bekannt zu machen, nicht um sie von dergleichen zu befreien; sie habe darum nicht weiter darin gelesen, aus Furcht die Sachen möchten sich ihrem Gedächtnisse einprägen. Aus Liebe zu Gott wolle man doch ihren

Angaben Glauben schenken, denn im Gefühle der göttlichen Allwissen-
heit habe sie die ganze Wahrheit bekannt und ihre Aussagen mit
dem Eide bekräftigt; sie könne wirklich nicht mehr sagen und sich
eines Weiteren nicht mehr erinnern. Unterm 14. Juli faßte sie in
einem eingehenden Schriftstücke noch einmal Alles zusammen und
bat schließlich um ein freisprechendes Erkenntniß; wenn das jedoch
zu viel verlangt sei, möge man sie unter Verhängung einer gnädigen
Strafe mit der Kirche wieder aussöhnen. Die Abtissin und fünf Nonnen
stellten ihr das Zeugniß aus, daß sie sich eines „guten frommen
Wandels befleißigt" habe.   Selbst der General-Inquisitor, welcher
mit mehreren ihrer Angehörigen befreundet war, nahm Antheil an
ihrem Schicksal und sandte, die Inquisitoren zu Valladolid als unbeugsame Naturen kennend, am 28. Juli ihren und des Herzogs
von Osunja Vetter, den Don Alphons Tellez Giron, Herrn von Mon-
talban, zu ihr, um sie zu überreden, sie möge sämmtliche Zeugen-
Aussagen durch ein Bekenntniß bestätigen, da dies das einzige Mittel
für sie sei, dem Tode zu entgehen.   Sie erwiderte, sie könne ohne
die Unwahrheit zu sagen, ihren bisherigen Einräumungen Nichts zu-
fügen.   Die Richter blieben unerbittlich.   In der am 29. Juli abgehaltenen, durch die Consultoren verstärkten Schluß-Sitzung verlangten sämmtliche Stimmen ihren Tod, nur eine einzige sprach
sich dahin aus, man solle vorher versuchen, durch die Folter ein
umfassenderes Eingeständniß zu erzwingen.   Der „Oberste Inquisitions-Rath" bestätigte die gefällte Sentenz.

Erst am Vorabende des Auto wurde Marina von dem ihr
bevorstehenden Loose in Kenntniß gesetzt.   Der General-Inquisitor,
welcher den Gedanken nicht aufgeben wollte, sie noch zu retten, sandte
den vorgenannten Don Alphons wiederholt zu ihr mit der Mahnung,
doch Alles einzugestehen, damit sie dem sonst sicheren Tode entgehe.
Die Provincial-Inquisitoren verweigerten ihm aber den Zutritt zu
der Gefangenen und erklärten es für einen „Scandal", einen solchen
Embarras zu machen wegen einer einfältigen Nonne, nachdem so
mancher Andere wegen weit geringerer Verschuldung hingerichtet
worden sei.   Der General-Inquisitor Valdés appellirte an den „Obersten
Rath" dessen Vorsitzender er war, und dieser beschloß, der Zutritt
des Don Alphons bei Marina sei zu gewähren, doch sollten die Inquisitoren oder wenigstens einer von ihnen der Unterredung beiwohnen,
ebenso der Advocat der Verurtheilten.   So ging die Sache denn vor
sich, Marina jedoch blieb fest bei ihrer Erklärung, weitere Eingeständnisse könne sie ohne Verletzung der Wahrhaftigkeit nicht machen,
selbst nicht um den Preis ihres Lebens.   So blieb ihr also Nichts
übrig als der Tod: sie wurde erdrosselt und ihre Leiche verbrannt.
Das über sie ausgefertigte bei dem Auto verlesene Urtheil ist merkwürdig genug wegen des folgenden Satzes, des einzigen darin, der

eine bestimmte und sichere Thatsache behauptet: — Es war ihr (Marina) immer, als ob in einem fort ihr Jemand die Worte in's Ohr sage: „Wenn wir durch den Glauben gerechtfertigt sind, haben wir Frieden mit Gott durch unseren Herrn Jesum Christum;" das habe ihr angenehm und annehmbar geklungen, wenn sie auch nicht ganz begriffen habe, wie es zu deuten sei. Diese „Stimme", vielleicht der einzige Rest vernünftigen Christenthums, der Marina im Kloster geblieben war, erschien den Inquisitoren als genügender Grund, ein junges blühendes Menschenleben zu vernichten!

Das December-Auto zu Sevilla 1560.

Die Inquisitoren hatten gehofft, den König auch zu Sevilla einmal bei einem Auto zu Gaste zu haben; deshalb schoben sie das jetzt in der Vorbereitung begriffene von Woche zu Woche hinaus bis zum 22. December 1560, bei welchem dann 13 Personen lebendig und drei im Bilde verbrannt, 34 aber als Büßer zu verschiedenen Leibesstrafen begnadigt wurden.

Einer der in effigie Verbrannten war der Dr. Johann Gil oder Egidius, der früher schon genannte Magister und Canonicus an der Kathedrale von Sevilla. Seit Langem Lutherischer Neigungen verdächtig, hatte er schon ein Mal in dem Castelle von Triana gefangen gesessen, nach seiner Freilassung jedoch seinen Verkehr mit den Freunden der religiösen Reform wieder aufgenommen. Bei einem Besuche der zu Valladolid Wohnenden starb er und wurde zu Sevilla begraben. Die hiernach erneute Untersuchung der Inquisitoren stellte allerdings klar heraus, daß er mit den Personen, auf deren Vernichtung sie bedacht waren, vertrauten Verkehr gepflogen hatte. Sein Leichnam wurde ausgegraben und sammt seinem Bilde verbrannt, sein Vermögen confiscirt, sein Name für ehrlos erklärt.

Eine zweite Puppe stellte den Dr. Constantin Ponce de la Fuente, ebenfalls Canonicus und Magister dar. Er hatte mit Dr. Gil an der Universität Alcalá de Henares zusammen studirt und war dann später gleich ihm bestrebt, das von ihnen gepflegte Studium der heiligen Schriften auch auf der Kanzel der Kathedrale für das Volk nutzbar zu machen. Seine gründliche Gelehrsamkeit und außerordentliche Beredtsamkeit zogen die Aufmerksamkeit des Kaisers auf ihn. Karl V. ernannte ihn zum Ehren-Kaplan und Hof-Prediger. Mehrere Jahre folgte er dem kaiserlichen Hoflager in Deutschland. Zu Sevilla füllten seine Reden die Kathedrale. Er war geschätzt als Philosoph, als Theologe, als Kenner des Griechischen und Hebräischen. Unter Denen, die seine Kanzel umstanden, fanden sich aber bald auch Sendlinge des h. Officiums ein, denn seine Reden schmeckten nach Lutherthum. Der Zufall kam den Auf-

spürern ketzerischer Verderbniß schließlich zu Hülfe: in dem Hause
einer wegen Häresie eingezogenen Dame fand man Papiere von
der Hand de la Fuente's und diese Schriftstücke lieferten den unbe-
streitbaren Beweis, daß der Canonicus sich im Widerspruche mit der
römischen Auffassung des Christenthums befinde. Als ihm die Schriftstücke im Gefängnisse vorgelegt wurden, bekannte de la Fuente sich
nicht nur als deren Verfasser, sondern erbot sich auch, das darin
Gesagte zu vertreten. Mittheilungen über Gesinnungsgenossen zu
machen, weigerte er sich entschieden. Um diese Hartnäckigkeit zu strafen und den Verstockten zu beugen, brachte man ihn in einen unterirdischen dumpfen Kerker, in welchem er sich kaum zu regen vermochte.
Es war ihm nicht einmal das Nöthige gewährt, um die niederen
Bedürfnisse der Natur anständig zu befriedigen. Unter solchen Umständen konnte das Leben eines bejahrten Gelehrten nicht lange
währen: ein heftiger Anfall von Dysenterie machte ihm ein Ende.
Einsam hatte de la Fuente seine Seele ausgehaucht; der Wärter
fand ihn als Leiche.

Ganz in gleicher Weise und in Folge derselben unmenschlichen
Behandlung starb in den nämlichen Tagen der Bruder Ferdinand,
ein Mönch aus dem Kloster St. Isidor. So konnte auch dieser nur
mehr bildlich verbrannt werden.

Dr. Johann Perez de Pineda war den Fängen seiner Verfolger rechtzeitig entwichen und so hatten diese auch von ihm nichts
Anderes zu verbrennen als eine symbolische Figur.

1. Julian Hernandez, ein Spanier, wie man sagt: Diacon
einer deutsch-protestantischen Kirche, befand sich unter den dreizehn
lebendigen Opfern. Er war auffallend klein von Person, weßhalb
er meist „Julianillo" oder „Julian el Mico" — „der Kleine" genannt wurde. Sehr beweglichen Wesens und gewandt, reiste er, als
Maulthiertreiber verkleidet, zwischen Spanien und Frankreich hin und
her, nicht nur durch Castilien sondern selbst bis nach Andalusien und
versorgte die angesehenen evangelisch gesinnten Spanier in verschiedenen Städten mit den unter seinen Waaren verborgen einge-
führten Büchern der deutschen Reformatoren. Mehrere Jahre lang
hatte er die Spürnasen seiner Verfolger geäfft. Nachdem er gefangen
war, erwies sich seine Gelehrsamkeit in der Schrift, seine Gewandt-
heit im Disputiren, sein christlicher Glaubensmuth und seine Seelen-
stärke nicht geringer als vordem seine weltmännische Umsicht. Die
Mönche, die ihn zu belehren in seine Zelle kamen, gingen jedes Mal
verwirrt von dannen; die Mönche, die ihre Folterkünste an ihm versuchten, mußten seine Hartnäckigkeit nicht zu brechen. Bei seiner
Schlagfertigkeit hatte man Grund zu fürchten, daß er bei dem Auto
Störungen machen werde und bedachte ihn deshalb vorher mit einem
Mundknebel. Den zwei ihm wohlbekannten Priestern, die ihn zum

Quemadero begleiteten und ihm zuredeten, seine Schuld zu bekennen, gab er zu verstehen, er wisse, daß sie in ihrem Herzen ganz seines Glaubens seien; sie sollten sich also die Mühe sparen, ihn bekehren zu wollen und lieber den Zwiespalt zwischen ihrem eigenen Denken und Handeln ausgleichen; das Einzige was sie für ihn thun könnten, sei zu sorgen, daß guttrockenes Holz um ihn herum gelegt werde und er nicht zu lange im Rauch hange.

2. **Francisca de Chaves**, eine Nonne aus dem Franciscanessen-Kloster von Santa Isabella zu Sevilla. Als sie nach ihrer Verhaftung den Richtern vorgeführt wurde, zeigte sie sich sehr redegewandt und die Inquisitoren imponirten ihr so wenig, daß sie ihnen das Schriftwort von dem „Natterngezücht" in's Gesicht warf. Wenn man die überaus unterwürfige Donna Marina de Guévara erst erdrosselte und dann verbrannte, so mußte man die Francisca de Chaves selbstverständlich lebendig verbrennen. Das that man denn auch.

3. **Nicola Burton** war ein Londoner Bürger, der zwischen Spanien und England Handel trieb mit eigenem Schiffe. Im Jahre 1558 war er zu Cadix durch einen Familiaren der Inquisition festgenommen worden. Man beschuldigte ihn, er habe sich beleidigender Aeußerungen gegen die Landesreligion erlaubt, als er mit einigen Personen zu Cadix und mit einigen andern zu S. Lucar de Barrameda über solche Angelegenheiten gesprochen habe. Was für Aeußerungen das waren, erfahren wir nicht, es wurde wohl dem Angeklagten selbst nicht mitgetheilt. In diesen Aeußerungen lag aber auch weniger der Grund seiner Verhaftung als in seinem — stattlichen Schiff mit der reichen Ladung, was man Alles für Burton's Eigenthum hielt. Da er auf die Frage nach dem Grund seiner Festnahme nur Drohungen zur Antwort bekam, so hatte Burton, als er sich plötzlich gefesselt im gewöhnlichen Gefängnisse mit allerhand Uebelthätern zusammen fand, vierzehn Tage lang nicht die geringste Ahnung, daß er Arrestant der Inquisition sei, sondern er meinte, ohne Wissen und Willen sonst Etwas gegen die Gesetze des Landes verbrochen zu haben, oder wegen etwas Dergleichen fälschlich angeklagt zu sein. Als thatkräftiger Christ ermahnte er seine Mitgefangenen zu einem rechtschaffenen Leben und redete dabei auch Manches von der h. Schrift, als dem Fundamente des Glaubens. So lieferte er den Liebhabern seines Schiffes und seiner Waaren selbst die Waffen in die Hände, um ihm dieselben zu entreißen. Gefesselt wurde er jetzt nach Sevilla gebracht und in ein abgesondertes Gefängniß des Castells Triana eingesperrt. Dort saß er bis zu dem Auto vom 22. December 1560, also zwei Jahre. Als verstockter Lutheraner wurde er, den Knebel im Munde, verbrannt und das h. Officium zu Sevilla nahm sich Schiff sammt Ladung.

An Schiff und Ladung war aber ein Kaufmann aus Bristol mitbetheiligt und dieser schickte nun seinen Advocaten, John Frampton, als Bevollmächtigten nach Spanien, um seine Rechte als Miteigner geltend zu machen. Vier Monate lang wurde Frampton in Sevilla mit Formalitäten hingehalten, da erklärten ihm die Rechtsgelehrten, die er dort zu seinem Beistande angerufen hatte, ihr Witz sei zu Ende. Er kehrte nach England zurück, um sich mit weiteren Anweisungen zu versehen. Als er zum zweiten Male zu Cadix landete, nahmen ihn sofort einige Inquisitions-Knechte in Empfang. Sie setzten ihn auf ein Maulthier und „befestigten ihn an eine Kette, die dem Esel drei Mal um den Leib ging und deren zweites Ende mit einem Schloß am Sattelbogen hing." Zwei bewaffnete Familiaren ritten neben ihm her. So ging's nach Sevilla, wo er erst innerhalb der Mauern des alten Gefangenhauses von seinen Banden gelöst und dann in ein Gefängniß gebracht wurde, in dem er schon mehrere wegen Ketzerei verhaftete Spanier vorfand. Am folgenden Tage wurde er nach seinem Namen und Stand, nach den Reisen, die er gemacht, nach seinen verwandtschaftlichen, freundschaftlichen und geschäftlichen Beziehungen ausgeforscht und schließlich aufgefordert, den „Englischen Gruß" zu beten. Er that das, aber das war nicht die römische Art: das „Heilige Maria, Mutter Gottes, bitte für uns arme Sünder!" blieb ganz aus. Das war Beweis genug, daß er ein englischer Häretiker sei. War er das aber, so dünkte das h. Officium sich im Recht, ihn als Solchen zu bestrafen, ihn zur Führung eines jeden Rechtsgeschäftes für unfähig zu erklären, kurz: Schiff und Ladung für sich zu behalten. Frampton wurde gefoltert, damit er sich als Ketzer schuldig bekenne. Vierzehn Monate hatte er im Kerker gesessen, da wurde er in's Sambenito gesteckt und gleichzeitig mit Burton zum Auto geführt. Burton sah Frampton unter den Büßern, erkannte ihn aber nicht wieder. Frampton mußte der Verbrennung Burton's zusehen, dann wurde er in's h. Haus zurückgeführt und dort weitere vierzehn Monate gefangen gehalten. Endlich führte ihn ein günstiges Geschick wieder nach England zurück, wo er seine spanischen Erlebnisse bekannt machte. Die fruchtlose Bekehrungsprobe, welche die Inquisitoren mit ihm angestellt hatten, hatte ihn persönlich 760 Pfund Sterling gekostet, das h. Officium aber bei diesem Auto nach seiner fachmännischen Berechnung einen Geschäfts-Gewinn von über 50,000 Pfund Sterling buchen können.

4. Zusammen mit Burton wurden nach dem Zeugnisse Frampton's verbrannt: Wilhelm Brook, ein Seemann aus Southampton und Bartholomäus Fabienne, ein Franzose.

5. Der Leser wird sich erinnern, daß eine verrückt gewordene Beata die erste Anzeige machte von der Genossenschaft der Evangelisch-Gesinnten in Sevilla. Ihres Verstandes wieder mächtig geworden,

wurde sie auch des durch sie angerichteten Unheiles inne. Ihre früheren evangelischen Ueberzeugungen waren ihr jetzt um so theurer
und sie mußte für dieselben zu sterben. Dieses Loos theilten mit
ihr: Leonore Gomez, ihre Schwester, die Gattin eines Arztes und
deren drei unverheiratheten Töchter: Elvira Nunjez, Therese
Gomez und Lucia Gomez. Eine dieser Töchter war zuerst allein
eingezogen worden, weigerte sich aber, über Andere die verlangten
Aufschlüsse zu geben. Da verfiel der Inquisitor auf ein neues, ein
wahrhaft satanisches Mittel. Er ließ sich das Mädchen in's Unter-
suchungszimmer vorführen und hieß die Unterbeamten sämmtlich abtreten. Mit der Inquisitin allein, erklärte er ihr, er sei entschlossen,
ihr Leben zu retten, denn er — liebe sie. Diese Versicherung wiederholte er, Tag um Tag so lange, bis das Mädchen sie endlich
gläubig hinnahm. Dann vertraute er ihr, auch ihre Mutter und
Schwestern seien durch viele Zeugen der Ketzerei beschuldigt und auch
diese, die nächsten Angehörigen seiner Geliebten, vom Tode zu retten,
sei sein angelegentlichstes Streben. Um dies aber zu können, müsse
er genau wissen, wie die Dinge lägen, in welchen Punkten sie sich
vielleicht vergangen hätten u. f. w. Nur, wenn sie ihn genau und über
alle Einzelheiten informire, könne er seinen Plan mit Sicherheit ent-
werfen und die Freisprechung Aller zusichern. Das Mädchen ging
in diese Falle und verrieth, was zu verrathen war. Damit hatte
der Inquisitor das Spiel gewonnen. Am folgenden Tage ließ er
das Mädchen sich wieder vorführen, und jetzt mußte die Arme dem
Blutrichter bestätigen, was sie dem „Geliebten" aus so edeln Beweg-
gründen vertraut hatte. Mutter und Töchter starben in den Flammen.

6. Ein Mönch und zwei weitere Frauen bildeten die
Nummer zwölf und breizehn der diesmaligen Brandopfer.

Genug der Greuel aus der Zeit, da Philipp II. in Spanien
das Scepter führte! Die Autos wurden unter diesem Regimente den
Spaniern in den größern Städten mit der Zeit das, was ihnen
heutzutage die Stiergefechte sind. Welche Blutschuld dieser gekrönte
Priester-Knecht in den Niederlanden auf sich geladen hat, das kurz
zu erzählen, müssen wir einem andern Kapitel aufbewahren.

Zwanzigstes Kapitel.

Erzbischof Carranza, Primas von Spanien, als Ketzer vor der Inquisition.

Als Philipp II. am 8. October 1559 zwischen den auf Holzstößen bratenden Menschenleibern umherging mit derselben Befriedigung seines kirchlichen Frommsinns, als seien es Votivtafeln, die er
für seine und seiner Leute Rettung aus Seegefahr in einer Gnaden-
kapelle des „Meeressternes" aufgehangen hätte, befand sich ein Haupt-
helfer bei seiner Glaubensreinigung in England, Flandern und Spanien schon seit sechs Wochen in dem Gefängnisse der Inquisition derselben Stadt.   Wir reden von dem Erzbischof von Toledo, Primas
von Spanien, Bartholomäus Carranza.

Bartholomäus Carranza war im Jahre 1503 zu Miranda im
Königreich Navarra von adeligen Eltern geboren.   Nachdem er im
Jahre 1520 in seinen Studien soweit vorgeschritten war, um sie von
da ab nach seinem Lebensberufe einzurichten, das väterliche Besitzthum
aber einem ältern Bruder zufiel, trat er in das Dominicaner-Kloster
zu Guadalajara.   Sobald er das Noviciat überstanden und die Gelübbe abgelegt hatte, wurde er zum Studium der Theologie nach
Salamanca geschickt.   Im Jahre 1525 war er bereits Lehrer der
Gottesgelahrtheit am College von St. Gregor zu Valladolid.   So
ganz scheint sich sein wissenschaftliches Streben n i c h t in den Geleisen
gehalten zu haben, welche für einen römischen Theologen die einzig
sichern sind, denn schon im Jahre 1530 wurde er von einem vor-
sichtigeren Mitdocenten an dem genannten Colleg bem Inquisitor
Moris als Einer denuncirt, dessen Lehren „ungesunde" Elemente enthielten. Als bald darauf auch noch ein zweiter Mönch ihn der Ketzerei
verdächtigte, wurde die Sache einer gewissenhaften Prüfung unterzogen und es stellte sich heraus, daß Carranza in der That einige Behauptungen des bekanntlich zwischen Romanismus und Protestantismus in der Luft hängen gebliebenen und dort vertrockneten Erasmus

von Rotterdam als stichhaltig erklärt und bezüglich einiger gewissen
abergläubischen Volksmeinungen leichtfertige Bemerkungen gemacht
hatte. Er stand aber sonst in so gutem Rufe unzweifelhafter Rechtgläubigkeit, daß die Inquisitoren den weiteren Proceß einstellten und
das Ergebniß ihrer Untersuchung nicht einmal zu den Acten nahmen,
so daß außer den zunächst Betheiligten damals wohl Niemand Etwas
von dem ganzen Hergang erfuhr. In demselben Jahre noch schlugen
ihn der Rector und das Raths-Collegium von St. Gregor für den
Lehrstuhl der Philosophie vor; 1533 wurde er Regens der theologischen Studien und rückte im folgenden Jahre auf den durch den Tod
zur Erledigung gekommenen Posten des Haupt-Regens vor. In dieser
Stellung blieb er bis zum Jahre 1539, wo er von den Ordensgenossen seiner Provinz als ihr Vertreter auf das General-Capitel nach
Rom geschickt wurde. Dort ernannte man ihn, in Anerkennung
seiner Leistungen im theologisch-scholastischen Disputiren zum Doctor
und Magister der Theologie. Da er zu Valladolid nebenbei auch als
Qualificator, d. h. als Censor der Inquisition fungirte und als solcher die ihm vorgelegten verdächtigen mündlichen und schriftlichen
Aeußerungen auf den Grad ihrer Schuld zu prüfen hatte, so ertheilte
ihm Paul III. die Erlaubniß, auch die Bücher zu lesen, die Andern
zu lesen verboten werden müsse.

Im Jahre 1540 nahm er seine Lehrthätigkeit zu Valladolid
wieder auf. Nebenbei war er unablässig für das h. Officium thätig,
zu Hause wie im Palaste der Inquisition; hier „qualificirte" er
Processe, dort Bücher. Auch an den öffentlichen Hinrichtungen nahm
er thätigen Antheil. So hielt er die Glaubens-Predigt bei der Verbrennung des ersten Lutherischgesinnten auf dem Marktplatze zu Balladolid im Jahre 1544. Franz de San Roman war der Sohn des
ersten Bürgermeisters zu Bribiesca in der Provinz Burgos und in
deren Hauptstadt geboren. Wir betonen das bei diesem einen Beispiel von vielen, weil man behaupten möchte, die evangelische Lehre
sei nur von Ausländern nach Spanien eingeschmuggelt worden
und habe bei den Eingeborenen keine Sympathie gehabt. Man hat
freilich die aufglimmende Erkenntniß durch Blut und Thränen zu
ersticken verstanden. Franz de San Roman hatte in Flandern studirt
und war dabei zu anti-römischen Ueberzeugungen gekommen. Auf
Befehl Karl's V. wurde er zu Regensburg abgefaßt und nach Spanien in die Kerker der Inquisition geschleppt, die er nur mehr verließ, um seinen Todtengesang aus dem Munde Carranza's zu hören.
Vom Jahre 1545 bis 1548 weilte Carranza dann zu Trient, als
Concils-Theologe des Kaisers. Im Jahre 1549 wählte das Dominicaner-Kloster zu Palencia ihn zum Prior, 1550 das Ordens-Ka-
pitel zu Segovia zum Provincial für das Königreich Castilien. Als
Julius III. 1551 das Concil zum zweiten Male nach Trient zusam-

menberief, war wiederum Carranza unter den spanischen Theologen, welche der Kaiser hinschickte. Die Versammlung sah in ihm den geeigneten Mann, ein Verzeichniß der für den Glauben gefährlichen Schriften aufzustellen. An dieser Arbeit mußte er noch zwei Monate in Trient nachsitzen, nachdem die Bischöfe die Stadt wieder verlaffen hatten.

Im Jahre 1554 kam Prinz Philipp als Gemahl der „blutigen" Marie auf den englischen Thron. Es galt diesen verwandten Seelen, den römischen Katholicismus, der unter dem voraufgegangenen Regiment mit blutiger Gewalt abgeschafft war, mit denselben Zwangsmitteln wiederherzustellen. Während der kaum vierjährigen Herrschaft Maria's wurden nachweislich allein an 300 Personen lebendig verbrannt, an 30,000 überhaupt wegen ihres evangelischen Glaubens an Leib und Gut und durch Verbannung bestraft. Die mittelalterlichen Ketzergesetze wurden wieder in Kraft erklärt und darunter auch das in seiner früheren Rechtsbeständigkeit von den Juristen oft angezweifelte, wonach der Scheriff jedem geistlichen Gerichte einfach Folge zu leisten hatte, welches ihn zur Vollziehung eines auf Verbrennung lautenden Urtheils gegen einen Ketzer aufforderte; jetzt, unter Philipp und Maria wurde nach der Rechtsbeständigkeit gar nicht weiter gefragt, sie wurde einfach decretirt. Ein schriftlicher Executions-Befehl seitens einer weltlichen Behörde war hiernach nicht nöthig; die Zahl der Brand-Opfer wird deshalb bei allen Berechnungen, die sich auf vorhandene Acten stützen, zu niedrig gegriffen werden. Es ist nicht möglich, auf Grund von Documenten der möglichen Uebertreibung einerseits und der Ableugnung andererseits entgegenzutreten. Aber führt nicht gerade dieses Schweigen der Gerichts-Archive eine um so beredtere Sprache? Die protestantische Bevölkerung war der Willkür der geistlichen Bluthunde preisgegeben und diejenigen königlichen Beamten oder Gutsherren, welche zögerten, ihren Befehlen zu gehorsamen, wurden vom Throne herab gemahnt und gestraft. Es liegen uns Aufzeichnungen vor, wonach unterm 28. Juli 1557 die Scheriffs von Kent, Essex, Suffolk und Strafford, der Mayor von Rochester und der Bailiff von Colchester aufgefordert werden, sich vor dem Geheimen Rath zu verantworten, weshalb sie die ihnen vom Diöcesan-Bischof wegen Ketzerei zur Hinrichtung überwiesenen Personen nicht auch hingerichtet hätten. Weitere Aufzeichnungen vom 7. August desselben Jahres bezeugen, daß ein gewisser John Butler, Knight, vom Geheimen Rath in eine Geldbuße von zehn Pfund Sterling genommen wurde, weil sein Gutsverwalter die Hinrichtung einer Frau verschleppt hatte, die ihm als Ketzerin zur Verbrennung in Colchester überantwortet war. Wie viele solcher armen Wesen wurden im Stillen geopfert, ohne daß ein Hahn nach ihnen krähete, einfältige Landleute, biedere Grobschmiede und grü-

belnbe Weber! Unb boch finb gerabe fie es, bie unfere Sympathie
am tiefften aufregen, weil fie nicht, wie z. B. bie proteftantifchen
Bifchöfe Latimer unb Cranmer, unter bem voraufgegangenen Regimente mit bem Maaße ausgemeffen hatten, mit bem biefen letzteren
jetzt heimgezahlt wurbe.

Philipp hatte fich zur Löfung ber Aufgabe, bie er fich in Eng-
lanb gefetzt: bie Zurückführung bes Königreichs in bie Obebienz bes
römifchen Papftes, geeignete, im Inquifitions-Gefchäfte erprobte Männer mitgebracht. Carranza war bie Seele berfelben. Drei Jahre
lang, von 1554 bis 1557 wirkte er ganz im Geifte Philipp's in
feinem Inquifitions-Fache, wie bie für bie Univerfitäten mitgebrachten
Dominicaner in bem ihren. Nach bem Ableben ber Königin reifte
Carranza zu Philipp nach Brüffel, wohin Letzterer fchon während ber
Krankheit Maria's vorausgegangen war. Nachbem Carranza nun
ein volles Jahr auch in ben Dienften ber niederländifchen Inquifition
gearbeitet hatte, bot fich Philipp Gelegenheit, ben Mann, ber fo ganz
in feinem Geifte wirkte, würbig zu belohnen; er ernannte Carranza
zum Erzbifchof von Toledo, welcher Stuhl eben burch ben Tob erle-
bigt war. Ein Erzbifchof von Toledo hatte jährlich über 100,000
Ducaten Einkommen unb war zugleich Primas ber Kirche von Spanien fowie Kanzler ber Monarchie. Zwei Bifchofsfitze hatte Carranza
fchon ausgefchlagen, biefen ließ er fich enblich gefallen. Paul IV.
war mit ber Wahl ber Perfönlichkeit burchaus einverftanden; er erklärte fogar bie gewöhnlichen vorherigen Informationen in bem Va-
terlanbe bes Canbibaten — freilich mehr eine Formalität als eine
Vorfichtsmaßregel! — für unnöthig; benn er wiffe, fagte er, was
ber Mann in England (als Organifator bes vom Londoner Bifchof
Bonner präfibirten 22gliebrigen Inquifitions-Raths nach fpanifchem
Mufter), in Deutfchland (als Bücher-Inquifitor von Flanbern aus)
unb in Flanbern felbft für bie Kirche Gottes unb „biefen h. Stuhl"
geleiftet habe. Er beftätigte bie Ernennung im December 1557.
Wem fie Mißbehagen machte, bas war ber General-Inquifitor Valbés,
welcher erwartet hatte, baß bie Primatial-Würbe bei feinen langjäh-
rigen großen Verbienften um bie Verfolgung ber ketzerifchen Bosheit
ihm hätte zufallen müffen.

Erft im Juni 1558 reifte Carranza aus Flanbern nach Spa-
nien ab; am 14. Auguft hielt er feinen Einzug in Vallabolib. Hier
follte er ber Reichsverweferin, Prinzeffin Johanna, über bie Lage ber
Dinge in ben Niederlanben Bericht erftatten unb bann zu gleichem
Zwecke nach San Jufte fich begeben, wo Kaifer Karl V. Mönch fpielte.
Schon unterm 8. Auguft hatte Johanna ihrem Vater gefchrieben:

„Der General-Inquifitor, Erzbifchof Valbés von Sevilla, bat mich, Ew.
Majeftät zu benachrichtigen, baß mehrere Lutheraner im Verhör Ausfagen gegen
ben Bifchof von Toledo gethan haben. Darum möchten Ew. Majeftät fich vor-

sehen, wenn er nächstens selbst kommt. Bis heut ist zwar an der Sache noch
nichts Wesentliches, doch sagte der General-Inquisitor: »Wäre es nicht der Erzbischof von Toledo, sondern eine geringere Person, so hätte man ihn schon gefänglich eingezogen.« Einstweilen will man abwarten, wie die Dinge sich weiter
entwickeln und Ew. Majestät dann davon unterrichten. Das h. Officium hat die
Aussagen gegen Carranza zu Protokoll genommen und ich werde nicht ermangeln,
Ew. Majestät von etwaigen späteren Schritten desselben Nachricht zukommen zu
lassen.«

So war also in der fast ganz mönchischen Umgebung des Kaisers bereits ein Vorurtheil gegen die Rechtgläubigkeit Carranza's geweckt; ja auch der sterbende Karl selbst mußte fürchten, nicht ganz
sicher hinzufahren, wenn Carranza ihm noch in letzter Stunde an
das Steuerruder greife. Carranza langte am Vorabende von Karl's
Tode (20. September) in San Yuste an. Er wurde zwar noch
vorgelassen, aber doch nur mit Schwierigkeiten, sowohl Seitens des
Kaisers selbst, wie seiner Umgebung. Am 9. December lief bei der
Inquisition die Anzeige ein, Carranza habe selbst am Sterbebette
Karl's seiner ketzerischen Gesinnung freien Lauf gelassen, indem er
dem Verscheidenden zugerufen habe: „Es gibt keine Sünde und hat
nie eine gegeben, da Christus für alle genug gethan hat." Carranza
räumte dies später als richtig ein, erklärte es aber dahin, daß diese
Worte den Kranken hätten ermuthigen sollen, sein einziges aber volles
Vertrauen auf die genugthuenden Verdienste des Erlösers zu setzen.
Damit war allerdings die römische Kirche als vorgebliche Vermitt-
lerin dieser Verdienste mehr bei Seite gesetzt, als sie vertragen kann.
Bereits am 22. August des folgenden Jahres 1559 machte die Inquisition den Erzbischof-Primas zum Gefangenen, so daß derselbe
sein Amt vom 15. October 1558 ab also nur zehn Monate lang
verwaltet hat.

Carranza hatte um die Zeit, da er am 17. Februar 1558 in
Flandern von dem Cardinal Granvella zum Bischof consecrirt worden war, zu Antwerpen einen in spanischer Sprache abgefaßten Katechismus drucken lassen, den ersten, der überhaupt in der Volkssprache
erschien. Dieses Buch sollte, des Herausgebers eigener Erklärung zufolge, ein Gegenmittel sein gegen die Mißdeutung der h. Schriften,
welche jetzt von den Ketzern so eifrig verbreitet würden, indem es
zeige, was zum Glauben und zum rechten Leben nothwendig sei.
„Soviel ich konnte", heißt es wörtlich, „habe ich mich bemüht, die
alte Lehre unserer Vorfahren in der ersten Kirche wieder zu erwecken,
weil diese die gesundeste und reinste war."

Der Katechismus, dessen Druckbogen bereits Ende Februar 1558
in Valladolid sich befanden, zählte 865 Seiten, war also mit seinen
Commentaren über den Inhalt des christlichen Glaubens sichtlich
mehr zum Handbuch für den Seelsorge-Klerus als für das Volk

selbst bestimmt. Behüte Gott, daß wir uns mit den Inquisitoren
auf eine Sichtung seines theologischen Inhaltes einlassen! nur so viel
sei, um die nüchterne Natur des Buches zu kennzeichnen, bemerkt,
daß z. B. der Ablaß nur an einer einzigen Stelle, und da in verächtlichem Sinne, erwähnt wird; daß von der ergiebigsten Geschäfts-
Branche der römischen Kirche: der Rettung der Fegfeuer-Seelchen,
im ganzen Katechismus nicht die Rede ist; daß Sätze darin stehen
wie die folgenden: „Man kann nicht sagen, daß die Jungfrauen im
Allgemeinen mehr Ehre im Himmel erlangen werden als die Ver-
ehelichten." . . . „Die Kirche ist eine sichere und unfehlbare Norm
in Sachen der Religion; die andere Norm sind die Schriften alten
und neuen Testaments. Diese letztere Norm ist ebenso gewiß und
untrüglich wie die erstere, da die Kirche mit der h. Schrift sich in
Harmonie halten muß. Der Leiter der Kirche ist der h. Geist, und
so kann dieselbe nicht irren." . . . „Die Mißbräuche in der Heiligen-
Verehrung haben sich eingeschlichen durch die Unachtsamkeit der geistlichen Vorsteher, da viele Gemeinden entweder gar keinen oder einen
schlechten Hirten haben. Von der Verehrung der Bilder und Reliquien läßt sich das Wort des Herrn anwenden: »Während die Leute
schliefen, kam der Feind und säete Unkraut unter den Weizen.«
Doch sind Diejenigen nicht zu tadeln, welche mit frommem Sinne
zu einem bestimmten Heiligen um Abwehr eines Uebels beten; Christus selbst hat ja die Mutter der Gattin des Apostelfürsten Petrus
von einem hitzigen Fieber befreit."

Bemerkt sei schon hier, daß das Acten-Material im Processe
Carranza's — Zeugen-Aussagen, Denunciationen, theologische Gutachten u. s. w. — 28,000 Folio-Seiten füllte.

Um sicher zugreifen zu können, suchte der General-Inquisitor
Valdés in Rom um die specielle Bevollmächtigung nach, gegen alle
Prälaten, die der Ketzerei verdächtig seien, einschreiten zu dürfen.
Das gewünschte, vom 7. Januar 1559 aus dem Vatican datirte
Breve bestimmte: dem General-Inquisitor werde einstweilen auf zwei
Jahre die Vollmacht ertheilt, gegen alle Bischöfe, Erzbischöfe, Pa-
triarchen und Primaten der spanischen Staaten Untersuchungen ein-
zuleiten, ihnen den Proceß zu machen, sie auch für den Fall, daß
ihre Flucht zu befürchten sei, zu verhaften und in sichern Gewahrsam
zu bringen; um nicht Alles aus der Hand zu geben, machte der
Papst nur die Bedingung, daß das h. Officium ihm von derartigen
Schritten sofort Bericht erstatte und die Schuldigen sammt den ver-
siegelten Acten des Processes nach Rom schicke. Paul IV. segnete das
Zeitliche, als der Proceß gegen Carranza kaum begonnen hatte, aber
der Nachfolger Paul's, Pius IV., bestätigte das Breve auch seinerseits. Valdés suchte selbstverständlich auch die Genehmigung des
Königs nach. Er schilderte dem Könige, der anfänglich den Wunsch

ausſprach, Valdés möge das gerichtliche Verfahren gegen den Erzbiſchof ausſeßen, bis er, Philipp, wieder in Spanien ſei, da er erfahren habe, daß auch Bosheit in dem Proceſſe mitſpiele, die Nachtheile eines Aufſchubs in den ſchwärzeſten Farben; welch' ein Aergerniß für das gutkirchliche Volk, wenn der als Keßer berrufene Primas
noch länger frei umhergehen dürfe! Daraufhin gab Philipp ſeine
Einwilligung, und die Prinzeſſin Johanna erwies dem h. Officium
den Dienſt, Carranza unter dem Vorwande, ſie habe dringende
Staatsgeſchäfte mit ihm abzumachen, an den Hof nach Valladolid zu
berufen. Auf einer Firmungsreiſe zu Alcalá de Henares angekommen, erhielt Carranza dieſe Einladung. Schon einige Tage darauf,
in dem Flecken Fuente del Saz, brachte ihm ſein Freund Philipp
de Menezes, Profeſſor an St. Thomas zu Alcalá, der eben aus
Valladolid kam, die Nachricht entgegen, dort ſei von nichts Anderem
als von der bevorſtehenden Verhaftung des Erzbiſchofs von Toledo
durch die Inquiſition die Rede. Carranza, wenn auch nicht ohne
bange Ahnungen wegen der Verfolgung ſeines Buches, hatte doch
ein ſolches Vorgehen gegen ſeine Perſon nicht für möglich gehalten,
„da Gott ſich ſeiner doch als Werkzeug bedient habe, um ſo viele
Keßer zu bekehren und zu beſtrafen." In gewiſſem Sinne war
Carranza bereits verhaftet von dem Empfange des heuchleriſchen
Schreibens der Statthalterin an, da der Ueberbringer deſſelben, Don
Rodrich de Caſtro, ihn, damit er nicht nach Brüſſel zum Könige ent-
fliehe, ſeit jenem Augenblicke auf Schritt und Tritt überwachte.

Und ſo eben noch hatte Carranza der Bevölkerung von Alcalá
die Pflichten, die ein guter römiſcher Chriſt gegenüber der h. Inquiſition zu erfüllen habe, ſo nachdrücklich an's Herz gelegt. Nachdem
nämlich Carranza das Einladungsſchreiben der Statthalterin empfangen hatte, traf wie zufällig auch der Inquiſitions-Richter Diego Ramirez in Alcalá ein, um in der Kirche von San Francesco das
Glaubens-Edict zu verkünden, jene in einem früheren Kapitel charakte-
riſirte Aufforderung an Jeden und Alle, Diejenigen anzuzeigen, welche
der Keßerei verdächtig ſeien, widrigenfalls der Hehler ſelbſt dem h.
Officium als Keßer verantwortlich werde. Der Erzbiſchof, freilich
noch ohne daran zu denken, daß diesmal die Sache zunächſt ihm
gelte, ſchärfte in einer kräftigen Predigt den zahlreich verſammelten
Zuhörern ein, wie ſie im Gewiſſen verbunden ſeien, der Inquiſition
zu dieſem und jedem anderen Dienſt zur Hand zu ſein. Zu Fuente
del Saz erfuhr er dann, wie es um ihn ſelbſt ſtand; eine Tagereiſe
weiter, zu Tordelaguna, wurde die Mähr ihm durch einen zweiten
Freund beſtätigt mit dem Hinzufügen, daß die heilige Hermandad
behufs ſeiner Gefangennehmung bereits von Valladolid unterwegs ſei.

Seit vier Tagen ſchon hielt ſich in Tordelaguna der Ober-
Häſcher des Tribunals von Valladolid verſteckt, der nur zu nacht-

schlafender Zeit mit Don Roderich de Castro in dem eine Meile
entfernten Flecken Talamanca Verabredungen pflog. Am 19. August
fand sich auch der Inquisitor Diego Ramirez bei Don Roderich de
Castro ein und ließ für sich und seine Knechte ein Bündel Gerichts-
stäbe beschaffen; dann umgab er sich mit 20 berittenen Häschern und
ließ im Namen des h. Gerichts noch weitere 100 Treiber aufbrin-
gen, mit denen er sich im nahen Gehölze verbarg. Am 21. August
speiste Roderich de Castro beim Erzbischof zu Abend, zog sich jedoch
unter dem Vorwande einer Unpäßlichkeit zeitig in seine Wohnung
zurück. Seinem Hauswirth gab er zwölf Anweisungen auf die In-
quisitions-Kasse für zwölf ihm zu werbende tüchtige Häscher. Der
Wirth des Erzbischofs erhielt von ihm die Weisung, mit Anbruch
des Tages sämmtliche Thüren seines Hauses öffnen zu lassen. Eine
Stunde nach Mitternacht begab de Castro sich mit dem Oberhäscher
und den zwölf Unterhäschern zu dem Ortsvorstande, der mit Carranza's ältester Schwester verheirathet war, und verhaftete ihn sammt
den übrigen Magistrats-Personen des Städtchens. Von da ging die
Rotte mit ihren „Spießen und Stangen" unter Anschluß des Inquisitors Diego Ramirez und seiner 100 Knechte zu der Wohnung
des Erzbischofs. Nachdem die Thüren mit Wachen besetzt waren,
begaben sich Ramirez, de Castro, der Oberhäscher und zehn mit
Stäben versehene Trabanten in das Schlaf-Gemach des Erzbischofs.
„Habt ihr," fragte dieser, als ihm der Zweck des nächtlichen Besuchs
angekündigt war, „zu meiner Verhaftung auch die Vollmacht?" Carranza gab den ihm hierauf vorgehaltenen, vom General-Inquisitor
unterzeichneten Verhaftbefehl zurück mit den Worten: „Diese Herren
scheinen gar nicht zu wissen, daß sie zu meinen Richtern sich aufzuwerfen gar nicht das Recht haben, da ich kraft meiner Würde dem
Papste unmittelbar unterworfen bin." Der Inquisitor Ramirez zeigte
ihm das päpstliche Breve vom 7. Januar, welches, wie wir wissen,
dem General-Inquisitor sowie den von diesem ernannten oder noch
zu ernennenden Richtern uneingeschränkte Vollmacht ertheilte, ihm als
Ketzer den Proceß zu machen. Von diesem Augenblicke an war dem
Erzbischof jeder Verkehr abgeschnitten. Am Abend ließ der Inquisitor im ganzen Flecken verkünden: Niemand dürfe unter strenger
Strafe das Haus verlassen, noch bis es heller Tag geworden sei
sich am Fenster zeigen. Um Mitternacht fand sich die h. Hermandad mit 40 gedungenen Berittenen vor der Wohnung des Erzbischofs
ein; dieser wurde auf ein Maulthier gesetzt und so nach Valladolid
in die Haft abgeführt. Als Wohnung wurden dem Erzbischof für
sich, seinen Secretär und einen Pagen zwei Zimmer in einem Privathause angewiesen, das dem h. Officium eigenthümlich zugehörte.
Zum Wächter hatte er einen Inquisitions-Mönch, der ihn auf jede
mögliche Weise quälte.

Wie schon bemerkt, war Paul IV. unterdessen gestorben —
gerade in den Tagen der Gefangennahme Carranza's, am 18. August
1559 — und Pius IV. (Cardinal Johann Angelo de Medici) am
25. December desselben Jahres sein Nachfolger geworden. Pius IV.,
der früher selbst Inquisitor gewesen, bestätigte durch ein Breve vom
23. Februar 1560 dem General-Inquisitor die Vollmacht vom 7.
Januar des Vorjahres. Seltsames Verhängniß: diese Vollmacht
wurde in Betreff Carranza's unwirksam an diesem selben Februar-
Tage, an welchem sie von Pius IV. erneut worden war! Carranza hatte
nämlich sofort Einspruch dagegen erhoben, daß der General-Inquisitor ihn vor sein Tribunal ziehe: er gehöre trotz der vielerwähnten
Vollmacht, die nicht speciell auf ihn laute, nur unter die Jurisdiction des Papstes. Der General-Inquisitor überschreite seine Befugnisse aus persönlichem Hasse gegen ihn. Dem Papste sei bei
Auswirkung des Breve nicht die Wahrheit gesagt worden, da um
jene Zeit in Spanien gar kein Prälat auch nur im Verdachte
der Ketzerei gestanden habe. Es sei wohl speciell auf ihn, Carranza,
gezielt gewesen, aber da habe man vorbeigeschossen: er sei damals
nicht in Spanien gewesen, sondern in den Niederlanden, könne
also gar nicht einbegriffen werden in die Prälaten, gegen welche einzuschreiten Baldés sich habe bevollmächtigen lassen. Diese Einrede
wurde durch ein zur Hälfte von dem Angeklagten, zur andern
Hälfte von dem h. Officium gewähltes Schiedsgericht für begründet
erkannt und zwar gerade am 23. Februar 1560; ein neues Papst-
Breve bestätigte jedoch schon unterm 5. Mai Alles, was im Processe
Carranza's bis dahin geschehen sei. Zugleich ermächtigte es den
König von Spanien, nach eigenem Belieben die Richter auszuwählen,
die den Proceß fortführen sollten, bis er endgültig entschieden werden
könne. Als sich aus der Fassung dieses Satzes Zweifel erhoben, ob
der Proceß auch in Spanien entschieden werden dürfe, machte ein
neues Breve vom 3. Juli diesen Zweifeln ein Ende: nein, das dürfe
nur in Rom geschehen.

Am 1. September 1561 wurde der Angeklagte das erste Mal
verhört. Carranza's hohe Stellung, der Wirrwarr in den Zeugen-
Aussagen — denn ein Römisch-Katholischer bei dem das wirklich
Katholische überwog, mußte nach Lage der Dinge nothwendig zu
seinen Gunsten, Einer, der vorwiegend Römisch dachte, dagegen nothwendig zu seinen Ungunsten aussagen — die günstige Stimmung,
die sich in dem mittlerweile wieder zusammengetretenen Concil über
den incriminirten Katechismus kund gab, hauptsächlich aber der Umstand, daß die Einkünfte des Primas — 100,000 Ducaten
jährlich — für die Dauer des Processes in die Inqui-
sitions-Kasse flossen, Alles das hinderte die Inquisitoren, mit
dem Processe vom Flecke zu kommen. Carranza wendete sich durch

feinen Advokaten Dr. Martin d'Azpilcueta um Nachhilfe bald an den Papst bald an den König, jahrelang umsonst. Philipp II. war von der Schuld Carranza's überzeugt und sah die Zweckmäßigkeit der Gründe, welche der General-Inquisitor geltend machte, zu wohl ein, um nicht beim Papste Alles zu versuchen, daß der Gefangene nicht nach Rom gebracht werden müsse. Die Inquisitoren aber fürchteten Scandal, wenn sie die Klage jetzt wieder fallen ließen, nachdem sie so gewaltige Mittel in Bewegung gesetzt hatten, um ihr Vorgehen gegen den Primas des Reiches auch zu rechtfertigen. Auch Philipp betrachtete die Verurtheilung Carranza's als eine Gelegenheit, um vor aller Welt zu zeigen, wie uneigennützig und lauter seine Liebe zur katholischen Religion sei, da er in Demjenigen, dessen Verdienste um den Glauben er vor sechs Jahren mit der höchsten kirchlichen Würde in Spanien belohnt hatte, auch das Verbrechen der Ketzerei bestrafen lasse. Am 24. November 1565 schickte er den uns schon bekannten Don Roderich be Castro, jetzt Mitglied des Raths der Inquisition mit einem eigenhändigen Schreiben an Pius IV. und bat ihn, päpstliche Richter nach Spanien zu schicken, damit diese in Gemeinschaft mit dem spanischen General-Inquisitor die Sache zum Abschluß bringen könnten. Um dem Bittschreiben die nöthige Unterstützung zu sichern, wandte Philipp sich gleichzeitig brieflich an vierzehn Cardinäle. Pius IV. bestimmte wirklich im Confistorium vom 13. Juli 1565 den Cardinal Hugo Buoncompagno, mit dem Titel eines ihn persönlich vertretenden Legaten, den Johannes Castagna (später Urban VII.), den Auditor der Rota, des höchsten allgemeinen geistlichen Gerichtshofes Dr. Johannes Aldobrandini und den General der Franziscaner Felix Perretti (später Sixtus V.) zur Reise nach Spanien, wo dieselben im November eintrafen. In der Nacht vom 8. zum 9. December starb Pius IV.; am 7. Januar folgte ihm bereits der Cardinal Michel Ghislieri als Pius V. Cardinal Buoncampagno reiste nach Rom und setzte dem neuen Papste auseinander, daß der Proceß unter jeder Bedingung nach Rom gebracht werden müsse; sie hätten denselben im November 1566 in demselben Stadium vorgefunden, in welchem er auch schon im Jahre 1562 gewesen sei. Pius V., selbst Inquisitor aus Neigung, forderte nun den Angeklagten und die Proceß-Acten mit allem Nachdruck nach Rom und entsetzte zugleich Valdés seines Amtes als General-Inquisitor, um sicher zu gehen für den Fall, daß in Spanien neue Zeugen in der Sache vernommen werden müßten. In einem Breve vom 9. September 1566 gab er dem Ferdinand Valdés, Erzbischof von Sevilla, den Don Diego Espinosa, Präsident des Raths von Castilien, gestorben als Cardinal und Bischof von Siguenza, als Nachfolger im General-Inquisitoriat.

Am 5. December 1566 trat Carranza nach einer Haft von

über sieben Jahren die Reise von Valladolid nach Rom an. Bis
ans Meer wurde er in einer Sänfte getragen, begleitet vom Inquisitor von Valladolid, Don Diego Gonzalez, seinem frühern Peiniger.
Es escortirten ihn königliche Leib-Garbisten und ein Trupp von der
h. Hermandad. Nach vierzehn Tagen in der Hafenstadt Cartagena
angekommen, mußte er wieder vier Monat auf die Nachsendung der
Acten warten. Endlich am 25. Mai 1567 traf das Schiff, auf
das man ihn gebracht, im Hafen von Civita-Vecchia ein. Dort
hatten sich der spanische Gesandte Requesens und Paolo Vittorio
Ghislieri, der Neffe des Papstes und Capitän seiner Garden, eingefunden, um den Gefangenen zu übernehmen. Am 28. Mai lieferten
sie ihn in die Engelsburg ab, wo er seiner Würde entsprechende Wohnung und Behandlung fand. Weil gerade ein Jubiläum gehalten
wurde, gestattete man ihm zu beichten, dann für das Weitere vier
Mal im Jahre — man sieht: man nahm auch hier eine so schnelle
Beendigung des Processes noch nicht in Aussicht. Vorab brauchte
man, trotz der vielen herangezogenen Hände und Köpfe, ein Jahr
zur Uebersetzung der Acten aus dem Spanischen in's Italienische —
24 Foliobände von je 1000 bis 1200 Seiten.

Der Proceß dauerte in Rom weitere neun Jahre; auch Pius V.
lag schon seit fünf Jahren im Grabe, als die Richter am 14. April
1576 (Samstag vor Palmsonntag) ihre letzte feierliche Sitzung hielten, in welcher Gregor XIII. das Urtheil verkündete. Knieend hörte
Carranza dasselbe an. Der Sätze, die er abzuschwören verdammt
wurde, waren sechszehn an der Zahl; welcher Art sie waren, davon
kann der Leser aus den früher mitgetheilten Stellen aus dem Katechismus sich einen Begriff machen. Der fünfzehnte lautete z. B.:
„Die heutige Kirche hat nicht dasselbe Licht und nicht soviel Ansehen,
wie die Kirche der ersten Jahrhunderte." Darauf verurtheilte ihn
der Papst zu fünfjähriger Suspension von den erzbischöflichen Functionen. Während dieser Zeit sollte er seinen Aufenthalt im Dominicaner-Kloster zu Orvieto nehmen. Weiter hatte er einen öffentlichen
Bußgang zu den sieben Basiliken Roms zu machen u. s. w. Einstweilen wurde er bei den Dominicanern an Maria sopra Minerva
einquartirt. Den Besuch der Basiliken hatte Carranza am Oster-
Dinstage machen wollen und das Volk freute sich schon auf diese
Abwechselung im täglichen Einerlei. Der Papst aber wollte nicht
haben, daß die spanische Inquisition durch öffentlichen Auflauf „gewissermaßen" verhöhnt werde; er befahl dem Erzbischof, sich einen
Tag früher zu der Bußfahrt zu bequemen. Der 73jährige Greis
brachte sie nicht zu Ende. Durch eine Harn-Verhaltung unterwegs
unwohl geworden, mußte er sich vom Lateran nach Hause fahren
lassen. Acht Tage darauf, am 2. Mai, starb er.

Einundzwanzigstes Kapitel.

Der Mysticismus und die Inquisition.

———

Noch zwei und ein halbes Jahrhundert hindurch nach den großen Autos zu Sevilla und Valladolid dauerten in Spanien die Reibungen der gegenüberstehenden Ansprüche, einerseits der bürgerlichen
Gewalten, andrerseits des h. Officiums auf den Gebieten der Rechtspflege und der persönlichen Freiheit. Der Erfolg dieser Kämpfe war
ein wechselnder. Wir schreiten mit unserer Darstelluug schnell hindurch durch diese Periode und markiren nur die charakteristischen Zwi-
schenfälle.

Was die Inquisition den überseeischen und insularen Herrscher-
gebieten der Könige von Spanien gebracht hat, werden wir in einem
besonderen Abschnitte betrachten; im Mutterlande vervielfachte sie die
Eingangs erwähnten Streitigkeiten durch ihre Gier nach Macht und
Gut schon unter Philipp II. dadurch, daß sie unter dessen Entgegenkommen ihre über beide Erbhälften ausgedehnte Sclaverei auch über
das dazwischen liegende Meer aufzurichten suchte. Pius V. erfüllte
das desfalls an ihn gestellte Verlangen sofort: durch eine Bulle vom
27. Juli 1571 wurde die „Schiffs-Inquisition" oder wie sie später
genannt wurde, die „Inquisition für's Heer- und Seewesen" eingerichtet. In jedem Hafen fungirte ein General - Commissär des h.
Officiums; dieser stattete den einzelnen Schiffen seinen Besuch ab,
um die Erklärung der Capitäne entgegen zu nehmen, daß sie weder
verbotene Bücher noch sonst etwas Ketzerisches an Bord hätten. Fand
sich etwas Derartiges, so wurde es in Beschlag genommen oder,
wenn es nicht sogleich weggeschafft werden konnte, wenigstens sein
Vorhandensein zu Protocoll genommen. Auch das Eingeweide der
wohlverschlossenen Waarenballen wurde durchsucht und von allen verdächtigen oder offenbar unkirchlichen Dingen gereinigt.

Zur üppigsten Blüthe gedieh diese Schiffs-Inquisition zu Cadiz,
dem Haupthafen für den Handel mit dem transatlantischen Westen.

Jedes Schiff, das seine Ladung beendigt hatte, bekam den Besuch des geistlichen Inquisitors und des zur Inspection, Protocoll-Aufnahme, Confiscation u. s. w. erforderlichen Hülfspersonals: eines Notars, Stabträgers, Ober-Häschers, verschiedener Knechte; der gleiche Besuch ward den Schiffen zu Theil, welche im Hafen einliefen, bevor sie ihre Ladung löschten. Ein Salut-Schuß kündigte den feierlichen Moment an, wenn die Füße des Hochwürdigen das Deck beschritten. Der erste Gang führte in die Haupt-Cajüte, wo die erforderlichen Erfrischungen in saisonmäßiger Auswahl bereit standen. Wenn der Capitän nach beendigter Inspection mit der einen Hand die Bescheinigung entgegennahm, daß sich nichts wider den h. römischen Glauben unter seinem Cargo gefunden habe, er also absegeln oder die Ladung löschen dürfe, hielt er in der andern schon ein artiges Sümmchen, das die „Gebühren" für die geistliche Desinficirung seines Schiffs vom Ketzergifte darstellte. Die Capitäne kannten ihre Leute: war einmal nicht Alles in „Richtigkeit", so daß sie mit Fug lästigen Aufenthalt zu fürchten hatten, so opferten sie eine weitere Summe oder ein hübsches Präsent, damit die geistliche Verrichtung glatt von Statten gehe. Die bei solchen Schiffs-Inquisitionen Assistenz leistenden Familiaren waren in der Regel fromme Krämer und diese fanden, nachdem sie ihre Zeit im heiligen Dienste der Kirche geopfert hatten, meist auch Gelegenheit zu vortheilhaften Einkäufen für sich, so daß sie stets mit Befriedigung ihrem tonsurirten Hauptmann in's Landungsboot nachsteigen konnten, nicht nur mit dem beseligenden Gefühle, wieder Etwas für den Himmel gethan zu haben, sondern im gleichzeitigen Bewußtsein, auch dem Rost und den Motten daheim Etwas zum Verzehren mitzubringen — „der Gerechte erbarmt sich ja auch des Viehes." Echte und rechte Kaufleute empfanden diese neue Einrichtung als überaus lästige Störung und trafen mit dem h. Officium ein Abkommen dahin, daß die geistliche Inquisition gleichzeitig mit der Zoll-Abfertigung vorgenommen werde, den Zoll-Beamten also der geistliche Ketzerei-Riecher beigegeben werde. So wurde es dann eine Zeit gehalten; nach und nach gerieth die ganze Sache jedoch in Verfall. Die Schiffs-Capitäne, sowohl die von der Handels- wie die von der Kriegs-Marine, machten nämlich dieselbe Erfahrung wie die Militär-Commandanten der Land-Armee allerorts bis auf unsere Tage: daß der Dienst in Unordnung geräth, wenn man sich mit geistlicher Seelsorge dazwischen fahren läßt. Wie manchmal hätte die langerwartete frische Brise dem Schiff aus dem Hafen geholfen — aber da kramte der Herr Inquisitor noch in einem Waaren-Ballen nach einem „Neuen Testament"! In solchen Fällen machten die Befehlshaber der Schiffe oft kurze Complimente und gaben der Inquisition einen vorzeitigen aber wohl motivirten Abschluß. Dem General-Inquisitor gingen unzählige Beschwerden zu über Schifffahrts-Behinderungen durch seine geistlichen Sendlinge. So kam die „See-Inquisition" niemals zu einer allgemeinen gedeihlichen Wirksamkeit.

Zur Zeit der Hugenottenkriege erwirkte sich die Inquisition der mit Frankreich regen Verkehr unterhaltenden Provinz Galicien im Jahre 1574 von dem Consejo de la Suprema Inquisicion die Erneuerung eines zwei Jahre früher — also im Jahre der Bartholomäus-Nacht — erlassenen Edicts dieses „Obersten Raths", wonach die Ausfuhr von Salpeter und Schwefel oder gar schon fertigem Schießpulver nach Ländern, in denen diese Dinge kriegführenden Ketzern zu Gute kommen könnten, als Benachtheiligung des „katholischen Glaubens" verboten und mit der Strafe für Ketzerei belegt wurde.

Unter der Sonne des königlichen Wohlgefallens an der Glaubensreinigung reifte zu jener Zeit in den zelotischen Gemüthern der Gedanke an einen neuen militärischen Orden, der unmittelbar unter der Leitung des General-Inquisitors stehen und sich die „Miliz der h. Maria vom Weißen Schwerte" nennen sollte; das symbolische Schwert der St. Jacobs-Ritter war roth. Der Leiter der St. Marien-Streiter sollte über das Eigenthum wie über die Personen der Mitglieder unbedingt zu verfügen, keine königliche Gewalt aber in deren ketzereivernichtende Thätigkeit drein zu reden haben. In nicht weniger als elf Provinzen hatte man diesem Kreuzzugs-Plane bereits Boden verschafft, da machte ein patriotischer Edelmann, Don Peter Venegas aus Córdoba, der Sache ein Ende. Dieser stellte dem König vor, daß die Inquisition in ihrer Kirchenreinigungs-Thätigkeit einer solchen Nachhülfe wahrlich nicht bedürfe; um die staatliche Ordnung zu schützen, reichten aber die ordentlichen Streitkräfte vollkommen aus; wenn einmal etwas Besonderes zu bewältigen sei, so würden die bereits bestehenden militärischen Orden gewiß bei der Hand sein; die Ausführung des frommen Planes sei aber nicht nur unnöthig, sondern geradezu bedenklich: sie schaffe ja ein hinter dem General-Inquisitor stehendes Heer, das sich auch gegen den legitimen Herrn des Landes werde gebrauchen lassen. Kurz der wackere Cordobaner führte dem König so wichtige Gegengründe vor, daß dieser von der bereits beschlossenen Sanction der Miliz abstand und die Sache einer Commission überwies, um dieselbe in Gemeinschaft mit dem Königlichen Cabinet noch einmal durchzuberathen. Hier konnte man sich nicht zur Gutheißung des Planes verständigen und so mußte das „Weiße Schwert" ungezogen in der Scheide bleiben.

Als die evangelisch Gesinnten in Spanien so ziemlich wieder ausgerottet, auch die Reste der Marranen und Moresken nicht mehr so bedeutend waren, um dem großartig angelegten Inquisitions-Institut ausreichende Beschäftigung zu bieten, befriedigten die Diener des h. Officiums ihr Bedürfniß nach Verfolgung auf andere Art:

sie ließen ihren Groll an den kirchlichen Würdenträgern aus, die,
theils auf dem Trienter Concil, theils im Lande selbst, gelegentlich
des Processes gegen den Toledaner Erzbischof-Primas Carranza sich
günstig über den Letzteren ausgesprochen hatten.

Auch die „ruhmreiche Mutter, die h. Theresa von Jesus" bekam
mit dem Glaubensgericht zu schaffen und wir wollen es offen gestehen: wenn echtes wahres Christenthum in der römischen Kirche
gewesen wäre, so hätte ein von ihr bestalltes Gericht zur Reinhaltung
des Glaubens auf dem gegen die genannte Ordensmutter beschritte-
nen Wege gerade in Spanien, der Brutstätte des krankhaften Mysticismus Gedeihliches wirken können. Die genannte Carmelitessen-
Nonne war eine Hauptgründerin des Alacoquismus in der römischen
Kirche. Sie war sehr religiös erzogen, hatte aber doch schon mit
zwölf Jahren hunderte von Liebes- und Ritter-Romanen verständniß-
innig gelesen, mit vierzehn schon einen selbst geschrieben. Mit fünfzehn war sie im Kloster, aber erst mit dem Beginn des canonischen
Alters, im 40. Jahre, riß sie sich, wie einer ihrer lobrednerischen
Biographen uns belehrt, „von aller irdischen Anhänglichkeit ganz los."

„Am St. Peterstage 1559 (sie war 1515 geboren) glaubte sie
plötzlich den Heiland neben sich stehen zu sehen, und diese Christus-
vision begleitete sie volle zwei Jahre. In visionären Erscheinungen
begegnete ihr der Böse leibhaftig, was in ihr den Gedanken erweckte,
daß sie nicht nur für ihre eigenen großen Sünden, sondern auch für
die Sünden Anderer leiden und Gott genugthuen müsse. Zugleich
fühlte sie sich jetzt innerlich getrieben, in das Leben der Kirche um-
gestaltend einzugreifen, und zu diesem Behufe vor Allem ein neues
Kloster ihres Ordens, in welchem die alte Regel ihrer vollen Strenge
nach herzustellen sei, zu begründen. Eine neue Christus-Vision schien
ihr den göttlichen Segen zu ihrem Vorhaben zuzusichern ... Fünf
Jahre später begann Theresa zur Errichtung von Klöstern mit ihrer
Regel auch an andern Orten vorzugehen ... Kurz nachher wurde
sie mit einem jungen Geistlichen bekannt, in welchem sie die überraschendste Uebereinstimmung seiner religiösen Anschauungen mit ihrem
eignen Innern erkannte, und den sie daher sofort als Beichtvater für
sich und ihre Nonnen festhielt. Es war dies Johann de la Cruz,
mit dem sie fortan den innigsten Austausch aller innern Erlebnisse
unterhielt ... Während sie eines Tages aus Johann's Hand die
Communion empfing, glaubte sie eine Erscheinung des Erlösers in
himmlischer Herrlichkeit zu sehen, der mit Darreichung der rechten
Hand, in welchem sie noch den Kreuzesnagel sah, zu ihr sprach:
»Betrachte diesen Nagel als Zeichen deß', daß ich Dich von jetzt an
zu meinem Gemahl nehme. Meine Ehre soll fortan die Deinige,
und Deine die meinige sein.« Von da an betrachtete sie sich als die
Vermählte des Herrn."

So erzählt uns ein protestantischer Theologe, Prof. Dr. Heinrich Heppe zu Marburg, in seiner „Geschichte der quietistischen Mystik in der katholischen Kirche" die Theresianischen Mirakel. Wenn Dr. H. Heppe als hübscher „junger Geistlicher" mit Theresa bekannt geworden wäre, würde Letztere wohl auch in ihm „die überraschendste Uebereinstimmung seiner religiösen Anschauungen mit ihrem eignen Innern erkannt" haben. Und Dr. H. Heppe steht mit seiner Verherrlichung des Mysticismus unter den lebenden Evangelischen unserer Tage leider nicht allein: auch der würdige Dr. Eduard Boehmer zu Straßburg feiert in seinem musterhaft fleißigen Buche über den etwa zwei Menschenalter früher eingeleiteten Inquisitions-Proceß gegen zwei andere „Erleuchtete": „Francisca Hernandez und Frai Francisco Ortiz" die „Anfänge reformatorischer Bewegungen in Spanien unter Kaiser Karl V.", weil auch diese beiden, als im Glauben allein Heil suchende Pfleger innerer beschaulicher ·Frömmigkeit mit den Vertretern des äußeren Heils-Reglements der Kirche in Conflict kamen. Die Inquisition hatte übrigens bei diesen zwei Letztgenannten ein Haar gerade in der sympathischen „Uebereinstimmung" gefunden, mit welcher sie in ungeregeltem, zum mindesten mancherlei Verdacht weckenden persönlichem Verkehr sich gegenseitig „erbauten". „Francisca", so erzählt Boehmer von dem ersten Besuche des Franciscanerbruders Ortiz bei ihr, „gab ihm eine rauhe Schnur, die er nun um den Leib geschlungen trug, und sein Leiden verließ ihn. Von Francisca, einer Beata, hatte er zuerst zu Alcalá vernommen. Dort erzählte ein Pater Frai Johann de Espego, viele treue Mönche sollten von quälenden körperlichen Leiden dadurch vollständig befreit worden sein, daß sie Gürtel trugen, die sie in Glauben und Demuth von der gesegneten Francisca Hernandez erbeten hatten. »Ich ward geheilt«, sagt Ortiz sechs Jahre später, »wie das Weib durch Berührung des Saumes Christi, wie die Kranken, die der Schatten des h. Petrus streifte.« Er erinnert auch an einen Studenten, der dadurch, daß er dem h. Dominicus die Hand geküßt, von Fleischesversuchung befreit worden sei." Wie wenig nüchtern Boehmer die Sache auffaßt, zeigt er selbst, indem er sich im Anschlusse an das Vorstehende einem förmlichen Raptus überläßt: „Es war eine selige Zeit für Franz. Wenn die irdische Liebe ihren unnennbaren Zauber hat, zumal unter Spaniens Sonne, wie viel wunderbarer und hinreißender ist die himmlische Liebe, die in der ersten Wonnezeit schwelgt, im Triumph über die Welt, die da unten ihr zu Füßen liegt. Wer dann im Vollgefühl der göttlichen Freiheit nicht an alle die Schranken denkt, welche die mit Recht so genannte gute Sitte für die Durchschnitts-Verhältnisse der Menschen festhält, der kann dem nicht entgehen, daß er in Worten oder Schritten den moralischen Ceremonien-Meistern Anstoß gibt. Wir verstehen, was Ortiz sagt, daß seit demselben Tage, an welchem

er bei Francisca Zutritt fand, seine Brüder durch den Neid des
Teufels begannen, ihn zu verfolgen." Wahrscheinlich ist es dann
wohl auch „des Teufels Neid" gewesen, der die Studenten von Salamanca anstachelte, sich über die Quisel Hernandez lustig zu machen,
weil sie dort „einmal ein paar Mönchen, denen sie sich freute zu
begegnen, draußen ohne Weiteres um den Hals fiel", so daß die
also Begrüßten selbst sagten: „Aber Schwester, so auf offener
Straße sich zu umarmen!" „Nun, Jesus, was ist denn dabei?"
meinte sie „in aller Unschuld".

Prof. Dr. Fr. Nippold zu Bern hat gelegentlich des Heppe'-
schen Buches offenen Protest eingelegt gegen die von solchen protestantischen Mystikern verübte Verunstaltung des evangelischen Christenthums in einem „kritischen Sendschreiben an Dr. H. Heppe": „Zur
geschichtlichen Würdigung des Quietismus im Allgemeinen, sowie der
Madame Guyon und der Fénelon-Bossuet'schen Controverse im Besondern." („Jahrbücher für protestantische Theologie" Nr. 2, 1877.)
Nippold findet es von vorneherein bedenklich, daß sich immer ein
Männlein und ein Weiblein zur Pflege dieser innern beschaulichen
Gottseligkeit zusammenfänden, und damit hat er unseres Erachtens
den Hauptpunkt getroffen:

Theresa a Jesu wußte den Seitens der Inquisition gegen sie
eingeleiteten Proceß durch schmeichelnde Unterwürfigkeit — u. A.
redete sie die Herren vom h. Officium als „meine Engel" an —
lahm zu legen, besonders da auch der König persönlich in die gegen
die „Visionärin" gerichtete Agitation eingriff. Sie war mit ihrer
verhimmelnden Schwärmerei, die, ihr wohl unbewußt, in verhaltener
Sinnlichkeit wurzelte, das echte Product des spanischen Christenthums
und wurde so eine der Hauptbegründerinnen jener religiösen Richtung,
die im Gottesgedanken und der Gottesliebe auch die sämmtlichen ihrer
Natur nach rein irdischen Empfindungen, Gefühle und Begehrungen
aufgehen lassen möchte. Jede Ueberhebung über die Grenzen der
Menschheit rächt sich und jene mittelalterliche Lebensanschauung, welche
das Christenthum in einer Verteufelung der Welt am reinsten ausgeprägt fand, gemahnt uns stark an den Uhland'schen Schulmeister,
der „einen Knaben ausschalt ob gestohlener Kirschen und scheltend
selber sie gefressen." Erbaulicher — auch in christlichem Sinne —
als alle jene, des persönlichen Verkehrs mit ihrem himmlischen Bräutigam gewürdigten Nonnen erscheint uns die „alte Waschfrau"
Chamisso's:

> „Sie hat in ihren jungen Tagen
> Geliebt, gehofft und sich vermählt;
> Sie hat des Weibes Loos getragen,
> Die Sorgen haben nicht gefehlt;

Sie hat den kranken Mann gepflegt;
Sie hat drei Kinder ihm geboren;
Sie hat ihn in das Grab gelegt,
Und Glaub' und Hoffnung nicht verloren."

Auf Geheiß ihrer Obern hat Theresa a Jesu in ihrem „Buch von den Erbarmungen des Herrn" auch ihren Verkehr mit ihrem Himmelsbräutigam verzeichnet — zu sehr obenhin, um uns die eigentliche Natur solcher Dinge erkennen zu lassen. Was sie, die Maria Alacoque und andere solche Gnadenschwestern, versäumt haben, das hat eine Französin redlich nachgeholt, die, wenn sie unter anderen Familien - Verhältnissen ihre Rolle gespielt hätte, heute wahrscheinlich auch neben der h. Theresa, der Madame de Chantal, der Madame de Guyon und Anderen gefeiert würde. Einer unserer Zeitgenossen, langjähriger Arzt am Hospital de Bicêtre zu Paris, Dr. J. Moreau aus Tours, hatte diese junge Person mehrere Monate unter seinen Augen und sind die desfallsigen Mittheilungen in seinem Buche: „La psychologie morbide dans ses rapports avec la philosophie de l'histoire ou de l'influence des neuropathies sur le dynamisme intellectuel" auf S. 269 bis 277 nachzulesen. Wir begnügen uns mit einigen Sätzen, die für unsern Zweck: den Nachweis, daß es für eine aus naturwissenschaftlich gebildeten Kirchenmännern zusammengesetzte Glaubens - Inquisition auch noch heutigen Tages nicht an lohnender Beschäftigung fehlen würde, völlig ausreichend sind. Dr. Moreau gibt die Aufzeichnungen seiner Frommen wörtlich:

„Jesus, Maria!

Mit sechsthalb Jahren gelobte ich mein Herz Gott mit einem unlöslichen Schwur. Von da an bis zum 25. Jahre bekämpfte und besiegte ich allgemach meinen Stolz, meine Trägheit, meine Raschhaftigkeit; meine Eigenliebe ging auf in der Liebe Gottes. Was aber den Hauptpunkt: die heilige Reinigkeit betrifft, so war's, als hätten sich alle Kräfte des Himmels und der Hölle dagegen verschworen mein ganzes Leben lang. Aber die Kämpfe gaben mir nur mehr Kraft... Um Gott ganz zu gehören, muß man sein eigen sein mit Leib und Seele; wir müssen dem Bräutigam auf dem Calvarienberge zur Liebe und zum Leiden dieselbe Gewalt über uns einräumen, welche irdische Gatten sich einräumen zur Liebe und zur Freude... Als ich mich gestern Abend niederlegte, war es mir, als sollten alle meine Organe zerspringen; ich wurde dadurch ganz betäubt und schwach. Ich küßte ganz leise, wie ein geschlagenes Hündchen, die Hand meines Meisters, und dann sah ich, wie ich in jeder gefährlichen Lage zu thun gewohnt bin, diesen theuern Meister mit einem glühenden Blicke voll Liebe und Vertrauen an; aus meiner eigenen widrigen Persönlichkeit heraustretend, übertrug ich mein Leben in ihn hinüber, so daß ich meiner selbst ganz vergaß und einschlief. Als ich jedoch mitten in der Nacht zeitweilig erwachte und mich noch immer nicht wohl fühlte, flüchtete ich mich von Neuem in meinen theuern Meister und verlor auch dies

Auch der Friedensschluß zwischen England und Spanien im
Jahre 1604 kam dem Gewissenszwang zu Gute. Wäre die Königin
Elisabeth noch am Leben und im Besitze ihrer gewohnten Energie
gewesen, er wäre anders ausgefallen als unter diesem im Jahre vorher auf den Thron gelangten Jacob I., der, wie aus seinen später
veröffentlichten „Opera" erhellt, angelegentlichst bemüht war, zu er-
forschen, weshalb der Teufel am liebsten mit alten Weibern um-
gehe — Elisabeth würde sicher vorgesorgt haben, daß die Inquisition
sich Nichts mehr mit englischen Unterthanen auf spanischem Boden
zu schaffen mache. Schon in einem frühern Vertrag, zu Lebzeiten
Elisabeth's, war freilich stipulirt worden, daß kein Engländer in
Spanien „Gewissens wegen" — „ex causa conscientiae" — beunruhigt werden solle, aber ihr Gesandter am Hofe Philipp's II.
hatte sich, ohne Wissen der kranken Beß, auf Drängen des Herzogs
von Alba zu einem „geheimen Zusatz-Artikel" verstanden, der jetzt
von Jacob I. als zu Recht bestehend anerkannt wurde. Da wurde
also ausgemacht:

„Erstlich sollen die Engländer, welche v o r ihrem Eintritt in Spanien eine
Ausschreitung sich haben zu Schulden kommen lassen, dafür nicht der Inquisition
unterworfen sein, noch wegen eines solchen außerhalb Spaniens begangenen Ex-
cesses beunruhigt oder zur Verantwortung gezogen werden."

Jacob I. von England nennt also in e i n e m Athem mit Philipp II. und Alba jede Kundgebung gegen die Päpstelei, auch wenn
sie in England erfolgt, eine „Ausschreitung", einen „Exceß"!

„Gleicherweise soll Niemand die Engländer in Spanien zum Besuche der
Kirchen zwingen; wenn sie aber eine derselben betreten, so müssen sie unter Knie-
beugung dem darin aufbewahrten h. Sacramente der Eucharistie ihre Verehrung
bezeugen. Begegnen sie aber dem h. Sacramente in einer Straße, so müssen sie
niederknien oder in eine andere Straße einbiegen oder sich in ein Haus zurückziehen, wo sie nicht gesehen werden."

Aus den Kirchen konnten die Engländer leicht wegbleiben —
aber wie, wenn sie auf der Straße von z w e i Seiten durch Sacra-
mentsträger in's Kreuzfeuer genommen wurden und auch kein Haus
in der Nähe offen stand? Dann mußten sie auf die Knie oder sie
bekamen mit der Inquisition zu thun. Diese zweite Bestimmung ist
übrigens dieselbe, welche unter harten Straf-Androhungen für die
Mauren galt, bevor sie aus dem Lande getrieben wurden. Noch im
Jahre 1838 war in der Salvatorkirche zu Sevilla auf einer Mar-
morplatte nachstehende Inschrift zu lesen:

„Der König Don Johann. Gesetz 11. Der König und jeder Andere, der
dem Allerheiligsten Sacramente begegnet, muß von seinem Pferde absteigen und
wäre es auch in den tiefsten Schmutz, unter Strafe von 600 Silber-Heller oder es
wird ihm das Pferd sammt Sattelzeug genommen; wenn er ein Maure ist über
14 Jahre, muß er niederknien oder es werden ihm die Kleider vom Leibe genommen und Demjenigen gegeben, der ihn angezeigt hat. Dieser Stein wurde

aufgerichtet von der hochwürdigen Bruderschaft des hochheiligen Sacraments dieser Collegiat-Kirche im Jahre 1714."

An dritter Stelle des in Rede stehenden Freundschafts-Vertrags wurde bestimmt:

„Auch sollen Personen, welche als Capitaine, Steuerleute, Matrosen oder als was sonst immer auf Schiffen dienen, die nicht ihr eigen sind, wenn sie eine Ausschreitung begehen und in Folge dessen dem h. Officium zu büßen haben, nur an ihrem eigenen Vermögen gestraft werden, die Schiffe aber und die Andern zugehörige Ladung sollen unbehelligt bleiben. Dasselbe gilt von den Kaufleuten und ihren Agenten."

Bedenken wir, was Alles unter „Ausschreitung" oder „Exceß" zu verstehen war: das konnte ein leichthin gesprochenes Wort, eine kaum willkürliche Geste, eine ganz unbedeutende Handlung sein, in welcher ein spanischer Kirchenmann ein Haar fand; das Ueberhören der Bitte oder eine unbedachte Antwort auf eine verschlagene Anfrage eines Inquisitions-Familiaren oder Spionen — Alles das fiel unter diesen Begriff. So überlieferte der romsüchtige König eines protestantischen Landes Gut und Leben seiner Unterthanen dem gierigen Rachen von Verfolgern, wie schlimmer deren niemals auf Erden gehaust haben!

Und was antwortete man den entrüsteten Engländern: ... Bessere Bedingungen seien nicht zu erzielen gewesen; übrigens gewähre der Vertrag ja auch diese und jene Handelsvortheile! Es waren eben wieder einmal die Erstgeburtsrechte des Geistes um ein Linsenmuß für den Bauch verkauft worden, in dem eiteln Glauben Jacob's an die Möglichkeit, mit Rom im Frieden leben zu können, wenn man ihm, nach Vermögen, auch nur theilweise den Willen thue. Die kaum zwei Jahre später erfolgte Pulververschwörung mag ihn darüber belehrt haben. Diesem großen verunglückten Acte folgten dann die kleinen aber erfolgreichen, denn wenn die Inquisitoren und Jesuiten überall, wo sie um diese Zeit festen Fuß gefaßt hatten, fleißig an der Arbeit waren, so bot ihnen doch kein anderes Land eine so förderliche Werkstätte wie Spanien.

Zu Madrid wurden vorab Anstrengungen gemacht, den protestantischen Gottesdienst im Hause des dortigen englischen Gesandten Sir Charles Cornwallis zu unterdrücken. Die Jesuiten — so klagt dieser in einem Schreiben an den Earl of Salisbury und die Lords des Königlichen Raths — wußten sich Mittheilungen aus den gehaltenen englischen Predigten zu verschaffen und drangen nun auf Grund derselben unablässig in den General-Inquisitor, dem Gesandtschafts-Kaplan den Proceß zu machen. Sir Charles Cornwallis mahnte Letzteren aber zur größten Vorsicht und auch der General-Inquisitor scheint in diesem Falle weitblickender gewesen zu sein als seine Treiber, denn ein Proceß kam vorderhand nicht zu Stande. Man weiß

jedoch, daß die Ausdauer zelotischer Pfaffen bei einem schwachen
König schließlich Alles ausrichtet, und so wurde der sonntägige Gottesdienst auf Englands eigenem königlichen Boden zu Madrid am Ende
doch unmöglich gemacht. Auch die Plackereien der in Geschäften zeitweilig nach Spanien kommenden britischen Unterthanen dauerten
fort. In einem Briefe vom 19. April 1608 erzählt der genannte
Ministerresident die Geschichte einer derartigen Verfolgung: „Neulich
nahm das Officium der Inquisition zu Ayamonte einen gewissen
Thomas Ferres fest, dessen Bruder zu London Euern Lordschaften
wohl bekannt sein wird. Er wurde nach Sevilla gebracht. Wie
er selbst vermuthet, steckt ein Mönch, englischer Nationalität, der in
jener Stadt wohnt, hinter der ganzen Geschichte. Dieser Mönch war
nämlich in Ferres gedrungen, eine Glaubensformel nebst Eid zu
unterzeichnen — ich lege eine Abschrift davon hierbei — und da
Ferres dessen sich weigerte, hat wohl der Mönch, entweder selbst oder
durch Andere, die Anklage bei den Inquisitoren besorgt. Diesen
Letzteren muß die in Aussicht stehende Beute wohl sehr verlockend
erschienen sein, denn sie stürzten wie hungrige Raben auf ihr Aas
und krallten nicht bloß die Person des Ferres, sondern auch sein
Eigenthum." Erst nach sechsmonatlicher Haft wurde Ferres auf die
unablässigen Reclamationen des Gesandten wieder freigelassen, auch
sein Eigenthum ihm einige Wochen später wieder herausgegeben. Die
Jesuiten waren aber sehr erbost über diesen Ausgang der Sache und
droheten damit, dem General-Inquisitor einen Ersatzmann zu verschaffen; Leute, welche nicht das Interesse der Kirche, sondern das
der weltlichen Fürsten verfolgten, könne man an einer solchen Stelle
nicht brauchen.

Die Inquisitoren suchten nun den oben mitgetheilten Vertrags-
Artikel, welcher ausländischen Ketzern den Aufenthalt im Lande gestattete, ohne daß sie gezwungen werden konnten, dem römischen Gottesdienst beizuwohnen, auf andere Art unwirksam zu machen: sie
strebten dahin, ihnen den Besuch Spaniens ganz und gar zu ver-
leiden, indem sie die erlaubte Aufenthaltsfrist beschränkten, und zwar
auf so kurze Zeit, daß Niemand es der Mühe werth hielte, überhaupt
wiederzukommen. Dies geschah, nach den amtlichen Berichten des
mehrgenannten Gesandten, einem englischen Kaufmann Namens Nevill
Davis zu Sevilla, dem, „ohne weiter einen Grund anzugeben oder
eine Einrede zu gestatten", nur ein zweitägiges Verweilen gewährt
wurde. Aus derselben Amts-Depesche nach London erfahren wir von
einem Kaufmanns-Consortium, dessen Theilhaber deshalb von der
Inquisition verfolgt wurden, weil sie ohne päpstliche Erlaubniß Handel nach neuentdeckten Ländern getrieben hatten. Die Oberherrlichkeit
über diese Länder gehörte doch dem Papste, und das h. Officium war
der Wächter der päpstlichen Rechte; es legte also seine schwere Hand auf

die Keßer — und ihr Schiff. Der englische Gesandte erwirkte die
Freilassung dieser Herten Chalens, St. John und Genossen, aber erst
nach langem Bemühen und nur gegen hohe Bürgschaft. Damit man
diese leßtere nicht mehr herauszugeben brauche, verurtheilte man
die Missethäter zur Galeere, worauf sie sich natürlich nicht mehr sehen
ließen. Ein ähnliches Schicksal erfuhr Georg Strangham, ein Schotte,
welcher Handel nach der Berberei getrieben und um Schiff und Ladung gebüßt werden sollte. Kurz: für einen keßerischen Engländer
wurde der Verkehr mit den Hauptplätzen der alten und neuen Welt
durch das rechtswidrige Gebahren der spanischen Inquisition schwer
und fast unmöglich gemacht.

Unter der Regierung Philipp's III. erhoben die Spanier selbst
mehrfachen und lauten Widerspruch gegen die auf ihnen lastende Bedrückung. Viermal verlangte das Parlament von Castilien, daß den
Inquisitoren ein Zügel angelegt werde, aber es wurde jedesmal mit
leeren Worten abgespeist. Seit Ferdinand und Isabella, den „Katholischen", hatten die Herrscher Spaniens der Inquisition gegenüber
nur die eine Sorge: daß das Königthum sich Nichts vergebe,
und in dieser Hinsicht meinten sie das Nöthige vorgekehrt zu haben,
wenn sie mit der Inquisition Hand in Hand gingen. Die sogenannte „Unbefleckte Empfängniß Mariä" machte den Frommen schon
dazumal Schmerzen. Die dieser „Lehrmeinung" günstige Partei im
spanischen Klerus verlangte, daß der Papst die inquisitorischen Glaubenswächter anweise, gegen die Bestreiter dieser Lehre einzuschreiten.
Aus dem vorhin angeführten Grunde glaubte Philipp III. auch hier
mitthun zu müssen. Auf sein ausdrückliches Begehren bei Papst
Paul V. erließ im Jahre 1616 die „heilige Congregation der Inquisition" den Entscheid: es dürfe in Spanien Keiner wagen, in
Predigten, Vorlesungen, Disputationen oder bei sonstigen öffentlichen
Acten zu behaupten, die heilige Jungfrau sei mit der Erbsünde behaftet zur Welt gekommen. Es wurden auf die Uebertretung dieses
Verbots schwere Strafen gesetzt, was die Liebhaber der „Immacu-
lata" höchlichst befriedigte. Geholfen hat die Maßregel aber Nichts,
denn die Gegner ließen sich nicht mundtodt machen, und da sie,
wenn auch in der Minorität, doch sehr zahlreich waren, konnte man
die angedrohte Strenge nicht durchführen. Sechs Jahre später that
der König den Frommen noch einmal den Gefallen, sich in dieser
Angelegenheit an den Papst zu wenden. Gregor XV. hieß die Römische Inquisition ihr Verbot wiederholen, aber auch dieser Donnerkeil fiel matt zu Boden. Ja, ja, die Leichtigkeit, mit der das voraus fertig präparirte Dogma vom 8. December 1854 durch die,
ohne Blamage für Pius IX. gar nicht mehr zu verweigernde Zustimmung der Bischöfe legalisirt wurde, läßt dem Ding gar nicht
ansehen, wie viel Mühe es gekostet hat!

Philipp IV. bekam Gelüfte, sich anläsfig seiner Thronbesteigung am 21. Juni 1621 zu Madrid mit einem Auto unterhalten zu lassen. Zum Lebendigverbrennen war leider gerade Nichts vorräthig. Eine liederliche Nonne wurde vorgeführt, die ihrem Beichtvater gestattet hatte, sich tiefer mit ihr einzulassen, als eigentlich nothwendig gewesen wäre. Ein solches Vergehen fiel freilich nicht unter die Jurisdiction des h. Officiums, aber die ehrwürdige Schwester hatte sich noch anderer Dinge schuldig gemacht: — eines Bundes mit dem Satan. Das war ein Abbruch an der Ehre, die Gott allein gebührt, also Ketzerei, und deshalb erschien die Nonne im Sambenito und mit verstopftem Munde. Sie erhielt zweihundert Peitschenhiebe und wurde dann zu lebenslänglichem Kerker abgeführt. Der betreffende Beichtstuhlsvater ging frei aus — der hatte ja keinen Bund mit dem Teufel geschlossen. „Gott allein die Ehre vor der Welt und mir im Stillen ein bischen Vergnügen!" — den Befolgern dieser Praxis hat die römische Kirche sich allzeit als nachsichtige Richterin erwiesen.

Trotzdem das h. Officium sich um die Moral des Klerus nicht zu kümmern hatte — die Bischöfe und anderen höheren Prälaten konnten doch immer nicht recht von der Meinung loskommen: ihre Jurisdiction über die Insassen ihrer Sprengel sei doch eine ungleich höhere und berechtigtere als die der Inquisitions-Mönche. So machte z. B. auf den Antrieb des Bischofs von Cartagena und Murcia und seines Domcapitels der Rath von Castilien dem König unter'm 9. October 1622 folgende Vorstellung: . . . „Möchten Eure Majestät doch bedenken, ob das nicht ein beweinenswerther Zustand ist, wenn die von uns Allen so hoch gehaltene bischöfliche Würde gekränkt, mit Füßen getreten, von den Kanzeln herunter der Verachtung preisgegeben, vor den Gerichten geradezu verleugnet wird, und das Alles durch den General-Inquisitor und seine Untergebenen, die doch gerade die Autorität der Religion und deren erster Vertreter, der Bischöfe, aufrecht zu erhalten sich vor Allem angelegen sein lassen sollten!" Der König ließ, trotz allen solchen Beschwerden der ordnungsmäßigen Hierarchie, die päpstliche Mönchs-Inquisition gewähren und dafür leistete diese ihm dann den Gegendienst, daß sie sich auf des Königs Forderung im Jahre 1627 auch mit der Aufspürung und Aburtheilung der Schmuggler befaßte — mit welcher Logik man dieses Vergehen zur Häresie zu stempelm mußte, haben wir gelegentlich schon gesehen: die geschmuggelten Waaren, wie Schießpulver und dergleichen, konnten den Ketzern zu Gute kommen, in den eingeschwärzten Ballen konnten sich glaubenswidrige Schriften befinden ꝛc. Als Douceur für diese Grenzaufseher-Dienste wurde den Inquisitions-Vätern vom Könige alles Silber- und Kupfergeld zugesprochen, was sie bei den aus dem Lande flüchtenden Spaniern finden würden; drei ·

Viertel davon sollten ihrer Amts-Kasse, das Uebrige ihnen persönlich gehören.

Einen Zuwachs seiner Einkünfte konnte das h. Officium immer
brauchen, denn es hatte auch mancherlei „unvorgesehene" Ausgaben.
Nur ein Beispiel, das nebenbei beweist, daß die Inquisition nicht
nur mit Scheiterhaufen und Garotte den rechten Glauben stützte,
sondern auch mit — Geld. Zur Zeit, als Prinz Karl von England, der nachmalige unglückliche erste König dieses Namens, von
seinem Vater zu seiner Ausbildung nach Madrid geschickt war, trat
der dortige englische Gesandtschafts-Kaplan, Magister Jacob Wades-
worth, zum römischen Kirchenwesen über. Er ließ Frau und Kinder
von England nachkommen und lebte bis an sein seliges Ende von
einem reichlichen Jahres-Einkommen als „Pensionär der h. Inquisition zu Sevilla".

———————

Zweiundzwanzigstes Kapitel.

Der Verfall des spanischen h. Officiums.

Gewisse Katholiken, welche, wie z. B. Graf Karl v. Montalembert, einerseits einen gründlichen Abscheu vor dem Treiben der spanischen Inquisition, andererseits aber eine gute Meinung von den Jesuiten hatten, bemüheten sich in ihren Reden und Schriften angelegentlichst, zu beweisen, daß diese Zwillinge gar keine Gemeinschaft mit einander gehabt hätten. Die kleinen Reibungen zwischen ihnen, von denen ja auch wir einige erwähnt haben, werden bei diesem Nachweise als scheinbare Belege herangezogen. Den historischen Thatsachen gegenüber ist dieses Bestreben, zu scheiden, was die Verfolgungssucht der römischen Kirche verbunden hat, jedoch eitel und fruchtlos. Eine so enge Verbindung wie die, in welcher der Dominicaner-Orden zu dem h. Officium gestanden hat, ist allerdings die Jesuiten-Compagnie mit demselben nicht eingegangen. Es war der letzteren gar nicht darum zu thun, sich principiell mit dem h. Officium zu identificiren und sich damit die Mißgunst, welche die Inquisition nothwendig wecken mußte, absichtlich auch auf sich zu laden; sie handelte hierin von „Fall zu Fall“, wie es ihr eben paßte, und hierin blieb sie ganz in den von ihrem Stifter hinterlassenen Spuren.

König Johann III. von Portugal (1521—1557), der erste Kronenträger, welcher an dem Ordenswesen des Ignaz von Loyola Gefallen fand, verlangte nach einem Jesuiten als Seelenführer. Er wandte sich zuerst an den P. Gonzalez de Camara und dann an den Provincial Miron. Beide waren von dem Geiste ihres Stifters noch so wenig durchdrungen, daß sie meinten, die angebotene Stellung ausschlagen zu müssen, weil sie gelobt hätten, angebotenen Auszeichnungen nicht nachzugehen. Sie berichteten das ihrem geistlichen Vater. Loyola war durchaus nicht ihrer Meinung. Wenn ein Mitglied der „Gesellschaft Jesu“ Auszeichnungen auch nicht suchen

folle, so sei es doch Pflicht, in einem Falle wie der vorliegende sei,
der Berufung zu folgen, ungeachtet der schweren Bürde, welche der
gezwungene Aufenthalt an einem Königshofe auflege. Der Provincial Miron wurde von Loyola beauftragt, dem König von diesem
Bescheide Mittheilung zu machen. Johann III. freute sich sehr, daß
seine Wünsche und die Weisungen des heiligen Mannes sich so schön
entgegenkamen und er fühlte sich darum gedrängt, der neuen Gesellschaft noch weitere Gunstbezeugungen zuzuwenden. Er trug sich
eben mit dem Gedanken, das „Tribunal der h. Inquisition" in seinen
Staaten einzuführen; Ignaz von Loyola hatte schon im Auftrage des
Königs den h. Stuhl um die nöthigen Bullen und erforderlichen
Vollmachten ersucht und Alles das war vom Papste gnädig in nahe
Aussicht gestellt worden. Da Johann III., wie gesagt, in der Jesuiten-Compagnie die gesundeste Stütze der römischen Kirche erkannte,
so lag der Wunsch ihm nahe, dieselbe mit der in seinen Ländern
einzurichtenden „Inquisition gegen die ketzerische Bosheit" zu betrauen;
er wandte sich also auch in dem neuen Anliegen an den Provincial
Miron, welcher dies Mal wegen der zu gebenden Antwort bei Loyola
sich Raths erholte. Loyola war von ganzer Seele bereit, auch diesem
Verlangen des Königs zu entsprechen. Einige Schwierigkeiten blieben
allerdings aus dem Wege zu räumen. Werden die Dominicaner und
die übrigen alten Orden, welche in dem h. Officium so fest sitzen
und ihrer bereits geleisteten Dienste wegen zu Rom für alle Wünsche
offene Ohren finden, dulden, daß in Portugal ein anderer, ein ganz
neuer Orden, ein so gefährlicher Rivale, sich ein Inquisitions-Tribunal einrichte? In einem Briefe, welcher — so schlau ist er abgefaßt — dem Gründer der Jesuiten-Compagnie als solchem alle
Ehre macht, erklärte Loyola seine Bereitwilligkeit, mit seinen Ordens-
genossen die betreffenden Functionen zu übernehmen; gleichzeitig weist
er dann auf Mittel und Wege hin, wie dem sich etwa erhebenden
Widerspruch am wirksamsten begegnet werden könne.

„Da in der That der Auftrag, den der König uns geben will, dem Geiste
unseres Instituts nicht entgegen ist, so liegt kein Grund vor, daß unsere Gesellschaft sich demselben entziehen sollte, trotz der verdrußvollen Beschwer, die seine
Ausführung uns bringen wird, denn es handelt sich offenbar um eine Sache,
welche die Interessen der Religion in jenem Königreiche nahe genug berührt. Um
jedoch mancherlei Unzuträglichkeiten zu vermeiden, wäre es unseres Erachtens rath-
sam, daß Seine Majestät den Papst bäte, uns unter der Pflicht des Gehorsams
zur Annahme des uns königlicherseits zugedachten Geschäftes zu bestimmen. Wenn
Seine Heiligkeit, als das Haupt der Cardinäle wie der Inquisition, befiehlt, daß
unsere Gesellschaft das Amt übernimmt, so haben wir die Beruhigung, daß alles
mit voller Gutheißung des Kirchenhauptes geschieht. Möge es daher dem Könige
gefallen, an den Protector unseres Ordens im heiligen Collegium, den Cardinal
Carpi, den gegenwärtigen Decan des h. Officiums, darum zu schreiben, ebenso
an seinen Gesandten beim päpstlichen Stuhl, damit dieser die Sache betreibe."

Nach einigen weiteren Rathschlägen schließt Loyola mit folgenden Anmuthungen:

„Wenn Seine Majestät zu dem Schreiben nach Rom sich nicht sollten verstehen mögen, so sind wir nichtsdestoweniger bereit, seine Befehle zu erfüllen zur größeren Ehre Gottes . . . Hält Seine Majestät es für gut, daß wir beginnen ohne die Antwort des Papstes abzuwarten, so kann einer oder zwei von den Unsrigen das Amt immerhin vorläufig antreten bis dahin, daß die officielle Beauftragung durch den Papst erfolgt. Wie immer der König sich entscheide, wir sind, wie ich schon bemerkt habe, bereit, Alles zu thun, was Seiner Majestät wohlgefällt."

Auch in Spanien amtirte mehr als ein Jesuiten-Pater am Inquifitions-Tribunal. Doch nicht nur auf untergeordnete Stellungen beschränkte sich die Verbindung der beiden großen Legionen im Kriegs-Dienste des Papstes gegen die Ketzer — die „Gesellschaft Jesu" hat der Inquisition sogar einen Groß-Meister geliefert und zwar einen, von dem zu reden der Mühe wohl werth ist: er konnte einem spanischen Granden, der sich herausnahm, ihm Vorstellungen zu machen, die Worte in's Gesicht donnern: „Wißt Ihr, daß Ihr mir Respect schuldig seid? mir, der alle Tage Gott in seinen Händen hat und Euere Königin zu seinen Füßen?"

Da der Sohn Philipp's IV., der bei dessen Tode im Jahre 1665 auf dem Throne folgte, unmündig war, so führte die Königin-Mutter Maria Anna von Oesterreich die Regierung, zusammen mit einem Rathe, zu dessen Mitgliedern der General-Inquisitor ex officio gehörte. Die Regentin hatte ihr unbedingtes Vertrauen in die Rathschläge ihres Beichtvaters gesetzt, des Jesuiten-Paters Nithard, der ihr aus ihrem Vaterlande mit nach Spanien gefolgt war, und hatte daher nicht eher Ruhe, als bis P. Nithard mit im Regentschafts-Rathe saß. Die Mitglieder desselben waren von dem verstorbenen Könige testamentarisch bestimmt und so blieb ihr Nichts übrig, als Nithard zum General-Inquisitor zu machen; es fragte sich nur, ob der Papst seine Einwilligung dazu geben werde. Diese blieb aber nicht nur nicht aus, sondern scheint auch mit voller Gunst für Nithard gegeben worden zu sein, weil man den Jesuiten später auch noch zum Cardinal machte. Vier Jahre hindurch saß Nithard als General-Inquisitor im Regentschafts-Rathe, und man kann nicht sagen, daß er das Glaubensreinigungs-Geschäft, zu dem er eigentlich ja nur nebenbei gekommen war, mit minderem Eifer verwaltet hätte, als seine Vorgänger aus dem Prediger-Orden. Durch seinen unbegrenzten Einfluß auf die Königin regierte er das Reich mit voller Autorität. Schließlich mußte er jedoch, da er für sein tyrannisches Herrschgelüste keine Schranken kannte, dem Unwillen des Volkes weichen und das Land verlassen. Er floh nach Rom, wo er, wie bemerkt von Clemens IX. im Jahre 1669 für sein Wirken als Beichtvater der Königin, als General-Inquisitor und als Regent Spaniens im Sinne Roms mit dem Cardinalshut belohnt wurde.

Auf die Einmischung der spanischen Inquisition in die inneren Verhältnisse Frankreichs, dadurch, daß sie die Erklärungen des Gallicanischen Klerus von 1682 als ketzerisch verurtheilte, haben wir schon an einer andern Stelle hingewiesen (siehe S. 115, im 7. Kapitel), deshalb sei hier nur in Kürze daran erinnert. Es war also, um nur den ersten der vier berühmten Bossuet'schen Sätze im Wortlaute mitzutheilen, im Sinne der Inquisition ketzerisch zu sagen:

„Zuerst dem Petrus und seinen Nachfolgern, den Statthaltern Christi, sowie der Kirche selbst, gab Gott Gewalt in geistlichen Dingen, die zum ewigen Heile gehören, nicht aber in bürgerlichen; denn der Herr sagte: »Mein Reich ist nicht von dieser Welt,« und an anderer Stelle: »Gebet Gott was Gottes und dem Kaiser was des Kaisers ist!« Wir haben uns daher zu halten an der Vorschrift des Apostels: »Jedermann unterwerfe sich der obrigkeitlichen Gewalt; denn es gibt keine Gewalt außer von Gott, und die, welche besteht, ist von Gott angeordnet. Wer demnach sich der obrigkeitlichen Gewalt widersetzt, der widersetzt sich der Anordnung Gottes.«· Könige also und Fürsten sind nach der Anordnung Gottes in weltlichen Dingen irgendwelcher kirchlichen Gewalt nicht unterworfen; sie können auch nicht, weder direct noch indirect, durch die Autorität der kirchlichen Schlüssel-Gewalt abgesetzt oder ihre Unterthanen von dem pflichtmäßigen Gehorsam oder dem geschworenen Treue-Eid entbunden werden. Die Anerkennung dieser Wahrheit ist nothwendig für die öffentliche Ruhe; sie ist auch der Kirche ebenso heilbringend wie dem Staate; sie muß unverbrüchlich beobachtet werden als übereinstimmend mit dem Worte Gottes, der Ueberlieferung der Väter und dem Beispiele der Heiligen."

Die Hemmnisse, welche die Inquisition dem Handel und dem Verkehr bereitete, haben wir in einem der letzten Kapitel angedeutet, sehen wir kurz an einem einzelnen Beispiele, welchen Einfluß sie auf den wissenschaftlichen Geist ausübte. Der als Theologe und Dichter berühmte Augustiner-Mönch Franz Luis de Leon, welcher in den sechsziger Jahren des 16. Jahrhunderts selbst an der Universität zu Salamanca docirte, nannte diese Hochschule noch „das Licht Spaniens und der Christenheit". Zweihundert Jahre später, 1771, wies diese selbe Universität von Salamanca den Vorschlag zur Gründung eines Lehrstuhls für Mathematik als für den Glauben gefährlich zurück und schon im Jahre 1722 konnte der französische Gesandte am Hofe zu Madrid, der Herzog de Saint-Simon in seine Memoiren schreiben: „Wissenschaft ist in diesem Lande ein Verbrechen, Unwissenheit und Stupidität sind Tugenden." So ist es denn gekommen, daß es, nachdem man die gelehrten Juden umgebracht oder des Landes verwiesen hatte, bis zum Jahre 1776 in Spanien keinen Chemiker gab, der die einfachsten Droguen, wie Glaubersalz, Magnesia, Antimonium, Quecksilber rc. zu bereiten verstanden hätte. Die spanischen Aerzte, von denen der Verfasser des „Gil-Blas" uns in dem

curiosen Doctor Sangrado ein nach der Natur gezeichnetes Exemplar
aufbewahrt hat, kannten keine anderen Heilmittel als Laxiren und
Aderläffe. Mit der wiffenschaftlichen Erkenntniß hielt die Gefund-
heitspflege und die Reinlichkeit gleichen Schritt. Als der Marquis
d'Esquilache, ein Sicilianer und Minifter des Königs Karl's III.
. (1759 bis 1788), Befehl gegeben hatte, daß die Straßen der Haupt-
ftadt Madrid mit Befen gekehrt werden follten, erklärte die medici-
nifche Facultät diefe Durchftöberung des Straßenmifts und deffen
Wegfuhr für gefundheitsgefährlich und die guten Madrilenen erkannten das für fo richtig, daß fie zu ernftlichem Widerftand fchritten.
Bei diefer Gelegenheit war's, daß der reformfreundliche Karl III.
das Wort fprach: „Die Spanier find wie die kleinen Kinder: wenn
man Anftalt macht, fie zu reinigen, fangen fie an zu fchreien."

Wenn wir aber wiffen möchten, wie ein folcher allgemeiner
Rückfchritt in der Cultur vor fich geht, fo braucht man nur eine
der Reden zu lefen, welche um die Mitte jenes 200jährigen Zeit-
raums den Gebildeten der Nation als chriftliche Geiftesnahrung geboten wurden. Hören wir, was Fray Manuel Guerrera y Ribera,
befchuhter Trinitarier, Doctor der Theologie, Professor der
Philosophie an der Universität zu Salamanca, Hofpre-
diger u. f. w. u. f. w. gelegentlich der jährlichen Verlefung des In-
quifitions-Edicts behufs der vorzunehmenden General-Ketzer-Treib-
jagd in der Franziscaner-Klofterkirche zu Saragoffa am 1. März 1671
zu predigen gewußt hat über die Worte bei Luc. XI, 14—28:
„Und er trieb einen Teufel aus, der ftumm war" u. f. w.

„Am 1. März öffnete Mofes das Heiligthum, Aaron legte die Kleider als
Hoherpriefter an und die Stammesoberften brachten ihre Opfer nach der Borfchrift
des Gefetzes. So öffnet fich auch am 1. März der Tempel des h. Franciscus,
die päpftlichen Befehle bezüglich der Anzeige der Häretifer bei den Inquifitoren
als den Stellvertretern des Nachfolgers Petri werden verlefen und die vornehmften
Einwohner von Saragoffa geloben diefen Befehlen Gehorfam. Aaron war der
Inquifitor für die Aufrechterhaltung des Gefetzes; an feiner Statt haben wir heute
die Inquifitoren von Saragoffa. Jefus Chriftus war des Aberglaubens angeflagt.
Das war ein Verbrechen, welches die Inquifition zu richten hatte. Ich werde meine
Predigt auf zwei Punkte erftrecken: erftens über die Pflicht die Ketzer anzuzeigen;
zweitens über die Heiligkeit des Amts eines Inquifitions-Richters.

Erfter Punkt. Die Religion ift ein Kriegsdienft. Jeder Soldat hat die
Pflicht, es feinem Anführer anzuzeigen, wenn er weiß, daß Feinde in der Nähe
find. Thut er das nicht, fo verdient er die Strafe eines Verräthers. Der Chrift
ift in derfelben Lage wie der Soldat: wenn er von Ketzern weiß und zeigt fie
nicht an, fo ift auch er ein Verräther, und die Inquifition wird nicht ftumen,
ihn zur Strafe zu ziehen. Als der h. Stephanus gefteinigt wurde, betete er,
Gott möge diefe Sünde feinen Verfolgern nicht anrechnen. Aber wir haben es
hier mit zwei Sünden zu thun: die eine ift die Steinigung des Stephanus; die
andere ift das Widerftreben gegen den h. Geift; und die Beftrafung diefer letztern
ift Sache der Inquifition. Stephanus bat Gott, er möge ihnen die Sünde feiner

Tödtung verzeihen, das konnte er; aber für die andere Sünde erbat er keine Verzeihung: die Bestrafung dafür überließ er dem Herrn und der Herr übergab die Bestrafung solcher Sünden der Inquisition.

„Jacob ging weg aus dem Hause Laban's, seines Schwiegervaters, ohne diesem Lebewohl zu sagen. Warum erwies er seinem Schwiegervater nicht die schuldige Achtung? Weil Laban dem Götzendienste ergeben war und in Sachen der Religion jede menschliche Rücksicht aufhört. Darum hat selbst der Sohn die Pflicht, seinen leiblichen Vater, wenn dieser ein Ketzer ist, der Inquisition anzuzeigen. Moses war Inquisitor gegen Pharao, den Großvater seiner Pflegemutter, und er versenkte ihn in's Meer, denn er war ein Götzendiener; auch gegen seinen Bruder Aaron, indem er ihn zur Rede stellte, warum er die Aufrichtung des goldenen Kalbes zugegeben habe. Handelt es sich also um ein Verbrechen, das die Inquisition angeht, so müßt ihr nicht zaudern bei dem Gedanken: der Sünder sei ja euer Vater, euer Bruder; Josua war Inquisitor gegen Achan, indem er denselben zu verbrennen befahl; Achan hatte sich nämlich von dem Gute angeeignet, welches wegen der Verfluchung der Stadt Jericho hatte verbrannt werden sollen. So will es also die göttliche Gerechtigkeit, daß die Ketzer verbrannt werden sollen. Achan war der Angesehenste unter dem Stamme Juda, aber sie zeigten ihn doch an. So muß jeder Häretiker angezeigt werden und wäre er auch ein Prinz königlichen Geblüts.

„Zweiter Punkt. Der h. Petrus war Inquisitor gegen Simon den Magier. Die Nachfolger des Petrus und deren Stellvertreter, die Inquisitoren, haben also die Pflicht, die Magier und Zauberer zu bestrafen. David war Inquisitor gegen Goliath und Saul: gegen den ersteren ein strenger, weil Goliath die Religion aus frecher Willkür schmähte, gegen Saul ein gnädiger, weil Saul seiner nicht ganz mächtig war und unter dem Einfluß eines bösen Geistes handelte; wir sehen darum den Inquisitor David dem Saul gegenüber zu den mildesten Mitteln greifen: zum Harfenspiel. Den Stein gegen Goliath und die Harfe gegen Saul — da habt ihr die Bedeutung des Schwerts und des Oelzweigs in dem Wappen und der Standarte des h. Inquisitions-Officiums. Das Buch der geheimen Offenbarung war versiegelt mit sieben Siegeln, denn es ist das Vorbild des Buches vom Inquisitions-Proceß, der so geheim geführt wird, als wäre er versiegelt mit sieben Tausend Siegeln. Nur ein Löwe öffnet es und dann ist der Löwe verwandelt in ein Lamm. Wo wäre ein deutlicheres Vorbild für den Inquisitor zu finden?! Um die Verbrechen gegen den Glauben zu untersuchen, ist er ein Löwe, der Schrecken um sich her verbreitet. Nachdem er die Verbrechen ausfindig gemacht hat, wird er zum Lamme, das für die in das Buch eingezeichneten Sünder nur Freundlichkeit, Gnade und Mitleid kennt. Bei der Oeffnung des Buches der Offenbarung standen Aelteste dabei mit Phiolen voll süßer Gerüche. Phiolen waren es, keine Schalen, Phiolen mit engen Oeffnungen, aus denen der Duft sind hervorquoll. Damit ist vorgebildet das sparsame Reden der Inquisitoren und ihrer Diener. Die Düfte waren süß. St. Johannes sagt, daß sie die Gebete der Heiligen bedeuten. Unter diesen Heiligen sind die Herren Inquisitoren zu verstehen, welche Gebete zum Himmel senden, bevor sie ihren Urtheilsspruch fällen. Der Bibeltext sagt uns, daß die Diener Gottes auch Harfen in den Händen hatten. Warum nicht Lauten oder Geigen? Nichts derart! Die Saiten dieser Instrumente sind aus der Haut geschundener Thiere gemacht — die Inquisitoren aber schinden Keinen. Die Harfen haben metallene Saiten und so ist auch die Stimmung der Inquisitoren von lauterem Metall, je nach dem Grabe der Schuld, die sie zu verurtheilen haben, hoch oder tief, mild oder ernst. Die Töne der Geige werden mit der Hand hervorgebracht, das bedeutet rohe Gewalt; die der Harfe mit dem Stäbchen, das ist ein Sinnbild der von den Inquisitoren angewendeten Wissenschaft. Die Hand ist von dem Leibe abhängig und seinen Einflüssen unterworfen, das Stäbchen dagegen ist ein losgelöstes Ding, in sich selbst vollkommen und beständig. Es mußten also Harfen sein und keine Geigen, wenn die Inquisitoren richtig vorgebildet werden sollten, denn die Stimmung der Richter des h. Officiums muß unabhängig sein von allen Einflüssen der menschlichen Leidenschaften."

Ein knappes Menschenalter nach dieser Predigt stehen wir an der Pforte des 18. Jahrhunderts.

Zwei Staatsräthe, zwei Provincialräthe von Castilien, zwei von Aragonien, zwei aus Italien für die dortigen spanischen Besitzungen, zwei für Indien, zwei Vertreter der Ritter-Orden, ein Secretär des Königs, im Ganzen dreizehn Personen bildeten die sogenannte „Große Junta", welche König Karl IV. zusammenberief, um die von allen Seiten gegen die Inquisition sich erhebenden Klagen in Betracht zu ziehen. Nach gründlicher Erwägung der Sache berichtete diese Junta unterm 21. Mai 1696, daß die Uebergriffe der Inquisitoren in die Jurisdiction des Königs so alt seien wie die Einrichtung des h. Officiums in den spanischen Landen. Sie hätten sich die Gewalt angemaßt in Angelegenheiten aller Art und über Personen aller Stände. Leute der höchsten wie der niedrigsten Rang-Ordnung seien in ihre Gefängnisse geworfen und die angesehensten Familien durch sie mit Schande bedeckt worden. Es habe nicht mehr bedurft, als daß man einen ihrer Verbündeten oder Diener, die sich, die Einen wie die Anderen, ungemessener Vorrechte erfreuten, gekränkt hätte, und man sei damit unbarmherziger Rache verfallen gewesen. Das ganze Proceß-Verfahren der Inquisition bis auf die äußeren Formen herab sei der offenbare Hohn auf die königlichen Gerichte und alle bürgerliche Autorität. Die „Vasallen" des Königs seien mit diesem Stande der Dinge allzeit unzufrieden gewesen, wie ja denn auch Kaiser Karl V., die Berechtigung dieser Klagen einsehend — in Spanien wenigstens — die bis dahin der Inquisition gewährte Sanction suspendirt habe. Philipp II. habe nach Karl's Abdankung als Reichs-Regent diese Sanction nach zehnjähriger Suspension ihnen wieder zurückgegeben; die dabei gemachten Vorbehalte seien aber nicht beobachtet worden. Durch das lange Gewährenlassen sei ihr Uebermuth bis zur Unerträglichkeit emporgewachsen. In Angelegenheiten, welche mit der Religion nicht das Geringste zu schaffen hätten und über Personen, die mit der Kirche in gar keiner Beziehung ständen, hätten sie sich das Richterthum angemaßt, gänzlich vergessend, daß die Rechtspflege Sache des Königs und ihnen nur aus königlicher Gnade ein Theil derselben bezüglich bestimmter Vergehen eingeräumt worden sei. Sie leugneten

das aber und setzten sich thatsächlich über die ihnen durch das canonische Recht und die in ihren eigenen Archiven liegenden Bullen verächtlich hinweg. Sie, die Mitglieder der Junta, möchten eigentlich
rathen, sämmtliche der Inquisition vom Könige gewährten Vorrechte,
welche so schändlich mißbraucht würden, ihr wieder zu entziehen; sie
wollten sich jedoch auf die Forderung beschränken, daß den früheren
Eingrenzungen der inquisitorischen Befugnisse auf's Neue Kraft gegeben und vor Allem Niemand mehr in den Kerkern des h. Officiums
gefangen gehalten werde, der sich nicht religiöser Vergehen schuldig
gemacht habe. Weiterhin empfählen sie, daß den Verurtheilten der
Appell an den König und die Revision des Processes durch die königlichen Gerichte gestattet werde. Die Uebel, welche aus den ungemes-
senen Ansprüchen des h. Officiums und seines Personals sich ergäben,
seien geradezu zahllos — bis zum Kutscher und Lakai herab machten
seine Bediensteten Privilegien geltend, mit welchen ein geregeltes ge-
sellschaftliches Leben nicht bestehen könne. Die Haushälterin und
Küchenmagd des Inquisitors frage, wenn sie auf dem Markte beim
Einkaufe nicht schnell genug oder nicht ganz nach Wunsch bedient
werde, ob man denn nicht wisse, mit wem man es zu thun habe.
Eine unbedachte Widerrede selbst diesem Gesinde gegenüber sei frei-
heitsgefährlich. Unter solchen Umständen seien die weitverbreitete und
tiefgehende Unzufriedenheit sowie die aus dieser schon in verschiedenen
Provinzen ausgebrochenen Tumulte nur allzu begreiflich. Zum
Schlusse kam die Junta auf ihr Verlangen zurück, daß die Jurisdiction des h. Officiums eingeschränkt, seine Vorrechte vermindert und
die bürgerliche Rechtspflege gegen seine Eingriffe sicher gestellt werden
müßten.

Versuche, in diesem Sinne zu handeln, wurden wohl hier und
da gemacht, aber der König war zu schwach, um der Durchführung
seiner Rechte auf die Dauer den erforderlichen Nachdruck zu sichern.
Zu diesen momentanen Anläufen gehört auch der gegen den Inquisitor von Catalonien, Bartholomäus Sanz y Munjos. Dieser strafte
den königlichen Amtmann und die Jury des Städtchens Sitjes in
der Provinz Barcelona mit der Excommunication, weil er das Haus
eines Familiaren des h. Officiums mit Einquartirung belegt hatte;
gleiche Strafe traf die bürgerlichen Magistrats-Personen der Stadt,
weil sie dem Inquisitor nicht helfen wollten, den Amtmann gefangen
zu nehmen. Dem Könige wurde von dieser pfäffischen Unverschämtheit Mittheilung gemacht und Karl ließ sofort, unter dem 8. Januar
1696 den Befehl an den Marquis von Castel Rodrigo ausfertigen,
daß er den genannten Inquisitor ohne Verzug außer Landes bringe
mit der demselben zu gebenden Weisung: den spanischen Boden ohne
königliche Erlaubniß nie mehr zu betreten. Im großen Ganzen jedoch blieben die Klagen der Bevölkerung ungestillt.

Das 18. Jahrhundert begann mit etwas hoffnungsvolleren Aus=
sichten, aber sie erwiesen sich bald als trügerisch. Der im Jahre
1700 zum Thron gelangte Philipp V., Enkel Ludwig's XIV. von
Frankreich, verzichtete zwar auf das übliche Fest=Auto zu seiner Krö=
nungsfeier, aber er mißbrauchte die Inquisition bald auf andere Art,
zu politisch=persönlichen Zwecken. Da er in dem zwölfjährigen
Erbfolgekrieg Noth hatte, sich wider den österreichischen Gegenkönig
Karl (den nachmaligen Kaiser Karl VI.) zu behaupten, so ließ er die
Inquisition in ihrem Treiben nach Herzenslust gewähren; dafür that
diese ihm dann den Gefallen und behandelte auf Grund der gött=
lichen Lehre von der Legitimität der Fürsten Diejenigen als Ketzer,
welche an der Rechtmäßigkeit seines Herrschertitels bescheidene Zweifel
hegten. Im Uebrigen hatte jedoch das h. Officium seine Hände vom
Staatswesen zurückzuhalten: als der zeitige General=Inquisitor gegen
einen hohen Staats=Beamten wegen Ketzerei einzuschreiten sich heraus=
nahm, erklärte Philipp ihn für seines Amtes verlustig. Er würde wohl
auch, nachdem er auf dem Throne sich befestigt hatte, in irgend einem
Momente begründeten Unwillens der ganzen Inquisition ein Ende
gemacht haben — die desfallsige königliche Ordre soll einmal bereits
ausgefertigt gewesen sein — wenn er nicht gefürchtet hätte, dem
Schlage könnte von Rom aus ein ihm Verderben bringender Gegen=
schlag folgen. Es blieb darum nutzlos, daß die Cortes von Castilien
ihr Verdammungs=Urtheil über das Glaubensgericht im Jahre 1714
und dann wieder im Jahre 1720 erneuerten. Die Geistes=Despoten
zu Rom waren, wenn nur ihre Strebungen salbirt blieben, allezeit
bereit, Hand in Hand mit despotischen Königen über die Rechte des
Volkes hinwegzuschreiten: auch Philipp und die Inquisition erkannten
täglich mehr, wie gute Dienste sie sich gegenseitig leisten könnten.
„Kleine Geschenke", sagt man, „erhalten die Freundschaft": im Jahre
1723 gewährte Philipp V. dem General=Inquisitor und sämmtlichen
Beamten des h. Officiums Postfreiheit. Vorwände zur Verfolgung
fehlten dem letzteren auch jetzt zu keiner Stunde. Die evangelische
Anschauung des Christenthums, die zwei Jahrhunderte früher zeitweilig
so lebendig gewesen war, daß es nur eines Gewährenlassens für we=
nige Jahre bedurft hätte, um sie durch das Gewicht ihrer Bekenner
in Spanien zur herrschenden zu machen, war allerdings völlig aus=
gerottet, aber es gab Viele, die man der Absicht, dem Judenthum
wieder zum Leben zu verhelfen, beschuldigen konnte. Und dann die
Freimaurer! So war es denn möglich, während der sechsundvier=
zigjährigen Regierung Philipp's V. sieben Hundert zweiund=
achtzig Autos abzuhalten. Nach Llorente wurden dabei 1564 Per=
sonen lebendig, 782 im Bilde verbrannt; 11,730 bequemten sich zur
„Buße" und kamen mit anderen Strafen davon.
Derselbe finstere Geist, welcher der Inquisition das Institut der

Poſt wie eine ihr eigenthümliche Sache zur Verfügung ſtellte, ermöglichte ihr auch die ſyſtematiſche Ueberwachung der öffentlichen Druckſchriften. Im Jahre 1747 wurde in einem beſonderen Index Alles,
was ſich auf verbotene Bücher bezog, zuſammengeſtellt. Neun Jahre
ſpäter beſchwerte ſich der „Hohe Rath der Inquiſition‟, daß die in
dieſem Index enthaltenen Vorſchriften und Regeln bei den Buchhänd-
lern und ſonſtigen Perſonen nicht die gehörige Beobachtung fänden,
denn es liefen heimlich mancherlei Schriften um, deren Lectüre darin
unterſagt ſei. Das h. Officium erließ deshalb an alle Buchdrucker
und Buchhändler die gemeſſene Weiſung, binnen zwei Monaten ein
Verzeichniß ſämmtlicher in ihrem Beſitze befindlichen Druckſchriften
aufzuſtellen und dieſe Liſte dann in ihren Häuſern oder ihren Läden
ſo bereit zu halten, daß das heilige Gericht und ſeine Diener zu jeder
Stunde Einſicht nehmen könnten, was für Bücher, ſei es als eigener
oder Commiſſions-Verlag, ſei es zum Sortiments-Verkauf oder wie
ſonſt immer, vorräthig ſeien; und zwar müſſe neben dem vollſtändi-
gen Titel der Vor- und Zuname des Verfaſſers und des Druckers
ſowie der Wohnort Beider genau vermerkt ſein. Die Drucker und
Buchhändler mußten ſchwören und über dieſen Schwur einen Schein
ausſtellen, daß ſie andere Bücher als die in der Liſte aufgezeichneten
nicht im Beſitze hätten, weder im Hauſe noch außer dem Hauſe.
Das Verzeichniß war jährlich zu erneuern. Beſondere Inſpectoren
hielten dann von Zeit zu Zeit unvermuthete Nachforſchung, ob vielleicht verbotene Waare vorhanden ſei. Als verbotene Waare galt
aber in dieſem Falle Alles, was nicht auf der Liſte ſtand. Daneben
erging eine öffentliche Bekanntmachung folgenden Inhalts: Keiner,
wer es auch ſei, dürfe unter irgend welchem Vorwande ein in dem
„Verzeichniß verbotener Schriften‟ aufgeführtes Buch kaufen oder verkaufen, leihen oder verleihen, verſchenken oder als Geſchenk annehmen.
Wenn Jemand dennoch irgendwie in den Beſitz eines ſolchen Buches
kommen ſolle, ſo ſei es ihm unterſagt, daſſelbe zu zerreißen oder zu
verbrennen, ſondern daſſelbe ſei unweigerlich dem h. Officium auszuliefern. Auf jede Zuwiderhandlung war ſchon in dem beſagten
Index von 1747 ſchwere Strafe feſtgeſetzt, die, ſo war ausdrücklich
bemerkt, je nach Umſtänden angemeſſen verſchärft werden konnte.
Jeder Buchhändler mußte den Index im Hauſe haben und zwar
ſtets die neueſte Ausgabe deſſelben; die Vorweiſung eines älteren
war ſogar ſtraffällig. Die zwiſchenzeitlich von der Inquiſition ver-
pönten literariſchen Neuigkeiten mußte der Sortimentshändler in dem
Index ſchriftlich nachtragen.

In dem am 13. Juni 1713 zu Utrecht abgeſchloſſenen Frieden
war das von England eroberte Gibraltar dieſem abgetreten und in
einem beſonderen Artikel beſtimmt worden, daß „Ihre britiſche Ma-
jeſtät auf das Erſuchen des katholiſchen Königs einwillige und zu-

stimme, es sollten in der besagten Stadt Gibraltar auf keinen Fall Juden oder Mauren wohnen oder sich aufhalten dürfen", andererseits „gelobte die Königin von Großbritanien, den Bewohnern der besagten Stadt Gibraltar die ungehinderte Ausübung der Römisch-katholischen Religion." Fünf Jahre später wurde ein englischer Jude, der sich in Granada hatte betreten lassen, dort, also auf derselben Stelle, von wo einst das Edict zur Vertreibung der Juden aus Spanien ausgegangen war, von der Inquisition eingekerkert und seiner Habe beraubt. Es war, als ob man der britischen Regierung das Zeitgemäße und die Vortrefflichkeit der Grundsätze habe vordemonstriren wollen, welche sie durch ihre Einwilligung in den Ausschluß der Juden aus Gibraltar gewissermaßen auch zu den ihrigen gemacht hatte; England konnte aber auch daraus auf's Neue lernen, was es zu erwarten habe, wenn es noch einmal der „Römisch-Katholischen Religion" das Uebergewicht auf seinem heimischen Boden ermögliche. Auf die dringenden Vorstellungen des Königs George I. wurde Isaac Martin nach achtmonatlicher Haft freigegeben und, zu seiner großen Befriedigung, aus Spanien ausgewiesen, freilich nicht ohne daß vorher die Inquisition ihr Müthchen an ihm gekühlt hätte: er wurde mit entblößtem Rücken durch die Straßen von Granada gepeitscht.

Unter der Regierungszeit Karl's III. (1759 bis 1788) und Karl's IV. (1788 bis 1808) brachte das Wiederaufleben der Literatur und die fortschreitende Erkenntniß in den gesunden Grundsätzen der Landes-Verwaltung den Klerus wie die Staatslenker zu einer einsichtsvolleren Würdigung der Ansprüche Roms wie des Treibens der Inquisitoren. Die letzteren wurden in bescheidenere Grenzen zurückgedrängt und den Jesuiten (1767) der Aufenthalt auf spanischem Gebiet für die Zukunft verwehrt. Es fehlte nicht viel, so würde Karl dem Rathe seiner trefflichen Minister: des Marquis von Roda, und der Grafen Aranda, Florida Blanca und Campomanes nachgegeben und wie dem Jesuiten-Orden so auch der Inquisition in Spanien ein Ende gemacht haben, allein selbst dieser aufgeklärte Fürst war noch zu bedenklich. Aber unter dem 18. Januar 1772 schritt er doch zu einer kräftigen Maßregel, um das von den Kutten verhängte Licht in's Land einzulassen. Es erging eine königliche Ordre, in der Karl sich folgendermaßen über seine Stellung zur Inquisition aussprach. Eine seiner Hauptsorgen seit dem Antritt der Regierung sei gewesen, die katholische Religion in den Ländern der spanischen Krone in ihrer vollen Reinheit zu bewahren und die Störer der Glaubenseinheit fern zu halten. Das sei ja auch die Aufgabe des Tribunals der allgemeinen Inquisition, welcher der h. Stuhl auf die Bitten seiner ruhmreichen Vorfahren so weitgehende Befugnisse zugetheilt habe. Die königliche Großmuth habe diese Befugnisse dann noch erweitert und der Inquisition zeitweilig und für die Dauer des königlichen Wohlgefallens auch noch einen Theil der königlichen Jurisdiction eingeräumt zur Aburtheilung solcher Fälle und Angelegenheiten, welche außerhalb der geistlichen Jurisdiction der Päpste lägen. So also kämen in Betracht dieser Machterweiterung des h. Officiums durch die Könige, ihm, als dem Inhaber der Krone, die Titel als Fundator, Patron und Protector wohl zu. Sein Schutz solle dem h. Tribunal auch gesichert bleiben, doch wünsche er, daß dasselbe sich bei seinem Vorgehen im Einklang halte wie mit den Anschauungen des Apostolischen Stuhls so auch mit der pflichtmäßigen Unterordnung unter die Staats-Ordnung, wie dies ja auch vom General-Inquisitor und dem „Hohen Inquisitions-Rath" gelobt sei. Zu diesem Ende sei es aber durchaus nothwendig, daß dem König über Alles, was irgendwo durch das h. Officium in solchen Angelegenheiten geschehe, die ihrer Natur nach eigentlich zur Competenz des Königs gehörten und von diesem nur für so lange als es ihm gefalle, auf die Inquisition devolvirt seien, Mittheilung gemacht werde; nur dadurch könnten solche ernsten und verderblichen Folgen vermieden werden, wie sie, zum Leidwesen Aller, neulich dadurch entstanden seien, daß der General-Inquisitor ein Edict erlassen habe, gegen den ausdrücklichen Willen des Königs. „Damit so Etwas", fährt der König fort, „sich niemals wiederhole und meine souveräne Autorität pflichtmäßig respectirt werde, habe ich beschlossen: der General-Inquisitor ist nicht berechtigt, auf Grund einer Apostolischen Bulle oder eines päpstlichen Breve's irgend ein Edict zu erlassen, bis er von mir die desbezügliche Erlaubniß eingeholt hat; solche Bullen oder Breven hat der Nuncius vielmehr mir oder meinem Staats-Secretär einzuhändigen, und wenn sie sich auf Bücher-Verbote beziehen, so hat der General-Inquisitor sich nach den Vorschriften zu richten, welche Act 14, Titel 7, Buch 1 der Gesetz-Sammlung gegeben sind, wonach erforderlichen Falls die betreffenden Bücher Unsererseits auf's Neue geprüft werden müssen, ehe wir dieselben aus eigener Machtvollkommenheit und ohne das päpstliche Breve mitzutheilen eventuell verbieten." Auch keinen allgemeinen oder „gereinigten" Bücher-Index soll der General-Inquisitor mehr veröffentlichen dürfen ohne den König durch den Justiz- und Gnaden-Minister ꝛc. vorher davon benachrichtigt zu haben, wie Benedict XIII in der Apostolischen Constitution beginnend mit den Worten: „Sollicita ac provida" dem Könige das zugebilligt hat. Das Document, dessen Inhalt wir hiermit wiedergegeben haben, ist vom Könige eigenhändig unterzeichnet: — „Ich der König".

Wie schon erwähnt, war Karl III. einer der Fürsten, welche die Jesuiten aus ihren Staaten verbannt hatten, noch bevor ihr Orden durch Clemens XIV. eine zeitweilige Unterdrückung erfuhr, aber das mörderische Polizei-Institut der Inquisition aufzuheben, fehlte ihm entweder der Muth oder die Kraft. Eine geheimnißvolle Furcht hielt seine Hand von der Sanction eines Decretes zurück, welches sein Anrecht auf den Titel eines Wohlthäters des Vaterlandes erst ganz voll gemacht hätte. Einzelne Schritte zur Reformation des Instituts erwiesen sich aber doch bald als unumgänglich. Den ersten that der Premier-Minister Karl's IV., Urquijo, der diesen König drängte, der Inquisition jede Einmischung in die Angelegenheiten der fremden Consuln zu verbieten. Seit dieser Zeit — 1799 — konnten diese die protestantische Religion in ihren Consulaten ungehindert ausüben und in ihren Büchereien alle Schriften besitzen, welche sie wollten.

Die Todesurtheile waren mittlerweile ganz aus der Uebung gekommen. Bei manchem Proceß, der nach der Strenge der Gesetze und der früheren Handhabung derselben unfehlbar auf den Scheiterhaufen hinausgelaufen wäre, waren die Inquisitoren froh, wenn sie sie ihren Inculpaten mit einigem Schein der Wahrheit als „nicht ganz zurechnungsfähig" wieder entlassen konnten. Dieser Kunstgriff fand Anwendung bei Don Miguel Solano, einem Priester zu Esco, einer Stadt in Aragonien, der trotz der ihm nachgewiesenen Ketzerei als Irrsinniger von der Inquisition zu Saragossa frei entlassen wurde; als einem Irrsinnigen verbot man ihm dann consequenterweise auch fernere priesterliche Functionen, obgleich der Mann bei gesunden Sinnen war und auch von Jedermann sonst als vernünftig behandelt wurde, sogar von seinen geistlichen Amtsbrüdern selbst; andernfalls würden dieselben sich doch nicht so viele Mühe gegeben haben, ihn, als er einige Zeit darauf zum Tode erkrankte, auf den rechten Weg nach ihrer Auffassung wieder zurückzuführen, wie dies wirklich geschah. Er wies aber ihre Heilsmittel beharrlich zurück und starb im Glauben an seinen Erlöser im Jahre 1805. Begraben wurde er in ungeweihtem Boden, innerhalb der Mauern des Inquisitions-Gebäudes am Ufer des Ebro, aber ohne weitere Zuthat von Entehrung oder nachträglicher Verurtheilung.

Setzen wir der Vollständigkeit halber noch die Angaben Llorente's her über die Gesammt-Summe Derer, welche die Inquisition in Spanien seit Torquemada's Zeiten bis zum Jahre 1809 wegen Häresie zur Verantwortung gezogen haben soll. Lebendig verbrannt wurden 31,912; im Bildniß 17,659; zu Kerkerhaft, zeitweiliger und lebenslänglicher, sowie zu anderen Bußen wurden verurtheilt 291,450; bestraft also im Ganzen 341,021.

Dreiundzwanzigstes Kapitel.

Das große Fest-Auto zu Madrid im Jahre 1680.

Am 12. April des Jahres 1869, also zur Zeit des revolutio-
nären Interregnums zwischen der Regierung der Tugendrosen-Isa-
bella und dem Königstraum des Prinzen Amadeus von Savoyen
stießen einige Arbeiter, welche zu irgend einem öffentlichen Zwecke
auf dem Hauptplatze zu Madrid die Erde aufwarfen auf eine mit
Knochenresten gemischte Aschen- und Kohlen-Schicht, die fest geworden
war wie ein natürliches Steinkohlen-Lager. Die Knochen erwiesen
sich als Menschenknochen; außer ihnen fand sich auch ein Halseisen
und sonstige Dinge, die keinen Zweifel darüber ließen, daß man
vor den Ueberbleibseln eines Auto-de-Fé stand. Die Sache kam sowohl im „Boletin Oficial" wie in den Cortes zur Sprache, denn
sie machte in Madrid, ja in ganz Spanien das ungeheuerste Aufsehen. Wie oft war behauptet worden, daß in Madrid selbst niemals Glaubens-Acte mit Verbrennung Statt gefunden hätten und
nun rechten die Opfer von vor zweihundert Jahren ihre verkohlten
Reste schaubererweckend in die lebensfrische Gegenwart hinein! Ein
gedrucktes Zeugniß für den Vorgang der diese Spuren hinterließ,
hat sich aber auch erhalten in einer Festbeschreibung, die von einem
officiell Betheiligten herrührt und deren ganzer Titel, da wir den
darin gemachten Angaben im Nachstehenden folgen werden in der
Ursprache hier Raum finden möge. Er lautet: „Relacion Histo-
rica del Auto General de Fè que se celebró en Madrid en
este anno de 1680 con asistencia del Rey N. S. Carlo II.,
y de las Magestades de la Reyna N. S., y la Augustisima
Reyna Madre, siendo inquisidor general el excelentisimo Sennor D. Diego Sarmiento de Valladares. Por José del Olmo,
alcaide y familiar, del Santo officio, ayuda de la fur-
riela de S. M., y maestro del Buen Retiro, y villa de
Madrid. Vendese en casa de Marcos de Ondatigui, fami-

liar del Santo officio, à la Platerià junto à San Salvator. Impresso anno 1680."

Der Autor des Schriftchens war also, wie der Buchhändler, „in dessen Hause neben der Salvator-Kirche man das Büchlein käuflich haben konnte," Familiar des h. Officiums, der erstere auch Beamter desselben und zugleich königlicher Castellan.

Als der erst siebenzehnjährige König Karl mit seiner ihm eben angetrauten Braut, einer französischen Prinzessin, im Januar 1680 seinen Einzug in Spanien hielt, wurde er allerwärts mit großem Festjubel empfangen. Bald nach der Ankunft des jungen Ehepärchens in Madrid, faßte man dort den Plan, das freudige Ereigniß durch ein General-Auto zu begehen, wie ein solches auch im Jahre 1632 zu Ehren der Gemahlin Philipp's IV., der jetzigen Königin-Mutter Statt gehabt hatte. Man meinte die verschiedenen Hochzeits-Festbegehungen nicht würdiger beschließen zu können, als daß man die bei den Inquisitions-Tribunalen eben vorräthigen Verurtheilten in der Hauptstadt zusammenbringe und dort dem Brautpärchen zum aufregenden Zeitvertreib ihre Strafen verbüßen lasse. Madrid war im regelrechten Gange der Dinge kein Verbrennungsplatz; es befand sich nicht einmal ein ständiges Central-Tribunal daselbst — aber den Madrilenen sollte ja gerade etwas Besonderes geboten werden, und, was die Hauptsache war: wenn man dem jungen Herrscherpaare ein Schauspiel bieten wollte, so konnte man ihm doch nicht zumuthen, die weite Reise nach Toledo, der Metropole der Inquisitions-Provinz, zu unternehmen. Toledo sollte also für den Tag gleichsam an den Königshof nach Madrid verlegt werden, die Mitglieder des h. Tribunals von dort herüberkommen und ihre Gefangenen mitbringen. Da sich wieder einmal eine so schöne Gelegenheit bot, die Königsfamilien von Spanien und Frankreich an den gnadenreichen Verdiensten — oder der fluchwürdigen Schuld! — des h. Officiums theilhaftig zu machen, so konnte man sich die Sache schon Etwas kosten lassen.

Bei einer Ueberschau über die zu Gebote stehenden Delinquenten zeigte es sich zur Befriedigung der Festgeber, daß man Ketzer aller Schuld-Grade zusammen hatte, um die verschiedenen Arten der Strafen zur Anschauung bringen zu können; da waren Häretiker im eigentlichen Sinne, Hexenmeister, Bigamisten und andere Uebelthäter. Auch einen Mohamedaner hatte man fertig zubereitet und besonders viel Judenfleisch, welches sich als extra gutes Brenn-Material erwiesen zu haben scheint — so sehr war man darauf erpicht. Der junge König erklärte, er sei sehr gespannt auf die Dinge, die da kommen würden; die junge Fürstin mußte „anstandshalber", wohl oder weh, sich in gleichem Sinne aussprechen. Die alte Königin-Mutter konnte aus Erfahrung sprechen und wußte viel zu erzählen, wie interessant und erbaulich ein solches geistliches Schauspiel sei —

es gebe in der That einen Vorgeschmack vom jüngsten Gerichte, wo der Teufel die Bösen hole und die Guten unbehelligt lasse. Ach es ist doch eine große Gnade, so in der Treue gegen die heilige Römisch-katholische Apostolische Kirche zu leben und zu sterben! Der General-Inquisitor von Spanien, Balladares, war also hoch willkommen, als er im Palaste erschien, den Gnädigen die Hand küßte und seine officielle Einladung machte.

Es boten sich auch in nächster Nähe zwei Tage, welche für die beabsichtigte Festfeier als ganz vorzüglich geeignet erschienen: der 30. Mai als der Gedenktag an den h. König Ferdinand III., welcher mit eigener Hand Holz herbeigetragen hatte, um rückfällige Juden seiner Zeit zu verbrennen, und der 30. Juni, der St. Paulstag; der erstbezeichnete Tag wurde für die feierliche öffentliche Ankündigung des Autos in Aussicht genommen, der zweitgenannte für das letztere selbst, denn welche schöne Beziehungen und Nutzanwendungen gewährte dem gläubigen Christen das Andenken an den h. Paul, das Andenken an dessen Sieg vor den heidnischen Inquisitoren, an dessen glorreiche Bekehrung gegenüber den Juden, die man heute wegen ihrer Verstocktheit zum Tode führen mußte!

Der hohe Rath der Inquisition, der auch sonst zu Madrid seine ständigen Sitzungen hielt, trat nun ohne Verzug zusammen. Dreizehn namhafte Provincial-Inquisitoren, welche schon Autos zu Córdoba, Toledo und Granada geleitet hatten und in dem inquisitorialen Gerichtsverfahren wie in dem Glaubensfest-Ceremoniell durchaus Bescheid wußten, waren gegenwärtig. Balladares beauftragte sie, die nöthigen Vorkehrungen zu treffen, damit die heilige Handlung der Anwesenheit des Hofes der katholischen Majestäten würdig sich gestalte. Sie theilten sich in die ihnen damit überwiesenen Geschäfte wie folgt. Don Ferdinand Billegas, ältester Inquisitor von Córdoba übernahm die Herstellung einer prächtigen Schaubühne. Don Alvaro de Balenzuela y Mendoza, ältester Inquisitor von Aragonien, wollte für die Herstellung der Standarte des h. Officiums nach den strengsten Regeln der kirchlichen Heraldik sorgen, auch bequeme Behälter für die zu verlesenden Urtheile beschaffen. Don Franz Estévan del Bado, Inquisitor von Toledo und Kaplan des jungen Königspaares, beschied sich mit der Ernennung der berittenen Familiaren, welche dem Inquisitions-Rath bei dem Auto das Ehrengeleit zu geben hatten; auch die Zubereitung der Ehrensitze auf der Schaubühne sowie der nöthigen Tische wurde ihm zugewiesen. Don Ferdinand Bazan, Rector der Universität zu Salamanca, sollte die öffentliche feierliche Ankündigung des Autos, die dem letzteren vorhergehende große Kreuz-Procession und die Bildung bewaffneter Corps von Handwerkern besorgen. Der Professor des canonischen Rechts an derselben Universität wurde ihm dabei als Assistent zugetheilt. Don Johann Marin de

Robezno, ältester Inquisitor von Granada und Vorsitzender der Cen-
soren-Commission, wurde bestimmt, die bei dem Auto erfolgende Berichterstattung über die Processe zu überwachen, für die Unterkunft
der von Außen beizubringenden Gefangenen und deren Ausstattung
am Festtage: die nöthigen Ketzer-Masteraden, Bußkleider, Bildnisse,
Wachskerzen, Geißelruthen und dergleichen zu sorgen. Ihm sollte
dabei Kaspar Peinado Fanega, ältester Secretär des Hohen Raths
und Joseph del Olmo, Unter-Castellan der königlichen Paläste und
Ober-Kerkermeister der Inquisition hülfreiche Hand leisten und besonders das Augenmerk darauf gerichtet halten, daß die Gefangenen in
sicheres Gewahrsam gebracht würden. Dieser del Olmo ist der Verfasser des obengenannten Büchleins, welches er, wie er ausdrücklich
vorbemerkt, auf ausdrücklichen Wunsch des Königs und des General-
Inquisitors „zur Ehre und zum Ruhme Spaniens" hat drucken lassen. Don Johann Gongalez de Salcedo, ältester Inquisitor von Sevilla, übernahm es, die Formulare für die Abschwörungen und Ab-
solutionen abzufassen, sowie die Formel für den Eid, der dem König
bei dem Auto abgefordert wurde. Don Alonso de Arevalo Montenegro hatte für einen Imbiß zu sorgen, damit es den hohen Herr-
schaften, den Mitgliedern des Consejo de la suprema Inquisicion
während den Strapazen der heiligen Handlung nicht an den wün-
schenswerthen leiblichen Erfrischungen fehle; auch die „Musik" beim
Tanz: die dienenden Mannschaften und Knechte wurden je mit einer
Flasche Wein und den dazu gehörigen, mit Eselswurst belegten But-
terbroden bedacht. Soweit: um bei Gerichtsbütteln Marketender-
Dienste zu verrichten, waren auch die geistlichen Ritter-Orden heruntergekommen, denn Don Alonso de Arevalo Montenegro, der das
Alles zu besorgen hatte, gehörte dem um die Mitte des 12. Jahrhunderts zur Bekämpfung der ungläubigen Saracenen gestifteten
Orden von Calatrava an, dessen Mitglieder sich, um ihrer helden-
haften Bestimmung eingedenk zu bleiben, sogar nicht zu Bette legten,
ohne mit dem Schwert umgürtet zu sein. So war die ritterliche
Waffe jetzt zum Tranchir- und Vorlege-Messer geworden!

Am 30. Mai, dem Gedächtnißtage des h. Ferdinand, Nachmittags um 3 Uhr, wurde die schwarze, mit Goldborden eingefaßte
Flagge der Inquisition auf dem Haupt-Balkon des Palastes des
General-Inquisitors aufgezogen und die ganze Front dieses Gebäudes
von den Fenstern aus mit carmoisinrothem Damaste behangen. An
verschiedenen dieser Fenster waren Trompeter postirt, welche während
zweier Stunden von Zeit zu Zeit Tusch bliesen und denen draußen
aufgestellte Trommler jedes Mal mit einem Wirbel antworteten.
Gegen 5 Uhr wurde das große Thor des Palastes weit geöffnet und
es erschien eine Cavalcade von Inquisitions-Familiaren und Knechten,
geführt von einem Ober-Häscher des h. Amts, die sich dann vor dem

Paläste in eine Reihe ordneten. An der Spitze derselben nahm der Träger der Standarte Platz, deren Zipfel rechts und links von zwei Granden gehalten wurden. Vor diese Standarte pflanzte sich ein Herold auf und ließ sich nach einem Stille gebietenden Trompeten- stoße hören wie folgt: „Allen Bewohnern und Eingesessenen dieser Stadt und Residenz Madrid, sowie Allen, die sich gegenwärtig darin aufhalten, kund und zu wissen: daß das h. Officium der Inquisition für Stadt und Königreich Toledo am 30. Juni des laufenden Jah- res auf der Plaza Mayor dieser Hauptstadt ein öffentliches Auto-de- Fé begehen wird, und daß Allen, welche demselben beiwohnen und dabei hülfreiche Hand leisten, sämmtliche Gnaden und Indulgenzen zu Theil werden sollen, die von den Päpsten für solche Theilnehmer und Hülfeleistende jemals bewilligt worden sind. Jeder, der diese Botschaft hört, soll sie weiter verbreiten."

Hierauf setzte sich der Reiterzug in Bewegung; auf allen Haupt- plätzen der Stadt wurde die vorstehende Proclamation ausgerufen, vor dem königlichen Palaste sogar zwei Mal. Der König erschien mit seiner Königin am Fenster. Nach vollendetem Rundritt wurde die während des Zuges herabgelassen Flagge auf dem Inquisitions-Pa- laste wieder aufgehißt, um bis nach Sonnen-Untergang dort zu bleiben.

Am 6. Juni erging vom Könige der Befehl an das Regierungs- Collegium von Castilien, den Stadtrath von Madrid anzuweisen, daß derselbe auf Gemeindekosten die Schaubühne für das in Aussicht stehende Auto aufrichten lasse nach dem Plane, den del Olmo dazu vorzeichnen werde. Der Stadtrath gehorchte und am 28. des ge- nannten Monats stand das Theater fertig. Die Plaza Mayor, auf welcher dasselbe errichtet war, liegt im Westtheile der Stadt und ist viereckig: 434 Fuß lang, 334 Fuß breit. Hierauf dehnte sich die Bühne aus in der Länge 190 Fuß und 100 in der Tiefe; 13 Fuß erhob sich ihr Podest über den Boden. Das Ganze war so angelegt, daß die Fronte des Palastes des Grafen de Barajas mit hereinge- zogen war, so daß die an jedem Fenster der drei Hauptstockwerke befindlichen Balkone mit den dahinter liegenden Gemächern als Logen dienten. So brauchten nur noch an den zwei Breitseiten amphithea- tralische Sitze für das Personal der Inquisition und dagegenüber für die Delinquenten aufgeschlagen zu werden; die Ehrengäste und Stan- despersonen fanden alle Platz in den Logen; die zweite Längsseite, an der sich die Zugänge befanden, blieb offen. Dieser Seite entlang wurde eine starke Militärwache postirt. Von den Logen der oberen Stockwerke aus, wo auch die für den Hof bestimmten sich befanden, hatte man einen ungehinderten Ueberblick über das Ganze, selbst auf den „brasero" oder „Verbrennungsplatz", welcher diesmal, anstatt vor der Stadt, in der Nähe der Schaubühne für den kirchlichen Glaubens-Act errichtet war: ein acht Fuß breiter und ebenso langer, fieben Fuß über dem Boden aufgemauerter Herd, auf den fieben; die ganze Breite einnehmende Stufen hinaufführten. Eine breite mit Teppichen belegte Treppe, deren Geländer mit reichen Stoffen ausgeschlagen war, leitete von der Schaubühne in die Palaft-Räume, wo die Buffets fich befanden.

Das Drama felbft begann am 28. Mai mit einer militärifchen „Holz-Fahrt". Eine Compagnie von 290 „Männern guter Abkunft" hatten fich als „Streiter des Glaubens" eingefchworen; die Truppe war folbatifch gegliedert mit Hauptmann, Officieren u. f. w. und reich uniformirt und bewaffnet. Ihr Dienft begann damit, daß fie in dem Palafte des General-Inquifitors zufammentraten; von dort marfchirten fie dann die fchöne Calle be Alcalá entlang zu dem einem Triumphbogen gleichenden Thore von Alcalá hinaus vor die Stadt, wo an einem beftimmten Orte Scheitholz für fie aufgefchichtet lag. Jeber fchulterte ein Scheit und damit ging's zurück in die Stadt vor den königlichen Palaft. Karl II. harrte ihres Abgefandten in feinem Cabinet. Als folcher fungirte einer der Herzöge des Reichs, der unten das Scheit des Hauptmanns entgegennahm und dem Könige brachte. Seine Majeftät nahm daffelbe huldvoll entgegen und trug es höchfteigenhändig in die Kemenate feiner jungen Frau. Die zartherzige Donna Louife Marie de Bourbon legte das merkwürdige Stück Holz, an dem zwei Tage fpäter ein Menfch lebendig geröftet werden follte, mit kindlicher Naivetät gleich einer Puppe in ihre Arme; darauf gab der knabenhafte König daffelbe — fo war er von feinem Kaplan und Seelenführer Don Franz Eftévan bel Babo, Inquifitor von Toledo, inftruirt worden — dem Herzog wieder zurück mit der Weifung, der Hauptmann folle es, wenn übermorgen die Verbrennung der Juden vor fich gehe, feierlich im Namen des Königs zuerft in die Flammen werfen; denn, fügte Karl II. hinzu, es fei fein Beftreben, ein würdiger Nachfolger Ferdinand's III. zu fein, der eigenhändig Holz zu den Scheiterhaufen für die Juden herbeigetragen habe. Die 290 fcheitbewehrte „Männer guter Abkunft" zogen dann in Reih und Glied zur Plaza Mayor und ftellten dort ihre Scheite dicht bei dem „brafero" in Haufen zufammen, bis zu ihrer gottgefälligen Verwendung am zweitfolgenden Tage.

Am nächftfolgenden traten die Hochwürdigen öffentlich ein in's geiftliche Spiel mit der „Proceffion der Kreuze". Das „Grüne Kreuz", die Eigenthümlichkeit der Inquifition, wurde umgeben von zahlreichen brennenden Kerzen, auf dem Altar der Haupt-Kapelle in der Kirche „zur h. Maria von Aragonien" aufgepflanzt. Hier war der Sammelplatz für die Theilnehmer am Umzug. Da fand fich nach und nach ein ganzer Schwarm von Inquifitions-Beamten ein: Qualificatoren, Confultoren, Commiffarien, Notare, Familiaren. Die Einzelnen machten bei ihrer Ankunft dem Kreuze in einem kurzen Gebete ihre

Reverenz und fanden sich dann zum Plaudern vor der Kirche in
kleinen Gruppen zusammen. Gegen 5 Uhr erschienen die uniformir-
ten und bewaffneten „Streiter des Glaubens" und reihten sich in
einem Gliede rechts und links die Straße entlang. Bei dem Schlage
der Stunde gingen die Flügel des Kirchenthors auseinander, das
Grüne Kreuz erschien, die Glaubens-Compagnie entfaltete ihre Fahne
und gab eine Salve. Dann setzte sich die Procession in folgender
Ordnung in Bewegung.

Der erste Anwalt der Inquisition von Toledo.

Der Chor der königlichen Kapelle das „Miserere" singend.

Der Provincial der Do-minicaner mit drei Mönchen.	Das Grüne Kreuz in schwarzen Krepp gehüllt.	Der Prior des Klosters „Unserer Lieben Frau von Atocha" mit drei Mönchen.

Consultoren und Censoren.

Die vornehmeren, gelehrten und angesehineren Stände der Gesellschaft.

Der Adel.

Commissäre.

Die Inquisitions-Notare, sämmtlich mit grünen brennenden Wachskerzen.

Das Weiße Kreuz.

Familiaren, ihre Abzeichen auf die Kleider geheftet.

Diener des h. Officiums mit weißen Wachskerzen.

Inquisitoren von Ansehen.

Dominicaner.

Franciscaner.

Augustiner.

Karmeliter.

Trinitarianer.

Barmherzige Brüder.

Unbeschuhete Barmherzigen.

Augustiner Recollecten.

Kapuziner.

Der Marquis de la Bega, Ritter des St. Jacobs-Ordens.

Der Herzog von Medinaceli.	Die Standarte der Inquisition.	Der Marquis von Cogullado.

Zwei Familiaren.

Spitals-Brüder.

Waisenkinder.

Findlinge.

Familiaren.

Fünf Stabträger.

Hintendrein stolzirten dann noch einige Adeligen mit ihrem auf
eigene Kosten reich costumirten Haus- und Leib-Gesinde. Del Olmo
gibt uns die beruhigende Versicherung, daß dieser lange Zug von
über 700 Personen sich in vollkommener Ordnung und zur Erbauung Aller durch die Straßen der Stadt bewegt habe, ohne daß auch
nur die geringste Störung dabei vorgekommen sei. Im guten Glau-

ben an die Gottwohlgefälligkeit und Verdienstlichkeit ihres Unfugs constatirt er, daß Himmel und Erde zusammengewirkt hätten, um das erhebende Schauspiel gelingen zu lassen: der Himmel sei völlig heiter und die Hitze doch nicht übertrieben groß, der Boden trocken und doch nicht staubend gewesen, „so daß selbst die Erde die Füße zu ehren schien, welche ihren Busen betraten". „Ihren Busen!" — der Leser muß wissen, daß der Spanier die Stadt Madrid mit Stolz „das Herz" — „el corazon" nennt.

Am Schlusse der mobilen Parade wurde das Weiße Kreuz auf einem Altar der königlichen Schloß-Kapelle niedergesetzt, das Grüne in das Dominicaner-Kloster gebracht. Die Procession ging auseinander; die Schatten der Nacht hatten sich niedergesenkt. Mit welchen Gefühlen immer die übrigen Bewohner der Stadt dem kommenden Tage entgegengesehen haben mögen: für achtundachtzig derselben war die Nacht eine Nacht der Schrecken und banger Seelenqual. Einzeln hatte man in den letzten Tagen nach eingebrochener Dunkelheit die Opfer für das morgige Glaubensfest aus den Kerkern von Toledo nach Madrid geschafft, ohne ihnen das Ziel oder den Zweck des Transportes mitzutheilen. Das war eine Reise! Der Mund geknebelt, die Hände gefesselt, nur bei Nachtzeit ging es weiter, bei Tagesanbruch wurden sie eingesperrt — sie wußten nicht wo! Vielleicht hatte man ihnen noch zum Ueberfluß gar die Augen verbunden. So wurden sie von ihren stummen Wächtern bei Nachtzeit auch in Madrid hineingeführt und dort einzeln bei 85 vereideten Familiaren — jeder vielleicht ein Grande von Geburt, aber an Manneswerth doch nur ein Pfaffenknecht — in einem abgelegenen wohlvergitterten Hinterstübchen untergebracht. Kaum angekommen, überraschte man sie, ohne daß sie auch nur von dem Gesinde des Hauses Jemanden zu Gesicht bekommen hätten, mit einem reichlichen Nachtmahl, welches nothwendig die Ahnung: das sei die Henkersmahlzeit, in ihnen wecken mußte.

Eine Stunde vor Mitternacht wurden Alle auf Karren in das gewöhnliche Gefangenenhaus, welches zu diesem Zwecke geräumt worden war, zusammengebracht und in Einzel-Zellen eingesperrt. Dreiundzwanzig waren zum Tode verurtheilt, aber das wußten sie noch nicht — jetzt wurde es ihnen gesagt. Der oberste der Inquisitoren, ein gewisser Don Anton Zambrana de Brolanos, begab sich mit seinem Secretär, einem Italiener, zu Jedem der Dreiundzwanzig in die Zelle und las ihm von einem Papier sein Schicksal vor etwa in folgenden Worten: „Bruder, Euer Fall ist mit sehr gelehrten und in den heiligen Büchern wohl bewanderten Männern geprüft und berathen worden. Euere Verbrechen sind so schwer und bösartig, daß Ihr zu gerechter Buße und Andern zum warnenden Exempel den Tod erleiden müßt. Das soll morgigen Tages geschehen. Macht

Euch also zum Sterben bereit; hier sind zwei fromme Klosterleute, die werden bei Euch bleiben und Euch behülflich sein." Mit dieser officiellen Verkündigung, welcher er höchstens noch einige persönliche Kränkungen beifügte, verließ der Inquisitor die eine Zelle, um sich zur nächstfolgenden zu begeben, bis er mit allen dreiundzwanzig zu Ende war. Die zwei Dominicaner, die er zu jedem Todes-Candidaten mitgebracht hatte, wurden bei demselben eingeschlossen und suchten nun aus ihrem Opfer Etwas, was wie eine Unterwerfung unter die heilige römisch-katholische Kirche aussah, herauszupressen. Wer sich hierzu verstand, rettete sein Leben dadurch freilich nicht mehr, aber er gewann doch so viel, daß er todt gewürgt wurde und damit der Feuerspein entging. Den Mönchen in den Zellen wurde Wein geschickt, damit ihnen bei ihren Ueberredungs-Künsten die Kehlen nicht trockneten, und auch dem Delinquenten sein Glas davon gegönnt, ebenso wie die Theilnahme an dem den Wein begleitenden Kuchen. In einem größeren Gemache in der Nähe der Zellen blieb auch eine gute Anzahl Inquisitoren bei einer Herzstärkung und erbaulichem Gespräch zusammen, damit der geistliche Arzt nicht lange gesucht werden mußte, wenn der Eine oder Andere der Dreiundzwanzig zur Erkenntniß seines wunden Seelen-Zustandes kam und nach der Salbe des Heils verlangte. Zwei Frauen kamen in der That und wurden „mit der h. Kirche versöhnt." Dem gewöhnlichen Verlaufe der Dinge entgegen, wurde diesen zwei Frauen sogar das Leben geschenkt. Der Grund dieses Verfahrens war nicht schwer zu erkennen: man wollte das Auto auch in dieser Beziehung zu einem außerordentlichen machen. So ein paar Bekehrte und in der letzten Stunde vom Tode zu lebenswierigem Gefängniß Begnadigte gaben dem Programm eine ganz interessante Abwechselung.

Aber auch draußen in den Straßen ist man während der Nacht in reger Thätigkeit; Zimmerleute sind an der Arbeit, um die Straßen-Mündungen an dem Wege vom Gefangenenhause bis zum Hinrichtungs-Platze mit Bretterverschlägen abzusperren: die hehre Feier des Zuges soll durch kein aus den Seitengassen hervorbrechendes Gedränge gestört werden! Man läßt jedoch zwischen den Dielen einigen Zwischenraum, damit der Eindruck, den der inquisitoriale Pomp dem Beschauer von der Macht der römischen Kirche geben muß, nicht verloren geht.

Schon vor Tagesanbruch sind die Diener des h. Officiums an ihrer Arbeit. Da sind vor Allem die Einundzwanzig für den Scheiterhaufen noch übrig Gebliebenen, Jeder mit seiner „Coroza", der mit Flammen und Teufeln bemalten spitzen Mütze zu versehen. Del Olmo nennt diese Figürchen freilich euphemistisch nur „Drachen" — eine Ausdrucksweise so zart, daß man unwillkürlich an die „Kölnische Volkszeitung" erinnert wird, welche im Jahre 1877, als

Pius IX. unſeren Heldenkaiſer Wilhelm einen „neuen Attila" nannte,
ihre Getreuen belehrte: Attila ſei ein „General des 5. Jahrhunderts"
geweſen. Auch die „Zamarra", das umgekehrte Schaf-Fell, welches,
mit einem runden Einſchnitte verſehen, um den Kopf durchzulaſſen, den
Brandopfern über die Schultern gehängt wurde, war mit ſolchen
Höllen- „Drachen" illuſtrirt. Neunundneunzig Delinquenten bekamen
gelbe Ueberwürfe ohne Aermel, „Sambenitos", dieſe wie die „Coro-
zas" o h n e Flammen und „Drachen", zum Zeichen, daß die Kirche
ſi e noch nicht als unverbeſſerlich dem „Drachen" durch den Tod
überantworte. Als dieſe Toilette beendet war, wurden ſie aus den
Einzelzellen in eine gemeinſame Halle geführt, um dort das — für
die Brandopfer wieder vorzugsweiſe reich beſtellte — Morgenbrod zu
verzehren und die Zeit des Auszugs abzuwarten. Der letzte war
auf 6 Uhr feſtgeſetzt, aber er konnte nicht pünktlich erfolgen: trotz
allen Vorſichtsmaßregeln füllten Tauſende die Straße vor dem Gefängniſſe und drängten dem Gitter zu, um die Verurtheilten zu ſehen.
Als die Granden, die Prieſter und Inquiſitoren an dem voraufgegangenen Tage ihre fromme „Kreuzfahrt" hielten, waren die Straßen
geräumig genug, die engen wie die breiten; auch die „Holzfahrt"
am Freitag hatte kaum mehr Zuſchauer angelockt, als ſich ohnehin
außerhalb der Häuſer befanden — jetzt war Alles herbei geſtrömt
ſichtlich aus den entfernteren Umkreiſen von Madrid und Toledo.
Und ſicher war es nicht bloß „fromme" oder müßige Neugier bei
Allen, welche ſie hergetrieben, ſicher pochte manches Herz voll Theilnahme, wenn Diejenigen ſichtbar wurden, welche vor Jahren oder
Monaten plötzlich aus ihren Lebenskreiſen verſchwunden waren, ohne
daß man anfänglich ihr Schickſal ahnte, und die man nun, ſei es,
daß ihr Weg zum Tode führte oder in's Gefängniß, wohl zum letzten
Male ſah. Man braucht ſich nur der Anhänglichkeit der Hebräer
an ihre Stammes- und Familien-Angehörigen zu erinnern, um ſich
vorſtellen zu können, wie mancher heimliche Jude ſich an dieſem
Morgen die bittere Genugthuung verſchaffte, den letzten Blick eines
Verwandten oder Freundes aufzufangen und ihm einen verſtohlenen
Abſchiedsgruß zuzuwinken — bis zum Wiederſehen am Tage des
Weltgerichts.

Endlich hatte man freie Bahn gemacht und der Todesmarſch
wurde angetreten. Den zwei Gerichtsdienern, welche vom früheſten
Morgen an alles äußere Ceremoniell zu leiten und zu überwachen
hatten, waren zwei Liſten eingehändigt worden; die eine beſtimmte
die Eingliederung der Theilnehmer in dem Zuge, die andere ſchrieb
vor, in welcher Reihenfolge die Verurtheilten bei dem Auto aufgerufen werden ſollten, um ihren Spruch vor König und Volk zu
vernehmen. Nach der erſten dieſer Liſten bildete ſich der Zug zu
dem „Thal Joſaphat" — der General-Inquiſitor ließ ſich, wie Del

Olmo naiv erzählt, an diesem Tage, als er hoch auf seinem Throne saß, von einem Officianten wirklich anreden, als der Stellvertreter des „Richters über die Lebendigen und Todten"! — in nachstehender Ordnung:

Die „Streiter des Glaubens", wie wir wissen eine Compagnie von 290 Mann, machen Bahn mit ihren Lanzen.

Das Kreuz der Pfarrkirche von St. Martin, schwarz verhüllt.

Zwölf Priester in weißen Chorhemden.

Vierunddreißig ausgewählte starke Männer. Jede dieser athletischen Gestalten trägt eine mit „Zamarra" und „Coroza" bekleidete lebensgroße Puppe an einem Pfahl, der die Verlängerung von deren Beinen bildet. Die Puppen stellen die Ketzer oder Ketzerinnen vor, welche durch den Tod oder die Flucht dem Griff der Inquisition entgangen sind; sie werden an Statt ihrer Originale verbrannt, um letztere wenigstens öffentlich mit Ehrlosigkeit zu brandmarken.

Zehn Gruppen von Männern, deren jede einen Sarg oder einen Kasten auf den Schultern trägt mit den verweslichen Resten eines Häretikers. Diese Leichen werden mit den Effigies-Puppen zusammen verbrannt.

Elf Reuige. Diese haben sich verschiedener Vergehen schuldig gemacht; theils sind sie Bigamisten, theils Zauberer.

Vierundfünfzig Judaisirer. Auch diese gelten als Reuige. Da sie noch nicht im Rückfalle sind, wird ihnen das Leben geschenkt; dagegen werden sie mit schweren Bußen belegt und für die Zukunft unter sorgfältige Ueber-wachung gestellt.

Einundzwanzig „Aufgegebene" — von der Kirche als unrettbar verloren Aufgegebene. Sie tragen die schon beschriebene Ketzer-Livree. Zwölf von ihnen haben sich als so verstockt erwiesen, daß man fürchten muß, sie wür-den unterwegs dem Volke Aergerniß oder dem h. Officium Ungelegenheiten bereiten, sei es durch ketzerische Aeußerungen oder durch Enthüllungen aus der Folterkammer — sie sind deshalb mit Mundknebeln und Handschellen versehen.

Diese sämmtlichen 86 lebende Personen gehen einzeln hintereinander her, eine brennende Kerze in der Hand. Jeder hat zwei Mönche zur Seite, rechts und links, die ihn entweder noch zu bekehren, oder den etwa schon Bekehrten durch frommen Zuspruch in der Unterwürfigkeit zu erhalten suchen.

Zwei Reihen einzeln schreitender Granden als Familiaren und in-mitten dieser Reihen:

Der Ober-Fiscal von Toledo,

Die Inquisitoren von Toledo,

Die Inquisitoren von Madrid,

Der Hohe Rath der Inquisition von Spanien (Consejo de la Su-prema),

Die Standarte des Glaubens-Gerichts.

Eine große Zahl geistliche und weltliche Würdenträger, die dem h. Officium nicht affiliirt waren, bildeten den Schweif des „Triumph-Marsches" zu dem Theater, der, wie Del Olmo versichert, in „wun-derbarer Stille" vor sich ging. Bis zu den Dächern waren die

Häuser mit Zuschauern besetzt und in den Straßen bildete das in „frommer Neugier" von weither zusammengeströmte Volk Spalier auf beiden Seiten.

An der Schaubühne angelangt, stiegen sämmtliche Theilnehmer an der Procession auf die Plattform hinauf, mit Ausnahme der Zweihundertneunzig der Glaubens-Streiter-Compagnie, welche an der offenen Seite der Bühne ihren Dienst-Posten bezogen. Balladares, der General-Inquisitor, war, wie der speichelleckerische Del Olmo hervorhebt, hoch oben unter seinem Thronhimmel eine „wahrhaft majestätische Erscheinung". Sobald die kaum ausreichenden Sitze alle eingenommen waren, erhob sich Balladares, stieg hinunter an den Altar, um, nachdem er mit den Pontificial-Gewändern bekleidet war, sich zu dem Könige in dessen Balkon-Loge zu begeben. Hier nahm er aus den Händen eines Diacons das Buch entgegen, welches den vom Könige abzulegenden Eid enthielt, um diesen ihm vorzulesen. Karl II. stand aufrecht; die eine Hand hatte er auf ein Crucifix, die andere auf das Evangelien-Buch gelegt; so hörte er an, was der Häuptling der spanischen Inquisition in schulmeisterlichem Tone ihm vorlas:

„Euere Majestäten schwören und versprechen auf Euern Glauben und Euer königliches Wort, daß Sie als wahrhafter König von Gottes Gnaden und als katholischer Herrscher mit Ihrer ganzen Macht die katholische Religion, wie die Heilige Apostolische und Römische Kirche sie hält und lehrt, beschützen und Alles thun wollen, sie zu erhalten und auszubreiten; Sie schwören und versprechen, daß Sie verfolgen und zu verfolgen befehlen wollen alle Häretiker und Abtrünnige, die Feinde dieser Kirche; Sie schwören und versprechen, daß Sie dem h. Officium der Inquisition und ihren Dienern alle nöthige Unterstützung leisten und zu leisten befehlen wollen, damit die Häretiker, die Störer des Friedens unserer h. Kirche, gefaßt und bestraft werden können, wie die h. Canones und Vorschriften es verlangen, ohne daß Euere Majestät irgendwen dagegen in Schutz nehmen oder Einer weß Standes immer davon ausgenommen werde.

Der König antwortete: „Ich schwöre".

Dann begab Balladares sich an den Altar zurück zur Feier der Messe. Hierauf bestieg ein Dominicaner die Kanzel und verlas eine lange Eidesformel, welcher jeder Anwesende durch das Wort „Amen" seine Zustimmung zu geben hatte. Dieses „Amen" schallte mächtig durch die Versammlung, denn jeder Einzelne war darauf bedacht, es so vernehmlich wie möglich zu machen, damit er bei den Umstehenden nicht in den Verdacht gerathe, der h. Inquisition nur mit halbem Herzen zugethan zu sein. Wer mit dem katholischen Ritus bekannt ist, weiß, daß der, welcher während eines Pontifical-Amtes das Evangelium verliest, vorher sich durch den celebrirenden Priester gleich-

sam sich dazu beauftragen läßt; so geschah es auch hier: ein Dominicaner-Pater kniete vor dem General-Inquisitor nieder und empfing dessen Weihe-Segen. Dann predigte er über das Wort: „Erhebe dich, o Herr, und zerstreue deine Feinde!" Die Rede ist in
ihren Declamationen eben so närrisch wie langweilig. Der Schluß
bildet eine beglückwünschende Apostrophe an die Inquisition, „welche
diese abscheulichen Feinde Gottes, die da vor uns stehen, zum Tode
führt und deren Seele der Hölle übergibt, damit der Herr gerächt
werde in seiner gekränkten Ehre". Als der Wortemacher endlich zu
Ende war, läutete Balladares eine Klingel. Ein anderer Officiant
begann auf dieses Zeichen die Verlesung der Urtheile. Die auf den
Tod lautenden kamen zuerst an die Reihe. Nach jeder einzelnen
Sentenz wurde der betreffende Todes-Candidat in eine Art Käfig
gesperrt und weggetragen, damit er die hohe Versammlung nicht
weiter störe. Ein Mann und eine Frau riefen, als ihre Namen
verlesen wurden, laut um Verzeihung: sie erkännten ihre Schuld und
seien bereit zur Buße. Sie wurden zu lebenslänglichem Gefängniß
begnadigt. Es blieben also nur mehr neunzehn zu verbrennen anstatt der einundzwanzig; achtzehn Judaisirer und ein Maure.

Die von zehn Personen herrührenden Leichenreste, welche meist,
wenn nicht alle, schon lange unter der Erde gelegen hatten, als sie
zum Verbranntwerden wieder ausgegraben worden waren, bekamen,
da der „Brasero" kaum für die Lebendigen hinreichte, auf den Rand
desselben außerhalb der Hauptgluth zu stehen; von ihnen rühren
wahrscheinlich die Knochenspuren her, die 1869 auf der Plaza Major
ausgegraben wurden. Bei der Abtragung des „Brasero" waren sie
wohl, nur halb verkohlt, von dem Schutte desselben zugedeckt worden.
Zwei der betreffenden Zehn waren christliche Häretiker, zehn Juden
gewesen. Die lebendigen Brandopfer wurden auf das betreffende
Zeichen in ihren Käfigen auf den „Brasero" gehoben; die „Glau-
bensstreiter" gingen gut zur Hand, und so waren bald alle neunzehn
aus ihren Gittern herausgelassen, mit den Halseisen an die Pfähle
befestigt und mit Holz und Reisig umgeben. Unser bekannter Capitän
warf in königlichem Auftrag sein Holzscheit pflichtmäßig dazwischen
und im Nu flammte das lose aufgeschichtete Brandmaterial an den
zuckenden Leibern empor. Abends um halb neun Uhr war das Leben
auch aus dem letzten derselben entwichen; bis kurz vorher hatte, wie
Del Olmo rühmt, der König ausgehalten, trotz aller Hitze und Aufregung. Der Herr General-Inquisitor, der sich sehr ermüdet fühlte,
ließ sich in einer Sänfte nach Hause tragen. Das Publicum verließ
den Schauplatz „höchst befriedigt", besonders von der Haltung des
Königs, der durch häufige Handbewegungen gezeigt habe, daß er
noch gar nicht überdrüssig sei. Die Erfrischungen wurden — auch
das vermerkt Del Olmo zu Ehren des Don Alfonso de Arevalo

Montenegro, Calatrava-Ordens-Ritters, mit aller Gewissenhaftigkeit — sehr gerühmt; und sie seien in solcher Fülle vorhanden gewesen, daß sogar Solche, denen dies gar nicht zustand, sich dieselben sacrilegischerweise zu Nutzen gemacht hätten.

Es waren Leute angestellt, welche das Feuer die Nacht hindurch bis andern Morgens zu schüren hatten. Um neun Uhr war Nichts mehr zu sehen, was dem Auge eines castilianischen Cavaliers hätte widerwärtig sein können. Die zum Gefängniß Begnadigten wurden in der Stille, wie sie gebracht worden waren, nach Toledo zurückgeführt. Der „Brasero" war gleich am folgenden Tage des Auto reichlich mit Erde überschüttet worden, und als die November-Regen kamen, wucherte über dem Ganzen ein Wald üppigen Unkrauts.

Vierundzwanzigstes Kapitel.

Die spanische Inquisition im 19. Jahrhundert.

„Hätten auf dem hohen Berge, dahin Satan den Herrn führte, die Pyrenäen Spanien nicht verdeckt — wer weiß was geschehen wäre!" meinte ein spanischer Mönch, als er über die Versuchung Christi predigte. Der National-Stolz der Spanier ist sprüchwörtlich; er ist so groß, daß nicht einmal ein General-Inquisitor unter Napoleon Bonaparte fungiren wollte. Der gewaltige Corse hatte sich den Weg nach Spanien geebnet, indem er in die königliche Familie selbst Zwiespalt säete. Karl IV. dankte ab; sein Sohn Ferdinand erhielt die Krone; damit kam der französische Einfluß in Madrid obenauf, zum Ingrimm jedes wahren Spaniers. Der General-Inquisitor Don Ramon de Arce erklärte unter dem 23. März 1808 dem jungen König, den Napoleon veranlaßt hatte, sich nach Frankreich zurückzuziehen, daß er auf sein Amt verzichte. Freilich erklärte der Consejo de la Suprema zu Madrid, die Inquisition könne die Geschäfte auch ohne General weiterführen, sowohl von dem Tode des Einen bis zur Wiederernennung eines Andern durch den Papst und den König, wie auch im Falle der Behinderung eines Amtsinhabers. Der „Geschäfte" gab es aber nicht viel in jenen Tagen. Eine Censur der aus Frankreich kommenden Bücher auf der Grenze war nicht möglich schon wegen der großen Massen, die eingeführt wurden. Alle waren frembländischen, unchristlichen Geistes. Die Patrioten wie die Priester standen dieser Ueberschwemmung rathlos gegenüber. Die paar etwa im Lande anwesenden protestantischen Briten mußte man in Frieden lassen, denn England war die einzige Stütze gegen die französische Vergewaltigung. Die Freimaurer waren auch dünn gesäet — der hungrige Teufel hatte also nicht einmal Fliegen.

zurückzulassen. Die Möglichkeit der Vertheidigung wird weder den Einen gegeben
noch den Andern, auch hat Niemand die Beruhigung, daß der Bestrafte nur nach
Recht und Gerechtigkeit verurtheilt worden sei. Damit nicht genug: außer dem
Verluste des Gatten oder Vaters haben Weib und Kind auch noch an Hab und
Gut mitzubüßen, indem das Vermögen der Familie confiscirt, ihr Name ehrlos
erklärt wird.

„Wir fragen, ist dies verträglich mit der Landes-Verfassung, durch welche
die Befugnisse der obersten Gewalten in Staat und Kirche nach Ordnung und
Recht abgetheilt, und welche dem Spanier Schutz und Schirm sein soll gegen die
Angriffe willkürlicher und despotischer Gewalt?

„Vor Allem ist es nicht vereinbar mit der Souverainetät und Unabhängigkeit der Nation als solcher. Auf die Urtheile der Inquisition ist der Staats-
regierung jeder Einfluß verwehrt; die Spanier werden eingekerkert, gefoltert und
zu bürgerlichen Strafen verurtheilt, ohne daß die ordentlichen Landesgerichte dabei
betheiligt würden; die Gesetze, wonach die Verfolgungen eingeleitet, die Verhöre
abgehalten, die Beweismittel zugelassen, die Urtheile gesprochen werden, fließen
aus der Gewaltfülle des General-Inquisitors. Die Souverainetät der Nation ist
also eingeschränkt durch die Souverainetät der Inquisition. Mit dieser Einschränkung aber ist sie vernichtet. Der General-Inquisitor ist Souverain neben dem
legitimen Fürsten. Er gibt Gesetze, befiehlt deren Anwendung in bestimmten
Fällen, überwacht deren Ausführung. Die drei Gewalten im Staate, welche die
Cortes, von weiser Vorsicht geleitet, in der Verfassung zum Heile der Spanier
getrennt haben: die regierende Gewalt, die gesetzgebende Gewalt und die richterliche Gewalt, alle diese Gewalten sind in dem General-Inquisitor und dem von
ihm präsidirten Obersten Inquisitions-Rath vereinigt. So ist er ein wahrhafter
Souverain, ohne irgend eine der Einschränkungen, welche die Nation sich vom
Fürsten, der Fürst von der Nation gefallen lassen muß — das ist das Ungeheuer-
lichste, was man sich denken kann.“

„Aber das Inquisitions-Tribunal ist auch nicht verträglich mit der persönlichen Freiheit, zu deren Sicherung in der Constitution mehrfache Grundsätze aufgestellt sind, denen die des h. Officiums schnurgerade widersprechen. So
heißt es z. B. in der Verfassung: 2c. . . . Welche Garantie für den Schutz ihrer
Person gegen Willkür und Gewalt haben dagegen die Spanier vor den Inquisitions-Tribunalen? In's Gefängniß werden sie abgeführt, ohne einen Richter
auch nur gesehen zu haben; in dunkelen und engen Zellen müssen sie Monate
lang auf das erste Verhör warten; bis nach der Fällung des Urtheils ist ihnen
jeder Verkehr mit der Außenwelt abgeschnitten und verwehrt. Nur wann und
wie es dem Inquisitor gefällt, werden sie zu einer Aussage über ihre Angelegenheit zugelassen; den Namen ihres Anklägers — wenn ein solcher überhaupt da
ist — erfahren sie nicht, ebensowenig die Namen der gegen sie zugelassenen Zeugen; nur der eine oder andere zusammenhanglose Brocken aus dem Zeugen-Verhör
wird ihnen vorgehalten; die Zeugenaussagen selbst werden zur Unkenntlichkeit
maskirt, indem man sie, als ob der Zeuge in der dritten Person von sich rede,
zu den Acten nimmt. Vor dem Richterstuhle des Glaubens an Gott, die lautere
Wahrheit, wird jeder Wahrhaftigkeit Hohn gesprochen, nur damit der Gefangene
nicht erfahre, durch welchen seiner Feinde er verdächtigt und der Verfolgung
überliefert worden ist. Die materielle Grundlage des Processes wird nie mitge-

450

theilt, sie bleibt begraben unter dem Siegel des Inquisitions-Geheimnisses; der Angeklagte erfährt nur so viel davon, als dem Inquisitor gut dünkt. Das besteht nun in der Regel in nichts Weiterem als in einigen Beweisgründen; diese soll der Angeklagte entkräften oder das Zeugniß selbst als verdächtig angreifen. Wie kann er das aber, wenn ihm die Person des Zeugen völlig unbekannt ist? Der Unglückliche wird förmlich irre von seinem Nachdenken, Erinnern, Verdachtschöpfen und Herumrathen. Er kommt auf allerhand Muthmaßungen, kämpft mit seinem eigenen Gewissen, zweifelt an allem menschlichen Ehrgefühl, flucht jeder freundschaftlichen Neigung. Wer war der falsche Freund, der ihn mit einem Kusse verrathen, der Habsüchtige, der ihn verkauft, der Ehrbegierige, der ihn geopfert, der Lüsterne, dessen Leidenschaft er im Wege gestanden hat? »Ich fühle den Schmerz« — so klagt der unschuldige Luis de Leon — »aber ich sehe die Hand nicht, die mich schlägt; und kein Schirm ist mir gewährt, unter dem ich Schutz suchen könnte.« Es fehlen uns die Worte, um die Gefühle auszudrücken, die uns Angesichts solcher Dinge überwältigen. Es sind Priester, sind Diener des Gottes des Friedens und der Liebe, von dem die Schrift sagt, daß er »durch die Welt ging unter Wohlthun«, welche die Folter-Qualen anordnen und sie unter ihren Augen vollziehen lassen, Priester sind es, welche die Barmherzigkeitsrufe ihrer unschuldigen Opfer oder die Verwünschungen und Gotteslästerungen der Schuldigen mit eigenen Ohren anhören können!"

Die Verfassungs-Commission fügte ihrem Bericht den Entwurf zu einem Gesetze bei, der nach einer vom 8. December 1812 bis zum 5. Februar 1813 sich hinziehenden Debatte von den Cortes angenommen wurde. Dieses Gesetz war wieder eine Halbheit. Es schaffte allerdings das Inquisitions-Tribunal als besonderes für sich bestehendes Institut ab, ließ aber die Knechtschaft der staatlichen Gewalt zur Ausführung geistlicher Verdammungs-Urtheile wegen Glaubens-Vergehen fortdauern. Es war beschämend für ganz Europa, daß es unter den Beschlüssen eines seiner Parlamente solche Dinge lesen mußte. Und diese Dinge haben zu Recht bestanden bis zur Revolution im Jahre 1868 mit dem erschwerenden Umstande, daß diejenigen Clauseln, welche die geistlichen Richter noch einigermaßen in Schranken halten konnten, durch das zwischen dem Papste und der Königin Isabella II. abgeschlossene Concordat außer Kraft gesetzt wurden!

Also bestimmt das Gesetz von 1813:

Die allgemeinen und außerordentlichen Cortes beschließen in Ausführung des die gesetzliche Regelung dieser Angelegenheit verheißenden Artikels 12 der Verfassung:

„Art. 1. Die katholische, Apostolische Römische Religion soll durch Gesetze geschützt werden, welche mit der Verfassung in Einklang stehen.

„2. Das Inquisitions-Tribunal ist unvereinbar mit der Verfassung.

„Deshalb wird das Gesetz in seiner ursprünglichen Geltung wieder hergestellt, in so weit es den Bischöfen und ihren Stellvertretern anheimgibt, gemäß den h. Canones und dem gemeinen Recht in Glaubenssachen zu erkennen, die königlichen Richter aber anweist, an den Häretikern diejenigen Strafen vollziehen

zu laſſen, welche die Geſetze für ihre Vergehen beſtimmen oder noch in Zukunft beſtimmen werden. Die kirchlichen und weltlichen Richter ſollen in den betreffenden
Fällen die Verfaſſung und das geltende Recht genau beachten.

„Jeder Spanier iſt befugt, bei dem kirchlichen Gerichtshof wegen des Verbrechens der Häreſie Anklage zu erheben; wenn ein ſolcher Ankläger fehlt, aber
auch wenn ein ſolcher vorhanden iſt, ſoll der canoniſche Fiscal als Ankläger zu
gelten haben.“

Die Artikel 5, 6 und 7 ordnen das bezügliche Vorgehen der
weltlichen und kirchlichen Beamten. Der Artikel 8 ſchreibt vor, „daß
in dieſer Angelegenheit ebenſo wie von allen andern Urtheilsſprüchen
der geiſtlichen Gerichte an die königlichen Juſtiz-Behörden appelirt
werden“ kann. Der 9. und letzte Artikel iſt eine beinahe wörtliche
Auffriſchung einer alten inquiſitorialen Vorſchrift; er lautet: „Wenn
das kirchliche Urtheil geſprochen iſt, ſo ſoll der Fall dem weltlichen
Richter zur Kenntniß gebracht werden“ — bei der Anberaumung
eines Auto-de-Fé geſchah dies ja ohnehin und damit war dann die
Vorſchrift von ſelbſt erledigt — „und der Delinquent ſoll dann zu
deſſen Verfügung bereit gehalten werden, damit er die nach dem
Geſetze ihm zukommende Strafe gewärtige.“ Der „Abſchnitt 7.“,
auf den das vorſtehend ſkizzirte „Geſetz für Errichtung von Tribunalen zum Schutze des Glaubens“ unter Nummer 2 ſich bezieht,
beſagt, „daß Haretiker verbrannt werden ſollen, mit Ausnahme
derjenigen, die nur eine ganz leichte Verſchuldung trifft; ſolche,
welche noch keine förmlichen Anhänger der Ketzerei geworden ſind,
ſollen aus dem Reiche verbannt oder ſo lange eingeſperrt werden,
bis ſie ſich dem wahren Glauben wieder zuwenden“. Auch noch
andere Strafen, die das neue Geſetz mit allem Detail aufführt,
waren genau dem Inquiſitions-Codex entnommen. Ebenſo war das
zweite Kapitel des Geſetzes vom Jahre 1813 ein ausreichender Erſatz
für die inquiſitoriale Jurisdiction bezüglich der Cenſur und des
Verbots von Büchern. Der König ſolle, ſo wurde darin beſtimmt,
Inquiſitoren für das Druckſchriften-Weſen in den Zollhäuſern be-
ſtallen; für die in Spanien gedruckten Bücher wurden, um keine Ketzerei
durch ſie aufkommen zu laſſen, Cenſur-Einrichtungen getroffen, die
denen der Inquiſition kaum etwas nachgaben. Man ſollte glauben,
der Klerus hätte mit der ihm hiermit in die Hand gegebenen enor-
men Macht zufrieden ſein können, die von dem päpſtlichen Runcius
angeführte Mehrheit deſſelben war dies ſo wenig, daß ſie die Anerkennung des Geſetzes verweigerten, ja ſogar — während ein aus-
wärtiger Feind im Lande ſchaltete und waltete! — förmlich den
Aufruhr unter ihren Getreuen zu Gunſten des früheren Beſtandes
der Inquiſition predigten. Das ſchlug aber doch fehl und der
Runcius wurde mit mehreren anderen Hitzköpfen aus Spanien
ausgewieſen.

Im Sommer 1814 kehrte Ferdinand VII. zurück. Seine erste That, nachdem er in Madrid festen Fuß gefaßt hatte, war der Befehl zur Festnahme der Cortes. Dieselben hatten sich von Cadix in die Hauptstadt begeben. Ihnen und der Unterstützung Englands verdankte Ferdinand die Wiedererlangung des Throns, jetzt stattete er seinen Dank ab: den Landesvertretern, indem er sie ihrer Freiheit beraubte, dem protestantischen England, indem er durch Decret vom 21. Juli das Inquisitions-Tribunal wieder aufrichtete. Unter dem 12. Februar konnte der zu Sevilla zusammengetretene Oberste Inquisitions-Rath bereits seine Instructionen an seine Agenten in Spanien und Spanisch-Amerika ergehen lassen. Was hieran noch mangelte, holte der neue General-Inquisitor Franz Xaver Miery Campillo, Bischof von Almeria, bald darauf nach. Auch ein langes Verzeichniß verbotener Bücher versandte er bei dieser Gelegenheit an die Tribunale des h. Officiums. Noch einige Monate später und der General machte den Versuch, die regelmäßige Verlesung des „Glaubens-Edicts" wieder in Gang zu bringen. Derselbe fiel dürftig aus: nur hier und da fand sich ein Denunciant bei den neuen Inquisitoren ein mit der Meldung, daß es bei Dem und Jenem nicht richtig bestellt sei mit dem heiligen römisch-apostolischen Glauben. Die Presse gab Campillo mehr zu schaffen und er ließ sich in dieser Beziehung keine „Pflicht-Versäumniß" zu Schulden kommen: jedes freie Wort wurde unterdrückt.

Eine Unterbrechung ihres amtlichen Wirkens erfuhr die Inquisition noch ein Mal während des constitutionellen Regimes von 1820 bis 1823. Der dann wieder an's Ruder kommende Absolutismus hatte sogar nicht übel Lust, das h. Officium in seiner ganzen frühern Selbstständigkeit zu Madrid wieder herzustellen, dem Widerstreben der Bevölkerung zum Trotz. Es unterblieb, als der englische Gesandte, Sir Henry Wellesley, später Lord Cowley, für den Fall der Ausführung seine Abreise in Aussicht stellte.

Die letzten Todesurtheile, welche die spanische Inquisition fällte, scheinen die zu sein, welche im Jahre 1826 vollzogen wurden: ein Jude wurde verbrannt und ein des Quäkerthums verdächtiger Schulmeister aus Busava, einem Dorfe bei Valencia, in letzterer Stadt gehängt. Nachdem er nach seiner Verurtheilung noch einige Zeit lang in den Gefängnissen von St. Narcissus mit den verworfensten Subjecten zusammengesessen und jeder Versuch, ihn zu bekehren, sich als vergebens erwiesen hatte, wurde er am 31. Juli des genannten Jahres zum Tode geführt. Auch sogar hinsichtlich der äußern Decoration seiner Schlachtopfer war das Glaubens-Tribunal arg heruntergekommen: der quälerische Schulmeister bestieg das Schaffot in brauner Jacke und braunen Hosen. Ein Carmeliter-Barfüßer, P. Felix geheißen, stieg mit ihm hinauf an die Leiter, um ihn noch im letzten

Momente für den Himmel zurückzuerobern. Vergebens: der Quäker wollte nicht in den Himmel, den man durch Verleugnung seiner Ueberzeugung gewinnt. Als der Henker ihm die Schlinge umlegte, erbat er sich noch einen Augenblick, damit er zum letzten Mal in dieser Zeitlichkeit sein Herz zu Gott erhebe. Die Hände waren ihm auf den Rücken gebunden, aber der Blick der Augen folgte dem Aufschwung des Herzens — da war's vollbracht.